大學叢書

新亞論叢

第十五期

香港新亞研究所《新亞論叢》編輯委員會
主編

稿　約

⑴本刊宗旨專重研究中國學術，以登載有關文學、歷史、哲學等研究論文為限，亦歡迎有關中、西學術比較的論文。

⑵來稿均由本刊編輯委員會送呈專家審查，以決定刊登與否，來稿者不得異議。

⑶本刊歡迎海內外學者賜稿，每篇論文以一萬五千字內為原則；如字數過多，本刊會分兩期刊登。

⑷本刊每年出版一期，每年九月三十日截稿。

⑸本刊有文稿刪改權。

⑹文責自負，有關版權亦由作者負責。

⑺若一稿二投，需先通知編輯委員會，刊登與否，由委員會決定。

⑻本稿請附若二百字中文提要。

⑼本稿請用 word 檔案，電郵至：socses@yahoo.com.hk

目次

編輯弁言

　　《新亞論叢》已出版至第十五期，回想十五年前，編委會本著一腔誠意，向時任新亞研究所所長李杜教授申請，以研究所名義出版《新亞論叢》。得到李所長的首肯，並為論叢的創刊號寫序文，實在是莫大的鼓勵。

　　最初，論叢期望每年出版兩次，可惜事與願違，至今仍是每年一期。期刊所遇到的最大困難是稿件和資金不足，編委們又不想隨便收稿，以至往往處於出版無期的狀態。資金短缺是另一問題，尤其是香港出版，所費不菲，但每次都會有有心人幫助，出資編印。最初數期，是由臺灣天工出版社代印及發行，其後轉由香港國際教科文出版社代為出版及發行。期間數年，期刊受到出版社資助出版，編委會不必出資，是最輕鬆的幾年。可是，十多年的發展，編委中人，很多已成為教授或管理階層，本身工作已很忙碌，但仍堅持出版，就是為了發展學術，繼承中華文化。其後漸上軌道，就編定每年的十二月出版。內容是以文、史、哲、教育及社會科學為主，設編輯委員會審稿。一般論文，必須符合論文規格才入選。當然，「書評」或懷念著名學者的文章也會考慮附印於論文後。

　　繁簡字的混淆，是編委最頭痛的事。國內的文章，很多時是以簡體字撰寫。到了編委手中，我們要將之改譯成繁體字再出版。可是，寄回國內的印刷公司，因為電腦軟件問題，又轉回簡體字，甚至出現一些錯誤的用字。此處令編委非常尷尬，論文往往有錯別字，但又無可奈何。雖然出現這些失誤，但都得到學者的支持與諒解，繼續投稿《論叢》。我們的稿件，來自不同的地方，包括中、港、臺、澳、泰國、新加坡、塔里木等，使本刊成為國際化的學術論文集。

　　從本期開始，《論叢》由臺灣萬卷樓負責印刷，實在是最佳選擇。過往數年，論叢編委中甚多學者曾委託萬卷樓出版書籍，皆印刷精美，一絲不苟。在此，再次感謝萬卷樓總經理梁錦興先生和張晏瑞先生的幫助，《論叢》才能順利出版。

《新亞論叢》編輯委員會

二零一四年十二月十五日

殷商巫—史敘事的倫理擔當

——以卜辭牲祭詞的「向善」演變為中心[*]

陳春保

南通大學文學院

　　文獻具有不同的價值層面，載錄事實是其基本層面，社會精神建構是其較深層面。語言是史官賴以敘事的工具，如何選擇語言文字，並處理其與事實的關係，是史官載錄行為中溝通不同價值層面的橋梁。在共時性上，史官秉持著職業通則，詞語選擇或許並無差異；而從歷時性來看，詞語選擇的差異則反映著史官群體觀念的歷史變遷。甲骨卜辭多為簡單敘事，能夠表現出巫—史載錄精神價值取向的正是他們的語詞選擇。殷商巫—史的卜辭敘事多有相似內容，如果敘述類同事實而選擇不同的詞語，這往往意味著史官具有不同的價值觀念。

　　在殷商甲骨卜辭中，使用犧牲是高頻事件，故牲祭動詞或相關用詞相當常見。在殷商時代的文化語境中，成為占卜、祭祀活動及其卜辭載錄的核心要素的，往往是犧牲的種類、數量及獻祭的時間與地點，而不是表示殺牲、用牲行為的牲祭動詞或相關用詞。然而這些看似並非有意為之的「牲祭詞」，經過眾多巫—史長期「無意識」的使用，沉澱為巫—史群體的「集體無意識」，最終由這個文化群體影響到社會的進化。因為使用犧牲必定需要「殺牲」，而對待「殺牲」的態度無疑包含著倫理範疇中「善」與「惡」的較量。

一

　　在甲骨卜辭中，表示殺牲、用牲的「牲祭詞」約有三類，第一類是明確殺牲方法的動詞，如「伐」、「卯」、「陷」、「沉」等，這類可稱為「特指詞」；第二類是不明確殺牲之法，而是表示供給、陳列、進獻等對犧牲的使用情況的動詞，如「用」、「以」、「登」等；第三類是表示使用犧牲的祭法詞，如「告」、「屮」、「剛」、「𣧑」、「卯」等，這後兩類可稱為「泛指詞」。無論是用人牲還是用物牲，殺牲場景總是血腥的。比較來看，泛指詞能避免對

＊　國家社會科學基金重大項目「中國上古知識、觀念與文獻體系的生成與發展研究」（11&ZD103）、
　　「教育部人文社會科學研究規畫基金項目」先秦對話研究—觀念世界關係建構的話語方式」
　　（12YJA751002）階段性成果。

殺牲事實的「直播式實錄」。因此，如果將殷商甲骨卜辭使用特指詞、泛指詞的歷時情況鉤輯展現出來，殷商巫—史的倫理觀念將昭然於其群體的歷史敘事傳統中。

《甲骨文合集》五期畫分相對明確，其中用以記錄使用人牲、物牲的「牲祭詞」多數亦較為明確，本文依據《甲骨文校釋總集》的校釋[1]，將其中特指詞、泛指詞與犧牲搭配的數量的全部情況統計如下：[2]

（一）第一期牲祭詞和犧牲搭配情況

1　第一期牲祭詞和人牲搭配情況

（1）特指詞與物牲搭配的數量：叀牛128卯牛97卯宰66豐宰45叀宰40叀羊26沈牛24叀小宰23叀豕23叀豕19叀靑18豐牛15叀犬15卯羊15咠犬11改牛13㞢宰11卯小宰9宜牛8㞢羊12㞢宰8卯靑8宜宰7㞢牛6卯宰6豐靑6葡牛6豐牢5沈宰5夕羊5戠牛4改豕4叀豚4豐小牛6卯豕4叀匂牛3叀宰3㞢龏3宜豕3沈羊3毛牛4卯黃牛3匚牛3卯豭3叀豭3觳牛3卯匂牛2宜牢2㞢小宰3毛羊2戠宰5戠犬2歲宰2匂庠2㞢匂牛2豐匂牛2改牢2乡夕羊2咠羊2咠豕2㞢豕3乡夕豕2汎牛2盈牛1祝牛1彳歲牛1歲羊1伐戠1改戠1茲牧1凡羊1伐宰2卯龏1歲牢1㞢牡1叀鷹1豐牡1卯牡1凡牛1束羊1㞢牛1改小宰1叀小牢1宜小宰1卯牝1宜羊1戠豕1豐羊1改鳥1歲牛1夕豕1改犬1卯黃牟1伐牢1叀黃牛1叀白牛1析豕1卯牝1它羊1改宰1宜小宰1改羊1卯新靑1匂靑1改龏1㞢靑1戠㗱1改馬1沈豕1彳歲羊1剢靑1戠豭1毛宰1夕宰1㞢牢1攸牛1叀新靑1叀豐羊1叀豐牛1叀豐靑1叀豐豕1匂靑1卯犬1酌葡牛1祝牡1盉牢1盉宰1盉牛1祝羊2祝牢1祝豕1〇合計844。

（2）泛指詞與物牲搭配的數量：㞢宰124㞢牛111㞢犬36貞牛34酌宰23叒牛21酌牛18用牛16貞宰16㞢羊15㞢豕14用宰12㞼宰11㞢牛11告牛14貞牢10㞢小宰9卯靑9叒宰8用小宰6用羊6㞢牝5㞼小宰5㞢彳宰5貞匂牛5酌小宰4用豕4方帝犬4㞢牡3告宰3㞢白龏3用牢3貞牝3用犬3敦兒5又豕3缶豕3盈豭2㞢大牢2帝犬4叒羊2叒靑2㞢白豕2酌羊2㞢豭2㞼羊2㞢龏3用豭2貞小宰2貞剢2彳戠2畀牛3畀龏2用龜2㞼牛2方豕2燎牛2方帝豕1方帝羊1以牛1㞼犬1叕牛1叕羊1敘靑1告羊1告豕1至牛2乡靑1㞼豕1酌犬1酌龏1食牛1祉牛1酌牢1入牛1先牛1福豕1㞢豚1叒犬1貞兒1㞢彳牛1叒豕1酌彳宰1㞢兒1彳靑1束牛1酌豕1酌豭1入虎1匚牡1㞢匂牛1福新靑1福羊1㞢㐅1叒生牛1㞢牛1食宰1㗱牛1㞼豕1鼎宰1彳宰1舞豕1叒宰1告執宰1酌匚宰1叒小宰1方龏1彳兔1茲犬1㞼牢1用靑1用攸牛1用白牛1用孞1用戠1貞牧羊1貞靑1貞犬1彳酌牛1又豭1往牛1用豕2彳牛1用牡1用白豕1用豚1旫犬1旫宰1旫牢1叕豚1敦纛1帝豕1茲

───────────

1　沈建華、曹錦炎：《甲骨文校釋總集》上海：上海辭書出版社，2007年。

2　每期各類按搭配的首次出現為序；殺牲詞與祭法詞合用者計入特指詞；有異形字者盡可能用通行字，不一一說明。

犬1戈酉畞1屮卲牛1屮白牛1勹豕1取羊1取鳥1司犬1至牢1𦤦剢1𦤦畞1貞攸牛1帝牛1酓白豕1屮新青1貞豕1取豕1屮大宰1○合計723。

（3）用牲而牲祭詞不清的數量：牛207宰156羊41小宰27青24豕24牢15𪊓13豕10牡7貑6牪5豚4白牛3牰3白𪊓2牝2勹牝2勹2死2白牝1牤1白豕1勹牛1𥄳牢1剢1盧豕1○合計575。

（4）用牲而牲祭詞省略的數量：宰52牛61羊23豕13犬13小宰12𪊓8牢6青6豕5牪4牡2豚2牝1兕1剢1牰1貑1勹牛1幽牛1黃牛1牤1虎1馬1○合計218。

2 第一期牲祭詞和人牲搭配情況

（1）特指詞與人牲搭配的數量：曹𠬝30宜羌17改羌17曹伐17曹𠬝15烄妿7改人7歲羌6伐羌6𢦏多屯6卯羌4烄嬬4烄聞4𢦏屯4汎羌3刉𡩻3卯嬰3奠羌2𩇤羌2創羌2蔔羌3曹人2奠人2刉人2伐嬰2尊伐2𠬝羌1妻羌1卲羌1改凡1奠𧯆1奠巫1𡆬屍1屵人1烄𥃝京1烄𥃝京1烄𡚩1曹巫1刉𡙇1𢦏多𡩻1改屮圍1而羌1奠𠬝2屯羌1蔔人1歲改人1陷人1𢦏𡩻1𩱋小臣2改屍1伐卲1伐人1卯伐1𩱋小妾1𩱋小母1○合計204。

（2）泛指詞與人牲搭配的數量：屮伐79用羌59屮羌38貞羌26酓伐23屮𠬝25用𡩻15史人13从屍9屮人8貞𠬝7𠂤伐7卲羌12立人6貞執6屮圍6屮女6屮𠬝5酓羌4屮朱5牰𠬝4供羌3貞伐3方帝羌3酓伐3屮執3酓𠂤伐3屮𠂤伐2𠬝角2𠂤羌2用伐2酓𠬝2用𠬝2奠多𡩻2貞𠬝2卲𠬝3告執2𩰊卲2用多屯2卲伐2用𢦏2入人2貞人2帝巫2方女2貞女2屮妾4左羌2屮𡥵𠬝1屮多羌1告伐1𠂤屮羌1屮奚1屍人2酓仁羌1智用羌1祐羌1从羌1𥄳羌1屮屯1𡥵𠬝1供羌1屮𠂤羌1又羌1畀奚1卲方妻1卲妻2用執1用印1酓𠬝1貞多屯1酓多屯1供伐1以伐1酓仁伐1屮圍1屮匸女1从人1改圍1屮𡚩1奉戉1酓女1屮𠂤白𦥑羌1貞屍1侑伐1改羌1立執1刅凡1烄13○合計482。

（3）用牲而牲祭詞不清的數量：羌76臣1妾4卲2妻2𠬝21伐33朱5屍1人19嬬3尸2執3圍6鞤1○合計179。

（4）用牲而牲祭詞省略的數量：羌19朱29妾3卲1𠬝11伐28人7嬬2圍1○合計101。

（5）未名人牲的數量：○130。

（二）第二期牲祭詞和犧牲搭配情況

1 第二期牲祭詞和物牲搭配情況

（1）特指詞與物牲搭配的數量：歲宰80歲牛34卯宰22歲牡22歲勹牛17卯牛10舌宰5歲羊4畞牛3𠂤歲羌3歲勹3舌宰3舌牡3歲牢2歲牝2蔔牛2改𪊓2宜羊2卯羊1沈牛1歲貑1改羊1歲白牡1卯牝1歲宰牡2畞牝1舌勹牛1改豕1汎牛1舌白牡1改小宰1歲引宰1宜牛1歲𪊓1歲牪1歲牛1凡勹1𢦏宰1𨄔牛1○合計245。

（2）泛指詞與物牲搭配的數量：貞宰51貞牛30貞牝18貞勺15屮宰14又牛13貞勺牛13又宰12叀牛8貞小宰4貞牢3又牝3貞龏3貞牝3貞羊3屮牛3告牛2貞牡2又羊2又宰2叙牛2屮匚牛3酌牛1貞剢1貞小牝1又牝1用白牛1貞大宰1貞又牛1貞又牝1又豕1㝱羊1知馬1屮犬1屮豕1貞勺牝1貞犬1以牡1叀牢1屮小宰1又小宰1用牛1貞豕1用豕1引牛1貞白龏1閈牝1○合計234。

（3）用牲而牲祭詞不清的數量：宰65牛46羊10牡9勺7牡6勺牛4牢4龏4牝3虎1豕1○合計161。

（4）用牲而牲祭詞省略的數量：宰5牛3小宰3勺牛2牝2勺2白牲1牡1牢1○合計20。

2　第二期牲祭詞和人牲搭配情況

（1）特指詞與人牲搭配的數量：伐羌8歲羌2伐㐫2伐人2改人1歲人2勹伐羌1○合計19。

（2）泛指詞與人牲搭配的數量：又羌15屮羌3貞人3貞羌3告執3設人3用羌2又㐫2又執2卯陷1伐㐫1勹伐1屮女1又屍1羞人1○合計42。

（3）用牲而牲祭詞不清的數量：羌9人6㐫4反1執1伐1○合計22。

（4）用牲而牲祭詞省略的數量：羌6人1○合計7。

（5）未名人牲數量：○43。

（三）第三期牲祭詞和犧牲搭配情況

1　第三期牲祭詞和物牲搭配情況

（1）特指詞與物牲搭配的數量：歲牢58卯牛35卯牢26歲牛24奠牛14歲羊13舌牢10奠牢10奠羊8沈牛7歲牝6歲小宰6奠小宰7卯羊4奠勺牛4歲宰4卯宰3冊牢3歲牝3奠豚3宜牢3伐牢3卯豕3奠宰3鼎兄3歲羊2奠牝2舌牛5歲勺牛2戠牛2舌宰2奠勺2歲大牢2卯大牢2奠白豕2奠犬2夕歲牢2卯牝2宜大牢2宜小宰2宜牛2戠小毛2汎牛2葡牛1曾牢1汎虢1卯虢1歲䧹牢1祝羊1祐剢1祝工牛1冊凡小宰1舌䧹1歲㐫1剛羊1豆羊1冊牢1毛牛1戠牢1奠䧹牢1䧹奠牢1戠犬1夕歲牛1奠牡1卯龏1夕牢1宜羊1奠魚1夕羊1汎豚1綱牛1夕豚1歲戠1祐牢1卯牝1剛犬1夕肉1伐牛1奠大牢1歲豭1歲牡1剛牢1奠豕1陷青1射宰1盥宰1盥牛2盥豭1祝牛5祝龏1祝白龏1祝㐫1祝羊1勹歲牢4勹歲牛2○合計363。

（2）泛指詞與物牲搭配的數量：用牢19又牛19告牛17用牛15貞牛15又牢14貞宰24叀牛13貞勺7貞小宰5用虢5貞牢5又犬5勹虢4又羊8貞羊3酌牛3又宰4數虎3用犬3用羊3知小宰3勹牢3競牢2用屍牛2勹知羊2冊牢2數兄2勹豚2用菓羊2用白羊2用戠牛2用小宰2知豕2知羊2史牢1叀羊1貞莫宰1鄉宰1貞大牢1又勹牢1又勹牛1又纝1又白豕1貞豚1示小宰1祊宰1又小牢1告龏1帝方牛1帝方犬1告壴牛1叀羊1叔牛1乡羊1磊牢1彫乡鹿1冊牢1方牛2彫牛

1至牢1數豕1奉豚1奉牢1貞牝1貞牡1貞大宰1叙豕1又白豚1告宰1酓小宰1用煤牛1用貑1用豚1彳羊1彳羊1 卸牧盧豕1卸牛1用宰1用孫羊1又壯1又豕1數馬1暋羊1暋豚1○合計277。

（3）用牲而牲祭詞不清的數量：牢83牛72羊14宰14小宰6犬4豕4青3幽牛2豚2大牢2勺牛2兒2剢2牡1白牛1兔1小牢1貑1盧豕1黃牛1黃羊1○合計220。

（4）用牲而牲祭詞省略的數量：牢233牛178小宰60羊45羊24勺牛24豚23犬20勺19宰16大牢15豕12牡6牝6白牛5壯5小牢5豩4黃牛4兒3勺馬2黃牛2青2羅1牝1馬1黃犬1白豕1白羊1黃羊1盧豕1○合計721。

2　第三期牲祭詞和人牲搭配情況

（1）特指詞與人牲搭配的數量：卯羌6伐羌4祝人3曹臤4宜羌3奭羌3伐人2褅人2卯伐2卯妍2酓宜羌2曹羌1段羌1彳歲伐1舌人1祏羌1段羌1歲臣1舌羌1寁奭羌1歲羌1沈卸1曹卸1汎伐1酓宜伐羌1祝羌2羌某5炆凡5炆永女4炆米3炆嬌2杏女1炆高1炆玨1炆嬉1炆受1炆牧1炆崑1炆忠1炆炁1炆婆1炆女1○合計79。

（2）泛指詞與人牲搭配的數量：又羌72彳伐23用羌21又伐27酓伐14用厌屯10貞羌5伐羌5又反5酓彳伐5伐羌4彳伐羌4用人3又彳伐3卸羌2彳羌2用羌2尋方伯2又羌2來羌2用羌2又妾2貞人1彳人1又羞1用羌方白1執羌1膚羌1貞苦1祼羌1用執1又卸1姬1又臣1又史1酓史1帝臣1彳微羌1陟用羌1方羌1彳伐羌1帝方羌1又如1又反女1酓反1以執1裰伐1酓宜伐1延伐1延宜伐1又人1酓人1執封白1卸奚1炆28○合計277。

（3）用牲而牲祭詞不清的數量：羌41伐8人6反5羌2臣1薑1妍1厌屯1米1○合計67。

（4）用牲而牲祭詞省略的數量：羌56人47伐13執7辨2卸1羌1妍1女1○合計130。

（5）未名人牲的數量：○合計66。

（四）第四期牲祭詞和犧牲搭配情況

1　第四期牲祭詞和物牲搭配情況

（1）特指詞與物牲搭配的數量：奭牛32卯牛27奭牢20歲牢19奭小宰15沈牛14宜牢12卯牢9奭豕8奭宰7奭羊7歲牛6卯羊5彳歲牢8沈牛4宜牛4汎羊4宜大牢3歲羊3卯小宰3歲宰2奭大牢2戠牛2奭小牛3寁歲引牢2奭白豕2寁奭牢2彳牢1祝罄1彳歲勺牛1宜宰1彳伐小宰1毛牛1彳歲牛1火又羊1奭苟1卯大牢2奭壯1剛牛1盨用白貑1歲牝1○合計240。

（2）泛指詞與物牲搭配的數量：奉牛20告牛6又牛6又牢4貞牛3用牢3用牛2奉牝2以豩2又豕2告牛2用屍牛1步牛1以牛1奉么牛1帝犬2帝羊1奉牢2又小宰1見牛1貞勺牛1貞牢1酓牛1酓屍牛1貞宰1即牛1奉牝1奉壯1白貑1於勺牛1卸牛1又羊1卸兒1用牡1用羊1競牢1彳又戠1用宰1又小牢1○合計83。

（3）用牲而牲祭詞不清的數量：牛51牢35羊8大牢6宰6勹牛2豕2犬2小宰2猴2小牢2勹1虎1大宰1牝1黃牡1○合計123。

（4）用牲而牲祭詞省略的數量：牢164牛67羊21豕13勹牛8小宰7犬 6宰4羊2牝2大牢2幽牛1豚1牡1羋1麂1豕1犿1小牢1牝1○合計306。

2 第四期牲祭詞和人牲搭配情況

（1）特指詞與人牲搭配的數量：伐㲋3彳伐羌2奠彭伐1奠巫1彳歲伐1○合計8。

（2）泛指詞與人牲搭配的數量：烄36又羌4彭伐3彳伐1用㲋1帝伐1彶屍1用人1用羌1麂執1又伐1○合計51。

（3）用牲而牲祭詞不清的數量：㲋3人3羌3伐1妾1○合計11。

（4）用牲而牲祭詞省略的數量：臣2羌1㲋1○合計4。

（5）未名人牲的數量：○合計44。

（五）第五期牲祭詞和犧牲搭配情況

1 第五期牲祭詞和物牲搭配情況

（1）特指詞與物牲搭配的數量：卯牢15戠牛40卯牛2○合計57。

（2）泛指詞與物牲搭配的數量：祊牢530祊羊27祊羊12貞牢9升牢3用牛3又牛2貞羊2用立馬2用牛2升祊牢2貞羊1正黃牛1馰1用小騂1正牢1祊宰1用勹牛1貞小宰1○合計602。

（3）用牲而牲祭詞不清的數量：牢11牛7勹牛3黃牛3羊3羊2白牛1豚1○合計31。

（4）用牲而牲祭詞省略的數量：牛502牢431羊270勹牛236小宰24黃牛7駒1騂1宰1○合計1473。

2 第五期牲祭詞和人牲搭配情況

（1）特指詞與人牲搭配的數量：伐人8馘人4彳伐人1執伐1卯伐1奠史1○合計16。

（2）泛指詞與人牲搭配的數量：彳伐25宦伐7正人2降㲋1以㲋1用巫1以執1卩殳1○合計39。

（3）用牲而牲祭詞不清的數量：人5伐2㲋1羍1娃1○合計10。

（4）用牲而牲祭詞省略的數量：辥3姬2人1○合計6。

（5）未名人牲的數量：○合計13。

現將以上各情況概括後列為：表一　　《甲骨文合集》物牲、人牲用詞分期情況對照表

用牲類別	分期 用詞類別等	第一期	第二期	第三期	第四期	第五期
物牲	特指詞	844	245	363	240	57
	泛指詞	723	234	277	83	602
	牲祭詞不明	575	161	220	123	31
	牲祭詞省略	218	20	721	306	1473
人牲	特指詞	204	18	79	8	16
	泛指詞	482	42	277	51	39
	牲祭詞不明	179	22	67	11	10
	牲祭詞省略	101	7	130	4	6
	未名人牲	130	43	66	44	13

　　由表一可見：（1）物牲和人牲特指詞在總量上呈現縮減趨勢；（2）物牲泛指詞在前四個期呈下降趨勢，而第五則又上揚；人牲泛指詞除第三期外總體呈下降趨勢，這與用人牲數量減少有關；（3）物牲牲祭詞省略在五個時期有起伏，在第五期用量暴增；人牲牲祭詞省略也有起伏，除第一期和第三期用量外，其他三期用量都較少；（4）未名人牲在總量上隨用牲的減少而減少；（5）在物牲用詞中，除了第五期外，特指詞用量都超過泛指詞；而在人牲用詞中，每一期的特指詞都少於泛指詞，而且數量懸殊，前者都不及後者的二分之一，尤其是在第三、四期，前者分別只是後者用量的四分之一弱和七分之一強。（6）牲祭詞不明的情況主要有暫未隸定的辭例、不知原字數量的辭例等，無法具體分析，在全部辭例中所占比重較小。剔除一些影響有限的因素，可見，《甲骨文合集》中牲祭詞的歷時變化主要表現為特指詞逐漸減少、泛指詞逐漸增多，而在表示用人牲的牲祭詞中，每一期的泛指詞都多於特指詞。

二

　　在嚴格的殷商卜祭儀式活動中，殺牲是必須的、實際進行的，也是明確的，否則無法完成儀式。儘管發展到後來出現可能「虛假用牲」的情況，即只在卜辭中記錄殺牲或用牲若干，而實際上並未使用，或者數量遠低於所記的數量。但在殷商時期絕大多數殺牲記錄都有真實的殺牲行為，所以卜辭記錄者必定是在明知殺牲方法的情況下越來越多地使用了泛指詞。這種對泛指詞的逐步大量使用可以給我們多種啟示：

　　第一，殷商用人牲法之慘烈是觸目驚心的，雖然「用人牲法所反映出的行為在今天看來是觸目驚心的，但在殷商時期卻未必如此。……商人處理祭品的慘烈程度，表現了他們

對神靈至誠至尊的心理。」[3]物牲之使用也是如此，這固然是事實，但不可忽視的是，巫─史在記錄卜辭時選擇泛指詞對此種慘烈狀況淡化處理表現出的精神內涵。甲骨刻辭刻寫的內容與保存是早期人類行為與事件的固化，與現實生活中的事實相比，文獻對事實的載錄實際上是一次精神建構過程，其中蘊含的某種對人的「向上的力量」的認識是其功能實現的動力，是人性向前發展的見證。甲骨刻辭中人牲用法泛指詞表現出卜辭記錄者對於「人的屬性」的重視。殷商人以「處理祭品的慘烈程度」表現出來的對神靈的態度，並不能掩蓋卜辭記錄者對人的認識的提升，相反倒可能成為促使他們對屠戮行為進行反思的因素。

　　第二，泛指詞的廣泛使用表現出卜辭記錄者並不是簡單地奉「實錄」為圭臬，而是在記錄中表現對「善性之實」的敘事境界的追求。無論是用人牲還用物牲，殺牲場景總是血腥的，雖然虔誠導致的對生命扭曲的輕視、人牲身份下的生命差等以及人神對話語境中人的弱小等等，固然可以作為一種「有效的藉口」完成一時的辯護，但人性的緩慢發展已經使人不能再無視生命（無論是人還是動物）受到野蠻的摧殘，盡最大可能避免對「惡」的事實「直播式實錄」，即用泛指詞逐步取代特指詞，正是有一種強大的向上的「向善」力量在背後支撐著記錄行為。《左傳》在進行戰爭敘事時，往往以大量筆墨描寫戰前與戰後，而對戰爭過程則予以略寫，這種敘事藝術歷來受到一致的讚譽，若上溯其精神結構的根源，是不能否認其中正包含著與卜辭記錄者一樣的對「善性之實」的追求。如果將殺戮、戰爭的血腥場直接呈現出來，無論是對神，還是對人來說都不是「善」的表現。

　　第三，史官書寫傳統中的「虛飾」與「實錄」可能是受到此種寫法的影響而逐漸形成的。一直以來學界對史官的「實錄」問題探討相當多，而溯其遠源，則可以從卜辭記錄中泛指詞、特指詞的使用進一步明確其與「虛飾」的異同。過常寶先生指出：「春秋史官的『虛飾』既不能看作是背離了實錄精神，也不能僅僅看作是一種文學手段，它有著更複雜的內涵。《左傳》的虛飾是一種意義顯示方式，在本質上更接近於《春秋》書法，而意義顯示方式不以虛或實為評價標準。」[4]《春秋》書法的要義之一正在於針對需要相機選擇不同語詞以表達褒貶之意。如果做一個簡單、直接而不完全對等的區分，泛指詞和特指詞的使用無疑是可以分別與「虛飾」和「實錄」相比照的。「如果認為《春秋》是『實錄』的話，那麼實錄的意思就不是照樣摹抄，而是指毫釐不爽的褒貶態度」[5]，當然還不能說卜辭在使用泛指詞、特指詞上已經含有褒貶態度，但作為一種巫─史著述傳統的源頭，卜辭的語言選擇表現出的語體差異顯然具有不同凡響的意義，即與特指詞相比，泛指詞對血腥殺牲場景的淡化實際上表現出卜辭載錄者「向善」的態度和追求，這是古代人性發展中極為重要

3　王平、（德）顧彬：《甲骨文與殷商人祭》鄭州：大象出版社，2007年，頁120-121。

4　過常寶：《先秦散文研究──早期文體及話語方式的生成》北京：人民出版社，2009年，頁165-166。

5　同上註，頁174。

的一種向上的力量，作為早期智慧的重要代表，巫─史文獻編纂者具備這樣的精神特質是文化前進的重要動力。

三

「善」作為人群精神價值的積極力量，是推動社會進化的重要動力，所有值得傳世而且已然傳世的文獻往往都以「善」作為其基本的價值指向。迄今為止關於「善」這一倫理範疇的研究，多是著眼於其概念內涵、思想家觀念與「善」倫理歷史演變的靜態描述，對於其早期成形與演變之跡缺少動態勾勒，由文獻語言探求其歷時性特點是切近、有效、可行的。中國自古以來形成了強大的史官傳統，這種傳統在很大程度是依賴那些堪稱偉大的歷史文獻的價值而獲得的。史官是古代文化的菁英階層，由史官編纂的史書類著作是早期書面文獻的重要代表，這些著作明顯地標示著史官敘事承擔的精神價值建構功能。倫理觀念形成於社會生活的實踐中，史官的倫理擔當主要具體表現在史書文獻的編纂中。考察殷商卜辭敘事用詞「向善」的演變過程，可以看到早期史官的倫理擔當。

語言作為人賴以敘事的重要工具，是人與世界對話的媒介、「存在物」和全部內涵，又是觀察人的內心世界的視窗。卜辭敘事是巫─史與神靈的對話，由此可以觀察殷商知識階層及其時代的精神動向。上述特指詞與泛指詞用量的總體趨勢反映的是卜辭記錄者的複雜的心理變遷過程。傳統職守的嚴格要求令他們本不應該對卜辭作出以泛指詞逐漸取代特指詞的處理，但是人性的演化又使他們看到一個「屬人」的「向善」的世界，於是他們試圖淡化殺牲的血腥場景，通過柔化暴力，削弱屠戮可能導致的儀式參與者「屬人」的恐懼情緒。這種努力，對神靈來說或許意味著「虔誠度」的衰減，但卻在人與神的「對話之牆」上為「人」對「人」的認識鑿開了一個「人性化」的小孔。個體行為可以有跳躍式突進，但社會總體精神內涵的提升卻無法避免「蝸牛式」漸進過程，革命或許可以在一夜之間完成，精神提升卻是一個相當緩慢的過程。若干個體在同樣的情境中不斷積累相似的情感、意趣、觀念和思維，最後才能彙成社會的思維方式，這影響著文獻記錄與史書寫作。

可以想見的是，在這個漫長的過程中，巫─史之官運用超人的心智、經歷思想的纏鬥、付出巨大的熱情，不斷地往「向上的車輪」「輸血」，從而淘開了史官載筆書法的前源。在這過程中最關鍵的是包含著對人的尊嚴的認識，那樣一種必定存在著一個轉變過程的「尊嚴世界」到來的巨大轉折，祭祀活動參與者終將意識到不應以太過殘忍的方法對待生物及同類。雖然目前無法為這樣的精神變遷找到一個界限分明的轉捩點，但是這樣的觀念提升是一種歷史的必然。當然，物牲、人牲之逐漸被棄用，在更大程度上可能是因為隨著社會生產的發展，統治者需要更多的勞動力，利用原本可能被殺了來祭祀的人、動物作勞力、畜力能獲得更大的現實利益，但是這與文獻載錄表現的精神變遷是兩

個不同邏輯鏈條上的「不同種屬」的問題，屬於不同的思想理路。所以，不應該放棄對
人的尊嚴在用牲中是如何得到體現的追索，因為任何思想觀念上的變化都不會在一夜之
間完成，理解這樣一種轉變的漸近過程，是理解殷商人在祭祀和占卜表現出的對話心態
演變的重要環節。

　　殷商甲骨卜辭作為早期巫—史文獻，其史事載錄手法、意義顯示方式與價值判斷形
態對此後史官文獻有深遠的影響。梳理殷商甲骨卜辭中敘事「向善」內涵的演變痕跡，
可以幫助我們更好地理解中國古代社會倫理道德觀念的演進。早期史官以「向善」的表
現在此過程中彰顯的可貴倫理擔當，這啟發我們進一步研究史官在中國古代倫理道德演
變過程中所扮演的角色。

儒道之天道觀異同

莊玉雅　周樫沁

香港樹仁大學

一　孔子的天道觀

　　「天」的觀念在中國起源非常早，「天道」是形而上的問題。其實，「天」的說法非常複雜。在最初西周的經典中所講的「天」是具有宗教意義的天，而有學者則認為，「天」就是自然界，於是傳統典籍上講的「天人之際」所圍繞的重心是人與自然界的關係。

　　對於儒家來說，「天道」常常等同於「天」或者「天命」。在《儒家的天倫》一書上明言：

　　　　儒家的「天」有主宰之天，命運之天，自然之天[1]

對於孔子來說，他對「天」的定義其實相當模糊，因為他主張「入世」而少論天，不願意為「天道」下一個確切的定義。正正因為這樣，先秦思想史研究中流行一種說法，認為儒家只講人倫，不談天道自然。認為孔子只有政治倫理道德說教，沒有形而上的、思辨的哲學。同時，傅佩榮先生在《儒道天論發微》一書中也曾講過：

　　　　一位美國學者顧理雅在《孔子：其人及其神話》一書中，主張「孔子的天」是一種非人格的道德力量。他認為「孔子極少談如何體認天」。[2]

這兩種說法的依據都是來源於最重要的證據是引用《論語‧公冶長》子貢的一句話「夫子之言性與天道，不可得而聞也。」[3]

　　這種說法其實有一定的片面性和侷限性，我們不能單靠子貢的一句話斷定孔子並沒有談論過「性」與「天道」。在本組看來，春秋時代禮崩樂壞，政治制度和道德規範都陷入嚴重的混亂局面。於是，在《論語》中，我們可以看到孔子很少探討自然（天道）的奧秘，而熱衷於種種關於人道的問題。牟宗三《中國哲學的特質》曾言：

1　向世陵、馮禹：《儒家的天論》濟南：齊魯書社，1991年，頁5。
2　傅佩榮：《儒道天論發微》臺北：國家圖書館，2010年，頁20。
3　楊伯峻：《論語譯注》北京：中華書局，1984年，頁46。

孔子在《論語》中，暫時撇開從天命天道說性這一老傳統，而是別開生面，從主觀方面開闢了仁、智、聖的生命領域；孔子未使他的思想成為耶教式的宗教，完全由於他對主體性仁、智、聖的重視、這是了解中國思想特質的最大竅門。

這種說法相當中肯。

《論語》中所用「天」字共四十六次，除去「天下」、「天子」等專用術語及他人之言，確實為控球實質性言「天」處僅十五次。[4]

大部份學者基本都是認同相近的數據統計資料，孔子所說的「天」，不是宗教性的天，而是帶有明顯理性色彩。「天」是孔子思想體系的邏輯起點和價值依據。

孔子所論的「天道」，大體包括三點，第一是指自然之天而非神學之天。在〈陽貨〉篇中所言：

天何言哉？四時行焉，百物生焉。天何言哉？[5]

這一句體現孔子對春夏秋冬四季自然運轉和萬物自然生長的看法。內在含義就是指，孔子把天的運行看作是有規律可尋的自然法則，體現了理性主義精神；同時，孔子指出天是不會言說的。他這句話所隱含的意思是：用語言表達思想的人類具有高於自然物的價值，體現人貴於天地萬物的人道原則。

孔子之言論中，理性的精神削弱了對神學之天的迷信，孔子的天也從神學之天中分離出來，向自然之天靠攏。可見，孔子將天作為一種形而上的天，再感性地加以談論，使天呈現出既有形而上之義又不脫離感性存在的特徵。

第二，從孔子對鬼神的態度，可以進一步了解他的天道觀。在〈述而〉篇中有一句：「子不語怪力亂神」[6]「鬼神」是殷周神學之天的重要組成部份，常常代表「天」的意志來禍福人類，所以孔子絕不談論這種具有迷信色彩的「超自然」鬼神。孔子把一定程度的「天」理解為自然界。當時社會中，人們會把自然界無法解釋的現象歸結為鬼神，但孔子所關心的是現實的世界，現實的人生。在〈雍也〉篇中有一句：「務民之義，敬鬼神而遠之，可謂知矣。」[7]孔子為什麼要「敬鬼神而遠之」呢？鬼神是無法去驗證是否存在的，但是可以通過崇敬鬼神而達至內心的虔誠。而「崇敬鬼神」則通過祭祀的儀式來表現。孔子不否認鬼神的存在，表現他對祭祀的重視。〈八佾〉篇中所說：「祭如在，祭神如神在」[8]。

4　向世陵、馮禹：《儒家的天論》濟南：齊魯書社，1991年，頁31。

5　楊伯峻：《論語譯注》北京：中華書局，1984年，頁188。

6　同上註，頁72。

7　同註5，頁61。

8　同註5，頁27。

　　通過祭祀，使祭祀者和逝者有一種聯繫，使人在生死問題上獲得安慰感和安全感，達到「慎終追遠」的「大孝」的道德基礎，從「天道」轉入「人道」。楊慧傑《天人關係論──中國文化一個基本特徵的探討》曾言：

> 孔子將現實人生的事務歸之於己、操之在我，把個人的地位從信仰鬼神的心理狀態提升起來，以加強個人的責任或義務。[9]

　　最後，孔子對於天命其實是存有疑慮的。在〈述而〉篇中寫到：

> 子疾病，子路請禱。子曰：「有諸？」子路對曰：「有之。」誄曰：「禱爾於上下神祇。」子曰：「丘之禱久矣。」[10]

從這句話可以看出，孔子有相信天命，但也對天命存有一定的懷疑。同時，經過幾十年對於生命的體悟，讓他對於天命有了更深層的理解。〈為政〉篇所言：

> 三十而立，四十而不惑，五十而知天命，六十而耳順，七十而從心所欲，不踰矩。[11]

可見，孔子嘗試去認知天命。人為的學習，努力來認識，順從天命，最後達到「從心所欲」。孔子「知天命」，就是要人認識天命為人的自由活動所限領域和程度，人的自由活動不能離開必然性的制約。人的自由並不意味著人憑藉自身的力量為所欲為。

　　孔子在〈季氏〉篇中曾言：

> 君子有三畏：畏天命、畏大人、畏聖人之言。[12]

　　那麼，天命都是主宰人赫赫權威，人只能敬畏地匍伏其腳下。理性（知）的作用表現為對天命的敬畏和順從，同時人力被置於天命之下。孔子的「天命」是順從理性原則和人道原則。

二　先秦道家的天道觀

　　道家的天道觀源起於老子，由莊子承繼和擴充。愚將分別說明他們對「天」和「道」所下的定義，從而窺探道家的天道觀。

9　楊慧傑：《天人關係論──中國文化一個基本特徵的探討》臺北：大林出版社，1981年，頁54。

10　楊伯峻：《論語譯注》北京：中華書局，1984年，頁76。

11　同上註，頁12。

12　楊伯峻：《論語譯注》，北京：中華書局，1984年，頁177。

（一）老子的天

老子的「天」是自然之天[13]，並非宇宙之起源、根本，是受「道」支配。學者張岱年說：

> 老子第一次提出天地起源的問題，認為天不是最根本的，還有先於天地的最高存在，稱之曰道。[14]

《老子》第二十五章：

> 有物混成，先天地生。……人法地，地法天，天法道，道法自然。[15]

說明了「天」生成以前，已有一種物形成，「天」是其後而出現的。而且，「天」是效法於「道」的，是受控制的。所以老子的「天」是客觀的、自然的。

（二）老子的道

老子的「道」是宇宙。「道」生成了萬物，是不受時空限制，具有規律。[16]從《老子》第二十五章可見「道」的定義：

> 有物混成，先天地生。寂兮寥兮，獨立而不改，周行而不殆，可以為天下母。吾不知其名，強字之曰「道」，強為之名曰「大」。[17]

「道」是最先出現的，比天、地還要早已形成的。「道」具有活動，時靜時動；它又是虛無之物，無聲無形；它是 不受限制的，永恆而循環不息；它就是天地萬物的根源。「道」主要有三個特徵：第一，「道」生成萬物。《老子》第四十二章：「道生一，一生二，二生三，三生萬物。」[18]「道」具有創造的能力，條文說明了「道」的創造過程，生成了「一」、「二」、「三」及「萬物」。第二，「道」不受時空限制。《老子》第二十五

13　陳鼓應：《老莊新論》臺北：五南圖書出版公司，2006年，頁107。

14　張岱年：〈道家玄旨論〉，載陳鼓應主編：《道定文化研究》上海：上海古籍出版社，1994年，第4輯，頁2。

15　饒宗頤主編，陳鼓應、蔣麗梅導讀及譯注：《老子》香港：中華書局（香港）有限公司，2012年，頁87。

16　劉蔚華：〈論道家的自然哲學〉，載陳鼓應主編：《道定文化研究》上海：上海古籍出版社，1994年，第4輯，頁19。

17　同註15，頁87。

18　同註15，頁135。

章：「大曰『逝』，逝曰『遠』，遠曰『反』。」[19]條文說明了「道」的無限性，「大」是指空間的長、闊、高深，「逝」是指時間的流動，「遠」是指時間和空間的延伸，「反」是指「道」的運作是反覆不停的。第三，「道」具有規律。《老子》第五十一章：

> 故道生之，德畜之，長之育之，亭之毒之，養之覆之。[20]

條文說明了「道」具備照顧萬物的恩德，亦可視之為萬物生長於世的規律，「道」按照不同物種的特性，以合宜的環境照顧牠們、使其繁衍、調養，「道」給予了萬物生生不息的秩序。

（三）莊子的天

「天」有兩義，一人的命運，二與生俱來的。「天」包含了人生中一切的命運，具有客觀性，同時亦是無可奈何，不可反抗或逆轉的。《莊子・養生主》：

> 公文軒見右師而驚曰：「是何人也？惡乎介也？天與，其人與？」曰：「天也，非人也。天之生是使獨也，人之貌有與也。以是知其天也，非人也。」[21]
> 嚴復注云：「分明是人，乃說是天，言養生安無奈何之命。」[22]

所以凡是不能改變的事物，就是天。「天」就是一切事物與生俱來的外表、行為，是自然，非人工的。《莊子・秋水》：

> 曰：「何謂天？何謂人？」北海若曰：「牛馬四足，是謂天。落馬首，穿牛鼻，是謂人。」[23]

凡是生而有之，自然而成的，謂之天；若是自身以外額外加上的作為，則稱為人。天地萬物是不能窮究其根源，《莊子・齊物論》：

> 有始也者，有未始有始也者。有未始有夫未始有始也者，有有也者，有無也者，有未始有無也者，有未始有夫未始有無也者。俄而有無矣，而未知有無之果孰有孰無也。[24]

19　同註15，頁87。

20　同註15，頁156。

21　饒宗頤主編，陳鼓應、蔣麗梅導讀及譯注：《莊子》香港：中華書局（香港）有限公司，2012年，頁87

22　錢穆：《莊子纂箋》臺北：東大圖書公司，1993年，頁26。

23　同註22，頁133。

24　同註21，頁62。

條文說明了宇宙中並非已有天、地，而是有一個無法言諭的「道」在其中，它是自有自無，沒有窮究其真實面貌的。《莊子‧齊物論》：「天地一指也，萬物一馬也。」[25]條文中的「一指」是指出了天地之間存在一定共同性，但是這種共同的性質卻是沒有必然的定義，可以明確指出天地的原貌。

（四）莊子的道

「道」是宇宙之根源，自我運行。《莊子‧大宗師》云：

> 夫道有情有信，無為無形；可傳而不可受，可得而不可見；自本自根，未有天地，自古以固存[26]

學者張岱年說：

> 「自本自根」一句最為深切，意謂以自己為本，以自己為根，即最根本者，更無為道之根本者。[27]

「道」存在於天地之先，卻不可以透過言語教授，或者親眼目睹。「道」是沒有相對的比較，萬事萬物都有其絕對的價值。《莊子‧齊物論》：

> 物固有所然，物固有所可，無物不然，無物不可。故為是舉莛與楹，厲與西施，恢恑憰怪，道通為一。[28]

「道」給予天地萬物「所然」、「所可」，一切事物皆有存在的意義，因此沒有任何比較的需要，小草與大木、美人與醜人、平凡與怪異都是宇宙的一部分，不需要對比，分辨好壞、是非。莊子的「道」具有五個特徵：第一，「道」是超現實的，絕對的；第二，「道」能生成萬物；第三，「道」是自根自本，自我運行；第四，「道」是不受時空所限制；第五，「道」是不可言諭。

（五）小結

誠如學者陳鼓應所言：

---

25 同註21，頁56。
26 同註21，頁151。
27 同註14，頁3。
28 同註25。

老莊所謂的「道」，簡單說可以歸納兩點，一是指宇宙的本源，即宇宙最根本的存在，宇宙萬物產生於「道」；二是指自然客觀規律。[29]

老子和莊子皆認為「天」是自然、客觀的，「道」是宇宙，萬物的起源；具有規律秩序的；能超越時空，自我運轉，永恆不息；是不可言傳，只可意會；沒有相對比較的觀念，凡物必然，凡物必可。

三　儒、道兩家天道觀之相異處

儒家與道家對天道的看法既有相同，亦有相異之處，兩家對天道的不同觀念，使中國文化中的兩大思想體系出現決定性的分別。本文主要論述兩家對天道不同的觀點，以及它們的特質。

儒家視天道為義理之天、主宰之天。天帶有主觀人格，而道就是天命的體現。天的命令就是萬事萬物的理。《中庸》中說明天道的來源：

> 天命之謂性，率性之謂道，修道之謂教。

朱熹解釋為：

> 天以陰陽五行化生萬物，氣以成形，而理亦賦焉，猶命令也。於是人物之生，因各得其所賦之理，以為健順五常之德，所謂性也……人物各循其性之自然，則其日用事物之間，莫不各有當行之路，是則所謂道也。

天道雖然與鬼神有別，但亦有明顯的人格特質，可見儒家傾向於把天定格在人格神的層面。

在儒家觀念中，聖人的美德是能與天相配的。《中庸》中便另外有言：

> 子曰：「舜其大孝也與！德為聖人，尊為天子，富有四海之內，宗廟饗之，子孫保之。故大德，必得其位，必得其祿，必得其名，必得其壽。故天之生物，必因其材而篤焉，故栽者培之，傾者覆之。詩曰：『嘉樂君子，憲憲令德。宜民宜人，受祿于天。保佑命之，自天申之。』故大德者必受命。」

孔子認為舜把孝道發揮到極致，因而有德，所以可被封為「聖人」、「天子」，人民都應以他為榜樣，效法舜的孝道。

因此，儒家的天含有道德的意義。《中庸》：

29　同註21，頁2。

> 君子之心常存敬畏，雖不見聞，亦不敢忽，所以存天理之本然，而不使離於須臾
> 之頃也。

天的降命是由人的道德決定。天道是通過憂患意識所生的「敬」而貫注到人的身上。

> 是以聲名洋溢乎中國，施及蠻貊。舟車所至，人力所通，天之所覆，地之所載，
> 日月所照，霜露所隊：凡有血氣者，莫不尊親。故曰，「配天」。

在《論語‧季氏》中，亦有一段關於「人與天命」的記載，說明天是擁有主觀的、道德的意志：

> 君子有三畏：畏天命，畏大人，畏聖人之言。小人不知天命而不畏也，狎大人，
> 侮聖人之言。

可見，君子害怕的是天命、王公大人和聖人的言語。根據傅佩榮先生的主張，

> 天是儒家人性論的起點與終點，就起點來說，《中庸》所云的「天命之謂性」，作
> 了明白的肯定。就終點來說，則值得進一步申論即所謂儒家人性論的「最高理
> 想」——天人合德論。

傅氏認為儒家孔孟的「天」以「造生者」的身分賦予人性實踐的根據。人能據此得到向善的動力，由知天、畏天、順天與樂天的上達，回歸「天命」之中，成就自律精神的極境。所以，天道順利運行與否，便取決於人是否敬德與明德，這表示了一種道德的秩序，人生而在世便要遵守這種秩序，以便順應天道運行。

至於道家，便把天的道德意義取消，只視天道為客觀的自然規律。《老子》中一開始便說明天道的成分：「有物混成，先天地生。」道是先於天地而生的，它是統領萬物最原始的成分。「無，名天地之之始；有，名萬物之母。」在天地創始之前，道已存在。道是自然界中的最初發動者。道又是萬物的母親，天地萬物都是道所創生的，所以天道既是「有」，又是「無」。在道家的觀念中，自然、社會、人都是客觀的存在。而老子和莊子的對於天道的思想都是一致的。《莊子‧齊物論》中說明「天地」的概念：「天地一指也；萬物一馬也。」「一指」、「一馬」用以代表天地萬物同質的共通意義，即天地萬物都有它們的共同性。《莊子‧齊物論》：「天地與我並生，而萬物與我為一。」天地與我並存，萬物與我合為一體。馮友蘭先生在《中國哲學史》中亦有說明「天道」是：「萬物之所以生之總原理。」

天地萬物創生後，道還要「長之育之；亭之毒之；養之覆之」，說明道是內附於萬物，以培育它們。《老子》中有充分說明道的長久性：

> 天長地久。天地所以能長久者，以其不自生，故能長生。

天地之所以能夠長久運行不息，是因為它們並不是為了自己而運行，並沒有任何私心，亦不是為了一己私欲而在天地間運作。這與《老子》另一段記載中的天道不謀而合：「天之道，利而不害；人之道，為而不爭。」自然的規律，利物而無害，人間的法則，施為而不爭奪。由此觀之，道家的「天道」中並沒有「神」的存在、或是任何人格的特徵。它是實在存在於天地宇宙之中。

　　總結而言，儒家與道家的各自提出兩個不同的天道、社會、思想體系，它們各有具體的理想社會模式，其意義雖然各有不同，但終歸主旨卻是一樣的。儒家把天道推演至限制人的慾望發展的道德理論系統，而道家則將天道與自然結合，使萬物本身皆有道的存在。

四　儒、道兩家天道觀之相同處

　　「天道」的含義，據唐君毅先生在《哲學概論》中歸納，大致有四種說法。第一種說法：

> 「天道」指上帝之道，如詩書中之天，即多指上帝。如「天討有罪，」「天命有德。」[30]

這一說法中的「天道」是指有意識的天，認為天有意志可以主宰萬物，賞罰世人，孔子和孟子都比較傾向這一說法。孔子雖然「罕言天命」，但亦說過「予所否者，天厭之！天厭之！」（《論語・雍也》）[31]

> 不怨天，不尤人。下學而上達。知我者，其天乎！（《論語・憲問》）[32]

等等，在在顯示出孔子認為天是能夠思考以及主宰命運的。孟子承繼了孔子這一思想並且有所發揮，提出「天人合一」、「求其放心」的說法，認為天人是相通而有感應的。孔孟都是將天人格化。

　　第二種說法：

> 「天道」指一般所謂感覺所對之自然宇宙之道。此天乃統地而言，如荀子所謂：「天行有常，不為堯存，不為桀亡」。此常行之自然秩序，自然法則，即天道。此天道之狹義，即物質的自然宇宙之道。再一更狹義，即指日月星辰在太空運行之道。[33]

30　唐君毅著，劉鎮晦編選：《哲學概論（上）》北京：中國社會科學出版社，2005年，頁53-54。

31　楊伯峻譯注：《論語譯注》香港：中華書局（香港）有限公司，2010年，頁64。

32　同註31，頁156。

33　同註30。

持這種說法最明顯的是荀子，他主張天只是客觀的天，並不會因為人的行為意志去改變自然運行的規律，就如太陽從來都由東方升起。

第三種說法：

> 天道指天地萬物或自然宇宙萬物之所依，或所由以生以變化，或所依據之共同的究極原理，此究極原理乃可在天地萬物，自然宇宙之上之先自己存在者。[34]

第四種說法：

> 天道指全體普遍之道，說文謂「天⋯⋯至高無上，從一大。」程明道說：「詩書中⋯⋯有一包涵遍覆的意思，則言天。」天無所不遍覆，亦無所不包涵，一切事物皆在天中。[35]

雖然儒道兩家都有不同的傾向，但兩家都有提到的「天」，是指物質的天，客觀的天，自然秩序或規律。

儒家說到自然之天的，例如在《論語・陽貨》篇中提到：

> 子曰：「予欲無言。」子貢曰：「子如不言，則小子何述焉？」子曰：「天何言哉？四時行焉，百物生焉，天何言哉？」[36]

這段意思是：「孔子說：『我想不說話。』子貢說：『您如果不說話，誰教我們呢？』孔子說：『天說過什麼？天不說話，照樣四季運行，百物生長，天說過什麼？』」

這裡的「天」就是指節氣更替、萬物消息，都是有一定客觀規律。再者例如在《禮記・哀公問》：

> 公曰：「敢問君子何貴乎天道也？」孔子對曰：「貴其『不已』。如日月東西相從而不已也，是天道也；不閉其久，是天道也；無為而物成，是天道也；已成而明，是天道也。」

這裡是指即使是簡單日常的事物如太陽從東方升起，就已經有天道蘊藏在其中，日月交替只是天道的一個表現方式。

而道家提到自然之天的例子有《莊子・外篇・天道》：

> 天道運而無所積，故萬物成；帝道運而無所積，故天下歸；聖道運而無所積，故海內服。[37]

---

34 同註30。

35 同註30。

36 同註31，頁187-188。

37 陳鼓應：《莊子今注今譯》香港：中華書局（香港）有限公司，2007年，頁336-337。

莊子明確提到天道的運行生成萬物，這裡的天道亦是指自然的天。

我們認為儒道雖然對於天道有不同的主張，但要思考的是：為何他們都要探究天和他們講天的目的是什麼？認真思考這兩個問題之後，就可以得出一個結論：儒道兩家談天論道，背後所追求的目的是一致的，就是希望建立一個理想社會。

一個社會的組成，最基本的部份就是人，人組成家庭，家庭再組成國家。人作為社會的基本單位，一言一行或者看似平常，但其影響力卻可以很大。古有周幽王為搏褒姒一笑烽火戲諸侯，間接將自己的國家引向絕路。今日就如電影「蝴蝶效應」中所表現的，正是一個人的行為判斷是會產生連鎖反應，影響深遠。而儒道兩家正正就是想從每一個人開始去改變社會。

孔孟談有意志的天，其實是想引導世人向善行善，向善性的天學習，亦是告誡世人不要為惡，因為天會知道並且懲戒你的惡行。孔子身處禮崩樂壞的時代，僭越爭鬥日多，說到底都是人的行為出現偏差所致，所以孔孟談天道，就是想用道去說服世人，從而達到一個和諧社會。例如《論語・公冶長》中說到：

> 顏淵、季路侍。子曰：「盍各言爾志？」子路曰：「願車馬、衣輕裘，與朋友共。敝之而無憾。」顏淵曰：「願無伐善，無施勞。」子路曰：「願聞子之志。」子曰：「老者安之，朋友信之，少者懷之。」[38]

這段的意思是：顏淵、季路侍奉時。孔子說：「為什麼不說說各人的願望呢？」子路說：「願將車馬和裘衣和朋友共用，壞了也不遺憾。」顏淵說：「但願能做到不誇耀優點、不宣揚功勞。」子路說：「您的願望呢？」孔子說：「但願老人能享受安樂，少兒能得到關懷，朋友能夠信任我。」。由此可見，孔子對於和諧社會的追求亦是從人出發。

而在《孟子・梁惠王上》亦有說到孟子對理想社會的構想，而且比起孔子更為具體：

> 五畝之宅，樹之以桑，五十者可以衣帛矣；雞豚狗彘之畜，無失其時，七十者可以食肉矣；百畝之田，勿奪其時，數口之家可以無飢矣；謹庠序之教，申之以孝悌之養，頒白者不負戴於道路矣。七十者衣帛食肉，黎民不飢不寒，然而不王者，未之有也。[39]

從這一段可以看出孟子是十分仔細地建立一套完整的社會架構，但其中最重要的構成部份，依然是人。

道家雖然主張的是自然的天，但更要重視的是道家希望人能夠順應天道，順應自然，亦要明白自然有生便有死，有喜便有悲，人能順應自然而行，便能令社會減少衝突

---

38 同註31，頁52。

39 楊伯峻譯注：《孟子譯注》北京：中華書局，2010年。

矛盾，達到和諧共處的理想境界。如老子《道德經》中說：

> 小國寡民。使有什伯之器而不用；使民重死而不遠徙。雖有舟輿，無所乘之，雖
> 有甲兵，無所陳之。使民復結繩而用之，甘其食，美其服，安其居，樂其俗。鄰
> 國相望，雞犬之聲相聞，民至老死，不相往來。[40]

不足一百字便已四次提到「民」，可見老子追求的理想社會亦是以人出發。

至於莊子，亦是從人出發，追求最原始的人類社會。在《莊子‧外篇‧馬蹄》中：

> 夫至德之世，同與禽獸居，族與萬物並，惡乎知君子小人哉！同乎無知，其德不
> 離；同乎無欲，是謂素樸。素樸而民性得矣。[41]

莊子認為是知識、名利言等等破壞了人的本性，令他們有了無謂的慾望，才令到理想世界崩潰，而想再次到達這種境界，就必須令人重新回復至純真樸實的本性，才能夠達到盛德之世。

以上四段文字中所形容的理想社會雖然有形式上的不同，但本質上是十分相似的：都沒有戰爭，從人出發，達致和諧的社會。儒道兩家雖然所主張的天道有所不同，但都認同要以人為本，或以意志的天教化訓示人，或說明人要順應自然的天道，但都是以和諧社會作為理想。

40　同註15，頁224。

41　同註37，頁246。

春秋時代的易學發展

──從《左傳》筮例考察

毛炳生

臺灣華梵大學東方人文思想研究所

一　前言

　　《四庫全書總目提要》經部易類總序有易學兩派六宗之說。所謂兩派，即象數派與義理派；而六宗，是指由這兩派所衍生的六大易學類型。據該序的說法，象數派的流衍，一變於春秋時代的筮法，再變於西漢京房與焦延壽的禨祥之術，三變於北宋陳摶與邵雍的圖書之學；而義理派的流衍，一變於三國王弼的以老莊解《易》，二變於北宋胡瑗與程頤的儒理易學，三變於南宋李光與楊萬里的參證史事。這種粗略的分法，提綱挈領，固然值得參考，但卻失之於簡，無法充分反映易學的歷史發展。就以春秋時代來說，所謂象數與義理兩派，相互之間也有一段演變的歷程。《易》本周初筮書，由《左傳》、《國語》所僅存的筮例可知，它基本上是一種預測術；利用卦爻象的組合與變化，再參酌卦爻辭（或不參酌），作出未來政治的預測或個人行事的吉凶判斷。這就是所謂象數派。在卦爻辭尚未寫定之前，應只有卦爻象；只有卦爻象的《易》，想必為《易》的最初型態，即總序所稱的「太卜」。這種型態的《易》，只是一堆符號或卦象，是毫無義理可言的。它的義理，應在卦名與卦爻辭寫定之後，才在字裡行間浮現。以《周易》卦辭來看，如求其原意，大部分還是沒有什麼義理的。如首卦的〈乾〉，卦辭說：「元亨利貞。」次卦的〈坤〉，卦辭說：「元亨，利牝馬之貞。先迷後得，主利西南得朋，東北喪朋。安貞吉。」三卦的〈屯〉，卦辭說：「元亨利貞。勿用有攸往，利建侯。」這些卦辭如依近代學者高亨的注釋，只是占斷之語。[1]至於爻辭部分，有些占斷之語雖含某種道理的成分，卻是十分樸素的。如〈乾·上九〉爻辭說：「亢龍有悔。」〈師·初六〉爻辭說：「師出以律，否臧凶。」〈小畜·初九〉爻辭說：「復自道，何其咎？吉。」等等。這些爻辭雖然浮現出某些道理成分，但簡而不詳，仍有很多想像的空間；而它們仍然是以預測吉凶為主要取向的。春秋中期以後，已有不經過起筮而直接利用《周易》卦爻辭作為預測及說理的情況出現，《左傳》不乏其例。本文即透過《左傳》所有筮例，

---

[1]　高亨有《周易古經今注》、《周易大傳今注》與《周易古經通說》三部著作。

考察春秋時代易學由象數漸往義理發展的過程。《國語》也有三則筮例，大抵都屬於象數派，僅列表附於文後，以供參考。

二　春秋時代易學發展三階段

　　《易》本筮書，當以預測為其原始作用。在《左傳》裡，提到《易》的共有二十一處。大致可分三類：一、筮而無義；二、筮而兼義；三、以辭申義。這三類的分別，正好顯示出在春秋時代，先有象數派，之後衍為義理派的發展過程。第一類筮而無義占十二例，能考察的有十例；[2]第二類筮而兼義有三例；最後一類以辭申義有六例。現分別考析如下：

（一）筮而無義

　　筮而無義的意思，是時人只把《易》當作筮術用，還沒有從中發展出義理來。《易》本筮書，人們起筮當以預測吉凶為目的，在《左傳》的記載中，也以這類的筮例最多。首先出現的是在魯莊公二十二年（672 B.C.）。[3]《左傳》記載道：

> 陳厲公，蔡出也，故蔡人殺五父而立之。生敬仲。其少也，周史有以《周易》見陳侯者，陳侯使筮之，遇〈觀〉☷☴之〈否〉☷☰。曰：「是謂『觀國之光，利用賓于王。』此其代陳有國乎？不在此，其在異國；非此其身，在其子孫。光，遠而自他有耀者也。〈坤〉，土也；〈巽〉，風也；〈乾〉，天也。風為天於土上，山也。有山之材，而照之以天光，於是乎居土上，故曰『觀國之光』。『利用賓于王』：庭實旅百，奉之以玉帛，天地之美具焉，故曰『利用賓于王』。猶有『觀』焉，故曰『其在後乎』！風行而著於土，故曰『其在異國乎』！若在異國，必姜姓也。姜，大嶽之後也。山嶽則配天。物莫能兩大。陳衰，此其昌乎！」及陳之初七也，陳桓子始大於齊；其後七也，成子得政。[4]

2　《左傳》二十一例中，在僖公四年（656 B.C.）「晉獻公欲以驪姬為夫人」一事裡，雖然曾經提到「筮之」，卻沒有載明所筮得的卦名與之卦的狀況，無法考察。又哀公十七年（478 B.C.），已進入戰國時代，其中也提到「公筮之」，但也沒有記載內容，所以亦無從考察。

3　較這筮例更早的是載於魯閔公二年（660 B.C.）的卜楚丘之父為魯桓公之子成季先卜後筮的例子。因為《左傳》是追溯當年的舊事，所以筮例應早於閔公二年。據現代學者張朋的說法，定在西元前七一一年至前六九四年之間。但這個筮例，卜楚丘之父以卜為主，筮為次；對所筮得的本卦與之卦又缺乏論述，所以無法用它來作為案例分析。張說見：《春秋易學研究》上海：人民出版社，2012年，頁371。

4　本文所據筮例，均以清人阮元《十三經注疏》為本。臺北：藝文印書館，1973年。

這則筮例雖然出現在魯莊公二十二年，但文中有「生敬仲。其少也……」等語，即知筮例發生的時間，應早於那一年，是在敬仲的童年時代。根據〔西漢〕司馬遷《史記・陳杞世家》的記載，陳厲公在位二年生敬仲，在位七年（700 B.C.）即被殺；那麼，筮例應該發生在這二至七年之間。這則筮例屬於春秋初期的易學史料，[5]價值很高，但學者多不注意，單純地以取象說理解它，只視為春秋時代《易》筮的一例而已。這則筮例其實可提供以下幾點易學發展的訊息：

一、周朝史官用《周易》為陳侯童年時代的兒子敬仲作筮，作者特意說是「以《周易》」，語意即暗示除《周易》外，當時應還有其他筮法可用，如《連山》、《歸藏》之類；

二、周史所引用的爻辭與〔三國〕王弼所傳本雷同，顯示當時《周易》六十四卦的卦爻辭大抵已經編定；

三、周史所筮得的是〈觀〉卦的第四爻爻變，不稱〈觀・六四〉，而稱〈觀〉之〈否〉，顯示當時尚無爻題之設，初、二、三、四、五、上與九表示陽爻、六表示陰爻等，這些觀念應為日後產生的術語，爻題也是後人在整理《周易》時所加；[6]

四、周史所分析的對象，既有本卦〈觀〉的經卦卦象，[7]也有之卦〈否〉的經卦卦象；

五、至於卦爻辭方面，周史只採用〈觀・六四〉爻辭作分析，但沒有用到本卦卦辭與之卦卦辭，也沒有用到〈否・九四〉爻辭；

六、最後，周史結合了當時的歷史背景（齊國為姜姓），參考卦象變化（為天於土上，山也），與爻辭的分析，預言陳國滅後，敬仲的後代必在齊國興旺。

根據歷史記載，這則預言是應驗的，陳厲公的後代果然在齊國獲得政權。[8]以《左傳》的記載來說，當時周史對爻辭的論述與推理、對卦象的分析與論斷，可謂十分周詳與全面。這是一則典型的筮例；主筮者又是周朝的史官，他的筮法應是周朝的正宗，更增強了它的代表性。細讀周史對所筮得的卦象與爻辭的分析，有兩點值得注意。第一、在內

5　〔晉〕杜預注《春秋經傳集解》，篇首有〈春秋名號歸一圖〉，該圖以周平王東遷洛陽的那一年（770 B.C.）作為春秋時代的開始。春秋之名，是因孔子修《魯春秋》而起的，所以將春秋時代定於魯隱公元年（722 B.C.）比較恰當。春秋共二百四十二年，平均約以八十年為一期，可分初、中、晚三期。陳侯為敬仲起筮發生於西元前七〇三年至前七〇〇年間，故屬於春秋初期筮例。

6　爻題一詞，是已故學者高亨先生所創。在此特意提出，以表敬意。

7　根據《周禮》，所謂經卦，即指原始的八卦。八卦互相重疊成六十四卦，稱為別卦。本文皆用《》表示經卦，〈〉表示別卦，以作區別。

8　陳厲公被殺後，敬仲逃至齊國，更姓田氏。齊桓公賞識他，任命為工正，敬仲於是在齊國發跡，子孫最後在齊國奪得政權，取代姜姓。事載《史記・田敬仲完世家》。

容上，周史的分析並沒有蘊含日後所謂義理的成分，只是純粹作取象預測；雖然如此，但不能因此就能否定它沒有可取的地方。周史的預測過程，明顯地是經過一番邏輯推理與縝密思考的工夫的，縱使起筮具有巫術色彩，但他的分析過程卻淡化了這種色彩。周史邏輯性的思考與推論，基本上是理性的、嚴密的，經過深思熟慮的結果。也因為有這個分析過程，才能獲得當時國君與公卿大夫的更加信賴，繼之而產生學習的興趣。筮術因而由史官或卜官所掌管的領域，逐漸開放至貴族社會的各個階層人士，而成為六藝或《詩》、《書》、《禮》、《樂》之外，另一種學習科目。這對日後義理易學的形成，是一個很重要的內在因素。第二、周史在論述卦象與爻辭時所採用的方法，不外是引伸與比附。這種引伸與比附的方法如用在文學上，當會產生非凡的創意效果；但用在嚴肅的國家大事與預卜個人行事吉凶來說，便屬可笑。不過，這種方法卻成為日後解《易》學者的主要利器，因之而推演出各種不同的大道理來。戰國晚期的韓非雖已洞悉這種荒謬的解釋方法，諷刺之為「郢書燕說」，[9]卻仍然改變不了這種學風的延續；王弼的易學即由此發揮他有名的「得意忘象」之說。到了北宋，以行事嚴謹見稱的程頤，也是利用這種方法來詮釋《周易》經傳的，認為「文義雖解錯，而道理可通行者不害也」。[10]他晚年積畢生之力成書的《易傳》，即是儒理易學的經典之作。

　　《周易》的性質本為筮書，預測是它的原始功能，所以《左傳》所記錄的筮例也多以這方面的取向為主。自陳侯筮例出現後，依序來看，閔公元年（661 B.C.）與二年（660 B.C.）、僖公四年（656 B.C.）與十五年（645 B.C.）所出現的筮例，這五、六十年間，時人都在利用《易》的原始功能作占卜之用，沒有明顯變化的跡象。不過，僖公十五年記載了兩則筮例，其中一則即透露出義理易學的曙光來，本文歸入第二類析論。

（二）筮而兼義

　　筮而兼義，即筮例既有起筮的過程，以預測為目的，又有義理上的申論。《左傳》於僖公十五年記載了兩則筮例，都有關秦、晉兩國間的紛爭事件。第一例歸入前類，不再討論。第二例原文迻錄於下：

> 初，晉獻公筮嫁伯姬於秦，遇〈歸妹〉䷵之〈睽〉䷥。史蘇占之，曰：「不吉。其繇曰：『士刲羊，亦無衁也；女承筐，亦無貺也。西鄰責言，不可償也。』〈歸妹〉之〈睽〉，猶無相也。〈震〉之〈離〉，亦〈離〉之〈震〉。為雷為火，為嬴敗姬。車說其輹，火焚其旗，不利行師，敗于宗丘。歸妹睽孤，寇張之弧。姪其從姑，六年其逋，逃歸其國，而棄其家，明年其死於高梁之虛。」及惠公在秦，

9　陳奇猷：《韓非子集釋》卷第十一〈外儲說左上〉臺北：河洛圖書出版社，1974年，頁651。

10　〔南宋〕朱熹《河南程氏外書》卷第六。王孝魚點校：《二程集》北京：中華書局，2006年，頁378。

曰：「先君若從史蘇之占，吾不及此夫！」韓簡侍，曰：「龜，象也；筮，數也。物生而後有象，象而後有滋，滋而後有數。先君之敗德，及可數乎？史蘇是占，勿從何益？《詩》曰：『下民之孽，匪降自天。僔沓背憎，職競由人。』」

秦晉之戰，晉惠公戰敗被俘。他埋怨先人晉獻公當初沒有聽從史蘇占筮的建議，將女兒嫁給秦國；否則不會落此下場。當時韓簡侍立在旁，對他說，數在後，象在先；晉獻公敗德的事象發生在先，筮數發生在後，兩者又有什麼關聯呢？韓簡的說法本身雖然跟當初史蘇之占無關，卻透露出一點端倪：時人已經理性地面對事件的問題思考，與帶有迷信性質的筮術有所不同。而一個人成敗的關鍵在於「德」，不在於筮後的結果。這種打破迷信卜筮的言論，在春秋時代應是創舉。韓簡面對問題的分析雖然是理性的，但在方法上還是脫離不了引伸和比附。「龜，象也。」龜以兆象為占，這個「象」是兆象的象，韓簡卻把它擴充為「物象」與「事象」的統稱，來解說晉獻公「敗德」的事象。這是一種引申與比附。筮法是利用五十根蓍草作多次的分合與計算（數）而成卦，再用變爻來推出（數）結果的預測術。「筮，數也。」這個「數」字，即概指這種占筮的方法。而韓簡卻將「數」字引伸至「數量」的解釋去了。「物生而後有象，象而後有滋，滋而後有數。」這番話分明是說萬物繁衍的過程，數目由少變多。這個「後有數」的「數」字，與「筮，數也」的「數」字，是兩回事，韓簡卻借用為「後有數」的「數」，表示前後兩事之間並無因果關係。這種論述的方式就是郢書燕說。跟前例不同的是，他論述的方式是由卦象的取象預測轉為以事象說理。由韓簡之例，我們已觀察出象數易與義理易分塗的跡象了。此時韓簡還未應用《周易》卦爻辭說理；應用《周易》卦爻辭說理的，要遲至八十年後，即襄公九年（564 B.C.）穆姜筮例才出現。這時已進入春秋中期的末葉了。《左傳》記載道：

> 穆姜薨於東宮。始往而筮之，遇〈艮〉☶之八。史曰：「是謂〈艮〉☶之〈隨〉☳。隨其出也。君必速出！」姜曰：「亡！是於《周易》曰：『〈隨〉，元、亨、利、貞，無咎。』元，體之長也；亨，嘉之會也；利，義之和也；貞，事之幹也。體仁足以長人，嘉德足以合禮，利物足以和義，貞固足以幹事。然，故不可誣也，是以雖隨無咎。今我婦人而與於亂。固在下位而有不仁，不可謂元。不靖國家，不可謂亨。作而害身，不可謂利。棄位而姣，不可謂貞。有四德者，隨而無咎。我皆無之，豈隨也哉？我則取惡，能無咎乎？必死於此，弗得出矣。」

這是《左傳》一則有名的筮例。當事人穆姜與夫兄宣伯私通，並殺害公子偃與公子鉏，事後被關進東宮。初進東宮之時，史官為她起筮，遇〈艮〉之八。因遇到〈艮〉第二爻的數值為八，不能變，於是變其餘五爻，成為〈隨〉卦。史官即以〈隨〉的卦名為占。隨有「隨即」之意，於是史官便斷言「君必速出」。但穆姜不認為如此。她改以《周

易》的卦辭為占，將「元亨利貞」解釋為四德，並結合自己過去行為的「敗德」作出判斷，斷定自己「必死於此，弗得出矣」。這則筮例與前述筮例的解析方法不同，應注意的是：

一、這則筮例完全沒有取象立說，史官以卦名占斷，而穆姜卻以卦辭占斷；

二、史官職掌筮法，他的專業判斷理應可信，但這則筮例卻加入了當事人的見解，否定了專業判斷；

三、魯史以卦名直接作為占斷的依據，與魯莊公二十二年周史的筮法完全不同。魯史似乎不是採用《周易》筮法的，沒有周史所作的邏輯分析，只是「望文生義」，企圖藉此安慰穆姜而已，卻開了以卦名占斷與隨機占斷的先例；

四、穆姜「是於《周易》曰」一語，頗有特別強調《周易》之意。此語既可旁證魯史當時並非採用《周易》筮法，也可佐證前述的推論，那個年代還有其他筮法；

五、穆姜對《周易》卦辭「元亨利貞」的解讀，已非原有之義，而是後起的引申義，與〈乾文言〉的「四德說」相當接近，二者應有關聯；

六、穆姜配合自己的「失德」來作預測，與上例韓簡論晉獻公的「敗德」有異曲同工之妙。以「德」作為預測吉凶的前提，正是義理易學的發展方向。

由以上六點分析可以推知易學的發展：一、當時《周易》的學習已有普及的趨勢。以男性為中心的上層社會，連身為女性的穆姜都懂得《周易》了，則士大夫學習《周易》該已是普遍的現象；二、穆姜以四德說解釋〈隨〉的卦辭，明顯屬於義理易學。就內容看，這番說辭很難相信是穆姜自己的杜撰。換句話說，必有所本，應是學習得來。由此推論，在魯國，當時上層社會已有將《周易》道德化的傾向了。穆姜對「元亨利貞」解讀為四德，正是日後〈乾文言〉所本。穆姜的敗德行為固然不可取，但他能反求諸己，作出檢討，承認自己的敗德，安於被困東宮而死。這種作為，正與儒家的理念相同，有「見不賢而內自省」的啟發作用，所以能為日後儒家學者所接受，將這段話稍作更動，編入〈乾文言〉中。昭公十二年（530 B.C.），南蒯將背叛季氏，用枚起筮，遇〈坤〉 ䷁ 之〈比〉 ䷇，即〈坤・六五〉爻變。爻辭是「黃裳元吉」。子服惠伯解釋說：「元者，善之長也。」將穆姜的解釋更動了一個字，由「體」改成「善」，正是〈乾文言〉所本。〈乾文言〉的四德說分明是撮合穆姜與惠伯之語而成的，痕跡也非常明顯。[11] 惠伯在分析「黃裳元吉」前，即為《易》占之事設下原則說：「吾嘗學此矣，忠信之事則可，不然必敗。」已表明起筮的行為必須建立在忠信的基礎上。以預測為其原始功能的《周易》，演變成為一部經傳合一的說教典籍，強調德義，絕對不是一朝一夕而可形成

---

11 按：穆姜「元者，體之長也」與惠伯「元者，善之長也」，所針對的卦爻辭是不同的。穆姜所釋的是〈隨〉卦辭「元亨利貞」，惠伯所釋的是〈坤・六五〉「黃裳元吉」。而〈乾文言〉襲取二人的解釋，論的是〈乾〉卦辭。其先後漸進發展的過程，十分明顯。

的。由這三則筮例即可窺見箇中消息。

（三）以辭申義

　　筮術是一種方法，也是一種過程。這種方法與過程含有上古巫術的迷信色彩。隨著時代的進展，士大夫學習《周易》的普遍，使人們理性意識不斷提高，淡化這種迷信色彩自然成為趨勢。以辭申義，便是在這種歷史背景下產生的。完全不經過起筮的過程，直接引用《周易》的卦爻辭說理，早在春秋中期的宣公六年（603 B.C.）便已出現。《左傳》記載這則筮例道：

> 鄭公子曼滿與王子伯廖語，欲為卿。伯廖告人曰：「無德而貪，其在《周易》，〈豐〉䷶之〈離〉䷝，弗過之矣。」間一歲，鄭人殺之。

鄭國的公子曼滿把想要當「卿」的意願告訴王子伯廖。卿是諸侯國內士大夫制度位階最高的，曼滿想要得到這個高位，伯廖認為他「無德而貪」，便直接引用《周易》〈豐〉之〈離〉為斷，預測他「弗過之矣」。兩年後，曼滿果然被鄭人所殺，應了伯廖的預言。這是一則沒有經過起筮的過程而直接引用《周易》爻辭為斷的例子。《左傳》雖然沒有明載爻辭內容，但伯廖說是用《周易》，則考〈豐〉之〈離〉，即〈豐・上六〉爻變。〔晉〕杜預注：「〈豐・上六〉變而為純〈離〉也。《周易》論變，故雖不筮，必以變言其義。〈豐・上六〉曰：『豐其屋，蔀其家，闚其戶，闃其无人，三歲不覿，凶。』義取無德而大其屋，不過三歲，必滅亡。」[12]伯廖所說的「弗過之矣」即這爻辭的「三歲不覿」。這則筮例雖然仍有預測成分，但已漸脫離巫術的迷信色彩，以「德」論事，而成為義理易學的濫觴，開啟了日後士大夫直接利用《周易》以辭申義的先河。孔子說：「不占而已矣。」（《論語・子路》）正是這種精神的初現。自此之後，這種「不占而已矣」的筮例即陸續出現。如宣公十二年（597 B.C.），晉師救鄭，荀林父為中軍主帥，副帥先縠（彘子）不聽號令而擅自進擊楚軍，因而大敗的故事。荀首（知莊子）在進攻之前即應用《周易》卦爻辭預測先縠必敗。《左傳》記載道：

> 知莊子曰：「此師殆哉！《周易》有之，在〈師〉䷆之〈臨〉䷒曰：『師出以律，否臧凶。』執事順成為臧，逆為否。眾散為弱，川壅為澤。有律以如己也，故曰律。否臧，且律竭也。盈而以竭，天且不整，所以凶也。不行謂之臨，有帥而不從，臨孰甚焉？此之謂矣。果遇，必敗，彘子尸之，雖免而歸，必有大咎。」

這則筮例，荀首象數與義理並用，預測晉師必敗。「師出以律，否臧凶」，是〈師・初

---

12 〔晉〕杜預：〈宣公上第十〉，《春秋經傳集解》臺北：新興書局，1979年，頁155下。

六〉爻辭，內容便有樸素的道理存在，荀首只是配合卦象，說明爻辭的來源，申論師出不以律所以為凶的道理，發揮「不占而已矣」的義理易學精神。又過了五十二年，襄公二十八年（545 B.C.）已進入春秋晚期，《左傳》出現了一則純粹取辭立說的新筮例：

> 蔡侯之如晉也，鄭伯使游吉如楚。及漢，楚人還之。……子大叔歸，復命。告子展曰：「楚子將死矣。不脩其政德，而貪昧於諸侯，以逞其願。欲久得乎？《周易》有之，在〈復〉䷗之〈頤〉䷚曰『迷復，凶』，其楚子之謂乎！欲復其願，而棄其本；復歸無所，是謂迷復，能無凶乎？君其往也，送葬而歸，以快楚心。楚不幾十年，未能恤諸侯也，吾乃休吾民矣。」

鄭伯派遣游吉（子大叔）前往楚國，游吉到了漢水便被楚人攔阻請回。他回去後用《周易》的〈復・上六〉爻辭跟子展論述楚君的得失。他認為楚君沒有「政德」，又好面子，必不能長久霸道下去。面子是從脩德而來的，是本；不從脩德而來的面子就是「迷復」，能不帶來凶險嗎？這則筮例值得注意的是，除了游吉不經起筮過程直接引用《周易》的〈復・上六〉爻辭外，還要留心他對爻辭的解析：一、游吉沒有使用象數的技巧，而是直接分析爻辭義理，與前例不同；二、他以「政德」作為政治人物事業的成敗關鍵，間接否定了霸道。這種論述方式與價值取向，就提供日後儒家學者很多想像與發揮的空間。接下來除了發生於昭公元年（541 B.C.）醫和用《周易》的〈蠱〉卦象解說醫理外，其餘發生於昭公二十九年（513 B.C.）與昭公三十二年（510 B.C.）的兩例，無一不是以德議論政治的了。

　　昭公二十九年，魏獻子問蔡墨有關龍的問題。蔡墨舉《周易》〈乾〉、〈坤〉兩卦爻辭，作為古代有龍而且都可以朝夕看見的證據。他提到上古豢官「一日失職，則死及之，失官不食。官宿其業，其物乃至」，對於為政過於嚴苛頗有微詞。至於昭公三十二年，晉趙簡子問史墨（即蔡墨）有關魯國的季氏出其君（昭公）而民服的道理。史墨指出，「魯君世從其失」，而「季氏世脩其勤」，所以魯人但知季氏，不知魯君。史墨引〈大壯〉的卦象「雷乘〈乾〉」來說明這個道理，認為是「天之道」。〈大壯〉䷡下〈乾〉上〈震〉。杜預注：「〈乾〉為天子，〈震〉為諸侯，而在〈乾〉上，君臣易位，猶臣大強壯，若天上有雷。」[13]史墨引〈大壯〉卦象的目的，在於說明為君之道，要「慎器與名，不可假手於人」的道理，以免臣權大於君權，否則「社稷無常奉，君臣無常位」。「三后之姓，於今為庶」，正是歷史鮮明的教訓。這則筮例也可以啟發出希望執政者「勤政愛民」的遐想。

---

13 同上註，頁372上。

三 結論

經過以上對《左傳》若干筮例的分析，可知春秋易學由象數易演變至義理易，是經過一段漫長的發展過程。《易》本筮書，固以象數為主。隨著周室的衰微，學《易》的風氣普及，較理性的士大夫從起筮與推斷的過程中，在卦象與卦爻辭之間推衍出一些道理來，於是發展出義理易學。筮而無義、筮而兼義、以辭申義這三大分類，正顯示出在春秋二百多年間，這種鏈狀的發展過程。資料顯示，由象數發展至義理，《周易》扮演了極重要的角色。越往晚期發展，它被引用的頻率越高，僖公十五年以後，《左傳》已經沒有其他筮術的資料出現了。在以辭申義的筮例中，六例即全是採用《周易》爻辭的。[14] 使用《周易》談論政事，申論義理，在當時似已形成風氣。

筮書的作用在於預測人事吉凶，原應掌管在史官手中，所以象數易必以這類人為釋象與占斷的主要媒介。春秋初期易學，仍然維持著史官獨專的情況。到了春秋中期，隨著易學普及後，這種情況便漸改觀，襄公九年的穆姜筮例，穆姜不採信魯史的占斷，就是最好的例子。值得留意的是，這時所謂義理，指的是「德」。在春秋中晚期內所出現的筮例，以辭申義部分，除史墨之說論及天道外，其餘皆以「德」為論述的核心。

義理易學以「德」為核心價值。從僖公十五年所載韓簡批評晉獻公的敗德開始，義理易學便一直往這個方向發展。穆姜檢討自己「元亨利貞」四德皆無；王子伯廖引〈豐・上六〉爻辭預測鄭公子曼滿無德而貪；游吉引〈復・上六〉爻辭批評楚君不脩政德：這三個筮例都明白地提到「德」字。知莊子引〈師・初六〉爻辭預測欒子不聽號令，擅自發兵攻楚必敗；史墨引〈大壯〉卦象說明為君者須慎用名器的道理，雖沒有提到「德」字，卻跟治道有關；蔡墨引〈乾〉、〈坤〉二卦爻辭，提到豢官失職，還是歸咎於治道問題：這些都是政德。

象數易以個人的行事吉凶為訴求，屬於預測命運性質。命運無法完全由自己掌握，往往令人迷惑而不知所措，故須仰賴筮術，由史官為其占斷吉凶，指點迷津。這種行為基本上與「德」完全沒有必然關係。而義理易則以「德」為核心價值，「德」完全可操之在我，如孔子所說：「我欲仁，斯仁至矣。」（《論語・述而》）行事由己，不須要經過起筮與史官的占斷，也能依事情的善惡，以因果關係論斷結果。「不占而已矣」，就是這個道理。坦白說，象數易不涉及「德」的問題，筮術無法提高人的品德，於人類思想的理性發展上，並無多大貢獻，學術價值實在不高，起筮解象也只是一種技術而已。具有學術思想價值的是義理易學，它的價值在於強調「德」，不管在於治人還是治己，都提

---

14 昭公三十二年史墨引《易》〈大壯〉的卦象說明君臣易位的事理，雖沒有明說是引用《周易》的，但在昭公二十九年的筮例中，他所引用的爻辭確是採用《周易》的，由此可推知他在昭公三十二年也用《周易》。

供了一個理性的價值取向。但因義理易學係由象數易術演變而來，兩者之間存在著一種微妙的關係，容易使人迷惑兩者的輕重問題。到了春秋末期，孔子晚年喜《易》，好其德義，於是逐卦繇《易》，並與弟子時相討論。影響所及，即義理易學的大方向確立，又能擺脫筮術的羈畔。孔子乃是提升《周易》思想價值的關鍵人物，必須另文論述了。

附錄：《左傳》所見筮例表（附《國語》三例）

一、筮而無義					
序號	魯國年號	西元	所遇卦象	事件	附註
1	莊公二十二年	前672	〈觀〉之〈否〉	周史為陳侯幼子敬仲筮命運	《周易》〈觀‧六四〉爻辭
2	閔公元年	前661	〈屯〉之〈比〉	畢萬筮仕於晉	非用《周易》卦爻辭
3	閔公二年	前660	〈大有〉之〈乾〉	魯桓公使楚丘父筮成季命運	先卜後筮；非用《周易》爻辭
4	僖公四年	前656	無記載	晉獻公欲以驪姬為夫人，筮之吉	先卜，不吉後筮
5	僖公十五年	前645	遇〈蠱〉卦	秦伐晉，卜徒父筮之	非用《周易》爻辭
6	僖公二十五年	前635	〈大有〉之〈睽〉	晉秦之戰，晉卜偃筮	先卜後筮；用〈大有‧九三〉部分爻辭
7	成公十六年	前575	〈復〉	晉侯親筮攻楚	非用《周易》
8	襄公二十五年	前548	〈困〉之〈大過〉	齊崔杼筮娶齊棠公遺孀	《周易》〈困‧六三〉爻辭
9	昭公五年	前537	〈明夷〉之〈謙〉	魯莊叔筮其次子穆子命運	《周易》〈明夷‧初九〉爻辭
10	昭公七年	前535	〈屯〉及〈屯〉之〈比〉	孔成子筮立元為衛君	《周易》
11	哀公九年	前486	〈泰〉之〈需〉	陽虎筮晉救鄭	《周易》〈泰‧六五〉爻辭
12	哀公十七年	前472	無記載	哀公親筮貞夢	戰國時代
二、筮而兼義					
13	僖公十五年	前645	〈歸妹〉之〈睽〉	晉獻公筮嫁伯姬於秦	爻辭與《周易》有異同

14	襄公九年	前564	〈艮〉之八，史曰〈艮〉之〈隨〉	魯穆姜薨於東宮	魯史用卦名占；穆姜用《周易‧隨》卦辭占
15	昭公十二年	前530	〈坤〉之〈比〉	南蒯以枚筮叛	《周易》〈坤‧六五〉爻辭
三、以辭申義					
16	宣公六年	前603	〈豐〉之〈離〉	伯廖論鄭公子曼滿無德而貪	《周易》間接引用〈豐‧上六〉爻辭
17	宣公十二年	前597	〈師〉之〈臨〉」	荀首論晉師違律必敗	《周易》〈師‧初六〉爻辭
18	襄公二十八年	前545	〈復〉之〈頤〉	鄭游吉論楚君不脩德	《周易》〈復‧上六〉爻辭
19	昭公元年	前541	〈蠱〉	醫和論病理	《周易》取〈蠱〉上下卦象解說
20	昭公二十九年	前513	〈乾〉與〈坤〉	晉太史蔡墨論無龍原因，在於豢官失職致死，政令過嚴，致，導致無人敢再豢龍	《周易》取〈乾〉〈坤〉二卦與龍有關爻辭
21	昭公三十二年	前510	雷乘《乾》曰「大壯」	晉史（蔡）墨論魯國民但知季氏，不知魯君的道理	取卦象立說

《國語》三例：

序號	魯國年號	西元	所遇卦象	事件	附註
1	僖公二十三年	前637	貞〈屯〉悔〈豫〉皆八	晉文公重耳親筮是否能重返晉國	筮史用卦象占不吉；司空季子改用《周易》卦辭與卦象認為吉。《晉語四》
2	僖公二十三年	前637	〈泰〉之八	董因筮例，與上例同一事。	董因引《周易》卦辭，並配合星占，認為吉。《晉語四》
3	宣公二年	前607	〈乾〉之〈否〉	晉成公回國	周襄公憶述之辭。《周語下》

《左傳》的編纂與「事語」體的演進[*]

夏德靠

貴州師範學院文學院

　　「事語」體是先秦史傳文體演變過程中的一種形態，這種形態不僅在《國語》、《戰國策》中存在，也出現在《左傳》中。一般認為，「事語」在文體上呈現出記事與記言相結合的特徵，然而，「事語」體中「事」與「語」之間的關係，在不同文本中其實有著不同的反映，那麼，《左傳》中的「事語」與《國語》、《戰國策》之間有著怎樣的聯系，它具有怎樣的文體特徵，這些特徵又是如何生成的，這些問題不僅對於理解《左傳》的敘事模式有著重要意義，而且對於把握後世史著體例的發展來說也提供有益的線索。

一　《左傳》的編纂

　　《左傳》這部文獻的具體生成過程長期以來有著很大的爭議，最早論及這一問題的是司馬遷，他在《史記・十二諸侯年表》中提供這樣一段記載：「孔子明王道，干七十餘君，莫能用，故西觀周室，論史記舊聞，興於魯而次《春秋》，上記隱，下至哀之獲麟，約其辭文，去其煩重，以制義法，王道備，人事浹。七十子之徒口受其傳指，為有所刺譏褒諱挹損之文辭不可以書見也。魯君子左丘明懼弟子人人異端，各安其意，失其真，故因孔子史記具論其語，成《左氏春秋》。」[1]在這段文字中，司馬遷非常明確地表達兩點看法：一是將《左傳》的成書與《春秋》聯系起來，二是指出左丘明「因孔子史記具論其語」的編纂方法。可惜的是司馬遷沒有進一步說明「具論其語」的內涵，所以難以直接從這裡獲取更多的信息。此後學者圍繞《左傳》成書這個問題進行長期的探索，大致形成如下三種觀點：

　　一是認為《左傳》是在各國之史基礎上編纂而成的。劉知幾在《史通・采撰》篇中說：「丘明受經立傳，廣包諸國，蓋當時有〈周志〉、〈晉乘〉、〈鄭書〉、〈楚杌〉等篇，遂乃聚而編之，混成一錄。」[2]劉氏大體承繼司馬遷的看法，強調左丘明「受經立傳」的編纂旨趣，同時又推測《左傳》的編纂采用了〈周志〉、〈晉乘〉、〈楚杌〉之類的史

---

* 二〇一一年國家社科基金重大項目《中國上古知識、觀念與文獻體系的生成與發展研究》（11&ZD103）階段性成果。

1　司馬遷：《史記》北京：中華書局，1959年，頁365。

2　劉知幾：《史通》瀋陽：遼寧教育出版社，1997年，頁34。

著，這比司馬遷「因孔子史記具論其語」的說法來得具體。稍後的另一位唐代學者啖助
對此表達了更為詳細的認識：「《左氏傳》自周、晉、齊、宋、楚、鄭等國之事最詳。晉
則每一出師，具列將佐；宋則每因興廢，備舉六卿。故知史策之文，每國各異。左氏得
此數國之史，以授門人，義則口傳，未形竹帛。後代學者乃演而通之，總而合之，編次
年月，以為傳記；又廣采當時文集，故兼與子產、晏子及諸國卿佐家傳，並卜書及雜占
書、縱橫家、小說、諷諫等，雜在其中。皆是左氏舊意，故比余傳，其功最高。博采諸
家，敘事尤備，能令百代以下頗見本末。」[3] 按照啖助的分析，《左傳》顯然經過兩次編
纂，首先是左氏本人收集周、晉、齊、宋、楚、鄭諸國史料，並將之傳授給門人，這可
視為《左傳》的雛形。其次，啖氏又指出，後代學者在雛形之基礎上「演而通之，總而
合之」，同時又雜集家傳、卜書、雜占書、小說等材料，「編次年月，以為傳記」。經過
這些學者的共同努力，最終確定了《左傳》的文本形態。由此不難看出，《左傳》前後
的文體是不太一致的，定本屬於一種編年體，而初編本很可能類似《國語》。並且，由
於二次編纂過程的差異，《左傳》除了各國之史外，還夾雜家傳、卜書、雜占書、小說
這些材料。整體上來看，啖助的上述說法對後世產生比較明顯的影響，比如劉逢祿接受
兩次成書的觀點而明確主張左丘明所作為《左氏春秋》，而《春秋左氏傳》是劉歆作偽
的產物，《左氏春秋》的體例類似《晏子春秋》，經改竄的《春秋左氏傳》則成為一部解
經之作。現當代學者如徐中舒則強調《左傳》的編纂參考了《國語·楚語上》申叔時所
提及的《春秋》、《語》、《世》、《令》、《詩》、《禮》、《故誌》、《訓典》等文獻，[4] 徐仁甫
更是在《左傳疏證》一書中具體分析《左傳》采編《國語》、《公羊》、《穀梁》、《檀
弓》、《史記》、《新序》、《說苑》、《列女傳》及諸子文獻的事實。

　　二是認為《左傳》是在《國語》之基礎上編纂而成的。司馬光在討論《左傳》時引
述其父的觀點：「先君以為丘明將傳《春秋》，乃先采集列國之史，因別分之，取其菁英
者為《春秋傳》。而先所采集之稿，因為時人所傳，命曰《國語》，非丘明之本誌也。」[5]
這裡雖然強調左丘明編纂《左傳》時先采集列國之史，這似乎與劉知幾、啖助並無二
致，但就整個論述來看，這些列國之史在形態上顯然近於《國語》，也就是說，《左傳》
是在《國語》文獻基礎上編纂而成的。此後康有為主張《漢書·藝文志》所著錄的五十
四篇《新國語》為原本《國語》，劉歆從中分三十篇以為《左傳》。康氏的這個觀點雖然
是錯誤的，但顯然也認為《左傳》源於《國語》。至於司馬遷在《史記·十二諸侯年
表》提到「具論其語」，其中的「語」其實應理解為語類文獻，「論」有「編次」的意
思，所謂「因孔子史記具論其語」意思是說左丘明依照孔子《春秋》來詳盡地編次各種
相關之「語」。這個問題下文還將分析。

3　朱彝尊：《經義考》北京：中華書局，1998年，頁876。

4　徐中舒：〈《左傳》的作者及其成書年代〉，《歷史教學》，1962年第11期。

5　《經義考》，頁1071。

　　三是認為《左傳》是在史官私人記事筆記或「傳聞」的基礎上編纂的。有人分析說，春秋時期存在兩類史書，一是《春秋》類的正式國史，其記事非常簡略，一是史官個人的記事筆記，這種文獻不但記事詳細，而且要記錄真相。《左傳》的材料主要「是取自春秋時期各國史官的私人記事筆記」，同時還包括「流行於戰國前期的、關於春秋史事的各種傳聞傳說」。[6] 還有學者將先秦史官獲取、處理歷史事件信息的方式分為「承告」與「傳聞」兩種，「承告」屬於正式的官方史錄，是「別國史官以書面的形式前來通報本國事件，所通報言辭當然是經過謹慎選擇，符合當時的書法原則」，這種「承告」文獻「是諸侯國史官之間正式的文件往來，接受者應原樣錄於典策，不作任何改動"。而「傳聞」則是「史官通過非正式的文告所得來的信息，其內容涉及事件發生的原因、過程等，其中也可能包括史官個人的態度和評判」，這種「傳聞」構成《左傳》編纂的源頭。[7]

　　對於上述的各種觀點，首先提請注意的是，據浙江大學所藏戰國竹簡《左傳》殘篇來看，一方面它與今本的區別甚微，這一更為直接而有力的證據否定劉歆偽造《左傳》的說法；一方面可知《左傳》是先秦流傳下來的文獻，那種所謂《左傳》的二次成書的提法也需要重新審視。當然，上述三種觀點表面上看來是不相同的，但只要考慮它們立論取向的差異，三者之間並非不可公度。就現有文獻來看，先秦各國史體主要有三種樣態：一是類似《尚書》的形態，二是類似《春秋》經的形態，三是類似《左傳》的形態。墨子所言的「百國春秋」，其體例不類孔子所作的《春秋經》，而是近於《尚書》或《左傳》，比如《墨子・明鬼》篇所載周《春秋》：

> 周宣王殺其臣杜伯而不辜，杜伯曰：「吾君殺我而不辜，若以死者為無知，則止矣。若死而有知，不出三年，必使吾君知之。」其三年，周宣王合諸侯，而田於圃，田車數百乘，從數千人滿野。日中，杜伯乘白馬素車，朱衣冠，執朱弓，挾朱矢，追周宣王，射之車上，中心折脊，殪車中，伏弢而死。[8]

　　《左傳》的文體兼具《尚書》與《春秋經》的特徵，也就是說，《左傳》的編纂應該一方面繼承《春秋》的編年體例，一方面又吸收《尚書》之類的材料；因此，無論是各國之史抑或是史官私人記事筆記或「傳聞」，這些文獻在形態上很可能就是「語」。倘若說上引司馬光的說法還只是一種整體的推論，那麼我們可以通過分析《左傳》的具體文本來進一步證實這個論斷。顧頡剛指出《左傳》有「改並《國語》者」，他以「鄢陵之戰」作為分析的具體例證，認為「《左傳》稍易《國語》之文以成《左氏》之文，特

6　王和：〈《左傳》材料來源考〉，《中國史研究》，1993年第2期。

7　過常寶：〈《左傳》源於史官「傳聞」制度考〉，《北京師範大學學報》，2004年第4期。

8　孫詒讓：《墨子間詁》上海：上海書店，1986年，頁139-140。

《左傳》作者易欒武子之言為郤至語」。[9]徐仁甫在《左傳疏證》一書中詳細討論《左傳》的成書問題，全書十卷中專闢三卷討論《國語》與《左傳》之關係，在卷二中詳細舉證《左傳》所采《國語》的七十七條材料，卷三具體分析《左傳》采集、改造《國語》的方式：改實字、改虛字、渾括、增加、誇張、分疏、刪削、顛倒、更易、別出、虛構、正誤、自誤。這些證據確鑿地揭櫫了《左傳》的編纂依據《國語》類文獻的事實。由此可以推論，《左傳》中不見於《國語》的材料也應該來自類似《國語》的文獻。

二　《左傳》的傳釋性質

　　《左傳》的編者之所以利用了語類文獻，與這樣兩個因素有著密切的聯繫：一是《左傳》編纂的目的，二是先秦史官傳史方式的演進。正是基於這兩方面的事實，最終決定了《左傳》的文體生成過程。

　　《史記·十二諸侯年表》的記載表明司馬遷顯然肯定了《左傳》的編纂與《春秋》之間的關聯，即左丘明是基於「懼弟子人人異端，各安其意，失其真」的考慮而編纂《左傳》的。然而司馬遷雖然指出二者的聯系，但他在表述這種聯系時似乎失之隱晦。《左傳》與《春秋》之間更為明朗化的關係具體表現為《左傳》到底傳不傳《春秋》，一個普遍的觀點認為漢代的古文學家主張《左傳》傳《春秋》，而今文學家則主張《左傳》不傳《春秋》，這一觀點長期主導人們對於《左傳》性質的認知。然而，「漢代的學者層中視《左傳》解《春秋》亦即傳《春秋》者本數不一數，且上舉張敞、嚴彭祖、翼奉、龔勝、杜鄴，均學出今文，他們亦明指《左氏》傳《春秋》。這樣，自從《左氏》傳衍，形成一學以來，從先秦到漢代便存在著一個未曾中斷的、視《左氏》為《春秋》之傳的傳統。」[10]這一論斷無疑否定了今文學家都主張《左傳》不傳《春秋》的看法。事實上，在《左傳》傳釋《春秋》方面其實有許多證據可以例舉，比如今本《左傳》雖是經傳合編本，但「單經、單傳的痕跡尚在，可以覆按。單傳除無經之傳外，幾乎所有傳文都引述經文，……此等傳文中都包含經文，因別有單經之文列於上方，絕不會把它看做經傳混合之本，而只能看做為解釋上需要而引述經文」。[11]這種「引述經文」的現象無疑指明《左氏》傳釋《春秋》的事實。然而，今文學家堅持《左傳》不傳《春秋》的重要根據是《左傳》「不主為經發」，[12]可是據學者的統計，《左傳》文本直接針對經文的條目有一千三百餘條，與經文關係密切的有一百餘條，不很直接的有三百餘條，不

9　顧頡剛：《春秋三傳及國語之綜合研究》成都：巴蜀書店，1988年，頁64-66。

10　路新生：〈駁劉逢祿《左氏》不傳《春秋》說〉，《史林》，1998年第4期。

11　沈文倬：《宗周禮樂文明考論》（增補本）杭州：浙江大學出版社，2006年，頁176-177。

12　《經義考》，頁875。

難看出，「這一統計數字從總體上確認了《左傳》與《春秋》的對應關係」。[13] 但是堅持《左傳》不傳《春秋》者還會提出這樣的疑問：「如果《左傳》本來是解釋《春秋》的書，那麼《春秋》所有的記事，《左傳》也應該都有；反之，《春秋》所無的，《左傳》也應該無。但事實並不是這樣，常常是經有傳無，或經無傳有。」[14] 其實有經無傳現象「不僅存在於《左傳》，同樣也存在於《公羊》、《穀梁》。而且，《公》、《穀》兩傳有經無傳的條目，數量遠遠多於《左傳》」，截止「西狩獲麟」，《春秋》經文為一八七○條，《左傳》依經作傳的條目在一三○○條以上，無傳的約五五○條，而《公羊傳》有經無傳的條目則多達一三○○條，《穀梁》亦有一一○○條以上。[15] 這些統計數據意味著有經無傳現象普遍存在於三傳，因此，就沒有必要苛刻《左傳》對每條經文都做出解釋。換言之，倘若承認《公羊》、《穀梁》解經的性質，那麼也應該肯定《左傳》的這一功能。

　　《左傳》雖然與《公羊》、《穀梁》一樣都出於解經的目的，但在解經方式上則采取不同於後二者的路徑，而是以事解經，這種解經法的選用與《春秋》文本敘事特徵有關。《春秋》雖然載錄事件，但它並不顧及事件的過程性，即忽略事件發生的因果關聯，這樣就出現桓譚所言的「使聖人閉門思之，十年不能知也」的困境。然而，《春秋》這種敘事的出現又並不是偶然的，從根本上來看，它與早期社會史事流傳方式有關。部落時代的酋長或者巫師在職務傳遞之際，除了將歷史的標誌性象徵物如繩結、圖畫等傳遞給繼任者外，還要秘密地將這些象徵物背後的部落歷史傳遞給繼任者。[16] 這一程序表明，這些象徵物不僅是部落的聖物，是權力的標誌，同時也具有指示本部落事件的功能，但是這些事件背後的具體過程則依賴記憶式的口傳。這種傳史方式在晚近還有所發現，比如卡佤族在傳述本村歷史時就是如此，他們「有一種傳代木刻，也是記事性質的木刻。他們在每年第一次吃新米的時候，要召集全村老小一齊嘗新，由年老的人口頭傳述本村歷史，就拿出歷代相傳的一根木刻。木刻兩側都刻著許多刻口。每刻口代表著一椿事件，刻口深的，表示重大事件；淺小的表示事件輕小。有時新發生一椿事件，也照樣加刻上一個刻口。講述的老人主要是指示給族人某一刻口是記本村的某事和某村人結下怨仇，已經報復過或未報復過，其意義是要族人記著仇怨不忘報復而已。而村中其他事件也借這個機會，口耳相傳延續下去」。[17] 這裡的木刻顯然具有「記事」的特徵，不過這種「記事」不是採用文字形式，且過於簡單而神秘，只有特定人員才真正了解這些刻口的具體所指。然而參照這些事例，我們很容易發現《春秋》的敘事與木刻有

13　趙生群：《《春秋》經傳研究》上海：上海古籍出版社，2000年，頁7。

14　趙光賢：《亡尤室文存》北京：北京師範大學出版社，2001年，頁138。

15　《《春秋》經傳研究》，頁8。

16　過常寶：〈《左傳》源於史官「傳聞」制度考〉，《北京師範大學學報》，2004年第4期。

17　李家瑞：〈記雲南幾個民族記事表意的方法〉，《文物》，1962年第1期。

著相似之處，正如木刻的「記事」發揮指示功能一樣，《春秋》的敘事也只強調其「呈現」意義。

更進一層來看，《漢書・藝文志》、《禮記・玉藻》等文獻的記載表明，先秦史官存在記言、記事職能的分工，這種分工形成記言文獻與記事文獻，《漢書・藝文志》指出：「左史記言，右史記事，事為《春秋》，言為《尚書》。」[18]由於傳史方式不同的緣故，《春秋》只載錄事件，而《尚書》則以記言為主，這樣，《春秋》與《尚書》這兩種文獻在文體方面就出現非常明顯的差異。比如《春秋》，劉知幾分析說：「夫《春秋》者，系日月而為次，列時歲以相續，中國外夷，同年共世，莫不備載其事，形於目前；理盡一言，語無重出。此其所以為長也。至於賢士貞女，高才俊德，事當沖要者，必盱衡而備言；跡在沈冥者，不枉道而詳說。如絳縣之老，杞梁之妻，或以酬晉卿而獲記，或以對齊君而見錄。其有賢如柳惠，仁若顏回，終不得彰其名氏，顯其言行。故論其細也，則纖芥無遺；語其粗也，則丘山是棄。此其所以為短也。」[19]這種文體之所以產生的根本原因在於巫史文化的特定背景，《春秋》屬於巫史文獻的範疇，然而，「巫史文獻是巫史交通天人的手段之一，在天意和人間德行之間，巫史不過是這中間的傳遞者，判斷的權力在神靈那裡，巫史是不能擅發議論的。只有守住這一點，才能保證史官載錄的合法性」，因此，《春秋》「形成了一個沒有解釋、沒有情節、沒有判斷的敘述形式，這種形式不是訴諸普通人的理性的，也就是說，春秋史官所載錄的這些東西，肯定不是供社會閱讀的」。[20]這樣一種特殊的「書法」，只重視事件的「直觀呈現」，忽略事件的因果、過程及其評判，也就是說，在記事文本中不直接解釋事件，如「晉趙盾弒其君夷皋」之類，這種方式與上引木刻敘事形態有著類似之處。在「晉趙盾弒其君夷皋」這一特定載錄形態中，它只客觀呈現事件的結果，但是，它雖然沒有直接描敘趙盾為何及怎樣弒君之具體過程，但這一記錄無疑指示了這一點，而且承擔載錄此事的史官是清楚這一事實過程的，這正如老年人知道刻口所隱藏的秘密一樣。然而，處在巫史傳統之外的群體面對《春秋》這一文獻時的情況就大不一樣，他們接觸這一文本時是難以明白其中隱含的事實過程，這正像普通村人不了解刻口的神秘意義一樣。因此，《春秋》這種特定的敘事模式確實阻礙了來自巫史傳統之外的群體對這一文本的有效理解。

《左傳》針對《春秋》只載錄事件結果這一敘事特點，於是通過完善事件的過程性來補足、解釋《春秋》。普通村人依賴老人的口傳歷史去理解刻口的神秘意義，而在記言、記事職能分立的情況之下，記言文獻實際上承擔解釋記事文獻的作用。比如「晉趙盾弒其君夷皋」，《左傳》首先記載晉靈公「不君」的種種劣跡，接著敘述趙盾的規諫，可是靈公非但未能接受建議，反而起了除掉趙盾的念頭，《左傳》於是詳細載錄兩次謀

18　〔漢〕班固：《漢書》北京：中華書局，1962年，頁1717。

19　《史通》，頁7。

20　過常寶：《原史文化及文獻研究》北京：北京大學出版社，2008年，頁112。

殺事件。通過這些敘述，清楚地揭示了晉靈公為趙穿所殺的事實，及上述奇怪記錄產生的原因。《左傳》能夠做到這一點，主要是借助若干記言文獻。但是，在早期記言、記事職能分立的情況下，記言文獻與記事文獻自然也是分開載錄與保存的，這種情況對於專門負責載錄、保管這些文獻的專職人員史官來說雖然並不存在解讀的障礙，但在文獻的使用方面畢竟有所不便。因此，史官群體對於言、事分立的傳史傳統進行了革新，《史通・載言》指出：「古者言為《尚書》，事為《春秋》，左右二史，分屍其職。蓋桓、文作霸，糾合同盟，春秋之時，事之大者也，而《尚書》缺紀；秦師敗績，繆公誠誓，《尚書》之中，言之大者也，而《春秋》靡錄。此則言、事有別，斷可知矣。逮左氏為書，不遵古法，言之與事，同在傳中。然而言事相兼，煩省合理，故使讀者尋繹不倦，覽諷忘疲。」[21]《左傳》的編者打破言、事分立的傳史傳統，采用言、事相兼這一新的編纂方式，上引《史記》所謂左丘明「因孔子史記具論其語」實際上也傳達了這一層意思。這種方式不但有效地避免了《春秋》敘事的不足，同時通過利用語類文獻而起到解釋《春秋》的作用。

　　當然，《左傳》的編者並非機械地挪用記言文獻，而是在宏觀把握《左傳》體例的情況下對所采用的記言文獻做了適當的整理加工，比如《國語》與《左傳》均有曹劌論戰的記載：

　　長勺之役，曹劌問所以戰於莊公。公曰：

　　　「余不愛衣食於民，不愛牲玉於神。」對曰：「夫惠本而後民歸之誌，民和而後神降之福。若布德於民而平均其政事，君子務治而小人務力；動不違時，財不過用；財用不匱，莫不能使共祀。是以用民無不聽，求福無不豐。今將惠以小賜，祀以獨恭。小賜不咸，獨恭不優。不咸，民不歸也；不優，神弗福也。將何以戰？夫民求不匱於財，而神求優裕於享者也。故不可以不本。」公曰：「余聽獄雖不能察，必以情斷之。」對曰：「是則可矣。知夫苟中心圖民，智雖弗及，必將至焉。」（《魯語上》）[22]

　　又：

　　　「十年春，齊師伐我。公將戰，曹劌請見。其鄉人曰：「肉食者謀之，又何間焉。」劌曰：「肉食者鄙，未能遠謀。」乃入見。問何以戰。公曰：「衣食所安，弗敢專也，必以分人。」對曰：「小惠未徧，民弗從也。」公曰：「犧牲、玉帛，弗敢加也，必以信。」對曰：「小信未孚，神弗福也。」公曰：「小大之獄，雖不

21　《史通》，頁8。
22　上海師範大學古籍整理研究所校點：《國語》上海：上海古籍出版社，1998年，頁151。

能察，必以情。」對曰：「忠之屬也，可以一戰，戰，則請從。」公與之乘。戰
於長勺。公將鼓之。劌曰：「未可。」齊人三鼓，劌曰：「可矣！」齊師敗績。公
將馳之。劌曰：「未可。」下，視其轍，登軾而望之，曰：「可矣！」遂逐齊師。
既克，公問其故。對曰：「夫戰，勇氣也，一鼓作氣，再而衰，三而竭。彼竭我
盈，故克之。夫大國，難測也，懼有伏焉。吾視其轍亂，望其旗靡，故逐之。」
（《左傳‧莊公十年》）[23]

　　比較上述兩段文字，其間的差異是明顯的：一是在結構上，首先，《魯語上》只是
簡單地記載「長勺之役，曹劌問所以戰於莊公」，而《左傳》不但交待戰爭的具體時間
「十年春，齊師伐我」，而且詳細記錄曹劌為何謁見魯莊公以及戰爭的全過程，構成完
整的敘事；其次，《魯語上》只載錄曹劌與莊公陣前的對話，而《左傳》還記載戰爭中
及結束後的對話；二是語言方面，曹劌與莊公陣前的對話在兩文中的區別也很顯著。這
些差異的產生主要源於《國語》與《左傳》體例的不同，《國語》主要在於記言，所以
只重視載錄與對話相關的背景事件；《左傳》則不同，它除了載錄人物的對話外，因為
解經的緣故還承擔描敘歷史事件過程的任務。這種載錄目的或功能的差異，促使《左
傳》記言文獻的形態較《國語》有進一步的發展。

三　《左傳》事語體的特徵及其演進

　　先秦史官傳史方式由言、事分立到言、事相兼的轉化，導致史著文體形態也發生相
應的變化。在言、事分立傳史時期，記言文獻的形態主要呈現為言語的載錄；而到言、
事相兼時期，記言與記事的融合，出現「事語體」這一形態，《左傳》在文體上的重要
特徵就在於「事語體」。

　　然而，就目前各種研究來看，在「事語體」形態問題上似乎還沒有形成一致的看
法。張政烺在〈《春秋事語》解題〉一文中指出「事語」在文體形態上是「既敘事，也
記言」，[24]這個判斷在整體上應該說是對的，然而這種敘事與記言是如何結合的呢？有
人在分析《戰國策》時指出：「把記載遊士策言的這些書取名為《國策》，有關列國軍政
之策謀也；正因為這些策謀大都和列國軍、政大事相關，所以叫做《國事》；這些軍、
政大事大都通過遊士的策謀言辭表現出來，所以叫做《事語》。」[25]按照此種說法，即
是認為「語」是一種表達形式，而「事」是這一形式所欲表達的內容。但是，這種看法
無論是就《戰國策》抑或《春秋事語》來看均存在不小的差距。仔細研討《左傳》、《春

23　楊伯峻：《春秋左傳註（修訂本）》北京：中華書局，1990年，頁182-183。

24　張政烺：〈《春秋事語》解題〉，《文物》，1977年第1期。

25　何晉：《戰國策研究》北京：北京大學出版社，2001年，頁9。

秋事語》、《戰國策》這些文本,「事語體」在結構方面實際上呈現「事＋語」的模式,這又具體表現為兩種樣式:一是「語」是對「事」的闡述或評論,二是「事」與「語」結合成特定文本以敘述人物行為或事件的始末,這兩種形態在《左傳》文本中均存在。就第一種情形來看,史官或《左傳》編者往往借助君子這一特定身份發表對事件的看法,這種「君子曰」是典型的評論文本。當然還有其它情況,如《左傳‧隱公五年》載「公將如棠觀魚」,對於魯隱公這種違禮行為,臧僖伯在規諫中強調「凡物不足以講大事,其材不足以備器用,則君不舉焉」,這種文本在實質上也完全可以視為一種評論,不過這種評論是以規諫方式進行的,而此種規諫文本大量存在於《左傳》文本之中。我們更應該註意「事語」體的第二種形態,《左傳》敘事文本存在用對話文本與記事文本相結合的形式來敘述一事始末的現象,如上引「曹劌論戰」,《左傳》比較細致地記載了戰爭的始末。又如「鄭伯克段於鄢」,《春秋》就只這簡單幾個字的記錄,而《左傳》則演述為一篇複雜、曲折的文字,它詳細敘述鄭莊公與其母、其弟之間矛盾升級乃至最後采用戰爭手段解決他們矛盾的全過程,這裡既有事件的描敘,也有人物之間的對話。這些例證的樣態剛好與「既敘事,也記言」的「事語」體符合。

　　就《左傳》「事語」文本的第二種形態來說,有兩點需要加以說明:一是《左傳》的「事語」雖然與《尚書》、《國語》、《戰國策》這些文獻的「事語」有一致的地方,但由於解經的需要,更追求事件過程的完整性,因此在事件描述上更加細致,這可以從上引《國語》、《左傳》有關曹劌論戰的記載上得到說明。並且,《左傳》的「事語」還受到編年體的制約,有時事件呈現分散的特徵,這也是不同於《尚書》等文獻之處。二是對於《左傳》這種具有相對獨立性的「每事自為一章」之文本的敘事模式,人們通常將其視為紀事本末體。其實事語體與紀事本末體雖然有相通的地方,但其分別也是很明顯的。《四庫全書總目》卷四十九「紀事本末類」序云:「古之史策,編年而已,周以前無異軌也。司馬遷作《史記》,遂有紀傳一體,唐以前亦無異軌也。至宋袁樞,以《通鑒》舊文,每事為篇,各排比其次第,而詳敘其始終,命曰《紀事本末》,史遂又有此一體。……凡一書備諸事之本末,與一書具一事之本末者,總彙於此。」[26] 照此說法,編年、紀傳、紀事本末是先後繼起的史體,紀事本末乃宋代袁樞所創制,可見紀事本末體是晚起的。這一史體的特徵,朱熹〈跋通鑒紀事本末〉指出:「然一事之首尾或散出於數十百年之間,不相綴屬,學者病之。今建安袁君機仲乃以暇日作為此書,以便學者。其部居門目,始終離合之間,又皆曲有微意,於以錯綜溫公之書,其亦《國語》之流矣。」又云:「古史之體,可見者《書》、《春秋》而已。《春秋》編年通紀,以見事之先後。《書》則每事別記,以具事之首尾。意者當時史官既以編年紀事,至於事之大者,則又采合而別記之,……故左氏於《春秋》,既依經以作傳,復為《國語》二十餘

26 〔清〕永瑢:《四庫全書總目》北京:中華書局,1965年,頁437。

篇，國別事殊，或越數十年而遂其事，蓋亦近《書》體，以相錯綜云爾。然自漢以來，為史者一用太史公紀傳之法，此意固不復講。」[27]朱熹指出紀事本末體「每事別記，以具事之首尾」的特徵，並認為《尚書》、《國語》已經存在紀事本末的史法；由於後世專註於紀傳體，從而忽略了這種史體。換言之，袁樞只不過繼承《尚書》、《國語》的遺意。此後章學誠在《文史通義·書教下》中也說：「按本末之為體也，因事命篇，不為常格；非深知古今大體，天下經綸，不能網羅隱括，無遺無濫。文省於紀傳，事豁於編年，決斷去取，體圓用神，斯真《尚書》之遺也。在袁氏初無其意，且其學亦未足與此，書亦不盡合於所稱。」[28]很明顯，館臣與朱熹、章學誠的看法是不一致的。我們認為，紀事本末的稱謂始於袁樞《通鑑紀事本末》，《宋史》本傳載「樞常喜誦司馬光《資治通鑑》，苦其浩博，乃區別其事而貫通之，號《通鑑紀事本末》」，[29]在這一意義上，館臣的看法是對的；當然，從文體源流的角度來看，朱熹、章學誠的觀點似乎有其合理性。然而，《左傳》雖然存在「每事自為一章」的現象，但由於「編年之法，或一事而隔越數卷，首尾難稽」，[30]因此，《左傳》的這種「每事自為一章」只能是局部的，不完善的，在多數情況下不可能避開編年體的限制而完整地敘述某事的始末，因此，它與真正的紀事本末體相隔甚遠，二者有著本質的差異。事實上，倘若承認《左傳》「每事自為一章」的敘事模式就是紀事本末體，那麼，後世諸如《春秋左氏傳事類始末》、《左傳紀事本末》之類著述就難免是賢者多事了。總的來說，《左傳》「每事自為一章」與紀事本末體是兩種不同的史著文體形式，雖然二者存在一定程度的相似，但《左傳》「每事自為一章」的敘事模式只是「事語」體的一種形態，因此，用「事語」來指稱《左傳》「每事自為一章」的敘事文本較紀事本末更切近《左傳》的文本實際。

四　《左傳》事語體的意義

　　《左傳》的編纂對後世史傳文體的發展起著非常顯著的影響，這種影響主要表現在後世編年、紀傳的創制方面，比如編年，《後漢書》卷六十二〈荀韓鐘陳列傳〉載漢獻帝好典籍，「常以班固《漢書》文繁難省，乃令悅依《左氏傳》體以為《漢紀》三十篇」。[31]這裡只著重分析《左傳》「事語」體與紀傳體之間的關係。

　　按照劉知幾的觀察和判斷，史著文體可分為《尚書》家、《春秋》家、《左傳》家、《國語》家、《史記》家、《漢書》家六類。其中《史記》家最重要的創制之一就是紀傳

27　李興寧：〈《左傳》中的紀事本末體〉，《中國文化研究》，2006年春之卷。

28　章學誠：《文史通義》瀋陽：遼寧教育出版社，1998年，頁14。

29　元脫脫等：《宋史》，北京：中華書局，1977年，頁11934。

30　《四庫全書總目》，頁437。

31　〔宋〕范曄：《後漢書》北京：中華書局，1999年，頁1394。

體，對於紀傳的體例，劉知幾在《史通》中曾專辟三節進行分析，概括起來，有這些提法值得註意：

> 蓋紀之為體，猶《春秋》之經；系日月以成歲時，書君上以顯國統。……又紀者，既以編年為主，唯敘天子一人。有大事可書者，則見之於年月；其書事委曲，付之列傳；此其義也。[32]
>
> 司馬遷之記諸國也，其編次之體，與本紀不殊。蓋欲抑彼諸侯，異乎天子，故假以他稱，名為世家。[33]
>
> 蓋紀者，編年也；傳者，列事也。編年者，歷帝王之歲月，猶《春秋》之經；列事者，錄人臣之行狀，猶《春秋》之傳。《春秋》則傳以解經，《史》、《漢》則傳以釋紀。[34]

所謂紀傳，就《史記》來看，實際上包含本紀、世家與列傳三種類型。劉知幾認為世家在體例方面與本紀是一致的，只不過兩者敘述的對象不同而已。但是，本紀與列傳之間，本紀按編年敘事，而列傳則只是彙集史事；並且二者存在一種傳釋關係，劉知幾認為本紀相當於《春秋》，而列傳則相當於《左傳》，就《史記》、《漢書》來說，其傳則起著解釋本紀的作用。這些看法確實很新穎，對於認識紀傳體提供一個有益的視角。但是，通過對本紀文本的具體分析，上述說法中有些地方是需要重新加以審視的。

　　一方面，《史記》中的〈本紀〉在文本上一個重要特徵是按編年敘事的，這是同於《春秋》的地方，在這一意義上，所謂「蓋紀者，編年也；……編年者，歷帝王之歲月，猶《春秋》之經」的說法有其合理性。但是，〈本紀〉在敘事方面也有明顯不同於《春秋》之處，章學誠曾經指出：「馬遷紹法《春秋》，而刪潤典謨，以入紀傳。」[35]所謂典謨，表面上指《尚書》的篇章，其實就是記言文獻。按照章學誠的看法，〈本紀〉雖然取法《春秋》的編年體形式，但同時又將典謨之類記言文獻融入其中。應該說，章氏的這個觀察是很準確的。〈本紀〉既然采用了記言文獻，這樣，其敘事就不僅僅在於單純載錄事件，同時也註重事件因果關係的揭露，這種在敘事方面追求因果完整性的做法很符合司馬遷「究天人之際，通古今之變」的願望，其實也符合班固「究西都之首末，窮劉氏之廢興」的旨趣。[36]〈本紀〉的這種敘事模式其實遠離《春秋》而接近於《左傳》，因此，與其說〈本紀〉取法《春秋》，還不如說《左傳》更符合實際。仔細推敲劉知幾之所以將〈本紀〉敘事等同於《春秋》，說明他只是看到在二者表面的相似

32　《史通》，頁10。

33　《史通》，頁10-11。

34　《史通》，頁11-12。

35　《文史通義》，頁8。

36　《史通》，頁5。

性，即編年這一形式。正是由於劉氏缺乏對本紀與《春秋》敘事差異的深層次的考察，致使其有關本紀、列傳分析的系列看法存在嚴重偏頗。事實上《史記》本紀、列傳的衍生有著不同的依據，大體而言，本紀繼承《左傳》「事語體」的敘事模式，而列傳則沿承《尚書》、《國語》「事語體」的敘事路徑。之所以存在如此分野，關鍵在於本紀與列傳在敘事上存在一依編年、一則否這一明顯的差異。《左傳》的「事語體」有著與《尚書》、《國語》不同之處，《左傳》一方面繼承《春秋》編年的因素，一方面又融合記言文獻，這就表明《左傳》的「事語體」是奠基於編年體這一形式之上的，它的存在受編年體的制約。《尚書》、《國語》、《戰國策》則不同，這些文獻不受編年的限制，所以在敘事方面有著很大的自由空間。因此，雖然《左傳》與《尚書》、《國語》、《戰國策》等文獻中均存在敘述某人某事始末的文本（「事語」體），但嚴格說來，它們之間還是有著區別。明白了這一點，也就不難明白本紀何以會繼承《左傳》的敘事模式，而列傳則沿承《尚書》、《國語》等「事語體」的敘事路徑。

　　然而需指出的是，劉知幾指責《史記》「同為一事，分在數篇，斷續相離，前後屢出，於〈高紀〉則云語在〈項傳〉，於〈項傳〉則云事具〈高紀〉」，[37]毋庸諱言，〈本紀〉這種敘事之短是客觀存在的。但是，導致這種弊端發生的，在筆者看來，主要是本紀繼承《左傳》敘事模式的結果，因為無獨有偶的是這種缺陷在《左傳》中也偏偏存在，謝諤在給章沖《左氏傳事類始末》所作的序中就抱怨說：「諤幼年於諸書愛《左氏》之序事，因一事必窮其本末，或翻一二葉或數葉，或展一二卷或數卷，唯求指南於張本。至其甚詳則張本所不能盡，往往一事或連日累旬不得要領。」謝諤進一步分析其中的原因，「蓋《春秋》之法，年為主而事系之；使君之法，事為主而年系之。以事系年而事為之碎，以年系事而事為之全。」[38]《左傳》囿於編年，「以事系年」，結果造成編年與「事語」之間的緊張關係，即「事為之碎」。倘若〈本紀〉繼承的不是《左傳》而是《尚書》、《國語》「事語」體的話，這一缺陷是可以避免的，然而這又是編年體所不允許的。真正要解決「事以年隔，年以事析」這個難題，只有等到以「事為主而年系之」的紀事本末體的出現。因此，我們認為，《左傳》「每事自為一章」的敘事模式只是「事語」體的一種形態，而不能與紀事本末體等同，否則後世《左傳紀事本末》之類的著述就成為多餘。同時，《左傳》對於〈本紀〉（含〈世家〉）發揮相當大的作用，至於〈列傳〉則主要接受《尚書》、《國語》「事語」體的影響。

37　《史通》，頁7。

38　李興寧：〈《左傳》中的紀事本末體〉，《中國文化研究》，2006年春之卷。

The Interpretations of Confucian Classics and the Development of Literary Styles

—— Centered around *Gongyang Commentary on the Spring and Autumn Annals* **and** *Rich Dew of Spring and Autumn Annals*

經學闡釋與文體的生成

——以《春秋公羊傳》和《春秋繁露》為例

YU Xue-tang

School of Literature, Beijing Normal University

于雪棠

北京師範大學文學院

Most interpretive works study the Confucian classics from the standpoint of form and content, but rarely is the literary style discussed. Emerging in oral format during the Pre-Qin period, interpretations of Confucian classics reached their peak in the Han Dynasty. The numerous interpretive works in the Han Dynasty have their own specialties in literary style. Among them, there are two early interpretive works of Gongyang school: *Gongyang Commentary on the Spring and Autumn Annals* and *Rich Dew of Spring and Autumn* (the first seventeen essays) by Dong Zhongshu. They differ greatly in literary style and interpretation. This paper discusses the relationship between interpretations of Confucian classics and the creation of the literary styles with these two interpretive works as examples.

Two different interpretive literary styles: "the well-organized system with tight argument" （辯而裁） and "comprehensive and profound" （博而切）

Fan Ning, who wrote during the Jin Dynasty, commented that *Ku-liang's Commentary on the Spring and Autumn Annals* "has a well-organized system with a tight argument" which appropriately points out the stylistic features of *Gongyang Commentary.*

The Literary Mind and the Carving of Dragons : revering the Classics suggests that "*Spring and Autumn Annals* expresses the author's deep meaning in single Chinese character to discern the true nature of matters. For example, the time frame for the two matters – 'five meteorites falling in the Song Kingdom', 'six waterfowls flying backwards over the capital of the Song Kingdom' – are different in importance and show the difference of perspective. In 'The south gate of the Lu Kingdom palace and the two towers outside the palace gate caught fire,' the words palace gate comes first and then the towers, showing the priority. The implication of meaning in *Spring and Autumn* is truly profound." In fact, this is exactly the literary style of *Gongyang Commentary on the Spring and Autumn Annals*. In the sixteenth year of Duke Xi of Lu, *Spring and Autumn* records that, "On the first day of the third month in spring, five meteorites fell in the Song Kingdom, and also in this month, six waterfowls flew backwards over the capital of the Song Kingdom." *Gongyang Commentary on the Spring and Autumn Annals* comments, "Why does it say falling first and then the meteorites? It is because the falling meteorites is about something heard. You hear 'bang', you go over to see the meteorites, and then you figure out there are altogether five of them. What does '是月' mean? It means that it happens to be in this month. Then why doesn't it keep the exact date? It is because it was the last day of the month."

In *Spring and Autumn Annals*, if something happens on the first day of a month, it is recorded in detail, and if it is the last day of a month, it is not recorded in detail. Why does it say 'six' first then 'waterfowls'? It is because it's something you see. You see six of them and then you find they are waterfowls by taking a close look. And after close observation, you find they are flying backwards. Why should five meteorites and six waterfowls be recorded? It is because they are unusual. But the unusual things which happened outside the Lu Kingdom are not recorded. Why are these events kept? They are recorded for the offspring of those who have been kings.

Another example can be found the second year of Duke Ding of Lu. The *Spring and Autumn Annals* says, "The first month in spring of the Zhou calendar. In the fifth month in summer, the south gate of the Lu Kingdom palace and the two towers outside the palace gate caught fire." *Gongyang Commentary* comments, "Why does it say the south gate of the Lu Kingdom palace and the two towers outside the palace gate caught fire? It is because the two towers are less important compared to the south gate. Then why doesn't it say the fire of the south gate caused the fire of the two towers. It is because the two towers caused the fire. Then why does it say it later? It is because we don't write from the less important to the more important. The reason for recording is to keep the disaster in the file."

Gongyang Commentary on the Spring and Autumn Annals interprets all recorded events in this way. Obviously, the interpretive method of *Gongyang Commentary* is to raise a question and then answer it by oneself. There are two characteristics: first, raising questions according to every word and phrase; second, extending the meaning from one answer to a question to another question and finally coming to the deeper meaning from these sublime words.

Gongyang Commentary on the Spring and Autumn Annals aims to interpret the classics and occasionally to add some historical events in this universal style. Most of the interpretations make use of the question "why" which then leads to the narration which follows. In terms of the literary style, *Gongyang Commentary* is very neatly formed with a simple but clear argument.

The comments in *Rich Dew of Spring and Autumn Annals* by Dong Zhongshu mainly focus on the first seventeen essays which can be divided into two classes. The first class is in the form of "raising questions and then　answering them oneself" including *Duke Zhuang of Chu, Jade Cup, Bamboo Grove, Essence of Jade* and *Essence*. The rest of the twelve essays belong to the other class, not including "raising questions". The first class seems to be similar to that in *Gong Yang Commentary on the Spring and Autumn Annals* but differs greatly from the latter. The form of "raising questions and then answering them oneself" in *Gongyang Commentary* can be considered oral transmission of the interpretation. According to what Xu Yan cited from the *Prelude* written by Dai Hong in *Notes of Gongyang Commentary on the Spring and Autumn Annals*, "Zi Xia passed the *Commentary* on to Gongyang Gao, who passed it on to his son Gongyang Ping, who passed it on to his son Gongyang Di, who passed it on to his son Gongyang Gan, who finally passed it on to Gongyang Shou. Until the time of Emperor Jing of Han, Gongyang Shou and Huwu Zidu from Qi wrote the *Commentary* on bamboo slips and silk." This means that *Gongyang Commentary on the Spring and Autumn Annals* was spread orally from generation to generation until the time of Emperor Jing of Han when it was recorded in written literature. This method of "raising questions and then answering them oneself and then extending interpretation layer by layer" is the original form of interpreting classics, and it is effective in teaching because it is easy to recite and impart. The purpose of *Rich Dew of Spring and Autumn* by Dong Zhongshu, however, is not for teaching but for expressing his ideas in writing, so the two are drastically different in literary style.

The background of Dong Zhongshu's research is not oral transmission but the academic setting in which different academic groups question one another about the main idea of the classics[1]. In addition to this background of questioning, Dong Zhongshu's interpretive writings are also relevant to the system of questioning for talents of the royal court. The *Three Schemes about Heaven and Man* by Dong Zhongshu stemed from the questions of Emperor Wu of Han. Besides answering questions（對策）, there are also answering questions selectively（射策）for promoting talents. *The History of Han Dynasty: Biography of Xiao Wangzi* annotates, "Answering questions selectively are written questions, which are classified into first class and second class, on bamboo slips and then put them together. The person who wants to answer the questions should select one of the slips and then answer the questions on it. Then he will be judged good or bad by his performance." Selective questions test the ability to answer questions and according to the *Historical Records*, a lot of people became government officials through answering questions selectively.

When looking at the five interpretive essays that consider the concept of raising and answering questions in *Rich Dew of Spring and Autumn*, we can see that the literary styles are complicated and undefined. Unlike Gongyang *Commentary on the Spring and Autumn Annals*, the literary style is far from precise and the interpretive sentences in the form of raising difficult questions and then answering them are dispersed in an essay along the way. In other words, one essay wasn't entirely written in the same literary style as the next. For instance, the essay *Duke Zhuang of Chu* is comprised of four parts. The first part debates the commendatory or derogatory nature of the title of Duke Zhuang of Chu and Duke Ling of Chu. The second part centers around the profound meaning of the *Spring and Autumn Annals* implied in the event of "Jin crusaded against Xianyu" recorded in the *Spring and Autumn Annals*. The third part casts aside the form of raising difficult questions and answering them, and engages in a discussion of how *Spring and Autumn Annals* divides the twelve periods into three classes (what you see, what you hear and what has been spread), and notes that the expressions in the three classes in *Spring and Autumn Annals* are drastically different. The fourth part brings out the point that "The objective of *Spring and Autumn Annals* is to worship

---

1　Before the time of Dong Zhongshu, Yuan Gu and Huang Sheng from the Kindom of Qi argued over whether Tang Wu was ordered or committed regicide. (See *the Historical Records: Biography of the Scholars'　Circle*) In the time of Dong Zhongshu, the event of debate also existed. At that time Jiang Gong from Xiaqiu imparted *Gongyang'　s Commentary on the Spring and Autumn Annals* and *The Book of Songs* and Emperor Wu of Han ordered him to argue with Dong Zhongshu, and Jiang Gong lost the argument. As a result, Emperor Wu of Han put emphasis on the school of *Gongyang* and ordered the prince to learn *Gongyang'　s Commentary on the Spring and Autumn Annals* which became extremely popular. The establishment of Gongyang doctrine as official doctrine to a large extent depended upon Dong Zhongshu'　s good arguing skills. (See *the History of Han Dynasty :Biography* of the Scholars'　Circle) heaven and abide by the ancient regulations", and then to raise difficult questions and answer them by oneself centering on the profound meaning. Among the four parts of this essay, three of them adopt the form of raising difficult questions and then answering them by oneself, and one part bears no sign of this format. The case is the same with the remaining essays in which the form of raising difficult questions and then answering them by oneself is not adopted through the whole essay, and neither can you find the rule when it is used.

Secondly, the logic relations between the constitutive parts of an essay can be hardly found due to the loose structure. Taking the essay *Duke Zhuang of Chu* again as an example, the first part holds the view that "The diction in *Spring and Autumn Annals* does not repeat what is already clear but repeats what is not clear." The second part deals with "*Spring and Autumn Annals* laying great emphasis on etiquette and integrity." The third part concentrates on the fact that "*Spring and Autumn Annals* does not say much about the present age." The fourth part argues that "The objective of *Spring and Autumn Annals* is to worship heaven and abide by the ancient regulations," and "Those who want to unite the whole world and govern it benevolently must change their regulations." These four parts are in a parallel relationship which means they all stand alone, and it does not matter which one appears first. The other essays are also written in this combination structure where arguments and questions coexist, title and objective are not consistent.

Dong Zhongshu's twelve other interpretive essays of *Spring and Autumn Annals* are all comprehensive and profound. Every essay has a focus subject around which there are comprehensive and detailed arguments. For instance, *Benevolent Government* says that the trivial blunders recorded in *Spring and Autumn Annals* are used as counter-examples to support benevolent government, and *Benevolent Government* cites more than ninety events recorded in *Spring and Autumn Annals* which make clear the view that monarchial power should be worshiped, noble and civilian should be distinguished. Most essays center on the topic to make a systematic and detailed analysis. For example, *Two Sides of a Thing* talks about the profound meaning of *Spring and Autumn Annals* –the Emperor is given an order by heaven to promulgate a new calendar and to relieve the victims of a disaster. *Ten Kernels* explains the ten principles of writing in *Spring and Autumn Annals*. *Harmonious Domination* argues one of main ideologies in *Spring and Autumn Annals*: six subjects. *Good Omen* talks about the omens for changing regulations according to orders from heaven. The structures of the essays all clarify the aim and theme from the very beginning and explain the meaning profoundly with concise words.

Two classics interpretive methods in the pre-Qin periods and the beginning of the Han Dynasty: "elaborating on truth adhering to classics"（依經以辨理）and "establishing views by integrating the classics"（合經以立義）

The two different literary styles in *Gongyang Commentary on the Spring and Autumn Annals* and *Rich Dew of Spring and Autumn* by Dong Zhongshu actually show two different interpretive methods and two different styles of studying the classics in the pre-Qin period and at the beginning of the Han Dynasty. *Gongyang Commentary on the Spring and Autumn Annals* was spread orally from the pre-Qin periods and was carved onto bamboo slips at the beginning of the Han Dynasty. *Gongyang Commentary* concise and tight literary style is a demonstration of the way in which the ideology of classics was revered.

The development of classics changed from "elaborating on truth adhering to classics" to "establishing views by integrating classics" in the time of Dong Zhongshu. We could summarize *Rich Dew of Spring and Autumn* by Dong Zhongshu with the words "comprehensive study". The so-called "comprehensive study" is clarified by Dong Zhongshu himself. *Jade Cup* analyzes the record in *Spring and Autumn Annals* called "Zhao Dun Killed his King" and says, "Consequently, it couldn't be all correct to judge by putting similar things together; however, similar things do bear the same nature." He also notes "There are hundreds of records in the *Spring and Autumn Annals* that the king in one kingdom goes to another kingdom to ask for a bride, and also thousands of records that the king of one kingdom responds to the asking of the king from another kingdom, from which we could find out the similar things and see the intentions of the keeper." This means that we could select a variety of principles by which to judge virtues, values, and writing. *Jade Cup* also says, "People talking about *Spring and Autumn Annals* base their understanding on the whole book, and then understand the other examples through known examples; they deduce the implied meaning from the unrecorded by the recorded, so both the way of being a person and the law are established." *Essence* says, "As an academic study, *Spring and Autumn Annals* interprets the future by talking about the past. But it is hard to interpret the delicacy shown by heaven. If you cannot sense it, it seems as if it does not exist; and if you can, then everything seems to be existing. As a result, those who study *Spring and Autumn Annals* relate one of the truths to others and then all of the truths are similar to this one."

When interpreting *Spring and Autumn Annals*, Dong Zhongshu often uses the method of "comprehensive understanding, going from the known examples to the unknown ones and deducing the implied meaning" and "relating the known logic to others." The biggest difference between his way of interpretation and that of *Gongyang Commentary on the Spring and Autumn Annals* lies in that he summarizes the main ideologies, principles and wording of *Spring and Autumn Annals* first, and then exemplifies them with the examples from the writings. In other words, he makes a conclusion based on the characteristics of *Spring and Autumn Annals,* and then explains its great ideologies according to this conclusion.

Taking the above extract as an example, Dong Zhongshu considers that the characteristic of *Spring and Autumn Annals* is "interpreting the future by talking about the past" and that the wording feature of *Spring and Autumn Annals* is "showing the delicacy of heaven." From this general feature of *Spring and Autumn Annals,* those who study it should "relate the known truth to other matters and carry one understanding through the whole essay." There is no problem between these two steps from his assumed premise to his conclusion.

The question remains, how does Dong Zhongshu establish the characteristics of *Spring and Autumn Annals* - "interpreting the future by talking about the past" and "showing the delicacy of heaven?" The inference of establishing views by integrating classics can be found everywhere in *Rich Dew of Spring and Autumn* by Dong Zhongshu. The following are several examples to help understanding his interpretation.

In terms of the matters in the world, *Spring and Autumn Annals* prefers to restore the ancient situations and attack the action of changing the rituals with the hope that people could obey the former emperors. One sentence is added here, "Those emperors who want to govern benevolently must change the present regulations." (From *Duke Zhuang of Chu*)

The principle of *Spring and Autumn Annals* requires people to follow their monarch who in turn has to follow heaven. As a result, people have to restrain their own needs in order to have the wishes of the monarch carried out while the wishes of the monarch should be repressed to promote the order of heaven. This is the significant notion in *Spring and Autumn Annals*. (From *Jade Cup*)

Does *Spring and Autumn Annals* prefer to use roundabout expressions? It values the purpose of doing things. *Spring and Autumn Annals* sorts out the principle of judging between primary and secondary to illustrate the point that we should adapt to things, observe the ultimate purpose of doing things through a person's entire life and finally to establish the most important principle of being a person. (From *Jade Cup*)

Spring and Autumn Annals does not have universal words but changes its words according to the specific situations. (From *Bamboo Grove*)

Spring and Autumn Annals has both the appropriate etiquette for normal situations as well as a changeable etiquette suitable for specific situations. (From *Essence of Jade*)

Spring and Autumn Annals uses some euphemisms to record events to avoid facts and changes titles to record people to avoid taboos. However, those who interpret *Spring and Autumn Annals* should start from those euphemisms to understand the reason and purpose for using words, and then ends up in the truth of things. (From *Essence of Jade*)

Spring and Autumn Annals is quite conscientious in its use of language as well as people's titles and the like. (From *Essence*)

Spring and Autumn Annals considers that if you are an official in feudal times, and you don't attack the rebels, you are not a qualified official. If you don't revenge your father, you are not a qualified son. (From *Benevolent Government*)

In the writing of *Spring and Autumn Annals*, Confucius' ultimate purpose is to start from heaven to make proper the classes of officials and the wishes of the people. And then the gain and the loss of governing should be known and those talented people should be adopted waiting for the saints to show up. (From *Prelude*)

When Dong Zhongshu explains the profound meaning, careful wording, and the purpose of *Spring and Autumn Annals*, he senses it globally while *Gongyang Commentary on the Spring and Autumn Annals* interprets *Spring and Autumn Annals* event by event, following the order from words to sentences to matters and finally to meanings. Ultimately, Dong Zhongshu makes a global assessment of *Spring and Autumn Annals* while Gongyang makes a specific assessment. The fundamentally different perspective of interpretation makes Dong Zhongshu change from "elaborating on truth adhering to classics" to "establishing views by integrating classics".

The interpretation of specific wording between *Gongyang Commentary on the Spring and Autumn Annals* and *Rich Dew of Spring and Autumn Annals* shows these different lines of interpretive thought. The following are the explanations of 元 in 元年春王正月 from *Duke Yin* in *Spring and Autumn Annals*. *Gongyang Commentary* says, "What is the year 元? It is the first year of a monarch." This explanation is quite simple and does not bestow any profound meaning on 元. Dong Zhongshu's explanation differs drastically.

Two Sides of a Thing in *Rich Dew of Spring and Autumn Annals* says, "As a result, *Spring and Autumn Annals* makes use of the profound meaning of 元 to make proper the beginning of heaven, which is in turn used to make proper the politics of the monarch, which is in turn used to make proper the enthronement of every duke, which is in turn used to make proper the government of the country. If these five sides are made proper, civilization will be popularized in the world."

Emphasis on Government Affairs says, "Only the saints could connect everything into a whole and then relate it to 元. If everything couldn't reach the place where it comes and inherit 元, it does not take effect. Consequently, *Spring and Autumn Annals* changes the name of 一 (meaning the first) to 元 (meaning the beginning). The meaning of 元 follows the process of heaven, so people also have beginning and end, which means people do not have to change with the alternation of seasons to survive. As a result, 元 is the root of everything and humans also stem from it."

Benevolent Government says, "Why does *Spring and Autumn Annals* focus on 元 and explain it? 元 is beginning which means root should be made proper. 道 is government and 王 is the beginning of benevolence. If the monarch is benevolent, 元 would be smooth, and then rain would come in time, a prosperous star would appear and the yellow dragon would come down to earth. If the monarch is not benevolent, heaven changes the climate and thieves would appear."

Dong Zhongshu bestows profound meaning on 元 and garbles the proposition, "The principle of *Spring and Autumn Annals* makes use of 元 to make heaven proper." "Only the saints could connect everything into a whole and relate it to 元." and "*Spring and Autumn Annals* puts emphasis on 元." From these propositions which have been disconnected from the *Spring and Autumn Annals*, he continues to bring out other propositions, "the relationships between proper title, appropriate essence, king and heaven in terms of changes of 元." Compared to the conciseness of *Gongyang Commentary on the Spring and Autumn Annals*, it is entirely different.

We could take disasters and strange things for another example. *Gongyang Commentary* has 32 records of strange things and twenty records of disasters. Observing these fifty records of disasters and strange things, you can find that it just makes simple comments from the perspective of writing and does not develop it further to a more profound meaning. For example, *Spring and Autumn Annals* says, "In the third year of Duke of Lu February in spring, a solar eclipse appeared." *Gongyang Commentary* makes this comment, "Why does it keep this? It is to record strange things." And there are no more profound meanings. As far as disasters are concerned, *Spring and Autumn Annals* says, "In the ninth year of Duke of Lu in the spring fire broke out in Song kingdom." *Gongyang Commentary on the Spring and Autumn Annals* makes these comments, "Why does it sometimes say 'disasters' and sometimes 'fire'? It is because the serious one would be recorded as 'disaster' and the less serious one would be recorded as 'fire'. Then why when fires broke out in Lu kingdom is the term kept as 'fire'? It is because this kind of thing is serious. Why does it keep it? It is to record disasters. Fires outside the Lu kingdom are not kept, but why does it keep those that broke out in Lu kingdom? It is to record the fires for the sake of the monarch's offspring." Disasters and strange things are distinguished clearly in *Gongyang Commentary on the Spring and Autumn Annals*, which says, "In the first year of Duke Ding of Lu October in winter, the frost harmed beans." The commentary makes these comments: "Why does it keep it? It is to record strange things. Why does it keep it as strange things? It is because strange things are more serious than disasters."

Dong Zhongshu's interpretation about disasters and strange things connects the various strange things in nature with people's behaviors. *Benevolent Government* says, "The Zhou Dynasty was fading and the emperor was alone; as a result, a solar eclipse occurred, stars fell like rain, locusts flew like raindrops and a landslide happened in Shalu of the Jin kingdom. Rainstorms fell in Summer and snowstorms fell in Winter. Five meteorites fell in the Song kingdom and six waterfowls flew backwards. Frost did not freeze the weeds to death, and plums bore fruit. It didn't rain from the first month to the seventh month. Earthquakes occurred, Mount Liang collapsed and Yellow River was blocked and remained still for three days. It was dark during the day. A comet appeared in the east and went into the Big Dipper. Mynas made nests. *Spring and Autumn Annals* regards these matters as violating normal logic and the omen of political disturbance."

Spring and Autumn Annals just regards solar eclipse and earthquakes, etc. as strange things; however, Dong Zhongshu relates astronomical phenomena to people closely by saying "the omen of disturbance can be seen from this." Besides, in *Two Sides of a Thing* he further puts forward the idea that the strange things are warnings to the monarch. The essay says, "As a result, *Spring and Autumn Annals* regards these things—such as solar eclipse, meteorites and locusts—as abnormal and omens given by heaven to show political turbulence. However, *Spring and Autumn Annals* lists them to remind kings to rethink the reprimand of heaven, to dread the power of heaven, to put it into practice, to reflect on themselves and finally to bear a benevolent heart and return to the right course. Is this progress that they pay attention to trivial matters and are they beginning to think over the ultimate consequences and to infer the ultimate effect?"

Spring and Autumn Annals does not have a concept of heaven, nor does *Gongyang Commentary on the Spring and Autumn Annals*. It is Dong Zhongshu who introduces the concept of heaven and regards it as a personalized god. The classics interpretation in *Rich Dew of Spring and Autumn Annals* does not only dig out the original meaning of the classics to any extent, but its author attempts to convey his thinking of the political world by way of interpreting the classics.

The Catalog of The Emperor's Four Treasuries remarks on The Beginning and end of Classified events in Commentary on the Spring and Autumn Annals which was written by Zhang Chong living in Song dynasty: "Spring and Autumn Annals organizes matters with appropriate words in a certain principle, and the meanings are complementary. The interpretation of words starts with the event itself and then the scripture, or puts the logical explanation before the scriptural explanation, or makes the logic clear according to the scripture, or relates different things together by integrating scriptures. Every element is structured and could be transfixed." The interpretive method of Gongyang Commentary on the Spring and Autumn Annals is the so-called "logical explanation according to the classics." On the other hand, Rich Dew of Spring and Autumn Annals by Dong Zhongshu starts events by talking about the classics first, or he finalizes the meaning by talking about the classics later, or he combines different opinions by misinterpreting classics deliberately; all of which can be summarized as the characteristics of "establishing meaning by integrating classics".

Interpretation method leading to ideas and ideas leading to interpretation method

The production of literary style and interpretive method are inseparable in the two works of classical interpretation: Gongyang Commentary on the Spring and Autumn Annals and Rich Dew of Spring and Autumn Annals. Respectively speaking, Gongyang Commentary on the Spring and Autumn Annals brings out the ideas of the classics in terms of the interpretive method, i.e. the literary style. Conversely, Rich Dew of Spring and Autumn Annals goes from the interpretation of classics to the unique interpretive method and literary style of its author.

Gongyang Commentary on the Spring and Autumn Annals interprets every single historical event recorded in Spring and Autumn Annals. Specifically speaking, it adopts a word by word and sentence by sentence interpretation, and in the meantime, emphasis is put upon the distinguishing of synonyms and the arrangement of word order. And quite often the answer of the previous sentence brings out the question of the next sentence. This kind of interpretive method, i.e. literary style, would sometimes naturally lead to objective ideas. In other words, how are some ideas in Gongyang Commentary on the Spring and Autumn Annals introduced?

According to the method of interpretation in *Gongyang Commentary*, how is the idea of "extensive unification" introduced? *Spring and Autumn Annals* says, "The first year of Duke Yin of Lu according to Zhou calendar, in spring." *Gongyang Commentary on the Spring and Autumn Annals* interprets thus, "What is the first year? It is the first year when the monarch is crowned. What is spring? The beginning of the year. Who is the emperor? Emperor Wen of Zhou. Why does it say the emperor first and the first month? It's the first month of Emperor Wen of Zhou. What does it mean by Emperor Wen of Zhou? That is the demonstration of the whole world unifying around the Emperor of Zhou."

The interpretation in *Gongyang Commentary on the Spring and Autumn Annals* puts "what spring is" before "who the Emperor is." In terms of word order, why does "the emperor" come before "the first month?" There are several explanations and ideas for this interpretive line of thought. The first would be the purely grammatical explanation. The second would be a stylistic explanation according to all the exactly recorded examples in *Spring and Autumn Annals*. Utilizing the stylistic layout, the year and season should be recorded, but some events should go to the month while others should go further to the exact date according to the Zhou calendar. The third would be a political explanation. Why does the emperor come first? In the political system of the Zhou dynasty, the emperor should be at the top of the pyramid and dukes in each kingdom should be at the bottom of the pyramid. The only explanation of putting the emperor first is to revere the emperor of the Zhou dynasty. With regard to how to express this, *Gongyang Commentary on the Spring and Autumn Annals* adopts the concept of "extensive unification"(大一統).

As another example, *Spring and Autumn Annals* says that in the fourth year of Duke Zhuang of Lu, "the king of Kingdom Ji left his country forever." *Gongyang Commentary* interprets, "What does 'left forever' mean? It means that the country was destroyed. Who destroyed it? Kingdom Qi. Why doesn't it say directly Kingdom Qi destroy it? To avoid mentioning Duke Xiang of Qi. *Spring and Autumn Annals* avoids mentioning the virtuous such as Duke Xiang of Qi. Why is he virtuous? He took his revenge. Took his revenge on whom? Took his revenge on Duke Ji for saying something bad about Duke Ai of Qi which resulted in Duke Ai's dying from being boiled. Duke Xiang did all he could to serve his ancestor. Why does it say so? When Duke Xiang wanted to seek vengeance on Kingdom Ji, the wizard said he would lose half of his army. But Duke Xiang said it couldn't be regarded as unlucky even if he died for this. How many generations had passed after Duke Ai? Nine generations. Could he seek revenge after nine generations? Even if it were one hundred generations later, he could still seek revenge.

How was this story of revenge brought out by the literary style? It was the result of the previous questions. Duke Xiang of Qi was a virtuous monarch, but he once fornicated with his sister Wenjiang and killed her husband Duke Huan of Lu. According to the interpretive style of *Gongyang Commentary* it's hard to discover his virtues. But his virtues can only be found by relating his destroying the Kingdom Ji for his ninth-generation ancestor. He was given birth to revenge his ninth-generation ancestor, so *Spring and Autumn Annals* speaks highly of him and avoids mentioning his name. Some explanations can be analyzed like this.

Rich Dew of Spring and Autumn Annals' "comprehensive and profound" literary style comes from the combination of knowledge, background, and ideologies. Dong Zhongshu's knowledge background includes all the ideologies of various philosophies such as Confucianism, Taoism, Legalism, Logic, the Yin-Yang school and he often refers to *The Book of Songs* and *The Book of Changes*. The interpretation of *Rich Dew of Spring and Autumn Annals* begins with a summary of the propositions as opposed to the *Spring and Autumn Annals* which begins with the classic understanding of the proposition. The second part of this paper has given many examples, so there is no need to further expound on it. When Dong Zhongshu says "*Spring and Autumn Annals* says," he may be quoting *Gongyang Commentary on the Spring and Autumn Annals*, but most of the time these are his own subjective presuppositions. The examples from the classics are only used to support his propositions. Dong Zhongshu centers upon establishing his own argument with no intention of interpreting *Spring and Autumn Annals*. As a result, his ideas naturally lead to his way of interpretation, which, in turn, produces a unique literary style.

悠遊與高蹈
——莊子之「大」的生命哲學解讀[*]

付粉鴿[**]

西北大學哲學與社會學學院

探尋存在意義，追求精神逍遙是莊子思想的核心。在「至人無己，神人無功，聖人無名」[1]的超越提撕中，莊子自適其心，悠遊天放，挺立起個性自足圓滿的存在形象，構建起獨具特色的生命哲學。「大」是莊子生命哲學的重要概念，含意豐富，既指有形之空間的廣闊，又指無形之境界的高遠；既是莊子自身生命存在之寫照，又是其學術所希冀之理想境界；用「大」、求「大」既是莊子表達思想的手段，也是其生命境界的意象。體味莊子的「大」，不僅需要無窮之想像，更需要精神之超拔。

一　策略性與目的性的統一：「大」之意涵

從詞源學看，「大」為象形字，在甲骨文中是人形的符號化，一人張開雙臂、雙腿、頂天立地成「大」。《說文解字》釋為：天大，地大，人亦大。故大象人形。由甲骨文和《說文解字》可知，「大」最先用於指稱人，是對人的形體特徵的描摹。因此，從發生學角度論，「大」與人、與生命存在間關係密切。老子和莊子代表的道家睿智地洞悉到此，將「大」與其哲學結合，以「大」闡釋和彰顯其生命思想。

老子用「大」和論「大」的地方較多，如「吾強為之名曰大，大曰逝，逝曰遠，遠曰反」[2]（注：依王弼本補）；「道大，天大，地大，王大。域中有四大，而王處一」[3]，這些用法中「大」字以個體詞出現。此外，還有許多由「大」構成的合詞，如「大象」、「大白」、「大方」、「大器」、「大音」等。在老子的思想中，「大」的諸多用法主要有兩種指代，一是作名詞，為「道」的替代詞，體現「道」之特點；二是作形容詞，表

---

* 陝西省教育廳人文社科專項研究專案「以道觀之：莊子思維方式探究」（14JK1721）階段性研究成果。

** 作者簡介：西北大學哲學與社會學學院副教授，博士，主要研究方向為道家思想。
　　聯繫方式：fgfu2013@163.com

1　〔清〕郭慶藩撰，王孝魚點校：《莊子集釋》北京：中華書局，1961年，頁17。

2　朱謙之：《老子校釋》北京：中華書局，1984年，頁101-102。

3　同上註，頁102-103。

示得道後的狀態。在第二種用法中，對比暗含於其中，「大方無隅，大器晚成，大音希聲。大象無形」[4]，這是識道體道後狀態的形象描摹，對未識道、未體道的人而言，便不會如此，「俗人昭昭，我獨若昏。俗人察察，我獨悶悶」[5]，未識道體道的俗人往往以「小」為全部，視野狹隘，境界較低。可見，在老子思想中，「大」已是一個涵義極為豐富的概念，不僅具有日常經驗層面的描摹，更具有哲學超驗層面的深度。

作為老子的後繼者，「大」在莊子的思想中被進一步發揮和提升。在《莊子》中，「大」使用頻率極高，共出現了約三七九次，含義更豐富。「大」可指空間形體之廣闊，如鯤與鵬之大、椿樹之大、瓠瓜之大；可指審美之無限，如大美；也可指無盡之愉悅，如大樂；更可指境界之高遠、德性的超越，如大方之家。在莊子思想中，形體的大往往與「小」相對，其作用在於對比，如鯤、鵬之「大」與雕、學鳩的「小」，以形體的差異體現存在狀態之不同，此時的「大」更多是一種手段和工具，是突破世俗認識侷限的最簡單、最直觀方式。如瓠瓜之大、任公子之掉大魚等，莊子以此與世俗對比，但「大」的此種用法還不是莊子用「大」的核心意義。因為形體之大仍然停留在器物界和經驗層，莊子用「大」更重要在於指代生命境界和生命價值的超拔。雕之小、鵬之大，超拔與沈淪上是不可化約的，「小」與「大」不僅是外在形體上的差異及數量上的簡單對比，而且更是雕與鵬精神境界高低的不同、生命所追求的價值大小之別。雕與鵬在形體上無法比擬，在生命狀態上更無法相提並論。而「大義」、「大知」、「大年」更是世俗功利化價值所不可企及的，「大美」、「大樂」等也是簡單感官享受所無法體會的。一個「大」字將生命，將莊子的生命，從世俗中提升出來，挺立起一個大生命──宇宙生命，自由而具靈動的生命。

二　破除俗見、保身全生、逍遙自適：「大」之功能

（一）以「大」破世俗之功用觀念

莊子生活在一個私欲漸盛的時代，整個社會功利意識泛濫，物欲橫流，「錢財不積則貪者憂，權勢不尤則誇者悲」[6]。許多人為求私利，往往不擇手段，「捐仁義者寡，利仁義者眾」[7]。當時「朝甚除，田甚蕪，倉甚虛，服文綵，帶利劍，厭飲食，財貨有餘，是謂盜誇」[8]，整個社會從上至下虛浮利欲之風盛行，「自三代以下者，天下莫不以

4　同註2，頁171。

5　同註2，頁83。

6　郭慶藩《莊子集釋》，頁835。

7　同上註，頁861。

8　朱謙之：《老子校釋》，頁212。

物易其性矣。小人則以身殉利，士則以身殉名，大夫則以身殉家，聖人則以身殉天下。故此數子者，事業不同，名聲異號，其於傷性以身為殉，一也。」[9]世俗多以安逸美服為樂、以榮華權勢為貴，「今之所謂得誌者，軒冕之謂也」[10]，真是「天下何其囂囂也？」[11]，甚至為求富貴權勢不惜危身棄生，以致「喪己於物，失性於俗者」[12]。

世俗偏限於一己之欲，以個體私欲的滿足度量價值，庸俗的效用意識泛濫，進而引起社會紛爭和混亂，莊子以「大」為方式，批狹隘的效用意識，破一己之成見。在《莊子》中有許多「大」物，如

> 魏王貽我大瓠之種，我樹之成而實五石，以盛水漿，其堅不能自舉也。剖之以為瓢，則瓠落無所容。非不呺然大也，吾為其無用而掊之。[13]（〈逍遙遊〉）
> 吾有大樹，人謂之樗。其大本臃腫而不中繩墨，其小枝捲曲而不中規矩。立之塗，匠者不顧。[14]（〈逍遙遊〉）

由於樹太大，樹身臃腫，無法用繩墨丈量，連樹枝都不成形，匠人根本不看。因此，樹大又有何用？瓠瓜太大堅不能舉，無用而掊之。惠施作為常人之代表，評判事物時往往以世俗的有用無用為標準，大的東西在惠子這些俗人眼中往往因超出了評判的標準、不能滿足世俗的需要被視為無用，而遭遇「匠者不顧」或「掊之」的命運。但莊子卻反其道而行之，世俗人認為大而無用的恰恰是莊子所追求的。因此，對惠子大而無用的疑問，莊子一一給予激烈的反擊。

> 今子有五石之瓠，何不慮以為大樽而浮乎江湖，而憂其瓠落無所容？則夫子猶有蓬之心也夫！[15]（〈逍遙遊〉）
> 今子有大樹，患其無用，何不樹之於無何有之鄉，廣莫之野，仿徨乎無為其側，逍遙乎寢臥其下。不夭斤斧，物無害者，無所可用，安所困苦哉！[16]（〈逍遙遊〉）

大樹可以讓我逍遙寢臥其下，大瓠可以讓我浮遊其上，此是多麼愜意快樂、自由逍遙。莊子以「大」挑戰和顛覆了世俗的價值觀念和評判準則，引起人們深深的反思。

對這種超常之「大」，世人往往不能理解，〈逍遙遊〉中肩吾對接輿所講的大而無

9　郭慶藩《莊子集釋》，頁323。
10　同上註，頁558。
11　郭慶藩《莊子集釋》，頁319。
12　同上註，頁558。
13　同註11，頁36。
14　同註11，頁39。
15　同註11，頁37。
16　同註11，頁40。

當、往而不返，「驚怖其言，猶河漢而無極也；大有徑庭，不近人情焉」[17]，正是世人對至「大」的普遍反映。世人由於自身視野、知識、認識等各種侷限而執泥於有限、小，就像蜩與學鳩之嘲笑鵬一樣，自以為是，以坎井之蛙笑大方之人，這才會把「道」的「大」，當做「孟浪之言」[18]。莊子以「大」將得道之人與常俗之人相區別，以「大」將常俗之界與道境區別。因此，唐君毅說「至莊子之即自然界之物，以悟道而喻道者，則恆取物之大者、遠者，奇怪者，以使人得自超拔於卑近凡俗之自然物與一般器物之外。」[19]

（二）以「大」為保身全生之策略

俗世以狹隘的功用評判事物，有用之物，被稱道和追求，但結果卻早早夭折，就像「山木自寇也，膏火自煎也。桂可食，故伐之；漆可用，故割之」[20]，山木膏火桂漆都因有用慘遭惡運。而被當作無用的反而因禍得福，得以保全，像支離疏因為「頤隱於齊，肩高於頂，會撮指天，五管在上，兩髀為脇」，殘缺無用，而免遭禍患，「上徵武士，則支離攘臂於其間；上有大役，則支離以有常疾不受功；上與病者粟，則受三鍾與十束薪」[21]。因此，莊子嘆息「人皆知有用之用，而莫知無用之用也」[22]。為求保身而致無用，「大」是通向無用的一種重要方式。〈人間世〉中櫟社樹的存身之道即是明證，

> 匠石之齊，至於曲轅，見櫟社樹。其大蔽數千牛，絜之百圍，其高臨山十仞而後有枝，其可以舟者旁十數。觀者如市，匠伯不顧，遂行不輟。
> 弟子厭觀之，走及匠石，曰：「自吾執斧斤以隨夫子，未嘗見材如此其美也。先生不肯視，行不輟，何邪？」
> 曰：「已矣，勿言之矣！散木也，以為舟則沈，以為棺槨則速腐，以為器則速毀，以為門戶則液樠，以為柱則蠹，是不材之木也，無所可用，故能若是之壽。」[23]（〈人間世〉）

櫟社樹因「大」而無用才得以壽。那麼，人在亂世中，要保身，「大」也不失為一種策略。作為保全生命的策略，「大」在莊子中主要以無用的形式呈現。

17　同註11，頁26-27。

18　同註11，頁97。

19　唐君毅：《中國哲學原論・原道篇（卷一）》臺北：臺灣學生書局，1986年，頁345。

20　郭慶藩：《莊子集釋》，頁186。

21　同上註，頁180。

22　同註20，頁186。

23　同註20，頁170-171。

（三）以「大」為生命理想的意象

　　莊子以「大」來體現生命的逍遙自由，精神的高蹈和超拔，「若夫乘天地之正，而御六氣之辯，以遊無窮者，彼且惡乎待哉！」[24]天地之廣大、時空之無窮是生命逍遙無待、自由自在的背景，此背景之特點便是「大」。只有「大」才可以超越有形界的侷限，可以化、可以通，可以致逍遙之境。「大」的這種作用，清人劉鳳苞說得很透，「起手（指〈逍遙遊〉）特揭出一大字，乃是通篇眼。大則能化，鯤化為鵬，引起至人神人聖人，皆具大知本領，變化無窮。至大樹，幾於大而無用。而能以無用為有用，遊行自適，又安往而不見，為逍遙哉」，有「大」就有逍遙，林雲銘在解說〈逍遙遊〉時也說「居心應世，無乎不宜矣。是惟大者，方能遊也。通篇以大字作眼」[25]。「大」是逍遙的化身、自由的象徵。

　　「大」作為自由的象徵，同時也是美的意象。〈秋水〉中，莊子通過北海若與河伯的對話傳遞了這一訊息，「秋水時至，百川灌河。涇流之大，兩涘諸崖之間，不辯牛馬。於是焉河伯欣然自喜，以天下之美為盡在己」[26]，可當他見到大海時，才知自己美則美矣，而未大矣。北海若之所以指出河伯雖已是「美」，但卻不是「大美」的原因在於河伯的侷限，河伯以為自己的有限空間被水充滿便是美，而不知還有大的望不見盡頭的無邊無際景象。這種無邊無際望不到盡頭的「美」便是「大美」是突破一己侷限而達致無限境界的自然而然。因此，在莊子思想中，自然就是美，而且無邊無際的天地自然是一種最大的美，是無限的美，也是至美。這種大美至美不僅是外觀之美，更是內在之美，是音樂之美。〈齊物論〉中天籟、地籟、人籟的對比闡明的正是此意。人籟是絲竹之聲，人為而成；地籟是眾竅之聲，眾竅「似鼻，似口，似耳，似枅，似圈，似臼，似窪者，似汙者」，因此，其音有「激者，謞者，叱者，吸者，叫者，譹者，宎者，咬者」[27]，各種各樣。但不管是人籟還是地籟都是被控者，是有意而成的聲音。只有天籟是「夫吹萬不同，而使其自己也。咸其自取，怒者其誰邪！」[28]天籟無意無識，渾然而成，自然而然，是最美的音樂，天地成最大的音樂場。

　　自然是最大的美，天地是最美的樂，所以，莊子在審美上追求「原天地之美而達萬物之理」[29]、「備於天地之美」，反對「判天地之美」[30]。「原」、「備」皆有順承因任之

24　同註20，頁17。

25　〔清〕林雲銘：《莊子因‧卷一‧逍遙遊（上）》，光緒庚辰孟冬重刊本。

26　郭慶藩：《莊子集釋》，頁561。

27　同上註，頁46。

28　同註26，頁50。

29　同註26，頁735。

意，沒有主觀妄為和強為，沒有心計思謀，沒有為美之心，從不誇耀和自我標榜，既不顯諸於人也不藏諸於己，皆是自然而然，體現了對宇宙大道的體認，追求的是與自然之道的融合。因此，這種「美」不是一曲之士所求的世俗之美，不是限於一隅的偏見之美，不是有意剖判的人為之美，而是真正的道之「美」，是囊括了天地萬物「眾美」的周全之美，是體現自然的素樸純美。

「大」意味著自由，象徵著美，是「道」的基本品性。莊子常常以「大」敘述「道」，描述得道的境界。〈徐無鬼〉有：

> 知大一，知大陰，知大目，知大均，知大方，知大信，知大定，至矣。大一通之，大陰解之，大目視之，大均緣之，大方體之，大信稽之，大定持之。[31]

「大一」指天地渾然未分的原初狀態、「大陰」代表至靜、「大目」形容所見者廣、「大均」指宇宙萬物之平等狀態、「大方」即大方無隅，指無限、「大信」即真誠可信、「大定」指宇宙萬物之自然秩序，如此諸多之「大」皆指「道」的品性和得道的狀態。宇宙之理、宇宙之道就包含在這些不同的「大」之中。正像王弼註解《道德經》所說，「道深也者，取乎探賾而不可究也。大也者，取乎幽微而不可睹也」，「玄」、「深」、「大」、「遠」、「微」是「道」的基本特徵，其中「大」是核心，只有「大」，才能達致「玄」、「深」、「遠」、「微」。 此「大」不是經驗意義上的廣闊，而是超驗層次上的無限。「道」是無限的，是超越於經驗界之上的，莊子又將「大」轉化為「至」，以至知超越大知，以至言超越大言，以至樂超越大樂，以至美超越大美。

三　忘：致「大」之方法

「大」是對經驗的超越，是道的意象，是自由的象徵，那麼，如何致「大」呢？莊子主張去除成心，無己無我。

要去除成心，做到無己無我，需以「坐忘」為工夫，「墮肢體，黜聰明，離形去知，同於大通，此謂坐忘」[32]。「坐忘」在《莊子》中有兩層含義：一是對形體及欲望的限制和擺脫，是「墮肢體」之意，即是要「離形」、忘形。莊子看來，只要肉身成，欲望便生。口之欲食，耳之欲聲，目之欲色是生理本能。欲望一旦有，如果不加引導和控制將會無限膨脹，使人失性於俗，喪誌於物，沈淪於世俗，汲汲於小我。肉身、形體是引發欲望的根源，欲望與形體如影隨形，因此，去除欲望，超越小我，只有從超越肉

30　同註26，頁1069。

31　同註26，頁871-872。

32　同註26，頁284。

身入手，最徹底的方法是墮掉肢體，忘掉肉身。這即是老子的「無身」思想。老子有「吾所以有大患，為吾有身。及吾無身，吾有何患！」[33]身體是一種大患，因為由身體引起的欲望使人好利求功，逐物追名，喪失自然樸素本性。莊子的「忘」在忘掉老子的個體肉身的同時，更進一步還要忘掉肉身所托的天下大身，即忘天下。在〈大宗師〉中，女偊交給南伯子葵的聞道之法是外天下、外物、外生，以天下、外物、身體為外，即忘掉天下、外物、身體，這樣才能入於不生不死、無欲無識，自然自由之境。

「坐忘」的第二層意義指「黜聰明」，即「去知」、忘知。在《莊子》中一直暗含著兩種「知」與「聰明」的比較。莊子認為人的知識、聰明有兩種，「大智」（大聰明）與「小知」（小聰明）。「大智」指在體道、感受生命中所形成的智。這種「智」最大的特點是非對象化的融合式智慧，它沒有一己之偏見，不以物我之別、支配他物為目的，而從「道」的高度，在尊重物性的基礎上，追尋人與物、生命與自然的統一。這即是老子的「為道」之知，莊子稱為「真知」，「且有真人而後有真知」[34]，真人之真知具有大、全、周、純特點，這種真知即體道之知，是對「道」的直觀體認。

作為對「道」的體認，一般的感性認識和理性化的邏輯概念推理是無法獲得真知的。這種無法由常規思維所達到的「知」首先是對常規之知的挑戰，即莊子所謂的以不知為真知。常規的知是對某一具體之物的知，且是對物的某一方面、某一層次的知，這種知是有侷限的、狹隘的、片面的，與對「道」的周遍感的大全之知相較即是不知。真正的得道之人，往往表現出的是不知，〈齊物論〉中齧缺問乎王倪，王倪的三問三不知、〈應帝王〉中四問四不知、〈知北遊〉的「不知深矣，知之淺矣，知之外矣」，皆是如此。與得道的「真知」、大全之知相對待的常人之知，莊子稱其為「小知」。大知包容差別，追求和諧一致，而小知卻以別為基礎，要盡量的分清差別。差別觀念的確立，是對象化思維的前提。求小知的常人在對立二分的思維下，注重物我相別，追求自我利益。與大知的大、全、周、純不同，小知是偏、狹、雜，充滿一己之偏見、狹隘之私利、駁雜而不純。正像儒墨是非之爭，儒墨皆出於一己小知的立場，以己之是非他人之所非，其是非爭論中充滿了偏見和狹隘。

在《莊子》中大知與小知的對比是鮮明的，「大知閑閑，小知間間；大言炎炎，小言詹詹」[35]。「為道」之大知是莊子極力追求的，而對使人失性傷身的小知又是他積極批判的。莊子要黜的聰明和知識正是這些殘身傷性的小知，對大知、大智慧莊子是無限熱情的頌揚，因此，莊子絕不是一個反知主義者，而是大知主義者。且莊子去小知而求大知還有更深層的意義。莊子思想的核心是為生命找到意義之寄託和心靈的家園，生命

33　朱謙之：《老子校釋》，頁49。

34　郭慶藩：《莊子集釋》，頁226。

35　同上註，頁51。

的自由、心靈和精神的救贖是其去知的最終目的。所以，大全周純的大知在於涵養心之虛靜自由，而偏見小知是對虛靜清純之心的破壞，使心靈執迷而失去自由。徐復觀對莊子「去知」的解釋可謂深得其意，莊子說的「去知」指與物相接時，不讓心對物作知識的活動；不讓由知識活動而來的是非判斷給心以煩擾，於是心便從對知識無窮的追逐中，得到解放，而增加精神的自由。[36]

由去知獲得精神的逍遙，生命達致「天地與我並生，而萬物與我為一」[37]的至大超越之境。莊子以「大」手筆運用「大」智慧實現了「大」氣度，此可謂「汪洋辟闔，儀態萬方」[38]。因為莊子用「大」，所以學莊者研莊者也需以「大」的態度和氣度來習莊。「《莊子》文看似胡說亂說，骨裡卻盡有分數。彼固自謂倡狂妄行而蹈乎大方也，學者何不從蹈大方處求之？」[39]在「大」的世界中體得生命的價值和意義。

---

36 徐復觀：《中國藝術精神》上海：華東師範大學出版社，2001年，頁43。

37 郭慶藩：《莊子集釋》，頁79。

38 魯迅：《漢文學史綱要》長沙：嶽麓書社，2013年，頁22。

39 劉熙載：《藝概・文概》上海：上海古籍出版社，1978年，頁7。

先秦兩漢經典闡釋中的「說」類文體研究

張越

北京師範大學文學院

　　西周末期，禮崩樂壞，自孔子始開設私學，廣收門徒，其中教學的主要內容為「六藝」，即所謂「詩、書、禮、樂、易、春秋」。此六藝皆以古代典籍為基礎，因孔子尊奉「述而不作」之原則，故而闡釋六經成為儒家的首要要義。除儒家以闡釋周代以來的文化經典為己任之外，其它各學派也都尊奉本派大師的著作為經典，進行闡釋或教授，以光大門派，發揚先賢之精神，如墨家之經說，道法家後學對《老子》的闡釋等。這種經典闡釋之風，至漢代尤盛。關於闡釋經典的文體，歷來有傳、說、序、論、章句等[1]。其中較易為人所忽視的是「說」體文。

一

　　「說」，《說文解字》定義為「釋也。從言兌。」《墨子·經上》曰：「說，所以明也。」明·吳訥《文章辨體》云：「說者，釋也，述也，解釋義理而以己意述之也。」可見，「說」字本身含有「闡釋」、「說明」之義。梁啟超先生曾說：「古書鑿於竹簡，傳寫甚難，故凡著述者皆簡。《老子》僅五千言，墨經不逾六千言，孔子著春秋亦言豐而文約，而微言大義，皆在口說。」又說：「欲明經，當求其義於經說。」[2]

　　作為經典闡釋的「說」類文獻，可追溯至《易傳》的〈說〉卦篇，《周易正義》曰：「說卦者，陳說八卦之德業變化及法象所為也。」[3]今文學家一般認為《易傳》為孔子所作，故而〈說〉卦也應溯源至孔子[4]，其實早在孔子之前，作為一種行為方式的「說」經典，就已存在，如《國語·周語》載叔向說《詩》：

　　　　且其語說〈昊天有成命〉，頌之盛德也。其詩曰：「昊天有成命，二後受之，成王

1　尚學鋒老師認為解經文體有「序、記、傳、箋、說、故、章句」（見〈漢代經學與文體嬗變〉，《長江學術》，2007年第3期）；王葆玹先生將漢代經學著作分為「章句、箋注、傳、說、記」五種（見《今古文經學新論》頁66，中國社會科學出版社，1997年）；楊權先生則將說經體歸納為：傳、說、記、注、故、例、章句七種（見〈白虎通義是不是章句〉，《學術研究》，2002年第9期）。
2　梁啟超：《墨經校釋》北京：中華書局，1936年，頁2。
3　韓康伯注，孔穎達正義：《十三經注疏·周易正義》北京：中華書局，1980年，頁93。
4　目前學術界認為《易傳》不成於一人一時之手，最後定型當在戰國中晚期。

不敢康。夙夜基命宥密，於，緝熙！亶厥心肆其靖之。」是道成王之德也。成王能明文昭，能定武烈者也。夫道成命者，而稱昊天，翼其上也。二後受之，讓於德也。成王不敢康，敬百姓也。夙夜，恭也；基，始也。命，信也。宥，寬也。密，寧也。緝，明也。熙，廣也。亶，厚也。肆，固也。靖，和也。其始也，翼上德讓，而敬百姓。其中也，恭儉信寬，帥歸於寧，其終也，廣厚其心，以固和之。始于德讓，中於信寬，終於固和，故曰成。單子儉敬讓諮，以應成德。單若不興，子孫必蕃，後世不忘。《詩》曰：「其類維何？室家之。君子萬年，永錫祚胤。」類也者，不忝前哲之謂也。……胤也者，子孫蕃育之謂也。[5]

　　叔向說〈昊天有成命〉一詩時，首先說詩旨及詩之背景，即昭周成王之德，然後就詩中的關鍵性字詞作字義的訓詁，繼而疏通全詩大義，分別歸納詩首、詩中、詩末各個部分的核心內涵，最後總結因為成王做到了詩中所言德讓百姓、恭儉信寬，所以最終能夠安定天下。這種說詩方式已有後世說《詩》的雛形。春秋末期，儒家崛起，以闡發周代以來的經典作為宣傳本派學說的重要手段，「說」經方式得以推廣。《韓非子・外儲說右上》載孔子學生子夏說《春秋》[6]，《孟子・萬章下》也有「說詩者不以文害辭，不以辭害義。以意逆志，是為得之」的記載。

　　除了儒家有「說」經的行為外，戰國諸子也有「說」經之行為。較早的是墨家。墨家不但以「說」作為闡發本派經典的主要方式，而且將這類闡經文體命名為「經說」，也就是後世所謂的「經說體」。《墨子・經上》、《墨子・經下》、《墨子・經說上》、《墨子・經說下》四篇文章標誌著經說類文體的正式成立。上述四篇文章，《經上》、《經下》應為墨子所作，而《經說上》、《經說下》當是墨子門下「說書者」的著作。《墨子・耕柱》記載：「能談辨者談辨，能說書者說書，能從事者從事。」所謂「說書者」，即是傳承教授墨家文獻、典籍的專門人才，眾所周知，傳承文獻的過程還是一個不斷闡釋的過程，而《經說上》、《經說下》正是對《經上》、《經下》的闡釋和說明：如：

　　　　故，所得而後成也。（《經上》）
　　　　故：小故，有之不必然，無之必不然。體也，若有端。大故，有之必無然，若見之成見也。（經說上）[7]

　　據引文可知，《經》只是提出一個簡單的概念性的術語「故」，而《經說》則對「故」進行了注解，將之分為「小故」和「大故」兩類，並分析了這兩類「故」的特徵。
　　同時，墨子的《經說》更側重於思辨的色彩，如：

5　徐元誥：《國語集解（修訂本）》北京：中華書局，2002年，頁103。

6　陳奇猷校注：《韓非子新校注》上海：上海古籍出版社，2000年，頁757。

7　譚家健、孫中原譯注：《墨子今注今譯》北京：商務印書館，2009年，頁228。

訑，窮知而懸於欲也。(《經上》)[8]

訑，欲飲其鴆，智不知其害，是智之罪也。若智之慎文也，無遺於其害也，而猶欲飲之，則飲之是猶食脯也。搔之利害，未可知也，欲而搔，是不以所疑止所欲也。牆外之利害，未可知也，趨之而得刀，則弗趨也，是以所疑止所欲也。觀「訑，窮知而懸於欲也」之理，養脯而非智也，飲鴆而非愚也，所為與所不為相疑也，非謀也。(《經說上》)[9]

　　從這則引文可看出，《經說》部分不是對《經》的簡單注釋，而是有了進一步的演繹。《經說》部分在闡發義理時，採用了比喻、對比等手法，已有論說文的雛形。這種釋經的方式，相比起傳統的以訓詁為主的詮經方法，顯然思辨色彩和邏輯思維能力更強一些。

　　戰國後期，韓非子的《儲說》便模仿了《墨子‧經》、《墨子‧經說》的形式，也是先列條目，再一一對應解說，正如饒龍隼先生所說：「《儲》在今本《韓非子》中又稱為『經』，『說』則是對『經』的詮解。」[10]但《韓非子‧儲說》僅僅是在形式借鑒了《墨子》的說經方式，而在內容上，《儲說》側重收集各類敘事性的小故事，注重的是言語的集錦，目的是遊說、勸諫之用，和《韓非子‧說林》、劉向《說苑》性質類似，和墨子之「說」傾向義理闡發有所不同。

　　因為《墨子》中有了明確的《經》、《經說》的名稱和體例，故而，有學者將經說體歸功於墨子的獨創，並將其和儒家的經傳體相對比，如周勳初先生說：

> 從學術上的發展來說，經說體的出現，恐怕也是一種必然的趨勢。其它領域中存在著與此類似的現象，例如史學就是這樣。孔丘作《春秋》，因為經文太簡練，其後就有左氏、公羊、穀梁三家分別作出詳細的闡釋。史學上的經傳體，等於子學上的經說體。[11]

這個觀點不無道理，雖然儒家也有「說」經之行為方式，但其體例並不固定，故而其首創之功，當推墨子。墨子開創經說體在後世成為重要的解經文體。正是基於對經說類文體特徵的把握，一九七三年專家們在整理馬王堆漢墓出土的帛書〈五行〉時，將當時尚是散亂無序狀態的簡文，根據其內容的不同，分為「經」和「說」兩部分，經的部分主要是提出命題和基本原理，「說」的部分則是對這些命題和原理進行解說[12]，這種解讀方式受到了學術界的首肯。

8　譚家健、孫中原譯注：《墨子今注今譯》北京：商務印書館，2009年，頁228。
9　譚家健、孫中原譯注：《墨子今注今譯》北京：商務印書館，2009年，頁267。
10　饒龍隼：《先秦諸子與中國文學》南昌：百花洲文藝出版社，2002年，頁195。
11　周勳初：《韓非子劄記》南京：江蘇人民出版社，1980年，頁215。
12　參見龐樸：《帛書五行篇研究》濟南：齊魯書社，1980年，頁8。

二

　　經說類文體雖然源於諸子，但到了漢代，卻成為儒家闡釋經典的重要手段，因漢武帝時期「罷黜百家，獨尊儒術」的政策，故漢代注解儒家經典的「說」類文獻輩出，而墨家已湮沒無聞，唯有道家還有說經文獻出現，作為敘事類的小說家之「說」也大量出現。具體情況參見《漢書・藝文志》[13]所載：

六藝類：《易》　《略說》三篇，（撰者五鹿充宗）

　　　　　　《尚書》　《歐陽說義》二篇

　　　　　　《詩經》　《魯說》二十八卷；《韓說》四十一卷

　　　　　　《禮》　《中庸說》二篇；《明堂陰陽說》五篇

《論語》《齊說》二十九篇（作者王吉）；《魯夏侯說》二十一篇（撰者夏侯勝）；《安昌侯說》二十一篇（撰者張禹）；《魯王駿說》二十篇（撰者王駿（王吉子）；《燕傳說》三卷

《孝經》《長孫氏說》二篇；《江氏說》一篇（撰者博士江公）；《翼氏說》一篇（撰者翼奉）；《後氏說》一篇（撰者後倉）；《安昌侯說》一篇（撰者張禹）；《說》三篇

諸子：儒家：《虞丘說》一篇　虞（吾）丘壽王

　　　　　　劉向所序六十七篇。《說苑》、《世說》

道　家：《老子傅氏經說》三十七篇；《說老子》四篇（劉向）；《老子徐氏經說》六篇

雜　家：《臣說》三篇，武帝時所作賦

小說家：《伊尹說》二十七篇；《虞初周說》九百四十三篇；《黃帝說》四十篇；《封禪方說》十八篇；《鬻子說》十九篇

　　從上述材料可以看出，第一：六藝類的經典作品中，「說」類文獻涵蓋了包括詩、書、禮、易在內的四部經典。在戰國時期已經形成的六經[14]，此處涵括四部，唯獨《春秋》與《樂經》無「說」。《樂》在漢代已失傳[15]，而《春秋》在東漢有以「說」為名者，即《隋書・經籍志》所載服虔撰有《春秋成長說》九卷，據此，五經皆有「說」，「說」體之重要性不言而喻。

13　〔漢〕班固編撰，顧實講疏：《漢書藝文志講疏》上海：上海古籍出版社，2009年，頁68。

14　莊子〈天運〉、〈天下〉篇談及《詩》、《書》、《禮》、《易》、《樂》、《春秋》，已採用「六經」之名。

15　雖漢時《樂經》失傳，但《漢書·藝文志》仍載注釋《樂》有六家，無以「說」命名者。

　　第二，在闡釋《論語》和《孝經》中，「說」的比例較大。注釋《論語》共十二家，以「說」命名者有五家。且當時通行的今文《論語》魯論、齊論以及後起的張侯論，均有「說」；注釋《孝經》的共有十一家，其中六家都以「說」命名。相比起注釋五經的「說」，《論語》和《孝經》類的「說」體顯然佔據更大的比例。要研究這一狀況，我們有必要梳理一下在漢人眼中，經、傳、說之關係。雖然後世有十三經之說，將《論語》、《孝經》都囊括在內，但在漢人眼中，經典是分層次的。六經是最重要的典籍，一般用二尺四寸簡書寫；《孝經》雖號稱「經」，但其實是輔助六經的資料，在當時稱「傳」，用一尺二寸簡書學；《論語》被漢人視為「記」，用八寸簡書寫。[16]《孝經》和《論語》為釋傳、記的資料性文獻，對這些資料性文獻進行再闡釋的，是「說」。後世的學者正是從這個層面來釐定經、傳、說三者之間的關係，如李零先生認為：「『經』是原始文本，『傳』是原始文本的載體和對原始文本的解說（類似後世所說的『舊注』）。『經』多附『傳』而行，『傳』多依『經』而解，兩者是相翼而行（所以也合成『經傳』）。他們是古書傳授中比較原始的東西。而『說』則可能是對『經傳』的申說（可能類似於『疏』），他們是對『傳』的補充，這些多偏重於義理」[17]。經、傳、說的關係大致如李零先生所述，但也要注意「說」也有直接釋經的，如上文所說的針對五經的「說」類文獻；但總的來說，對傳、記的「說」相對更多一些，是經典闡釋中「說」類文體的主流。也有學者從著之竹帛的時間來判定傳、說之間的關係，如呂思勉先生云：「與經相輔而成者，大略有三，傳、說、記是也。……傳說二者，實即一物，不過其出較先者，久著竹帛，則謂之傳。其出教後者，猶存口耳者，則謂之說耳。」呂思勉先生還認為「說」的意義有時甚至超過「傳」，即所謂「古代文字少，雖著之傳，其辭仍甚簡略，而又不能無所隱晦。若此，則不得不籍於說明矣。……並可見漢室傳經，精義皆在於說。……凡說，率至漢世始著竹帛。」[18]呂思勉先生從釋經的源頭方面對「傳」和「說」做了界定，並將「說」的地位大大提升，對我們啟發很大[19]。

　　第三，在諸子類中，儒家、道家、雜家和小說家四家均有「說」類文獻[20]，值得一提的是道家。道家在西漢初期是顯學，但自武帝罷黜百家之後，其勢力衰微。《漢書·藝文志》所載注釋道家的共有四家，都是注釋《老子》的作品，其中有三家以「說」命名。至此可見周勳初先生以儒家之經傳比擬諸子之經說是正確的。

16　杜澤遜：《文獻學概要》北京：中華書局，2001年，頁19-20。

17　李零：《郭店楚簡校讀記（增訂版）》北京：中國人民大學出版社，2009年，頁94。

18　呂思勉：〈傳、說、記〉，出自《呂思勉讀史劄記》上海：上海古籍出版，2005年，頁684、686。

19　但要注意的是，呂思勉先生所言的「說」，範圍較廣，將章句也一併納入，比本文所指之「說」範圍更廣。

20　其餘〈虞丘說〉為雜說；〈臣說〉為賦，《說苑》、《新序》與小說家之《說》更傾向於敘事，與本文要研究的以闡釋、解說、議論、辨析為主的「說」類文體有較大區別，不在本文考察之列。

　　第四，也有學者從目錄學的角度考察漢志所載錄的「說」類文體，如徐建委認為：「《漢書・藝文志》著錄的以說名篇的著述，其作者在師承上大都可追溯到戰國末期的荀子或齊地學者。……這種情況也說明齊地學術文化是西漢學術文化的主要上源之一。」[21] 這個觀點非常新穎。實際在這之前，已有學者結合地下出土的文獻，總結說：

> 在孔子後學中，有子夏一系的「傳經派」……子夏一派對傳統文化，尤其是對原典的全面研習有很大貢獻。後來的荀子除繼承子弓一系外，也繼承了子夏一系的學說，成為傳經之儒。漢代經學的發展，主要是這一派的推動。[22]

　　荀子本是戰國末期儒學最重要的大師，「說」作為闡釋儒家經典的一類文體，上溯至荀子是必然的。

三

　　《漢書・河間獻王傳》曰：「獻王所得皆經傳說記，七十子之徒所論。」可見作為先秦兩漢時期重要的解經方式，傳、說、記的來源均是「七十子之徒所論」，即都是孔門後學闡釋儒家經典文獻而產生的文體。但傳、說、記三者在闡經方式方面，並不完全相同的。「記」主要是解禮的文章，孔穎達《禮記正義》云：

> 至孔子沒後，七十子之徒共撰所聞，以此為記。或錄舊禮之義，或錄變禮所由，或兼記體履，或雜記得失，故編而錄之，以為《記》也。[23]

　　漢代記體文的主要特徵是「比類相從與彙集整理」[24]，記體所包含的文體比較駁雜，有以敘事為主者（如〈檀弓〉），也有以論說為主者，屬於雜錄的範疇。而「傳」闡釋經義的方式也非常多，張舜徽先生云：

> 傳者傳也，傳者所以傳示來世也。……有論本事以明經意者，《春秋左氏傳》是也；有闡明經中大義者，《公羊》、《穀梁傳》是也；有循文解釋者，《詩毛氏傳》是也；有不必循文解釋，而別自為說者，伏生之《書傳》是也。其或語無涉乎本書，事有資於旁證，則別錄以成編，命之曰外傳。[25]

21　徐建委：《說苑研究——以戰國秦漢之間的文獻累積與學術史為中心》北京：北京大學出版社，2011年，頁83。

22　姜光輝：〈郭店楚簡與子思子——兼談郭店楚簡的思想史意義〉，《哲學研究》，1998年第7期。

23　〔唐〕孔穎達正義：《十三經注疏・禮記正義》北京：中華書局，1980年，頁1226。

24　李翠葉：《先唐記體的生成與流變研究》北京：北京師範大學博士論文，2012年。

25　張舜徽：《廣校讎略》北京：中華書局，1963年，頁54。

相較起傳、記，「說」類文體特徵較為單一，它以論說為主，主要強調對經傳義理方面的闡發。張舜徽先生云：「說之為書，蓋以稱說大義為歸，與夫注家徒循經文立解、專詳訓詁名物者，固有不同。」[26]如帛書〈五行〉篇解經之「說」：

> 經二一：君子雜（集）大（泰）成。能進之，為君子，不能，客（各）止於其裡。……
>
> 說：「君子集大成者，猶造之也，猶具之也。大成者，金聲玉辰（振）者也。唯金聲〔而玉振之〕，然後忌（己）人而以人仁，己（忌）義而以人義。大成至矣，神爾矣！人以為弗可為□□繇（由）至焉耳，而不然。「能進之，為君子，弗能進，各止於其裡。」能進端，能終（充）端，則為君子耳矣。弗能進，各各止於其裡。不莊（藏）尤（欲）害人，仁之理也；不受許（籲）差（嗟）者，義之理也。弗能進也，則各止於其裡耳矣。終（充）其不莊（藏）尤（欲）割（害）人之心，而仁復（覆）四海，終（充）其不受許（籲）差（嗟）之心，而義襄天下。仁復（覆）四海，義襄天下，而（成）誠繇（由）其中心行（之）〔亦〕君子已。……[27]（帛書〈五行〉篇）

帛書〈五行〉篇，已被學界確認是思孟學派的作品，從所選錄簡文看，確與孟子思想有一脈相承之處。經中「君子集大成」的說法以及「說」部分中有多處都與傳世文獻《孟子》有重合之處[28]，但「說」又不僅僅是對《孟子》文本的抄襲，而是利用先賢孟子的言論及思想來闡發義理，從「君子集大成」之「大成」入手，推衍生發，與思孟學派「仁」、「義」、「四端」等概念相結合，提出君子只有提高自身道德修養，即所謂「不藏欲害人之心，不受籲嗟之心」（與《孟子・盡心下》同）才能「仁復（覆）四海，義襄天下」。這段「說」文，邏輯嚴密，環環相扣，已能將所引之經典文獻與論說主旨、經文大義巧妙地結合在一起，較之於《墨子》經說體的簡單論說，已經有了很大的進步。除了論說層次的嚴密，帛書〈五行〉篇的「說」，還注重探討論說技巧和方法。如：

> 經二四：辟（譬）而知之，謂之（進之）。
>
> 說：「辟（譬）而知之，胃（謂）之（進之）」，弗辟（譬）也，辟（譬）則知之矣，知之則進耳。辟（譬）丘之於山也，丘之所以不名山者，不責（積）也。舜有仁，我亦有仁而不如舜之仁，不責（積）也。舜有義，而〔我亦有義而不如舜之〕義，不責（積）也。辟比之而知吾所以不如舜，進耳。[29]

---

26 張舜徽：《漢書藝文志通釋》武漢：湖北教育出版社，1990年，頁34。

27 龐樸：《帛書五行篇研究》濟南：齊魯書社，1980年，頁57-58。

28 「集大成說」出自《孟子・萬章下》；「說」中思想與《孟子・公孫丑上》、《孟子・盡心上》、《孟子・盡心下》等篇章內容有類似。

29 龐樸：《帛書五行篇研究》濟南：齊魯書社，1980年，頁64。

「譬」本是《墨子‧小取》中提出的一個概念，即所謂「辟」，其含義為「舉它物以明之也」。在此儒家的闡釋者將其進一步深入，用例證來表明「譬」在闡釋和傳授過程中的作用，以丘之積土可以成山比喻道德（仁）之累積可為舜（聖人），這種比喻生動形象，比枯燥說理要好得多。與「譬」相關的論說方式是「喻」，〈五行‧經二五〉有「喻之也者，自所小好楡（喻）虖（乎）所大好」的說法[30]，「說」中舉《詩經‧關雎》篇為例，層層推進，最後彙出「由色喻於禮，進也」的觀點。自戰國中期以後，論說文得到了極大的發展，對於這種發展，我們之前只歸因於戰國諸子對論說文的貢獻，忽視了解經文體對論說文的推進。實際上，作為解經文體之一的「說」，對論說文的貢獻不容小覷。「說」的產生本是依附在經典之上的。但在解經過程中，「說」因其闡發義理、訓詁大義，主要以論說的方式闡經，故而對論說文文體的形成與發展起了極為重要的作用。「說」圍繞「經」進行闡發，對後世單篇論說文圍繞中心論點展開論證有啟迪之功；且「說」要申發大義，必然要引經據典，發掘各類材料才能自圓其說，而這種論述方式，與後世成熟的論說文組織論據來證明論點也有相似之處，這是值得我們注意的。

第二，漢人闡釋經典講究「詩無達詁，易無達占，春秋無達辭」，之所以經義的闡發有多種可能性，是因為不斷加入時代特色，以「六經注我」的態度闡經，而「說」體則是最能體現「六經注我」精髓的文體，如：

> 經曰：水曰潤下。
>
> 傳曰：簡宗廟，不禱祠，廢祭祀，逆天時，則水不潤下。
>
> 說曰：水，北方，終臧萬物者也。其於人道，命終而琪臧，精神放越，聖人為之宗廟以收魂氣，春秋祭祀，以終孝道。王者即位，必郊祀開地，禱祈神祇，望秩山川，懷柔百神，記不宗事。慎其齊戒。致其嚴敬，鬼神歆饗，多獲福助。……如此則水得其性矣。若乃不敬鬼神，政令逆時，則水失其性。霧水暴出，百川逆溢，壞鄉邑，溺人民，及淫雨傷稼穡，是為水不潤下。京房《易傳》曰：「顓事有知，誅罰絕理，厥災水，其水也，雨殺人以隕霜，大風天黃。饑而不損茲謂泰，厥災水，水殺人。……（《漢書‧五行志第七上》）[31]

以上引文主要解釋《尚書‧洪範》篇「水曰潤下」，以「傳」釋「經」，以「說」釋「傳」。其中，「說」洋洋灑灑數百言，結合當時流行的陰陽五行學說，從正反兩個方面闡發了自然現象「水」的各類狀況與當政者政治清明與否的關係。現在看來這種將自然現象與時政強加關聯的觀點十分可笑，但在當時，這正是今文學家干預政治的一個重要手段。有學者認為「大量的文獻資料表明，漢人研習經學，也主要是學習經說。……經

30　龐樸：《帛書五行篇研究》濟南：齊魯書社，1980年，頁65。

31　〔漢〕班固撰，〔唐〕顏師古注：《漢書》北京：中華書局，1962年，頁1100。

師們總是不斷地破壞舊的師法、家法，創立新說，以取悅時主和招徠生徒，從而建立新的家法。」[32]而「說」體無疑就是這種所謂「新說」的主體。

「說」類文體的第三個特徵，則是其對經傳的闡發，以詳瞻為上，講究面面俱到。如上文所引「水曰潤下」之說，經文只有四個字，傳文用了十七個字來說明何種情況會導致「水不潤下」，而到了「說」，則用了三百多字來闡釋生發，甚至於單解釋一個「水」字，就用了一百五六十字，從自然到政治，從人道到天道，隨意揮發，縱橫捭闔，正如吳納所說，「說」類文體特徵為「縱橫抑揚，以詳瞻為上」。觀上述事例，「說」確實非常「詳瞻」。較之「傳」、「經」，「說」的內容和視野都得以擴充，但若矯枉過正，則會造成「一經說至百萬餘言」的局面，甚至於出現「秦近君能說〈堯典〉，篇目兩字說至十餘萬言，但說『曰若稽古』三萬言」（桓譚《新論》）的極端狀況。而由詳瞻最終走向繁瑣細碎的闡經方式，不但極大阻礙了經學的進一步發展，也使得「說」類文體陷入了泥潭。

經典闡釋中的「說」類文體，到東漢已衰微，不過其餘音不絕，據《隋書‧經籍志》記載，到梁時尚有《擬周易說》八卷，范氏撰；又有《春秋說要》十卷，魏樂平太守糜信撰。直到宋代以後，還有以「說」為名的作品，如陸九淵《易說》、《論語說》等，但這種闡釋已經不是對經典文本的逐一闡釋，而是闡發自己對經典的一己之見，如《論語說》就只是闡發對孔子「苟至於仁矣，無惡也」這一句話。

雖然作為解經文體的「說」在東漢之後日漸式微，但其文體卻得到了新的發展機遇。此後，「說」不再依附經典，文體得以獨立，成為論說文的一支。一般後世以「說」命名的論說文，兼有說理文和說明文兩重含義，褚斌傑先生認為，漢以後以「說」命名的篇章論著，一般乃是表示說明或申說事理的意思。而唐宋以後以「說」名篇的文字，也「偏重於說明性、解說性」。[33]作為論說文的「說」，具備這樣獨特的說理方式，追根溯源，仍然是從其最初的文體特質「說」經衍生而來，這一點值得我們重視。

---

32 吳雁南等著：《中國經學史》福州：福建人民出版社，2001年，頁77。

33 褚斌傑：《中國古代文體學概論》北京：北京大學出版社，1998年，頁352、348。

利來利往
——論西漢四川大商家營商之道

官德祥
新亞研究所

一　引言

　　中國的商業和商人活動是很早就有。在戰國及秦漢之交，我們已能看到這時的商人在商品流通過程中非常活躍。漢代四川得天獨厚，天府地物產豐，為商業提供絕佳條件。根據作者粗略統計，當時商人有從事下列多種商業活動：煮鹽冶鐵、經營農副產品、交流四方土特產品、經營酒肆、販賣珠寶玉器、鑄錢、放高利貸及從事奴隸買賣市場等。[1]

　　有關西漢四川商業傳世材料極少，涉及地區性材料如竹簡比其他地區並不多見，若要與商業相關，簡直鳳毛麟角。因此，本文仍以全國性文字材料作根據，另以地下考古出土作配合。關於四川商業材料，西漢中期作品《九章算術》載曰：「今有人持錢之蜀賈，利十三。初返歸一萬四千；次返歸一萬三千；次返歸一萬二千；次返歸一萬一千；後返歸一萬。凡五返歸錢，本利俱盡。問本持錢及利各幾何？……。」[2]此算數題從側面反映出當時四川商人的盈運概況。另外，四川彭縣義和公社出土〈市集畫像磚〉，把漢代四川商人的貿易情狀活龍活現。[3]

　　商業中商人毫無疑問是當中靈魂，故此本文率先探討四川大商家，至於商品留待另文研究。現擬所談論的西漢四川大商家主要有三位，他們分別是卓王孫、程鄭與羅裒。由於材料的限制，無可奈何三人的介紹會出現不成比例的情況。

1　見官德祥：《漢代西南地區商業研究》北京：北京大學博士論文，2004年，未刊稿。

2　見李繼閔《九章算術校證》第七〈盈不足〉西安：陝西科學技術出版社，1993年，頁403-404及曾海龍《九章算術》附錄《周髀算經》譯解，成都：重慶大學出版社，2006年，頁215。另外，有學者以畫像石中景象探究漢代商業，畫像石內容鮮明，故事突出，乃研習漢代商業絕佳材料，詳見王洪震《漢代往事——漢代畫像石的史詩》北京：百花文藝出版社，2012年，頁213-220。又，可參見盛磊〈四川漢代畫像題材類型問題研究〉，載《中國漢畫研究》（第一卷）桂林：廣西師範大學出版社，2004年，頁123-201。

3　四川省文物管理委員會：〈四川彭縣義和公社出土漢代畫像磚簡介〉，載黃雅峰主編：《漢畫像磚發掘報告》（第二卷）杭州：浙江大學出版社，2012年，頁207。

二　四川大商家：卓王孫、程鄭與羅裒

據文獻所載，西漢初期，四川地區以鐵工業發展最先，蜀卓王孫、程鄭為經典代表人物。[4]四川地區的鐵工業漸漸向雲南，永昌、滇池等地區傳播開去。[5]

先講大商家卓王孫。

蜀卓氏是趙人，「邯鄲郭縱以鐵冶成業，與王者埒富」[6]又，「蜀卓氏之先，趙人也，用鐵冶富。秦破趙，遷卓氏」[7]，趙國人冶鐵見稱，由此得見。始皇帝十八年（229 B.C.），秦國滅趙，遷趙國的手工業者卓氏等入蜀。從秦武王元年（310 B.C.）秦成都置鐵官，築臨邛城，至秦滅趙後遷卓氏等入蜀，其間共約八十一年。這八十一年間，以臨邛為基地的巴蜀冶鐵業當有很大的發展。趙國卓氏未入蜀前，臨邛鐵和鐵礦已名聞天下。不僅秦人熟知，就連遠在北方的的趙人也知道。正因如此，卓氏才主動要求遠遷王臨邛。[8]

有關卓氏的記載於正史中不止於此，更有趣的地方是他和女兒卓文君與西漢大文學家司馬相如的一段歷史。在未探討此段歷史前，有必要一提他們所相遇的地理舞臺──臨邛。

臨邛治今四川邛崍市，《華陽國志》〈蜀志〉載：「……臨邛城周回六里，高五丈。……」[9]當時的臨邛令為王吉。[10]史載卓氏和程鄭都是居此致富。有學者認為臨邛著名，是自卓王孫移殖該地開始，這應是事實。《太平御覽》八六九〈火部〉引《博物志》文。[11]「臨邛有火井，深六十餘丈，火光上出。人以筒盛火，行百餘里，猶可燃

4　從考古發現，西漢早期四川「出土銅器數量日趨減少，鐵器取而代之。……鐵器用以制造鑿、斧、鐮、犁、臿、劍，鐵器已佔主要地位，詳黃尚明：《蜀文化研究》武漢：華中師範大學出版社，2007年，頁161-162。

5　羅開玉、謝輝認為「秦皇漢武對西南邊地的開拓，成都地區經濟對整個『西南夷』地區的影響空前強烈」，詳見羅開玉、謝輝：《成都通史》卷二〈秦漢三國（蜀漢）時期〉，四川人民出版社及四川出版集團，2011年，頁94。另，參考官德祥：〈漢代西南區域內外商貿關係述略〉，載2005年《新亞論叢》，第7期及〈東漢永昌郡之設立與西南地區的商業發展〉載2006年《新亞論叢》，第8期。

6　《史記》，卷129〈貨殖列傳〉，頁3259。

7　同時期冶鐵而至富的人有「宛孔氏之先，梁人也，用鐵冶為業」。又「魯人俗儉嗇，而曹邴氏尤甚，以冶鐵起，富至巨萬。然家自父兄子孫約，俛有拾，仰有取，貰貸行賈徧郡國。」，同見前書。詳見《史記》，卷129〈貨殖列傳〉，頁3277-3279。

8　羅開玉、謝輝：《成都通史》卷2〈秦漢三國（蜀漢）時期〉成都：四川人民出版社及四川出版集團，2011年，頁237。

9　見劉琳：《華陽國志校注》卷3〈蜀志〉成都：巴蜀書社，1984年，頁196。

10　周振鶴編著：《漢書地理志匯釋》合肥：安徽人民出版社，2006年，頁303。

11　轉引自王文才、王炎：《蜀志類鈔》成都：巴蜀書社，2010年，頁13。

也」，此等火井為臨邛冶鐵業作出貢獻。四川臨邛遂成為西南冶鐵之都。[12]

　　《史記》卷一二九〈貨殖列傳〉載：「秦破趙，遷卓氏，卓氏見虜略，獨夫妻推輦行詣遷處。諸遷虜少有餘財，爭與吏，求近處，處葭萌。唯卓氏曰，此地狹薄，吾聞汶山之下沃野，下有蹲鴟，至死不飢，民工於市、易賈。乃求遠遷，致之臨邛，大喜，傾滇、蜀之民，即鐵山鼓鑄、運籌策。……」[13]當中，「傾滇、蜀之民」〈校勘記〉認為「亦作滇蜀」「蜀」，原作「池」。張文虎《札記》卷五認為「疑當作作『蜀』。」顏師古注：「行販賣於滇、蜀之間也。」[14]漢代四川大鐵商臨邛卓氏「即鐵山鼓鑄，運籌策，傾滇蜀之民」[15]和「程鄭，……亦冶鑄，賈椎髻之民」[16]，也利用此交通孔道對落後的部落民族傾銷鐵藝。卓氏遷到蜀地後，發揚其傳統技藝，他的創業也是臨邛冶鐵中心形成的過程。經過卓氏一番開拓，臨邛鐵器生產得長足發展，並把其產品向南方少數民族地區輸出。

　　在雲南、貴州等地的漢墓中，蜀郡製造的鐵器是常見之物。此外，在越南北部清化省的東山遺址及廣平省的某些漢墓中，也發現了鐵器，種類有刀、劍、鍤、斧等，隨之出土的還有西漢和東漢的五銖錢，證明它們是從中國輸入的，而製造這些鐵器的地點應是臨邛。[17]有學者認為晚期滇文化出土（西漢初中期）的大多數純鐵器和當地生產中所需的鋼鐵料大約是從臨邛等地輸入。此推斷實有其合理原因。[18]臨邛成為工業兼商業的城市；而臨邛生產的鐵器便是其最具特色的商標。

　　至於卓王孫與大文學家司馬相如的結緣，亦值得留意。

　　卓氏選了臨邛，臨邛也成就了卓氏。「臨邛」一地對大文學家司馬相如有特別因緣。[19]另，臨邛令王吉特別喜歡他，輾轉介紹到臨邛富商卓氏。卓氏願與司馬相如相交，可以視為大商家與官員拉攏關係的一種間接手段（詳見後文）。不過，歷史發展往往出人意表。卓氏家中女文君剛失婚，遇到司馬相如的琴挑，慕其才華，卒一起私

12　錢林書按「臨邛縣故城，即今四川邛崍市治」。見錢林書編著：《續漢書郡國志匯釋》合肥：安徽教育出版社，2007年，頁304。羅開玉、謝輝認為四川臨邛與成都都為西南冶鐵之都，見羅開玉、謝輝：《成都通史》卷2〈秦漢三國（蜀漢）時期〉成都：四川人民出版社及四川出版集團，2011年，頁234。

13　《史記》卷129〈貨殖列傳〉，頁3277。

14　《史記》卷129〈貨殖列傳〉，〈校勘記〉北京：中華書局，點校本二十四史修訂本，2013年，第3959頁。

15　《史記》卷129〈貨殖列傳〉，頁3277。

16　《史記》卷129〈貨殖列傳〉，頁3278。

17　童恩正：〈略談秦漢時代成都地區的對外貿易〉，載伍加倫、江玉祥主編：《古代西南絲綢之路研究》成都：四川大學出版社，1990年，頁6。

18　蔡葵：〈論滇文代出土的鐵器〉，收錄於其著：《考古與古代史》昆明：雲南大學出版社，1995年，頁110。

19　據《蜀中名勝記》十三〈邛州〉載「胡安，臨邛人。聚徒於白鶴山，司馬相如從之受經」，轉引自王文才、王炎：《蜀志類鈔》成都：巴蜀書社，2010年，頁13。

奔。[20]故《史記》卷一一七〈司馬相如列傳〉出現以下一段記載：

> 素與臨邛令王吉相善。……其後天子拜相如中郎將，建節往使蜀，馳四乘之傳，
> 蜀太守以下郊迎，……於是卓王孫因門下獻牛酒以交驩，……喟然而嘆，自以得
> 使司馬長卿晚，而厚分與其女財與男等。[21]

卓氏身為大商家很明白與官場保持良好關係，乃成功營商的不二法門。於此，卓氏與當世名臣鄧通的關係，值得探討一下。

　　據《華陽國志》卷三〈蜀志〉載：「漢文帝時，以鐵銅賜侍郎鄧通，通假民卓王孫，歲取千匹，故王孫累巨萬（億），鄧通錢亦盡天下。」[22]鄧通得蜀嚴道銅山，自鑄錢。「鄧氏錢」布天下。[23]鄧通得銅山「通假民卓王孫」，互利互惠，開創前所未有的「雙贏」局面。學者對於此事有不同看法，劉琳完全否定此歷史，其云：「漢文帝把臨邛的鐵銅賜給鄧通，鄧通又租給卓王孫，均與《漢書》不合，疑系附會。」[24]至於任乃強似接受《華陽國志》所記載，僅對一些技術枝節提出疑惑，並給予合理解釋。他認為鄧通不能自鼓鑄，懷疑其「假手卓氏耶？」，以此說明兩人的關係。[25]由於《華陽國志》所記確與《史》《漢》記載不同，筆者以為此問題仍有待商榷，暫且置疑。

　　與卓氏同在臨邛發財的還有程鄭。程鄭是山東遷虜也，亦冶鑄，賈魋結民，富埒卓氏。《史記》卷一二九〈貨殖列傳〉載：「程鄭，山東遷虜也，亦冶鑄，賈椎髻之民，富埒卓氏，俱居臨邛。」王先謙《補注》曰：「魋結，史記作椎髻，義同下有俱居臨邛四字」[26]師古曰：「魋結，西南夷也。言程鄭行賈，求利於其人也。埒，等也。魋迫直追反。結讀曰髻。」[27]司馬貞《史記索隱》記曰：「魋結之人。上音椎髻，謂通賈南越也。」南越，中國嶺南地區的主體民族。司馬貞《史記索隱》又記：「魋，《漢書》作『椎』，音直追反。結迫計。」[28]《史記》〈陸賈列傳〉：南越王趙佗「魋結，箕踞以見陸生。」張增祺按「魋結」即「椎結」，〈索隱〉：「為髻一撮，似椎而結之」。椎就是圓

20 彭衛以為改嫁觀念深入人心，見《游俠與漢代社會》合肥：安徽人民出版社，2013年，頁36。
21 《史記》卷117〈司馬相如列傳〉北京：中華書局，1982年（文中若無注明即屬此版，不再贅言），頁3000。臨邛城址在今邛崍臨邛鎮。戰國秦時，臨邛與成都、郫城共同構成了成都平原中心地帶的最核人的三座城市，見毛曦：《先秦巴蜀城市史研究》北京：人民出版社，2008年，頁250-251。
22 《後漢書》〈郡國志〉之文後出於常璩《華陽國志》，但對於臨邛的描述不及常氏《華陽國志》之詳細；見劉琳：《華陽國志校注》卷3〈蜀志〉，頁244。
23 《史記》卷125〈佞幸列傳〉，頁3192；同見《漢書》卷93〈佞幸列傳〉北京：中華書局（後從略），頁3722-3723。
24 見劉琳：《華陽國志校注》卷3〈蜀志〉〈注7〉，頁248。
25 見任乃強：《華陽國志校補圖注》〈注20〉上海：上海古籍出版社，1987年，頁161。
26 王先謙：《漢書補注》下冊 卷91〈貨殖傳〉〈注文〉北京：中華書局影印，1983年，頁1548。
27 《漢書》卷91〈貨殖列傳〉〈注5〉，頁3690。
28 《史記》卷116〈西南夷列傳〉〈注7〉，頁2992。

形木錘，所以《說文》木部云：「椎，所以擊也」。「百越」民族普遍流行「椎髻」即將髮總掠於頭頂打結（有的稍向後垂），形似擊鼓之圓形木錘。滇人與越系民族均為「椎髻」，說明他們在族屬上有密切關係。[29]古代滇人為「椎髻」，古代西南地區有「椎髻」的少數民族很多。[30]

　　最後一位大商家是羅裒，生卒年不詳，估測其生於元帝期間，在成帝至哀帝時，靠鹽井之業發達。與前兩位大商家程、卓不同，他不是冶鐵商，而是大鹽商。

　　《漢書》卷九一〈貨殖列傳〉載：「成都羅裒……擅鹽井之利，期年所得自倍，遂殖其貨。」[31]按上述可知，羅裒從事井鹽事業異常事業成功，文載羅氏「期年所得自倍」，說明從事鹽業是一門容易賺大錢的生意。羅裒是成都最出眾的鹽商例子。

　　西漢卓王孫、程鄭和羅裒三人都是產業家，並利用其所生產商品，為其賺大錢。他們除了是不折不扣和具實力的產業家之外，更是長袖善舞的大商家。西漢初，天下甫定，百廢待興，客觀環境有利，但仍需個人主觀因素去配合和成就。程、卓二氏能克服萬難，開創商機，他們的成功絕非僥倖，其中致勝之道必定是他們成功的營商手法。

三　商人的營商手法

　　《管子》〈小匡〉有一段說明商人所應具備的營商能力。其文曰：「今夫商，群萃而州處。觀凶飢、審國變。察其四時而監其鄉之貨。以知其市之賈。負任擔荷，服牛輅馬，以周四方。料多少，計貴賤。以其所有，易其所無，買賤鬻貴。是以羽旄不求而至……商之子常為商。」[32]西漢四川商人是否也擁有像〈小匡〉所載「觀、審、察、知、料、計」等特質。現就上述三位大商家及其營商手段特式作出試探，其內容如下：

（一）積極進取，敢於開創

　　西漢四川地處偏隅，川商對於開發新市場尤針對少數民族市場時表現得勇氣可加。

　　就以卓王孫為例，《史記》卷一二九〈貨殖列傳〉載：「蜀卓氏之先，趙人也，用鐵冶富。秦破趙，遷卓氏。卓氏見虜略，獨夫妻推輦行詣遷處。諸遷虜少有餘財，爭與吏，求近處，處葭萌。唯卓氏曰：『此地狹簿。吾聞汶山之下，沃野，下有蹲鴟，至死不飢。民工於市，易賈』。乃求遠遷，致之臨邛，大喜，即鐵山鼓鑄，運籌策，傾滇蜀

29　張增祺：《中國西南民族考古》昆明：雲南人民出版社，2012年，頁148-150。

30　張增祺：《中國西南民族考古》昆明：雲南人民出版社，2012年，頁142。

31　《漢書》卷91〈貨殖列傳〉，頁3690。

32　趙守正：《管子注譯》南寧：廣西人民出版社，上冊〈小匡〉第20，頁199。

之民，富至僮千人。田池射獵之樂，擬於人君。」[33]有學者認為卓氏的成功是「假地理而興」，筆者同意此看法。[34]但更值得注意的是，卓氏曾積極地要求遷至臨邛。當別人「爭與吏，求近處」，卓氏則「求遠遷，致之臨邛」；在人棄我取下見到卓氏對於臨邛的積極進取態度。

另外，卓氏捨近求遠致之臨邛，也正因為他早聞其地「民工於市，易賈」；認為容易在共同的工商業基礎上與之一拍即合。卓氏說「吾聞汶山之下，沃野，下有蹲鴟，至死不飢」更說明他對鐵工業選址時對其周遭環境早有深入的了解，故其敢於在臨邛開創其實業。加上卓氏選址臨邛接近滇蜀；故能把鐵產商品向附近居住的少數民族區傾銷。少數民族從未用鐵，卓氏敢於開創，把鐵文化帶到少數民族區。

另一例子程鄭，山東遷虜也，亦冶鑄，賈椎髻之民。[35]得知臨邛附近少數民族尚用「火耕而水耨之」的原始方式從事農業。他便把鐵器由臨邛運到夜郎等地市場上，大量銷售給「椎髻之民」[36]，使落後的民族放棄石製農具，採用鐵農具。[37]程氏憑藉自己靈敏的商業觸角；成功地利用先進的鐵製成品去佔領少數民族市場，獨得先機，成為四川地區數一數二的富豪。程鄭之能成為西漢著名四川冶鐵商，並且同南越少數民族通賈與前述卓王孫的發跡有相類地方；就是勇於開創新市場。他們懂得利用先進的鐵製工具向少數民族傾銷。[38]從當時的角度看，落後的少數民族似乎是不會對鐵產生需求，但在卓、程氏眼中少數民族的鐵市場反而潛質最大；結果歷史證明他們眼光獨到。歸根究底，卓、程二氏的成功，其對工業的投資是非常積極，對於具有潛質的市場他們都敢於開創。

（二）集工商於一身；產運銷一條龍

漢初四川地區的卓王孫既是工業家；也是商業家。他所以能叱吒四川鐵產品市場，其中有一個重要的特徵就是把生產、運輸、銷售作一體化。卓氏在臨邛「即鐵山鼓鑄」進行生產，然後把其生產的物品運輸到南面，向當地的少數民族推銷，所謂「傾滇蜀之民」，他的一條龍方式含有現代「物流業」（logistic）的模式。卓氏的生產活動是「工而

33　《史記》卷129〈貨殖列傳〉，頁3277。

34　侯家駒：《先秦儒家自由經濟思想》臺北：聯經出版社，1985年，頁340。

35　《史記》卷129〈貨殖列傳〉，頁3278。

36　張增祺說：「越人多椎髻……滇池區域古代民族也多流行椎髻」；見張增祺：《滇文化》北京：文物出版社，2001年，頁17；王念孫案「椎髻索弔本作魋結……」，見王念孫：《讀書雜志》南京：江蘇古籍出版社，1985年，頁168。

37　周春元：〈夜神略論〉，載貴州省哲學社會科學研究所編：《夜郎考──討論文集之一》貴陽：貴州人民出版社，1979年，頁21-22。

38　彭威程：《貨殖列傳與經商藝術》臺北：漢湘文化出版社，1993年，頁79。

成之，商而通之」。[39]他的鐵產無論由開採、生產、加工、運輸和市場推銷都一手包辦。從營商學的角度看這形式是最有效率和最經濟。卓氏能有「田池射獵之樂，擬以人君」的派頭；亦應歸功於此。

事實上，程鄭的成功亦與卓氏相仿佛，程氏同樣集工業和商業於一身，他既是工業家「亦冶鑄」，也是大鐵商，並把其產品運到貴州一帶，向「椎髻之民」行銷。產運銷一體化再次與四川商人身上得以體現。另外一位四川商人羅裒的情形也類同，他也是「擅鹽井之利」的工業家，所不同的是他還從事放款的賖貸業。[40]至成、哀間，他從一個小商人躍身成為「訾至巨萬」的大富翁。[41]這除了說明四川鹽井事業是一門賺大錢的生意外，與他兼營賖貸業謀取暴利關係密切。

西漢四川商人許多都不是純粹從事商業，而是身兼冶鐵、規陂池、放貸、力田畜田、牧養馬牛羊等。卓王孫和程鄭便是亦工亦商的工商業大家。卓氏「富至僮千人」和羅氏「訾至巨萬」，足見他們經濟實力，愈益膨脹。筆者認為這實與其亦工亦商的多元化投資有莫大關係。

（三）盈利投向於土地及賖貸業

漢代土地得以買賣，土地商品化為商人發展提供了良好的社會環境。不少富商大賈便利用所賺取的大量資金來爭相購買土地「以末致富，以本守之」。漢代四川地區的卓氏便是其中典型代表。卓氏擁有大量土地，一方面可從事各類田莊或工礦實業，另一方面保障自己的利益藉此提升自己在社會上的地位，買下大量土地作「田池射獵之樂」。[42]卓氏「以本守之」例子說明土地成為漢代商人盈利投向的主要地方。

除此之外，四川商人羅裒則把盈利投向借貸業。據《漢書》卷九一〈貨殖列傳〉載：「石氏訾次如、苴（如氏、苴氏，皆饒財），親信，厚資遣之，令往來巴蜀，數年間致千餘萬。裒舉其半賂遺曲陽定陵侯，依其權力，賖貸郡國，人莫敢負。」[43]按「裒舉其半」意為「分帳」。[44]曲陽定陵侯，師古曰：「謂王根、淳于長也。」[45]曲陽侯王根，乃成帝時的大司馬大將軍，王莽為其侄。

羅裒「賖貸郡國」，誠如桓譚言「富商大賈，多放錢貨」[46]。羅裒還怕收債不順

39　《史記》卷129〈貨殖列傳〉，頁3254。

40　《漢書》卷91〈貨殖列傳〉，頁3690。

41　《漢書》卷91〈貨殖列傳〉，頁3690。

42　《史記》卷69《貨殖列傳》，頁3277。

43　《漢書》卷91〈貨殖列傳〉，頁3690。

44　楊聯陞：〈原商賈〉，載余英時：《中國近世宗教倫理與商人精神》〈序〉合肥：安徽教育出版社，2001年，頁19。

45　《漢書》卷91〈貨殖列傳〉注3，頁3691。

46　《後漢書》卷28上〈桓譚傳〉，頁958。

利，倚仗曲陽定陵侯之勢，使向賒貸者催收欠債。雖然有學者認為漢朝政府明文規定有貰貸法律，並對借貸期限、處罰辦法都有明確規定。漢文帝時便曾有河陽嗣侯陳信因「坐不償人債六月」而被免去爵位[47]，但從羅裒需要「賂遣曲陽定陵侯，依其權力，賒貸郡國」；則間接地反映西漢中晚期，政府可能對貰貸的嚴格法律執行寬鬆，否則羅裒不會棄法律而依仗定陵侯來催債。

（四）利用奴婢作商品生產的工具

漢代文獻常以「田、僮」代表財富，無怪乎政府以限田奴並舉，來限制財富。[48]一般來說，西漢奴婢用於生產，東漢奴婢多用於生活。一般地主和富裕農戶也有數量不等的奴婢；時人以奴婢為重要的財富標誌之一。

卓王孫「家僮八百人」，程鄭「亦數百人」[49]。卓、程二氏曾利大量奴婢從事工業商品生產。有學者因此批評他們剝削奴婢勞動冶鐵以致富，這是鐵一般的事實。[50]近年郫縣犀浦發現一方東漢〈貲產碑〉，便記載一農家土地最少者有田八畝，最多者二百六十畝，其中五戶擁有奴婢五至七人。有的雖只有三十畝田，但卻擁有五名奴隸，把大量剩餘勞動力投放於農副業等商品生產。雖然〈貲產碑〉所記是東漢事，但蓄奴作生產事與西漢情況亦相近。[51]

又，冶鐵業對奴婢需求量大，有時要四處購買，因此有「置奴婢之市，與牛馬同蘭（欄）」的人肉市場應運而生。[52]商人們大量役使蓄奴的資料，造成人們對他們留下壞印象。不過，近年來有學者注意到奴婢與奴主人的關係不絕對處於矛盾狀態。奴婢之所以願意依附主人也是有其棲息安身之訴求；若主人破產，奴婢也不能獨善其身。最後，關於四川地區奴婢的價格，按王褒〈僮約〉一例所載：「神爵三年正月十五日，資中男子王子淵從成都安志里女子楊惠賣亡夫時戶下髯奴便了，決價萬五千」。〈僮約〉「決價萬五千」或屬西漢中期四川一地家奴的價格罷。[53]

---

47 《漢書》〈高惠高后文功臣表〉載：「（孝文帝）四年，侯信坐不償人債過六月，奪侯，國除」。

48 秦暉：〈郫縣漢代殘碑與漢代蜀地農村社會〉，《陝西師大學報》，1987年第2期，頁90-96（中國人民大學書報資料社復印報刊資料，K21：先秦、秦漢史）1987年第7期，頁94-95。

49 《史記》卷117〈司馬相如列傳〉，頁3000。

50 余宏模：〈漢初夜郎社會性質淺析〉，載《夜郎史探》貴陽：貴州省社科學院歷史研究所，1988年，頁266；「（秦漢時期）……奴隸勞動在農業及商業中都不可缺少」，詳見吳榮曾：〈試論秦漢奴隸勞動與農業生產的關係〉，載《先秦兩漢史研究》，1995年，頁210-211。

51 〈四川郫縣犀浦出土的東漢殘碑〉，見《文物》，1974年第4期。

52 王莽此言雖針對西漢末之時弊而言，但此奴隸販賣的社會問題在西漢初時業已存在，見《漢書》卷99中〈王莽傳〉北京：中華書局，頁4110。另，顏師古曰：「蘭謂遮蘭之，若牛馬蘭圈也。」

53 見官德祥：〈從王褒〈僮約〉探析漢代中葉田莊商品經濟〉，載《中國農史》，2010年第29卷第4期。

（五）結托官吏以利經營

　　商人勾結官員以利經營常為人詬病，卓氏如此，羅裒更是其中典型例子。羅裒本居成都，不過其大部分時間都留在京師進行商業活動。《漢書》卷九一〈貨殖列傳〉載：「初，裒賈京師，隨身數十百萬，為平陵石氏持錢。」[54]師古曰：「言其自有數十萬且至百萬。」[55]羅裒由「坐賈京師」，到「往來巴蜀經商」，數年間賺了過千餘萬。他將錢的一半賄賂曲陽侯王根和定陵侯淳于長，「依其權力，賒貸郡國，人莫敢負。」[56]

　　商人的投資不一定完全用在營商上，其用一半金錢用來疏通官員，可見數目不小。就現實角度作考慮，羅裒的賄賂是在所難免。在商言商，羅裒為了保障其賒貸能連本帶利得以收回，他是不得不依仗曲陽侯和定陵侯的惡勢力。他以外地商人身份在京從商，沒有靠山站不住腳。

　　再者，羅氏以私商身分從事鹽業，無論在生產、運輸、銷售各個環節上，均需要有權勢的人通融和庇護。而且各種信息的獲得，特別是有關法令和政策的信息；更需要仰仗做官或接近官府的人提供。從達官貴人那裡探聽一些其他渠道得不到的信息，就有可能在市場競爭中取得領先地位和特殊利益；這樣才能得以生存。

　　筆者認為羅裒早年由中賈營商，終至巨萬；足見其本身是具有商業頭腦。從前面的探討，借用王亞南的話，羅裒的例子是官、商、地主和高利貸「通家」的化身。[57]羅裒的聰明才智，加上與政府官員過從甚密，關係良好。這對其營商提供極大方便。兼且當時漢末鹽法廢弛，地方官員也執行不嚴。處此灰色地帶下，羅氏在鹽井業上能達到成功。（日）影山剛認為羅裒的活動年代是西漢末成帝、哀帝治世。他在鹽業上獲得的收益很明顯是在專賣制施行期間。羅裒的事蹟應是特殊的現象。[58]羅裒「擅鹽井之利」不可能完全無視漢代鹽法的基本法規。的確，西漢末期朝綱廢頹、外戚專權，其收買鹽官和地方官，便無視鹽法運營原則和傳統習慣。從事鹽井事業是一門賺大錢的生意，但需要結托官員才能順利營運。羅裒於成、哀間躍身為「訾王巨萬」舉足輕重的大富翁，其

　　及詳見宇都宮清吉：《漢代社會經濟研究》一書第九章〈僮約研究〉東京：弘文堂書房，昭和四十二年（1967）增訂版，頁256-374。

54　《漢書》卷91〈貨殖列傳〉，頁3690。

55　《漢書》卷91〈貨殖列傳〉注1，頁3691。

56　《漢書》卷91〈貨殖列傳〉，頁3690。另見羅開玉、謝輝：《成都通史》卷2〈秦漢三國（蜀漢）時期〉成都：四川人民出版社及四川出版集團，2011年，頁104。

57　王亞南：《中國官僚政治研究》北京：中國社會科學出版社，1981年，頁115。

58　影山剛：〈西漢的鹽專賣制〉，載劉俊文主編：《日本學者研究中國史論著選譯》第3卷〈上古秦漢〉北京：中華書局，頁452。另，文中「……元帝初元五年至永元三年間……」，「永元」應為「永光」之誤。

與政府官員的勾結的因素絕不能抹煞。[59]

四　結末語

　　誠如本文前說大商家的成功，是有其客觀和主觀條件充足有關，當中因素如果有改變，會由成變敗。最先，經秦政府的細心扶持，傾力打造，成都臨邛才會很快成為當時最大的冶鐵基地。官府不僅把部分銅礦租給實業家，官府還為其開採、冶煉、銷售提供種種支持。這是卓氏、程鄭二人成為當時全國最著名的私營冶鐵家能夠產生的前提。[60]
過了大半世紀，西漢政府政策有變，對商業大不利，遂有以下言論：

> 至於蜀卓，宛孔，齊之刀閒，公擅山川銅鐵魚鹽市井之入，運其籌策，上爭王者之利，下錮齊民之業，皆陷不軌奢僭之惡。又況掘冢搏掩，犯姦成富，曲叔、稽發、雍樂成之徒，猶復齒列，傷化敗俗，大亂之道也。[61]

> 能者輻湊，不肖者瓦解。千金之家比一都之君，巨萬者乃與王者同樂。豈所謂「素封」者邪？非也？[62]

當漢政府感到大商人的威脅，便以「上爭王者之利」及商人「素封」為名，最終把商人趕上末路。程、卓如此大商家，當不能獨善其身。《漢書》〈貨殖列傳〉載道：「程、卓既衰，至成、哀間，成都羅裒訾至鉅萬」。他們在成帝之前已經衰落。其衰落的具體時間、經過，語焉不詳，結合歷史分析，當在武帝、晚期。[63]
　　有人辭官歸故里，有人漏夜趕科場。西漢晚年成都羅裒「能者輻湊」，是因為他能洞悉政策的鬆弛，並與朝廷命官相熟，故能於隙縫中謀取巨利。時勢的順逆，造就程、卓，先成後敗。後來者羅氏，成功達到「訾王巨萬」，躍居當地大富，又是「英雄做時勢，時勢做英雄」的另一歷史循環。

59　《漢書》卷91〈貨殖列傳〉，頁3690。

60　羅開玉、謝輝：《成都通史》卷2〈秦漢三國（蜀漢）時期〉成都：四川人民出版社及四川出版集團，2011年，頁237。

61　《漢書》卷91〈貨殖列傳〉，頁3694。

62　《史記》卷129〈貨殖列傳〉，頁3282-3283。

63　見羅開玉、謝輝：《成都通史》卷2〈秦漢三國（蜀漢）時期〉成都：四川人民出版社及四川出版集團，2011年，頁102。

史記與佛經

——以《慈悲三昧水懺》引用〈袁盎晁錯列傳〉之因果論探究

黃素蓮

臺北東吳大學中國文學研究所

一　前言

　　佛教中有部《慈悲三昧水懺》[1]，廣為佛寺道場為信眾祈福懺罪所使用，在序文中藉由《史記・袁盎晁錯列傳》之冤恨情仇，引申出制懺之因緣，用以勸告世人冤可解、不宜結之目的。

　　雖然《慈悲三昧水懺》非佛教教主釋迦牟尼佛金口宣說，而是古德知玄和尚（811-883）因腳生人面瘡，痛苦難竟，偶遇奇人，告知以三昧法水洗淨，病得即痊癒。姑且不論其神異性，但其用字遣詞優美，深受佛教徒喜愛；尤在實際薰修方面，水懺的實用性更強，自唐末以後的一千多年來，水懺法會風行各地，用來消災祈福、超薦亡故親友或冤親債主，迴向六道眾生，以致現代只要提到佛教的懺悔法門，人們一般都會想到梁皇寶懺和水懺。

　　〈袁盎晁錯列傳〉將看似水火不容的兩個文人合為一傳，兩人各在文帝、景帝時受到重用，可謂一時之瑜亮，也因互嫉對方才能，互相攻訐，終以晁錯的受戮而結束，袁盎也未得以善終。在封建皇權體制下，文人的理想抱負和詭譎的官場存在著矛盾。自古書生治國百般難，要將單純的學術理想付諸複雜的現實官場上，只有二種下場，一者折損小節向現實妥協，求取功效；二者則是寧為玉碎不為瓦全；袁盎選擇了前者，晁錯則固守後者而亡，其下場終為統治者所操弄。

　　本文試著將《史記》及《漢書》中記述之〈袁盎晁錯列傳〉之史料作比對，並與《慈悲三昧水懺》何以藉由兩人之因緣，論述業果之輪迴。期藉史實，將袁盎與晁錯之人格略作分析，預期解決晁錯之冤死，錯不全在袁盎身上，以達真正解冤釋結之成效。

1　《大正新修大藏經》臺北：新文豐出版公司，1983年，冊45。

二　〈袁盎晁錯列傳〉之時代背景與事件

《史記》載:「盎素不好晁錯,晁錯所居坐,盎去;盎坐,錯亦去:兩人未嘗同堂語。」故知袁盎晁錯有如多世之冤家般,只要晁錯所在之處,袁盎就離去;袁盎坐在那兒,晁錯就不進來;可謂勢不兩立。但這只能說兩人不投緣,雖然晁錯的死與袁盎有關係,是因為袁盎曾向漢景帝建議殺掉晁錯的,但早在袁盎之前,就有多人向漢景帝建議,而且付諸行動的是承相陶青、中尉陳嘉、廷尉張歐三人,加上竇嬰的公開反對,及其他人的私下反對,所以當提出要誅殺晁錯時,朝廷是一片喊殺,更何況袁盎也是主張削藩的,理念與晁錯相同;是故歷史上把晁錯之死歸咎於袁盎,對袁盎是不公平的,且與事實相有違背,原因如下列三點述之:

第一:晁錯先向漢景帝提出要殺袁盎,袁盎才向漢景帝提出殺晁錯以平諸侯之亂,袁盎是出於正當防衛,只是因緣和合,加上旁人敲邊鼓而造成的結果。

第二:袁盎向漢景帝提出的建議純屬個人之建議。因為此時的袁盎已經被罷了官,貶為庶民,是一個沒有身份的人所提出的一項私人建議;而真正促使漢景帝作最後決定殺晁錯的,實是朝廷大臣群起建議,漢景帝才做了批示的。

第三:晁錯被殺以後,吳楚雖然沒有退兵,但是殺晁錯在政治上還是有成效的,例如一些在旁觀望,立場中立的鄰國就覺得吳楚兩國師出無名,這對後來平定吳楚之亂還是起到了一定的作用的。

晁錯也非一心為國,司馬遷說他「為人峭直深刻」,他自恃深得景帝信任,廟堂之上,孤傲寡思,武將無所交,文臣皆與仇,舉目無知之者,四顧無助之者,成為朝中孤勢。像袁盎、竇嬰這些有影響、有勢力的權臣,晁錯與他們勢同水火,尤其對袁盎受吳王禮一事,晁錯小題大做,動輒要殺人,所以《史記》說「袁盎諸大臣多不好錯」,既不得人緣,又是個製造冤案能手,結果害人反害己。故在「鼓兒詞」有言:「說忠良,道忠良,忠良自古無下場。」數千年傳統文化,化作三句唱詞,令人興悲。

三　〈袁盎晁錯列傳〉之人物性格

中國人的思想方法往往趨向二分法,鬥爭的雙方中,如一方是正人君子,另一方肯定是小人、奸臣。既然歷史上肯定了晁錯,那就要否定袁盎:晁錯是忠臣,袁盎就是奸臣;晁錯是君子,袁盎就是小人。實則不然,袁盎是一個很正直、很正派的人。終究二人性格為何,而招致殺身之禍,以下分別述之。

（一）袁盎之性格分析

司馬遷說袁盎的道德品質是宅心仁厚、慷慨仗義、聰明睿智、老成謀國，堪稱「無雙國士」。所以，袁盎傳記的篇幅還要多於晁錯。袁盎兼有國士和俠士之風，然而，這樣一個「仁心為質，引義慷慨」的人，「好聲矜賢，竟以名敗」。他既是正直無私，卻被稱為小人；他忠心耿耿，卻慘遭橫死。那麼，袁盎究竟是個怎樣的人呢？

袁盎本是楚國人，其父參加過群盜，被強迫遷到安陵，文帝即位，任袁盎為中郎。善於耍弄權術，以討文帝信任。〈袁盎晁錯列傳〉記載了十件事，說明袁盎其人之性格及與人相處之道：

（1）不畏強權，勇於諫言：周勃擔任丞相，朝覲之後，便急忙走出朝廷，很是躊躇滿志。皇上對他很恭敬，常親自送他。袁盎進諫說：「陛下以為丞相周勃是什麼樣的人？」皇上說：「他是國家的重臣。」袁盎說：「周勃是通常所說的功臣，並不是國家的重臣。國家重臣能與皇上生死與共。當年呂后時，諸呂掌權，擅自爭相為王，以致使劉家的天下就像絲帶一樣細微，幾乎快斷絕。此時，周勃當太尉，掌握兵權，不能匡正挽救。呂后逝世，大臣們共同反對諸呂，太尉掌握兵權，所以他是通常所說的功臣，而不是國家的重臣。丞相如對皇上表現出驕傲的神色，而陛下卻謙虛退讓，臣下與主上都違背了禮節，我認為陛下不應採取這種態度。」以後上朝時，皇上逐漸威嚴起來，丞相也逐漸敬畏起來。過了不久，丞相怨恨袁盎說：「我與你的兄長袁噲有交情，現在你卻在朝廷上毀謗我！」袁盎也不向他謝罪。

等到周勃被免除了丞相的職位，回到自己的封國，封國中有人上書告發他謀反，周勃被召進京，囚禁在監獄中。皇族中的一些公侯都不敢替他說話，只有袁盎證明周勃無罪。周勃得以被釋放，周勃於是與袁盎傾心結交。

（2）善於獻計，解王困厄：淮南王劉長來京朝見的時候，殺死了辟陽侯，他平時待人處事也相當驕橫。袁盎勸諫皇上說：「諸侯過去驕橫必然會發生禍患，可以適當地削減他們的封地。」皇上沒有採納他的意見，淮南王更加驕橫。等到棘蒲侯柴武太子準備造反的事被發覺，追查治罪，牽連了淮南王，淮南王被徵召，皇上便將他貶謫到蜀地去，用囚車傳送。袁盎當時擔任中郎將，便勸諫說：「陛下向來嬌縱淮南王，不稍稍加以限制，以至落到這種地步，如今又突然摧折他。淮南王為人剛直，萬一在路上遇到風寒而死，陛下就會被認為以天下之大卻容不得他，而背上殺死弟弟的惡名，到時怎麼辦呢？」皇上不聽，堅決押解。

淮南王到了雍地就病死了，這消息傳來，皇上不吃不喝，傷心卻絕。袁盎進入，叩頭請罪。皇上說：「因為沒有採用你的意見，所以才落得這樣。」袁盎說：「皇上請自我寬心，這已經是過去的事了，難道還可以追悔嗎！再說陛下有三種高出世人的行為，這

件事不足以毀壞您的名聲。」於是袁盎舉皇上侍母至孝、勇敢退敵、辭讓皇位等三種高於世人的行為，令皇上感到寬解，並獻計要皇上安排官職給淮南王的三個兒子，袁盎也因此在朝廷中名聲大振。

（3）以激將法，鬥垮政敵：袁盎常常稱引些有關大局的道理，說得慷慨激昂。宦官趙同因為不只一次地受到皇上的寵倖，常常暗中傷害袁盎，袁盎為此感到憂慮。袁盎的侄兒袁種擔任侍從騎士，手持符節護衛在皇帝左右。袁種勸說袁盎說：「你和他相鬥，在朝廷上侮辱他，使他所譭謗的話不起作用。」漢文帝出巡，趙同陪同乘車，袁盎伏在車前，說道：「我聽說陪同天子共乘高大車輿的人，都是天下的英雄豪傑。如今漢王朝雖然缺乏人才，陛下為什麼單單要和受過刀鋸切割的人同坐一輛車呢！」於是皇上笑著讓趙同下去，趙同流著眼淚下了車。

（4）善用心計，令王臣服：文帝從霸陵上山，打算從西邊的陡坡奔馳而下。袁盎騎著馬，緊靠著皇帝的車子，還拉著馬韁繩。皇上說：「將軍害怕了嗎？」袁盎說：「我聽說家有千金的人就坐時不靠近屋簷邊，家有百金財富的人站的時候不倚在樓臺的欄杆上，英明的君主不去冒險而心存僥倖心理。現在陛下放縱駕車的六匹馬，從高坡上奔馳下來，假如有馬匹受驚、車輛毀壞的事，陛下縱然看輕自己，怎麼對得起高祖和太后呢？」皇上這才中止。

（5）以史勸諫，左右逢源：皇上駕臨上林苑，竇皇后、慎夫人跟從。她們在宮中的時候，慎夫人常常是同席而坐。這次，等就坐時，郎署長佈置坐席，袁盎把慎夫人的坐席向後拉退了一些。慎夫人生氣，不肯就坐。皇上也發怒，站起身來，回到宮中。袁盎就上前勸說道：「我聽說尊貴和卑下有區別，那樣上下才能和睦。如今陛下既然已經確定了皇后，慎夫人只不過是個妾，妾和主上怎麼可以同席而坐，而失去了尊卑的分別呢？再說陛下寵愛她，就厚厚地賞賜她。陛下以為是為了慎夫人，其實恰好成了禍害她的根由。陛下難道沒有看見過『人彘』嗎？」皇上這才高興，召來慎夫人，把袁盎的話告訴了她。慎夫人賜給袁盎黃金五十斤。

（6）對下慈愛，接受建言：袁盎也因為多次直言勸諫，導致不能長久地留在朝廷，被調任隴西都尉。他對士兵們仁慈愛護，士兵們都爭相為他效死。之後，提升為齊相。又調動擔任吳相。在辭別起程的時候，袁種對袁盎說：「吳王驕橫的時間已經很長了，國中有許多奸詐之人。現在如果你要揭發懲辦他們的罪行，他們不是上書控告你，就是用利劍把你刺死。南方地勢低窪潮濕，你最好每天喝酒，不要管什麼事，時常勸說吳王不要反叛就是了。像這樣你就可能僥倖擺脫禍患。」袁盎採納了袁種的策略，吳王厚待袁盎。

（7）敢言勸諫，丞相屈服：當袁盎是無官職時，見丞相申屠嘉自以為輔佐君王就目中無人，封閉天下人的口，恐自身遭致禍患。丞相一聽，如雷貫耳，引袁盎入內室同坐，把他作為上賓。

（8）智退政敵，直諫保命：文帝去世，漢景帝繼位，晁錯當上了御史大夫，派官吏查核袁盎接收吳王劉濞財物的事，要按罪行的輕重給予懲罰。皇帝下詔令赦免袁盎為平民。

待吳王謀反，皇上慌了，就召袁盎進宮會見。晁錯就在面前，袁盎請求皇上避開別人單獨接見，晁錯退了下去，心裡非常怨恨。袁盎詳細地說明了的情況，是因為晁錯的緣故，只有趕快殺掉晁錯來向吳王認錯，吳軍才可能停止。等到吳王謀反，居住在諸陵中有威望的人和長安城中的賢能官吏都爭著依附他們兩個人。

（9）愛護下屬，竟獲報恩：袁盎擔任吳國國相的時候，有一從吏偷偷地愛上了袁盎的婢女，袁盎知道這事，沒有洩露，對待從吏如往常。有人告訴從吏，說袁盎知道他跟婢女私通的事，從吏便逃回家去了，袁盎親自駕車追趕從史，就把婢女賜給他，仍舊叫他當從史。等到袁盎出使吳國被圍困，從史剛好是圍困袁盎的校尉司馬，因為當時之慈愛而救了自己一命，是誰也意想不到的事。

（10）宏觀眼見，善辨睿智：袁盎雖然閒居在家，漢景帝經常派人來向他詢問計謀策略。梁王想成為漢景帝的繼承人，袁盎勸文帝不宜，梁王立儲之事便被中止，梁王因此怨恨袁盎，曾經派人刺殺袁盎。刺客來到關中，打聽袁盎到底是一個怎樣的人，眾人都讚不絕口。刺客便去見袁盎說：「我接受了梁王的金錢來刺殺你，您是個厚道人，我不忍心刺殺您。但以後還會有十多批人來刺殺您，希望您好好防備一下！」袁盎心中很不愉快，家裡又接二連三地發生了許多怪事，便到棓生那裡去占卜問吉凶。回家的時候，隨後派來的梁國刺客果然在安陵外城門外面攔住了袁盎，把他刺殺了。

由上述十點觀之，袁盎非常喜歡結交江湖豪傑，又兼有俠肝義膽和紳士風度的人，所以司馬遷對袁盎的評價是：「仁心為質，引義慷慨」，「好聲矜賢，竟以名敗」。既是如此以天下為己任之人，為何又死於非命呢？就是因為他太關心國家大事，堅決反對立梁王為儲，梁王后懷恨，派刺客追殺，所以袁盎也是死於非命的，從某種意義上說，袁盎是死於國難。

（二）晁錯之性格分析

晁錯（200-154 B.C.），穎川（今河南禹縣）人，西漢政治家、政論家，通曉文獻典故，文帝時任太常掌故，奉命向故秦博士伏生受《尚書》，伏生背誦，晁錯筆錄，是謂今文《尚書》之由來。為文帝寵信，任太子（景帝）舍人，人稱「智囊」。景帝即位，任內史，一年內，升御史大夫，「勢壓九卿」，名震朝野，僅次於丞相。他推行重農抑商政策、主張募兵充實塞下以防匈奴，尤提倡削藩，他認為諸侯勢在必反：「今削之亦反，不削亦反。削之，其反急，禍小；不削，反遲，禍大。」他的建議打動了景帝，景帝三年（154 B.C.），削楚王東海郡和薛郡，削趙王常山郡，削膠西王六縣，也因此遭

到諸侯王和貴族官僚的強烈反對和嫉恨。

晁錯的死，是西漢初年的一大冤案。雖然西漢冤案不少，比如晁錯之前的韓信及晁錯之後的竇嬰，但是比較而言，晁錯死得最冤，因為晁錯是為自己的政治理想和政治抱負而死的，而且是正在實現他的政治理想的時候，他被冤殺了，其所受的冤並非今人看他是冤的，當時就有人說他冤。

《史記》和《漢書》的記載，晁錯被殺的時候，他是不知道自己要被殺的。被殺的也不是晁錯一個人，是他們全家。而且誅殺晁錯是朝廷大臣正式打了報告的，牽頭打這份報告的是三個人，丞相陶青、中尉陳嘉、廷尉張歐。其位階相當於今之政府總理、警政署長、司法部長，這三個人聯名彈劾晁錯，分量可是很重的，擬定的罪名也很大，叫做「亡臣子禮，大逆無道」，所以當時擬定的處分是晁錯腰斬。《史記》中對於晁錯的死，僅一句「上令晁錯衣朝衣斬東市」輕鬆帶過，但在《漢書》上面則詳實記載云：「錯當腰斬，父母妻子同產無少長皆棄市。」司馬遷在給晁錯作傳的時候，從字面上看，好像是漢景帝給了晁錯一個面子，讓他穿著上朝的衣服上刑場。實際上從《漢書》發現「載行東市」四個字，也就是用騙的方式，晁錯還以為皇上叫他去商討國事，慎重地穿上朝服，上車以後，就被拉到東市立即腰斬。沒有給他自我辯護的機會，故說晁錯死得慘。

晁錯首先暴露出來的問題，是不善於處理人際關係。當他還在太子府的時候，和朝中的大臣關係就不好。漢文帝駕崩，漢景帝繼位以後就重用晁錯，因為漢景帝覺得晁錯是一個智囊，所以他一上任，第一件事就是任命晁錯為內史。負責的是京城地區所有的行政工作，新官上任，又仗著漢景帝信任他，不就停地提意見，漢景帝言聽計從，弄得朝中的其他大臣就不太高興了。

再則，漢初的那些高級官員基本上都是貴族或者功臣，有的是當年跟著劉邦一起打天下的，所以大家對於像晁錯這樣一個靠著能言善辯就青雲直上的人是看不上眼的，但晁錯又頻頻獻計，朝廷上下不得安寧，大家對他隱忍於心，伺機報仇，所以說晁錯不得人心。

《史記》和《漢書》講到晁錯的時候都用了四個字：「峭」、「直」、「刻」、「深」。峭者，嚴厲；直者，剛直；刻者，苛刻；深者，心狠。一個人格具備這四種特性，怎麼可能討人喜歡！

晁錯推出削藩的政策以後，朝野譁然。晁錯的父親千里迢迢趕來勸阻，但晁錯不接受，還說自己忠孝難以兩全！其父憤而自殺。按說他是一個國家棟樑，忠心耿耿又深謀遠慮，但是《漢書》對他的評價是：「銳於為國遠慮，而不見身害。」說明晁錯是為國深謀遠慮，卻不為自己深謀遠慮，這就是立功者的悲劇。

從正面觀之，他是一個大公無私，奮不顧身的人；從反面思考，一個不能為自己考慮的人，往往也不能為別人考慮；不懂得民情的人，就不懂得人之常情者，也往往不懂

國情。國家是由具體的人民構成的，人民是一個個活生生的人。你不了解人，你就不能以人為本，不能了解人性、人情，又不把自己生命放在眼裡的人，往往也不把別人的生命放在眼裡；既然不能把別人的生命當回事，又怎麼為民眾謀福利呢？一個連自己都保衛不了的人，如何保衛國家？所以對於這樣一種奮不顧身，可以承認他道德高尚的一面，卻也看到缺陷的一面。

最後，晁錯出個餿主意，直接把自己送上了斷頭臺。當吳王出兵時，晁錯請漢景帝御駕親征，而他自己則留守京城。蘇東坡說，外出打仗是危險的，留下來看家是安全的。在這個緊急關頭，晁錯把最危險的事情派給皇帝，而把最安全的事情留給自己，這是沒有任何人會同意的。晁錯提出此議，惹起朝中一批忠臣的不滿，所以蘇東坡說，這個時候，即便沒有袁盎，晁錯也是死路一條！

晁錯最大的錯誤，是太相信皇帝了。沒想到文帝、景帝雖然在歷史上算是好皇帝，他們同樣是要殺人的。再則，他也太急於成功，他就想在自己有生之年實現自己的政治理想和政治抱負，殊不知即使是一個英雄也是需要有後援的。而他這種孤軍奮戰，是既無後援，也無後盾，漢景帝實際上是用其計、殺其人，這是歷史的教訓。

四　《漢書》與《史記》對〈袁盎晁錯列傳〉的比對

古今研究漢書與史記者，多以四個方面比對之：

一、文字異同。史、漢兩書重疊部份整整一百餘年，漢書一百篇，有半數以上與史記內容重疊，漢書沿襲史記而做了增補與刪改、移動等工作。

二、體例異同。兩書以人物為中心述史，皆為紀傳體，這是同。《史記》貫通，《漢書》列舉一代，這是異。後人評論司馬遷與班固，尊通史而抑斷代者，揚司馬遷而抑班固，如南宋的鄭樵；尊斷代而抑通史者，揚班固而抑司馬遷，如唐代的劉知幾。[2]

三、風格異同。劉宋范曄說「遷文直而事核，固文贍而事詳」；南宋朱熹說「太史以書疏爽，班固書密塞」[3]從二人的文章之風格，微觀文字之異同，亦可見出班固好用古文奇字，司馬遷好用俚語俗諺，將古文轉譯成漢代通語。班固改史記字句，盡量刪減虛字、語氣詞，使漢書文章有「典誥之風」，史記行文變化入神，漢書行文平鋪直敘。

四、思想異同。司馬遷和班固都是漢朝史官，《史記》以尊漢為主旨，但其異端思想，突破愚忠思想的束縛，同情人民苦難，鞭撻暴君污吏的醜態。班固則較保守。

清人梁玉繩在《史記志疑》[4]中將《史記》和《漢書》作了比較，以下列述之。

2　《史記研究》，頁573。

3　《史記研究》，頁575。

4　《史記志疑‧三》北京：中華書局，1958年，頁1358。

（一）　《史記》：「袁盎者，楚人也，字絲。」《漢書‧敘傳》稱「子絲」。

（二）　《史記》：「盎兄噲任盎為中郎」《漢書》將「中郎」改成「郎中」，古代中郎秩比六百石，郎中秩比三百石，袁盎是由兄袁噲保任才得當官，未必即能秩六百石，所以應為「郎中」才對。

（三）　《史記》：「徵繫清室」《漢書》作「請室」，此應為形近而譌。

（四）　《史記》：「百金之子不騎衡」《水經注》作「立不倚衡」，史記可能漏失一字。

（五）　《史記》：「袁盎即跪說曰」《漢書》作「起說」，是與「跪曰」相對。

（六）　《史記》：「及劉禮同師」《漢書》作「劉帶」，同人不同名。

（七）　《史記》：「上令公卿列侯宗室集議」《漢書》作「雜議」

（八）　《史記》：「公為政用事」，在《陸賈傳》中云：此處晁錯之父三呼其子為公，非其位為三公也，而是恨怒之詞。

（九）　《史記》：「及竇嬰、袁盎進說，上令晁錯衣朝衣斬東市。」《漢書》作乃「使中尉召錯，給載行市。錯衣朝衣，斬東市。」後者用字較細

五　史傳與佛經之典故

《中華佛教百科全書》云：

> 由序文所載，可知其中蘊含一流俗相傳之故事。內容謂知玄之過去世即漢之袁盎；其時，曾斬晁錯，其後十世皆為高僧，戒律精嚴。故晁錯雖累世欲求報復，均不得便。至唐懿宗時，知玄以得人主之寵遇，故驕慢心漸起，晁錯得其機，乃於知玄膝上生人面瘡。時，知玄雖遍召名醫，均不得愈。後得迦諾迦尊者之助，以三昧水洗瘡，遂得痊癒云云。[5]

可知悟達國師，在未受封國師之前，是個名叫知玄的和尚，年少時代參訪叢林，在長安京都某寺掛單，遇到了一位僧人。這位僧人生了一種「迦摩羅」的惡疾，通身生瘡，發出衝鼻難聞的穢氣，誰都厭惡和他來往，但知玄住於他隔壁，憐愍他的病苦，常常自動去照顧他。後來病僧的病好了，感激知玄的德風道義，就對他說：「我要走了，你以後會有難臨身，不妨到四川彭州九隴山來找我，我會設法解救你的災難。記住在有兩棵大松樹並立的標誌，那就是我居住地方。」

知玄和尚因為德行高深，唐懿宗十分崇敬，就封他為悟達國師。受封以後，住持安國寺，德名益彰，懿宗皇帝並親自求教佛法，更賜沈香莊飾寶座，座高二丈許。然而就從這時開始，他卻不幸在膝蓋上生出一個人面瘡來，有眉有眼，有口有齒，與人面一

5　《中華佛教百科全書》臺南：中華佛教百科文獻基金會，1994年，冊8，頁5018。

樣，每天需要飲食餵他，瘡像人一樣開口啖食。知玄和尚痛苦萬分，召請了各地名醫，都拱手遜稱無藥可醫。

就在群醫束手，瘡疾日烈時，突然記起當年那位病僧臨別所說的話。於是前往西蜀入山去尋找。一日，傍晚時分，山路難行，正不知如何是好時，忽然看見兩梛並立的松樹，心中大喜，快步走向前去，只見廣闊的殿堂，金碧輝煌，那位僧人已站在門前，兩人相見萬分欣喜，國師便把所患的怪疾的痛苦相告。僧人對他說：「不要緊的，我這兒山巖下有清泉，等到明日去洗一下就會好的。」

翌日清晨，僧人命一孩童帶路，引領國師到巖下清泉之畔。國師剛用手捧起水準備洗膝上人面瘡時，瘡竟出聲大呼：「不要洗！不要洗！」國師驚問：「為什麼？」瘡說：「您曾否讀過西漢史書，袁盎與晁錯傳呢？」國師回答：「曾讀過」。人面瘡就譏諷地說：「您既然讀過了，何以不知袁盎殺晁錯的事？往昔的袁盎就是你，而晁錯是我。當吳楚七國造反時，你在帝前讒我，致使斬我於東市，這冤深恨重，累世以來，我總想尋求機會報復，可是你十世以來，都是高僧，持戒十分精嚴，冥冥中有戒神在旁保護，使我無法近身報復。如今，由於你受皇上的恩寵，待遇豐厚，已到了奢侈揮霍地步，而動了希名欲利的心念，無形中陰德已損，因這緣故，才能接近報復你。現在，蒙迦諾尊者出面調解，賜我三昧法水，令我解脫，那麼我們之間的夙冤，也告終結，從今以後，我不再和你為難作對。」

國師聽了，非常震恐，連忙掬水來洗，一時痛入骨髓，暈絕在地不省人事。復甦後，覺得左腿已安然無恙，人面瘡已不知去向。由此遂明白聖賢渾跡世間，不是凡情所可以測度的。國師欲回寺禮謝那位僧人，但金碧輝煌的崇樓寶殿，已杳無蹤影。於是他築一茅菴，自此不再下山。

悟達國師因蒙迦諾迦尊者垂慈，為他解了多生宿冤，為報答此特殊廣大恩德，如經云：「若不說法度眾生，畢竟無有報恩者。」並為後人啟懺悔之門，所以才著此「慈悲三昧水懺」，意取尊者以三昧水洗人面瘡，解積世冤業的緣故。

就其經名解之，「慈」是予樂，「悲」意為拔苦；「三昧」本是定的意思，「三昧水」則是由迦諾迦尊者的三昧力加持而成的三昧法水，可以滌清眾生的業障；「懺」代表懺悔，指懺悔過去的業。「慈悲三昧水懺」即指在慈悲清淨的定境中，以佛法的甘露水洗滌業障和內心的煩惱，以現出拜懺者本來人性的智慧和福德。

六　結語

貫穿《史記》全書的精神是得民心者得天下，失民心都失天下。這是儒家學派宣揚的王天下的理論[6]。二千多年前的一樁歷史上真實的冤案，一千年後被聰明的〈水懺序〉作者

6　《史記研究》，頁3。

演繹成輪迴轉世、因果相報、解冤釋結的典型案例，以增強其作品的說服力與感染力，編者預期的宣傳效果是達到了，水懺在中國佛教界流行之既久且廣都是不爭的事實。這種現象對於理解佛教深入中國世俗社會的方法舉措與途徑過程自然有著重要的啟示。

人稱晁錯先生是「智囊」，看他種種方略，確實是「智囊」；唯一的遺憾是他的胸襟太窄、器宇太小。政治家必須有三分混沌，才能把反對力量稀釋到最低限度，晁錯如果不先向袁盎下手，袁盎何至狗急跳牆。政治家固然不能沒有敵人，但絕不努力製造敵人。

證諸歷史，從政者為了鞏固政權，總會犧牲一些手下來當做交換條件，反正有錯全是奸臣昧主，皇帝絕對不會有錯，這種手下背黑鍋的官場文化，從古至今中外皆然。袁盎與晁錯可說是《史記》中典型的道義型悲劇人物，在《史記》一百三十篇中，其悲劇人物佔了一百二十餘位，而且多半死於非命，在天道法則和個人命運的衝突達到極端尖銳的程度時，其命運悲劇的典型性也非常突出，所以司馬遷對這些人物的感懷也特別深廣。今讀此傳，細品袁盎、晁錯兩人之怨恨情仇，及政治之無者，執政者之無義，令人痛惜；亦佩服古德將史傳之淵源套用至佛經，告誡今人切勿當與人結下冤業，彼此有嫌隙最好儘速化解，免的來世受果以之苦。

西晉「二十四友」集團性質考辨

張愛波

山東大學歷史文化學院、山東交通學院管理系

　　關於西晉「二十四友」集團的性質問題，一直以來在文學史上就有很大的爭議，總的來說大致有三種觀點：

一　文學集團

　　師飆《西晉二十四友》認為：

> 考核史實，二十四友並不是賈謐手中的政治力量，在西晉混亂的政壇上亦非一個強有力的政治派別，如果用帝、后兩派之爭，將它畫到外戚集團，顯然大錯。其實，它至多是一個文學沙龍似的圈子，一個鬆散的士大夫的團夥。他們從來就沒有過統一的政治行為，更為重要的一點，他們並不都是賈謐的親信。[1]

師飆認為西晉有「帝、后兩派之爭」，這顯然是不符合史實的。在西晉一朝，有君主、宗王、外戚、士族這四大股政治力量，實際上，君主這股政治力量到武帝死後基本上就不能發揮作用而只為外戚與宗王勢力代言人了，后族用事只有楊駿的短暫擅權和賈氏家族在元康年間的弄權，「二十四友」正處於後一階段，但是此時惠帝已成為賈后手中的傀儡，根本就不可能有什麼「帝、后之爭」。而且在實際上，把「二十四友」畫入外戚集團也不為錯，因為當時這些士人就是遊走於外戚與宗王之間的。但是，師飆在這裡提出「他們從來就沒有過統一的政治行為，更為重要的一點，他們並不都是賈謐的親信」，這個觀點是比較客觀的。從這個角度出發，他認為「二十四友」集團「至多是一個文學沙龍似的圈子，一個鬆散的士大夫的團夥」，在這裡，他已經涉及到文學集團的性質問題，但是並不十分明晰。

　　徐公持在《魏晉文學史》中全面深入地闡述了這一觀點：

> 首先「二十四友」是「權侔人主」的賈謐之友。他們在道德人倫方面的表現不好。第二，「二十四友」以豪富官僚石崇為首。第三，這是個以「貴遊豪戚及浮

1　師飆：〈西晉二十四友〉，《古典文學知識》，1988年5期。

競之徒」為主組成的集團。此不僅指其出身背景，更有人生態度上的共同點：追求政治上的發達。第四，「二十四友」中多文學之士，至少具備相當文學才能。其中著名的如潘岳、陸機、陸雲、左思、摯虞、劉琨、歐陽建、石崇等，幾乎占當時（惠帝元康、永康間）文壇之泰半。當時不預其列的文學家，只有張華、傅咸、何劭、嵇含、束皙、張翰、張協等，相比之下，這些人的文學名聲及活動程度，都明顯不如前者，文學影響也小。從文學史角度看，「二十四友」一方面有「金谷雅集」之類的文學氣氛濃厚的活動，另一方面平時的文學創作也很多，他們的今存詩幾乎佔全部西晉文士詩歌的一半。這個數字實為驚人，表明此一集團中人創作精力旺盛，他們的文學活動對於構築當時文學的整體繁榮氛圍，起了決定性作用。所以在相當程度上可以認為，「二十四友」又是一個重要的文學集團，甚至可以說是西晉文壇的一個縮影。[2]

這是迄今為止認為「二十四友」為文學集團的比較有代表性的論述。我們知道，集團是為一定的目的或利益組織起來共同行動的社會團體。文學集團，則是自覺以文學創作為目的的集團。這個對於在二十四友來說是不合適的，文學創作在「二十四友」集團中雖然佔據了很大的比重，但他們顯然不單純是為了文學創作而走到一起的。因此，徐先生在開始大量列舉二十四友的政治特色後，也認為所謂「文學集團」又是在「相當程度上的」。

實際上，在中唐[3]以前的文人集團往往不是以文學創作為目的的自覺聚合。明人胡應麟《詩藪‧外編》卷三曰：

> 余嘗歷考古今，一時並稱者，多以遊從習熟，倡和頻仍，好事者因之以成標目。中間或品格差肩，以蹤跡離而不能合，或才情迥絕，以聲氣合而不得離，難概論也。[4]

所謂「好事者因之以成標目」，正說明瞭這種文人集團形成的不自覺性。雖然「二十四友」的文學創作是這個集團的主要方面，但其既沒有自覺的文學創作目的，也沒有統一的文學綱領，因此文學集團的定性很難成立。

2　徐公持：《魏晉文學史》北京：人民文學出版社，1999年。

3　郭英德：《中國古代文人集團與文學風貌》北京：北京師範大學出版社，1998年，頁149。認為：「有一定組織形式和活動方式的詩社的出現，恐怕要以中唐時幕府詩人的文學社團為肇始。」這種文學社團的形成體現了文人集團文學創作的自覺性。

4　〔明〕胡應麟：《詩藪》上海：上海古籍出版社，1979年。

二　政治集團

沈玉成認為：

> 這二十四人的情況，雖然有詳略之分，但根據已知的材料，不難為這個集團作如
> 下的「定性」：它的成員大多屬於文人，有的還是相當有影響的文苑班頭，但是
> 他們之所以組成集團，顯然出於基本上相同的目的，即以擁護賈氏家族為代價而
> 希望得到政治上的騰達，因而是一個政治性的集團。不過事情還要具體分析，否
> 則就會使判斷流於簡單化。
>
> 從魏晉下及唐代，除了真正的逸民隱士之外，絕大多數文人都是高低不等的官
> 員。不論是為國家建功立業，還是為一身安富尊榮，動機可以不同，實現目的的
> 手段卻無二致，都必須通過當權者的賞識汲引。在通常的道德、輿論之中，當權
> 者本人的賢能或者凡庸以至卑污，也是歷來衡量企求被汲引者的一根尺規。賈后
> 從政治上到生活上都聲名狼藉，賈謐則是一個驕盈輕薄的紈絝，這就難怪「二十
> 四友」之不容於清議了。另外還有一個不能忽略的因素，賈氏家族雖然執政十
> 年，最終卻一敗塗地，並因之而誘發了八王之亂。論史者對賈氏加以筆伐，依附
> 這一家族的「二十四友」當然也絕不會沾光而只能聯帶著一起受到非議。[5]

這段話提出了認為「二十四友」為政治性集團的有兩個理由：

第一，「二十四友」形成集團的目的是「政治上的騰達」，這一點是史所明載的。由
此看來，「二十四友」應該是一個政治集團了，而實際上，這個性質定義也是不確切
的，中國古代的官僚體系是由所謂的士人組成的，他們「學而優則仕」，本身就兼具文
人與政客的雙重身份，依附當權者是他們實現從「學」到「仕」的一條很重要的道路，
就其本質來說，士階層與政治權威同屬於統治階級。作為學術的傳承者，他們一方面在
感性地創作，一腔熱情地承擔起維繫道統的使命，另一方面卻因其利益的一致性而牢牢
依附於政治，並且把自己建功立業以維持政治的長治久安作為自己的最終使命和理想歸
宿，而其實現的途徑都是得到當權者的賞識提攜，也就是說士人依附於當權者而成功乃
是其一條普遍而必然的道路。因此可以說，這種理想與願望在很多時候與他們「追求政
治上的騰達」並沒有本質上的衝突。郭英德在論及文人集團與政治關係的時候有一段話
頗為精彩：

> 在中國古代政治與文化就像連體嬰兒一樣難解難分，即沒有脫離於政治的文化，

5　沈玉成：〈「竹林七賢」與「二十四友」〉，《遼寧大學學報》，1990年第6期。

也沒有不滲透於文化的政治。因此，和西方的文人集團往往作為一種獨立的文化職能集團而存在與活動不同，中國古代的文人集團往往兼具政治和文化的雙重職能，同時在政治領域與文化領域種縱橫馳騁。……中國古代的學派是很難保持其學術性的貞操的，它每每在文化傳統的感化下，不由自主地或自覺自願地和政治野合。[6]

正因此中國古代文人集團往往兼具政治和文化的雙重職能，所以不能簡單地依據是否與政治有關而把一個集團定義為政治集團，如果這樣的話，中國古代的文人集團絕大多數都是政治集團了。

　　第二，雖然「二十四友」也和其他文人集團一樣依附當權者而存在，但是因為他們所依附的當權者賈氏家族聲名狼藉並最終失敗，因此被作為一個非正義的政治集團備受清議。

　　「二十四友」依附外戚賈謐並非一種偶然的現象，它只是西晉特殊的入仕制度和戰亂的政局下所造成的一種時代現象。中層士族通過公府召辟乃是當時所公認的入仕的主要途徑，雖然賈謐不能開府，但他作為外戚實際上是代表賈后一派的力量，這樣二十四友追隨賈謐與應公府召辟的意義並無多大異，甚至，從當權使用的角度上來看，入賈謐圈子比應公府召辟更為有利。宗王與公府召辟本來就是以權勢召人，有權勢者自然就有人以各種形式趨之若鶩，而無權勢者即使能開府也不見得有人應辟，如：

> 夔察侃為孝廉，至洛陽，數詣張華。華初以遠人，不甚接遇。侃每往，神無忤色。華後與語，異之。除郎中。伏波將軍孫秀以亡國支庶，府望不顯，中華人士恥為掾屬，以侃寒宦，召為舍人。[7]

在這裡，伏波將軍孫秀為孫皓所逼，入降西晉，為了統一戰爭的需要，武帝封其高官，允其開府以示優待，但是孫秀因為是「亡國支庶，府望不顯，中華人士恥為掾屬」，徒有虛名而無權勢，所以沒有人願意被其所辟，而陶侃作為寒宦，不為當時權臣張華所禮遇，只好入孫秀府為舍人。這就說明，在當時能開府與否並不是最重要的，是否有權勢，能否給被辟者在仕途上以援手，這才是士人確定追隨對象的標準。這點也非常鮮明地表現在兩晉期間，上層士族子弟對於公府辟召的態度的轉變上：

> 兩晉期間，高級士族子弟由公府辟召入仕的數量不斷增多，如上表所示，西晉公府辟召尚少於吏部銓授[8]，而東晉時二者已佔同樣比重，這種轉變就發生與西晉

6　郭英德：《中國古代文人集團與文學風貌》北京：北京師範大學出版社，1998年。

7　〔唐〕房玄齡等：《晉書》北京：中華書局，1998年。

8　在西晉中後期宗王和外戚都召上層士族以自重，但是上層士族還是不多，但到了後來這種情況發生了變化。

中後期的外戚和宗王專政中。……如果說，西晉末年的公府以辟召高級士族子弟
為榮，那麼，東晉高級士族子弟則以入仕公府為幸。……辟召者大多是大權在手
的強臣，他們隨心所欲地選置辟署從中央到地方的各級官吏，吏部銓選還要他們
點頭認可，由此由辟召而仕，充當權臣的佐吏，前程更優於吏部銓選。無怪乎當
時的一些高門子弟寧肯應公府辟召為佐吏，而不願應吏部銓選為中央官了。[9]

某些高門子弟之所以熱衷於屈就公府辟召為掾屬，乃是當時集權統治趨於衰落的結果和
反映，而「這並不能改變它從屬於中層士族任官層次的性質。」[10]但是，既然上層士族
的子弟都已如此，那麼對於以公府辟召為主要入仕途徑的中層士族來說，其表現有過之
而不無不及也是在情理之中的。而且從當時的掌權者來看，楊駿家族、賈后家族和諸王
並沒有什麼正邪之分，追隨誰的主要原因就在於誰能為這些中層士族提供更好的發展前
途。在許多上層士族的子弟也不惜放棄吏部銓選而應公府辟召的形式下，公府辟召已經
成為一種大的發展趨勢。因此，在這種社會的大趨勢當中，作為中層士族代表的「二十
四友」附會賈謐，追逐權貴，是他們能走的也是唯一能走的一條路，王瑤在論《潘陸與
西晉文士》的時候認為：

> 西晉凡五十二年（265-316），在這樣一個脆弱的短促的統一局面下，賈充、楊
> 駿，八王之亂，外戚宗室間的執政起伏和兵戎傾軋，政治上始終沒有一點昇平統
> 一的氣象；屬於士大夫階層的文士們，也就自然更顯出了他們的依從性和可憐相
> 了。他們不能單純地只忠於皇室，更得在權臣中找尋他們底依附的目標；這樣，
> 隨著政治上權力的起伏，文人的生活也在不斷地改變其所依附的人物；自然也就
> 有不少人因而喪失了地位和生命（潘、陸皆然），也自然就有不少的應時的適應
> 政治的作品（如潘岳的〈構潛懷文〉）。西晉的文士們，就在這樣的政治旋渦中寄
> 存著。……在這短短的五十年中，就在這樣輾轉依附中扮演著他們的悲劇。[11]

王先生此處的論述充分展示了以「二十四友」為代表的西晉文人，在當時隨政治起伏輾
轉的無奈性和必然性。這是西晉入仕制度和政局所造成的社會普遍風氣，因此當時除了
閻纘似與這些人有過節而加以針砭外[12]，並沒見時人有據交接賈謐而對二十四友中的某

9　陳琳國：〈兩晉九品中正制與選官制度〉，《歷史研究》，1987年第3期。

10　張旭華：〈魏晉時期的上品與起家官品〉，《歷史研究》，1994年第3期。

11　王瑤：《中古文學史論叢・潘陸與西晉文士》北京：北京大學出版社，1998年。

12　《晉書・閻纘傳》：「駿之誅也，纘棄官歸，要駿故主簿潘岳、掾崔基等共葬之。基、岳畏罪，推纘
為主。墓成，當葬，駿從弟模告武陵王澹，將表殺造意者。眾咸懼，填塚而逃，纘獨以家財成墓，
葬駿而去。……又謐前見臣表理太子，曰：「閻兒作此為健，然觀其意，欲與諸司馬家同。」皆為
臣寒心。」可見閻纘與潘岳、崔基、賈謐等人是心懷憤恨的。出自〔唐〕房玄齡等：《晉書》北
京：中華書局，1998年，頁1350。

人直接提出異議的，相反的是，無論在當時還是以後，「二十四友」、「金谷之遊」等都是被人所稱羨的[13]。

　　因此，「二十四友」形成的目的雖然是追求「政治上的騰達」，但是這種目的性是我國古代文人集團在與政治的緊密關係中所體現出的一種普遍現象，「二十四友」追隨賈謐既具有歷史的普遍性，又具有在西晉入仕制度和戰亂政局下的無奈和必然，所以這些並不能說明「二十四友」就是一個政治集團。

　　第三，文人集團或侍從文人集團。李中華在〈從「三曹七子」到「二十四友」——試論魏晉文人集團與文學精神的演變〉中認為：

> 可知二十四友是依附外戚賈謐而形成的一個文人集團。……雖然二十四友作為一個文人集團存在的時間不長，然而它幾乎包括了當時所有著名的文士，這些人的詩賦創作，代表了西晉文學的主流。所以這一集團在文化精神、個人品格以及文學風貌等方面的諸多表現，便具有了時代的典型意義。[14]

郭英德在《中國古代文人集團與文學風貌》認為：

> 從梁園賓客到鄴下俊才，中國古代的侍從文人集團漸趨定型。大致而言，侍從文人集團有兩種類型：一是宮廷集團，這是主要的，如漢武帝金馬門侍從，漢末鴻都門學，建安七子，竟陵八友，唐初文章四友，明初三楊等等；二是藩王貴族集團，如梁園賓客，晉「二十四友」，明中葉趙王賓客等等。這兩種類型都是由文人群體圍繞著某個政治中心開展文學活動而形成的，因此具有一些共同的文化功能，展示出相似的文學風貌。[15]

李中華認為「二十四友」是「文人集團」，因為「這一集團在文化精神、個人品格以及文學風貌等方面的諸多表現，便具有了時代的典型意義。」這個定義應該是相當全面而客觀的，因為「二十四友」集團形成的目的是政治的，他們的活動卻是以文人交遊的方式，其集團的業績主要是在交遊過程中創作出來的許多文學作品，從這三個方面來看，「二十四友」的性質確實具有多棱性，它體現在文化精神、個人品格、文學風貌、時代意義等不同的方面，無論是歸於政治集團或文學集團都是有欠客觀的。而「文人集團」這一性質定義，對於體現和包涵「二十四友」集團性質的複雜性無疑是最為恰當的。

13　《世說新語‧企羨》：「王右軍得人以〈蘭亭集序〉方〈金谷詩序〉，又以己敵石崇，甚有欣色。」
　　出自〔南朝宋〕劉義慶著，〔南朝梁〕劉孝標注，余嘉錫箋疏：《世說新語箋疏》上海：上海古籍出版社，1996年，頁877。

14　李中華：〈從「三曹七子」到「二十四友」——試論魏晉文人集團與文學精神的演變〉，《武漢大學學報》（哲學社會科學版），1995年第2期。

15　郭英德：《中國古代文人集團與文學風貌》北京：北京師範大學出版社，1998年。

　　既然是文人集團，那麼到底是一個怎樣的文人集團呢？郭英德把「二十四友」作為一個侍從文人集團而與梁園賓客、明中葉趙王賓客並列，這是一種觀點。另外，徐公持在《魏晉文學史》中也提出了「二十四友」為「豪戚貴遊集團」的觀點，他通過對二十四人的出身背景、社會關係、任職狀況略作梳理而分為四類：

　　一是貴戚：諸葛詮（先任散騎常侍，後任廷尉）、左思、王粹、周恢（常侍）。二：功臣及名門後裔：石崇、陸機、陸雲、劉訥、劉輿、劉琨。三：本人為當時名士：周恢、杜育、和郁、劉訥；四：與賈謐、石崇有特殊關係者：潘岳、繆徵、崔基、歐陽建。同時他認為：

> 以上所列四項身份背景，計貴戚五人，功臣及名門子弟六人，本人為名士者五
> 人，與賈謐、石崇有特殊關係者四人，已占二十四人中的絕大部分。而這些人中
> 的大部分，當時（元康中）又都膺任不同職位，官位較高者十二人（四品以
> 上），占半數；餘則稍低。綜合以上諸方面身份背景觀之，則二十四人幾乎每人
> 皆有某方面社會資本及身份憑藉，如陸機陸雲兄弟，元康中官位不顯，僅為郎吏
> 而已，然其家世頗顯赫，不讓中土名門望族。由此可以說，「二十四友」乃是豪
> 戚貴遊子弟為主組成的集團。此是一方面。另一方面，「二十四友」中幾乎每人
> 都有相當才氣，此點亦不可忽視。如石崇、潘岳、左思、摯虞、陸氏、劉氏兄弟
> 等著名才子自不必多論，即不甚知名者如鄒捷、牽秀、杜斌等亦皆有才情，所以
> 此集團又是一個才士集團，或曰文士群體。[16]

以上兩種觀點都是在確認「二十四友」是「文人集團」或「文士群體」的基礎上對其所作的進一步研究。侍從集團和豪戚貴遊集團顯然是兩種截然不同的概念，前者體現出「二十四友」集團成員與賈謐是一種主從關係，後者則體現出一種主賓關係。而實際上，從「二十四友」文人集團成員的家世、官職和相互關係來看，這兩種觀點都有待商榷。一方面，從集團成員與賈謐的關係來看，侍從集團的說法就很難成立，其中最關鍵的一個人就是郭彰。《晉書·郭彰傳》曰：

> 郭彰，字叔武，太原人，賈后從舅也。與賈充素相親遇，充妻待彰若同生。歷散
> 騎常侍、尚書、衛將軍，封冠軍縣侯。及賈后專朝，彰豫參權勢，物情歸附，賓
> 客盈門。世人稱為「賈郭」，謂謐及彰也。卒，謐曰烈。[17]

郭彰是賈后的從舅，則其應為賈謐之祖舅，而且郭彰曾與賈充素相親遇，可見其入仕較早，賈后專權後，郭彰也是賓客盈門，人稱「賈郭」，與賈謐並列。由此來看，郭彰既

16 徐公持：《魏晉文學史》北京：人民文學出版社，1999年。

17 〔唐〕房玄齡等：《晉書》北京：中華書局，1998年。

是賈謐之長輩，其權勢也不遜色，如果說郭彰為賈謐之侍從，顯然是不合理的，因此侍從集團之說不能成立。

另一方面，徐公持關於豪戚貴遊集團的觀點認為從「二十四友」成員的出身背景、社會關係、任職狀況來考察，「二十四友」「皆有某方面社會資本及身份憑藉」，因而是屬於社會上層的集團，這個論斷是有道理的。但是這個集團人數眾多，各人的情況非常複雜，如果單純按照一個方面來定義，可能產生錯覺，如左思，同為外戚，但如果把左思與郭彰、王粹等列為一類，那顯然是不合適的，因為左思之妹左芬雖然為武帝貴嬪，但是她「姿陋無寵」[18]，只相當於一個文學侍從，顯然不能與賈后家族相比。而如果只從左思的一些作品看，仿佛左思又是與士族格格不入的寒士，但實際上左思也屬於士族，因此，這些因素都不能作為判斷「二十四友」成員身份地位的客觀標準。要想搞清楚這些人物的社會地位，還是要與當時的入仕制度結合起來看。西晉士族的範圍應包括當時的權勢之族，世家大族和一些才望之士，士族內部分又分出很多層次，這些層次很大程度地體現在他們的中正品位與起家官品。[19]自曹魏創立九品中正制度，中正品第雖有九等，然其類別卻只有兩個，即上品和下品。所謂上品，按照班固《漢書·古今人表》的區分方法，應是指上上、上中、上下三級，也就是中正品第的第一品、二品和三品。但事實上，魏晉史籍所說的上品並不包括一品和三品，而是專指鄉品二品。唐長孺先生指出：

> 一品徒有虛名，無人能得到，所以二品就算最高……三品似乎也在上品之列，但當時三品已不受尊重，以後便一律算卑品了。[20]

而據沈約在《宋書·恩幸傳》序中說：「凡厥衣冠，莫非二品，自此以還，遂成卑庶。」[21]這些都清楚地表明二品就是上品，自三品以下統屬卑品，也就是下品。這在西晉以後逐漸成為士族的社會地位和身份等級的標識，成為辨別士庶分野的一個重要標準。而在被目為上品的士族內部，由於出身門戶的不同，政治權力的大小不同，以及個

18　〔唐〕房玄齡等：《晉書》北京：中華書局，1998年。

19　對於魏晉任官及其與鄉品、官品的關係，很多學者加以了論述：日本學者宮崎市定在《九品官人法研究》，頁141，提出了「鄉品與官品相差四品說」，周一良先生在《魏晉南北朝史劄記》「七第與六品」條中對此加以了質疑。閻步克先生在〈從任官及鄉品看魏晉秀孝察舉之地位〉（《北京大學學報》1988年第2期）中又提出了「鄉品與具體官職聯繫說」，而陳長琦在〈魏晉南朝的資品與官品〉（《歷史研究》1990年第6期）中認為特定的資品與官品之間確實存在著一定的規律性，有著大致的對應關係。這些論述都是把上品與下品相提並論來討論的，忽視其中差異性，難免會產生很多誤解。張旭華〈魏晉時期的上品和起家官品〉（《歷史研究》1994年第3期）一文中注意到了這一點，對於上品士族的層次和相應官品加以分析，更有說服力，在本文以下內容中，對於所列「二十四友」成員狀況表的分析，就依據張旭華的觀點。

20　唐長孺：《魏晉南北朝史論叢》北京：三聯書店，1955年。

21　〔南朝梁〕沈約：《宋書》北京：中華書局，1974年。

人才望所造成的一些門第升降等，這些所造成的高低等級的差別，也必然會從上品中反映出來，從而使得名列上品的士族又呈現出三個層次：上品中的帝室茂親和上層士族稱為「灼然二品」，表明這些王室貴族和當朝權勢是灼然超群的二品，而非一般的二品，「灼然二品」又有狹義和廣義之分。狹義指晉代察舉中的一個科目，所舉對象為鄉品二品中的優異者。廣義是泛指冠族華胄的家世門第。根據《晉書》列傳，諸如散騎侍郎、中書侍郎、黃門侍郎、給事中、冗從僕射、太子中庶子等五品官，是貴族及三公子弟的起家官。除此以外，許多臺省、公府、王國與東宮中的六品官，如秘書郎、著作郎、尚書郎、公府長史、司馬、從事中郎、諸王事、友、文學、東宮侍講等，也是上層士族子弟例行起家之選。上品中的中層士族稱為「門第二品」，表明這些家族或依祖上官爵，或恃當今位勢而列於上品，即地地道道的二品。這些中層士族子弟多起家為太子洗馬、舍人及公府東西閣祭酒、諸曹掾屬等七品官；上品中也有不少下層士族，他們既非高門舊族，又非當朝新貴，多為「累世豪強」的地方大姓，並依靠自己的博學或濟世之才而列為上品，被成為「二品才堪」。這些下層士族子弟多起家為八品官，這是上品任官的最低層次。

　　以上對應不能說是一種絕對固定的模式，在複雜的歷史實際當中，某些上層士族子弟可能由低一品官職起家，或是某些中、下層士族子弟由高一官職起家的可能性。但是，總的來說，這種對應已經形成了一個大體上的規律性，而了解這種規律性也有利於我們對「二十四友」集團成員的起家官品及歷任官職加以客觀的量化分析：

姓名	家世	起家官品	才望
諸葛銓	父沖，廷尉卿。妹婉，武帝夫人。	（應）第五品：最早官職記載為：第三品，散騎常侍。	
郭彰	賈后從舅。	（應）第五品：最早官職記載為：第三品，歷散騎常侍。	賈后專權，與后之族兄賈模並以才望居位。
和郁	祖洽，魏尚書令。父逌，魏吏部尚書。兄嶠，元康年間拜太子少傅，加散騎常侍、光祿大夫。	（應）第五品：最早官職記載為：第三品，歷尚書左右僕射。	才望不及嶠，而以清干稱。
周恢	祖斐，著有《汝南先賢傳》五卷。父隆，州從事。[22]女適武帝子清河王司馬遐為正妃。	（應）第五品：最早官職記載為：第三品，武帝年間任常侍。	〈周浚傳〉：「臣叔父子恢，稱重臣家」齊王冏上惠帝表：「恢，世戴名德。」

22　〔南朝宋〕劉義慶：《世說新語》上海：上海古籍出版社，1996年。

姓名	家世	起家官品	才望
劉訥	祖瑾，樂安長。父魁，魏洛陽令。[23]	（應）第五品：最早官職記載為：第三品，泰始年間為司隸校尉。	「有人倫識鑒」。
杜育	祖杜襲。魏尚書、太中大夫，平陽鄉侯。[24]	（應）第五品：曾任常侍：第三品。	摯虞〈答杜育〉：「越有杜生，既文且哲。」
鄒捷	祖鄒軌，魏左將軍。父鄒湛，仕魏歷通事郎、太學博士。泰始初，轉尚書郎、廷尉平、征南從事中郎，深為羊祜所器重。入為太子中庶子。太康中，拜散騎常侍，出補渤海太守，轉太傅楊駿長史，遷侍中。駿誅，以僚佐免官。尋起為散騎常侍、國子祭酒，轉少府。	第五品：永康中，為散騎侍郎。	亦有文才。
許猛		第六品：太康元年為守博士。	
王粹	弘農王氏，祖濬撫軍大將軍，尚武帝女潁川公主。	（應）第六品：從駙馬都尉起，曾任督北中郎將為第四品。	
石崇	晉大司馬，進封樂陵郡公，加侍中。	第六品：年二十餘，為修武令。	少敏惠，勇而有謀。
劉琨	漢中山靖王勝之後。祖邁，有經國之才，為相國參軍、散騎常侍。父蕃，清高沖儉，位至光祿大夫。尚書郭奕之甥。	第七品：為司隸從事。後太尉高密王泰辟為掾。	琨少得俊朗之目，與范陽祖逖俱以雄豪著名。
劉輿	同上。	第七品：辟宰府尚書郎。	雋朗有才局，名著當時。京都為之語曰：「洛中奕奕，慶孫，越石。」

23　〔南朝宋〕劉義慶：《世說新語》上海：上海古籍出版社，1996年。

24　〔南朝宋〕劉義慶：《世說新語》上海：上海古籍出版社，1996年。

姓名	家世	起家官品	才望
歐陽建	世為冀方右族。	第七品：辟公府。	雅有理思，才藻美贍，擅名北州。時人為之語曰：「渤海赫赫，歐陽堅石。」
左思	父雍，起小吏，以能擢授殿中侍御史。妹芬，武帝貴人。	第七品：司空祭酒。	辭藻壯麗。
崔基		第七品：曾任楊駿太傅府掾。	
陸機	祖遜，吳丞相。父抗，吳大司馬。	第七品：太康末，後太傅楊駿辟為祭酒。	少有異才，文章冠世，伏膺儒術，非禮不動。
陸雲	同上。	第七品：刺史周浚召為從事，俄以公府掾為太子舍人。	六歲能屬文，性清正，有才理。少與兄機齊名，雖文章不及機，而持論過之，號曰「二陸」。
潘岳	祖瑾，安平太守。父芘，琅邪內史。	第七品：早辟司空太尉府。	少以才穎見稱，鄉邑號為奇童，謂終賈之儔也。
牽秀	祖招，魏雁門太守。	第七品：新安令。	博辯有文才，性豪俠，弱冠得美名。
摯虞	父模，魏太僕卿。	第七品：郡檄主簿。	虞少事皇甫謐，才學通博，著述不倦。
繆世征		第七品：曾為司空賈充掾屬。	
劉瓌			
陳眕			
杜斌			

註：上表史料除註出外皆依據唐修《晉書》，所定官品等級依據《通典》[25]之《魏官品》、《晉官品》、《宋官品》中的相應記載。

上表中，除劉瓌、陳眕、杜斌以外，有相應歷任官職和起家官的共有二十一人，其中可以確定起家官品的有十四人，其餘注上（應）為五品或六品的是根據其最早任官記錄為

25　〔唐〕杜佑撰，王文錦、王永興、劉俊文、徐庭雲、謝枋點校：《通典》北京：中華書局，第1冊，1988年。

三品和個人情況推測而出。從這二十三人的起家官品來看，五品、六品起家的有十人，七品起家的有十一人，也就是說上層士族和中層士族所占的比例大約各占百分之五十，而且從五品起家者的家世看，其中諸葛銓、郭彰、周恢、王粹為帝室姻親，石崇、鄒捷、和郁之父祖皆為勢族高官，其他劉訥、杜育、許猛無法考證，這樣上層士族中就有百分之六十是外戚和勢族高官，也就是所謂的貴戚，而這些人無疑是在這一集團中占主要地位的。其餘以七品官起家十一人，除牽秀以新安令、摯虞以郡檄主簿起家以外，其他文才聲望最為突出的潘岳、陸機、陸雲、左思、劉琨、歐陽建等都是從公府掾屬起家，是典型的中層士族的起家官品。雖然他們從身份地位上來說，在集團中屬於從屬位置，但是據史料來看，他們無疑是集團行為和創作的主體。

這樣，通過以上分析，我們就可以給「二十四友」集團下一個這樣的定義：「二十四友」集團是一個以權臣賈謐為中心，以幾個貴戚為首，以一些具有文才聲望的中層士族為主體，通過交遊唱和等形式來實現個人政治利益的文人集團。

〈六問奧義書〉的解讀與比較

李亞蘭

北京外國語大學亞非學院

　　奧義書（Upanishad），又譯作優婆尼沙，是印度最古老的哲學經典的總稱，因附於吠陀經典的最後面，也常被稱為吠檀多（Vedanta），即吠陀的最後。奧義書的主要內容是有關吠陀思想的哲學思考，在印度古代龐雜的宗教經典中，奧義書第一次讓理論意識從對巫術儀式的唯一興趣中解放出來，為印度開創了一個有系統理論的哲學時代。奧義書中，一些真正的哲學問題被提出來，比如：何為原因？何為梵？我們從何而生？我們靠什麼生存？我們靠什麼立身？如此等等。[1]奧義書數量較多，約有兩百多種，其中最古老的有十三種。從哲思精神來講，〈六問奧義書〉是其中比較富有代表性的一篇。〈六問奧義書〉之六問，為吠檀多學之六大要義，這六個問題集中體現了奧義書時期的印度哲學中關於何為原因、我們從何而生、何為梵等一系列問題的哲學思考。

一　〈六問奧義書〉的內容及其特點

　　〈六問奧義書〉的內容主要圍繞吠檀多哲學的六義展開，從萬物的出生，到生命狀態的描述，從「睡」與「醒」到如何追求「大梵」。同時，也談到了「唵」字的宗教意義以及「神我」概念的理解及其與「自我」的關係。關於「六義」，徐梵澄《五十奧義書・譯者序》詳細闡釋如下。

　　一、萬物之源，原質與生命之出於造物主也。即關於「萬物何自而出」的問題。

　　二、生命（生命或氣息）之優於其他生命也。即，諸天支持此創造物者，其數若干？照耀此身體者，奚是？又其間之最優勝者，誰也？

　　三、生命氣息在人中之分支。即，生命何由而生？如何而入此身體？如何自加分佈而安止？如何出離？如何與外物相處？如何與「內我」相與？

　　四、睡眠與深睡。即，在人身中諸睡者，為誰？諸醒者，何是？是何天神而見夢？美睡之樂屬於誰？此一切又皆建立於何者中耶？

　　五、「唵」聲止觀。即，集思念於「唵」此一聲，至於去世者，彼由此而得者，何界也？

1　〔德〕恰托巴底亞耶著，黃寶生，郭良鋆譯：《印度哲學》北京：商務印書館，1980年，頁56。

六、人身之十六分，即，神我十六分，此神我何在也？[2]

圍繞這些問題，〈六問奧義書〉分別作了闡釋與解答。

（一）萬物由何而來？何為造物主？世界如何形成？〈六問奧義書〉中認為，萬物由造物主所造，由生命衍生出來。造物主是至高無上的大梵。「惟造物主願有所造者矣。遂內修密性，密行修而二者起，一為原質，一為生命。自謂『此二者可為我多方造成萬物矣』」（第一問）。〈六問奧義書〉認為，造物主創造了世界，它通過修行達得原質、生命後，由二者衍生出萬事萬物。原質是有形體的，而生命則表現為一種光明、氣息等。「彼乃吐出生氣，由生氣生信，空，風，火，地；根，意，食；由食而生力，苦行，咒語，行業，世界；世界中生名」（第六問）。此處的「彼」在印度人的觀念中可理解為「無上大梵」，「生氣」即為「生命」，世界即是由受「無上大梵」控制的生命如此衍化而來。語言、心思、眼耳、生命之氣等構成「內我」，天、風、火、水、地構成「外我」。同時，梵天之神是一切生命護持之神，統領萬物。〈六問奧義書〉關於世界如何產生的觀點基本上繼承了整個「奧義書」經典的基本思想，即「梵」至高無上，「梵」創造了世界，同時，世界與梵又是統一的，梵泛化到具體的萬事萬物中，通過萬事萬物表現自己，即「梵我一如」。

（二）「內我」與「外我」如何體現自我？生命如何運動？生命與性靈是何關係？關於生命及其運動，〈六問奧義書〉提出一種類似於中國老莊思想的氣本體說。認為「氣」分下氣、平氣、周氣等，「生命」由「生氣」體現。生命之氣是一切生命中最優勝者，是萬物之統帥，它統率一切，萬事萬物皆安立於生命之中。「如邦君之使令其臣僕也，曰汝管轄此諸村，汝管轄彼諸村，生命亦如是——督使其他生氣。」（第三問），對人而言，生命是出自「自我」的，如影隨人，依託於此（第三問），它漫布於我們的性靈即「自我」之中，通過眼、耳、口、鼻、氣等體現出來。兩下器官，「下氣」居之。眼，耳，口，鼻，生氣自主之，中央則有平氣。（第三問）〈六問奧義書〉的「下氣」和「上氣」與中國文化中的「陰陽之氣」有相通之處。天竺天文學家瞿曇悉達《開元占經》卷四〈地占〉：「《說文》曰：元氣初分，重濁為地，萬物所陳列也。」[3]瞿曇悉達原本是天竺（印度）人，他隨其祖移居長安。其實《說文》中並沒有這一段話，這是瞿曇悉達自己所言而借助《說文》的權威罷了。與之對應的則為「輕清為天」，它見於多種漢語典籍。天文學家瞿曇悉達是不難由此而發揮出他對大地的認識的。《奧義書》用「氣」詮釋生命及其運動與道家的「氣本體」相一致。道家在堅持「道本體」的同時，還有「氣本體」的思想，《莊子·知北遊》有云：「人之生，氣之聚也。聚則為生，散則為死。……故曰：通天下一氣耳。」[4]也就是說生命是有「氣」組成的，生死也是

2　徐梵澄譯：《五十奧義書》北京：中國社會科學出版社，1984年，頁503。

3　〔唐〕瞿曇悉達編，李克和校點：《開元占經》長沙：嶽麓書社，1994年。

4　〔晉〕郭象註，〔唐〕成玄英疏：《莊子註疏》北京：中華書局，2011年，頁391。

由氣的聚散來決定的，天下的事物同樣是由氣而生的。

（三）人的生命的三種狀態各怎樣表現？何為「梵」？〈六問奧義書〉中認為，生命的狀態分為「睡」和「醒」以及介於兩者之間的「睡中之明醒」或稱「夢」。「夢」是一種永恆的狀態，是達到至彼無上不變滅的「梵境」狀態。「梵」即是「永恆」，存在於至高無上不滅的性靈中。對人的意識的三種狀態的描述，是《奧義書》的主要內容之一。〈六問奧義書〉第四問中，以「生氣」、「生命之火」為依託，配合解釋吠陀的祭祀儀式，對此三種狀態也進行了描敘。「生命之火在此城中猶明」即為「醒」。「不聞，不見，不嗅，不嘗，不觸，不語，不攝持，不享樂，不宣洩，不行走來去」即為「睡」。「夢」則是一切境界中之最高境界。「夢無影，無身，無血，清靜，不變滅。是人全知而為『大全』」。[5]「夢」是三種狀態中的最高狀態，即主客相融狀態，或曰「梵我一如」狀態。

（四）何為「唵」？「唵」字為證悟大梵境的咒語，包含阿（A）、烏（U）、門（M）三聲，定歿之際，定想三音便可止觀無上神我，永生無畏。唵，則是這三音之合，〈蛙氏奧義書〉中說：「唵，此字即一切」，解釋為：「過去、現在、未來，一切皆唵字。」[6] 金克木說：「這個『唵』字，在我們看來很神秘，其實當時是個普通詞，是進行宗教性儀式時讀經文時用的，一個表示頌經開始合終結的詞，……唵＝一切＝過去、現在、未來及超時間＝梵＝我。」[7]〈六問奧義書〉以「唵」字開頭，在第五問中，專門就「唵」字的止觀意義進行了闡釋。其中，認為阿（A）、烏（W）、門（M）作為咒語，同樣代表不同的境界，若人止觀一音阿（A），則明覺，達醒位，可獲得重生，同時，配以修苦行、信行、貞行，則可以樂尊大，得到福樂；若人於意識中，止觀兩音阿（A）烏（U），則達乎月界，達光明位，享月界之福樂已，重又還生。即是說，有福樂得，但是還是逃脫不了生死輪迴的命運，無法超脫；若以三音阿（A）、烏（U）、門（M）默想梵，則合乎光焰，而進入太陽，如蛇蛻皮，去除一切罪惡，由〈三曼韋陀〉引導而進入大梵世界。元氣與火相合，最終臻於梵境，進入永恆。〈六問奧義書〉同時還將三類「唵」聲止觀歸於三種吠陀經典的儀式之中，分別屬於〈梨俱〉、〈夜珠〉和〈三曼〉。

（五）神我和自我的關係，神我何在也？神我與自我的關係，是〈六問奧義書〉中直接闡述梵我一如之內涵部分，與前面部分中借世界從何而來、醒與睡、內我與外我中的生氣的運動等提問，來間接闡釋這一哲學命題的方式不一樣，〈六問奧義書·第六問〉專門討論了二者的關係問題：認為神我與自我是相生的，神我十六分，並存在人的

5　徐梵澄譯：《五十奧義書》北京：中國社會科學出版社，1984年，頁511-512。
6　金克木著：《印度文化論集》北京：中國社會科學出版社，1983年，頁26。
7　金克木著：《印度文化論集》北京：中國社會科學出版社，1983年，頁35。

身體之中，即「此神我也，即在此身體內中。」[8]而如同河流入海，自我最終要彙歸於神我，神我與自我彙於一體，則名色皆失，方能達到無分而不朽，從而超越生死輪迴，即，死神不擾汝。

二　「問」與「修」後的苦行意識

苦行，即以折磨肉體為提升精神層次的途徑的修行方式，他是印度宗教修行的一大特點，也是其民族精神的一大特色。在早期印度社會，「苦行」獲得社會普遍的敬佩與讚揚，修苦行成為種姓社會裡高種姓人必經的人生階段。古印度種姓社會中，將再生族的人生分為四個階段——梵行期、家居期、林棲期、遁世期（苦行期）。梵行期是指學習吠陀經典的時期，家住期是還俗返家，完成結婚生子的世俗責任的一個時期。林棲期指再生人度過家居期後，前往森林居住，〈摩奴法論〉中規定：「當家居者看到自己有了皺紋和白髮而後代有了後代的時候，他就應該到森林去。」[9]修行者需在林中過著隱遁的生活，專心從事祭祀，修苦行與人生哲理的思考。第四階段遁世期又稱為「苦行期」，按照〈摩奴法論〉的規定，這是人生的最終階段，此時人們捨去一切財產，剃髮、守戒、乞食、穿薄衣，致力達到最終的梵我如一。可見，早期印度，特別是種姓社會，苦行作為高種姓人生活的一部分，成為一種追求，甚至是低種姓印度人也認為苦行可以幫助他們擺脫種姓束縛，獲得再生的命運。

因此，「苦行」是印度宗教的重要內容，印度的傳說、文學中亦充滿了苦行達成意志的故事。作為宗教經典中的一篇，〈六問奧義書〉中亦同樣宣導修苦行以達永恆，這主要體現在：首先，知識的獲得，必須以苦修為前提。在〈六問奧義書〉的前言部分，描述諸子前往大師畢波羅多問道時：「彼智者乃謂諸子曰：『爾等更修苦行，貞行，信行，留此一年，然後可如願而問。』」（〈六問奧義書·前言〉）。這是〈六問奧義書〉敘事中的一個小小場景，但是卻透露出一個信息——要求得知識，必須先修苦行。在印度，修行的集大成者都是智慧大師，能夠透悟天地萬物。然而，他們的知識不是在一時一地的苦讀就可以取得，需要經過到處行走，歷經許多肉體上的折磨之後徹悟的可能。畢波羅多大師要求六子苦修一年方可為其答疑解惑，也反映了印度宗教中的這一苦行意識。〈六問奧義書·第一問〉：「惟造物主願有所造者矣。遂內修密行，密行修而二者起焉。」按印度教所提倡的教義理解，印度教徒修行的目的在於觸摸真實。「一個人在感觸內在的真實之前，他必須從自身先行洗刷一切邪惡的行為與思想，一切對肉體與靈魂的侵襲與干擾，在半月之內，他必須節食，只飲水。」[10]因此，修密行，幾可等為修苦

8　徐梵澄譯：《五十奧義書》北京：中國社會科學出版社，1984年，頁515。

9　蔣忠新譯：《摩奴法論》北京：中國社會科學出版社，2007年，頁109。

10　〔美〕維爾·杜倫著，李一平等譯：《東方的文明》西寧：青海人民出版社，1998年，頁468。

行。在講到如何達到「大梵」時，〈六問奧義書〉同樣將「苦行」擺到一個重要位置：「而由北道，以苦行、貞行、信行、明學而求『自我』者，則達太陽。」（第一問）。也就是說，苦行是達到永恆的寂滅的必要前提。「行苦行者，又行貞行，居真理中，得大梵境。」（第一問）苦修又一次被闡述為達得大梵境的必經之路。即便不能達梵境，苦行也是獲得福樂的修行方式。就像咒語之於宗教儀式一樣，苦行是印度人生命中不可缺少的內容。苦行意識貫穿〈六問奧義書〉。

這裡折射出一種印度民族的精神意識：在印度人那裡，他們所想的不是縱欲享樂，不是百萬錢財，而是解答他們的疑惑，從而到達永恆的境界。為此，他們甚至用折磨身體的方式來尋求解答和解脫，擯棄享樂，追求永恆。

三　「睡」與「醒」中表現出的美學特徵

在《奧義書》的哲學中，本體是至高無上的，它與現象界有別。同時，印度人的苦行精神使印度哲學對人生智慧苦苦叩問，對個體自由強烈追求。在審美物件上，一方面不否定現實生活和現象界之美的存在，另一方面又追求超越現實，出世解脫，以求無分別的永恆之美。在審美方式上，推崇禪定中的頓悟，並在這種體悟中展現出個體精神性靈之美。

〈六問奧義書〉中對「美睡」的描述體現了個體精神美的特徵。這種特徵大體可以概括為：靜謐、自由和解脫。〈六問奧義書〉的第四部分，討論了人的意識狀態之「睡」與「醒」的問題。〈六問奧義書〉中有這樣的比喻：「如日之西落也，其光皆斂於彼暈圓而為一。」「如鳥之歸於所棲樹也，惟此一切如是皆歸於無上性靈中。」（第四問）不僅如此，這種狀態還是超越現實，具有神力的，能夠全知全見。「於是此『意天』在夢中享其尊大。凡所嘗見者，則又見之，凡所聞之事，則又聞之，凡所經歷於他方他處者，則又一一經歷之，凡所見者所未見者，所聞者與所未聞者，所經歷者與所未經歷者，有者與非有者，彼全見之。彼為全者而皆見之。」（第四問）這種狀態還能夠洞察萬物。「則地與地之原素也，水與水之原素也，火與火之原素也，風與風之原素也，空與空之原素也……凡見者，觸者，聞者，嗅者，味者，意者，知者，作者，乃知覺為我者，人——是誠建立於無上不滅之性靈中者也。」（第四問）個體性靈在此如同自由的野馬，於靜態之中隨處奔騰。個體精神也在這樣自由的同時超越了現實，達到永恆不變滅，並展現出最美的一面。

〈六問奧義書〉對「夢中之境」的描繪表現了這種主客相融的絕對美特徵：寧靜、和諧和超越。在「睡」與「醒」二種狀態之間亦存在第三狀態「夢中之境」。〈六問奧義書・第四問〉所寫的「夢中之境」，實為「美睡」，亦即印度哲人所追求的境界。這裡的境界之美，既指個體的心境之美，更指梵的絕對美的境界。對於主體來說，這種美是一

種外在的無差別的客觀精神狀態，一切差別均合而為一在自我性靈中。泰戈爾說：「美是人和自然，有限和無限的統一感的表現。」[11]對絕對美的體悟在審美主客體關係上表現為這種主客的相生相融。

至上至美至樂的境界乃是萬有歸一之境，〈六問奧義書〉乃至整個《奧義書》中均有對這種境界的追求。這與中國老莊的美學不謀而和。「昔者莊周夢為蝴蝶。栩栩然蝴蝶也，自喻適志歟？不知周也。俄然覺，則蘧蘧然周也。不知周之夢為蝴蝶歟？蝴蝶之夢為周歟？周與蝴蝶則必有分矣。此之謂物化。」[12]「莊周夢蝶」這一寓言，實際上是對「境界美與精神美」意境的一種形象化描敘。蝴蝶與莊周，本來有區別，而在夢中，則實現了主客徹底的相融。這種美學追求與〈六問奧義書〉一樣，都給人以相同的美的享受。所不同的是，印度的「境界美」追求一種「無欲的靜謐」，而老莊的「境界」則更偏向於「和諧的自然狀態」。

四　「梵我一如」的終極理想及其與儒、道思想的比較

「梵我一如」既是《奧義書》哲學本體論和認識論的基本命題，又是印度人生哲學的最高目標，是印度人精神世界的永恆追求。自吠陀經典開始，「梵我一如」就是印度哲學的最高追求。從某種意義上講，〈六問奧義書〉是附屬於吠陀經典的，其中同樣摻雜有對吠陀地位的認同以及對祭祀行為的解釋。比如其講到「此下氣為家主之火；周氣，南火也；祀神火，度自家主之火者也」、「〈梨俱〉還生，〈夜珠〉入空，〈三曼〉引入，聖者知處」（第四問）等等，實際上就是對祭祀儀式的解釋以及對吠陀經典的認同。因此，與吠陀經典的主旨追求一致，〈六問奧義書〉中，無論是談及萬物起源及生命的運動，還是講到神我、自我的區分及其關係乃至人的意識形態的描述，其基本落腳點均為達到「梵我一如」最高的境界。

那麼，何為「梵」呢？何為「梵我一如」？「梵」的原意指「禮節」、「頌」，是巫術和祭祀儀式中的咒語，後被引申為「祭祀」或祈禱所生的魔力，再便指「世界精力」或「世界精神」了。從本體論和認識論上來理解這一哲學命題，「梵我一如」包含三點：第一，本體論上看，「梵」與「我」本質相同。第二，從認識論上看，梵內在於一切事物又超越於一切事物。第三，從人生哲學上看，「梵我一如」是人生的最高目標和終極理想。〈六問奧義書〉中所體現出的強烈的「梵我一如」的精神追求，它主要表現在以下兩個方面。

第一，修行者的信仰及修行的過程乃至終極目的，均表現了對「梵」的敬仰嚮往以

---

11 〔印〕泰戈爾著，倪培耕等譯：《泰戈爾論文學》上海：上海譯文出版社，1988年，頁4。

12 莊子著，王世舜註譯：《莊子註譯・齊物論第二》濟南：齊魯書社，2009年，頁35。

及對「梵我一如」最高境界的追求。〈六問奧義書〉一開始，就介紹六子：「皆信仰『大梵』為至上，確立於『大梵』者也，其求知『無上大梵』也」。在闡釋生命如何運動，內我如何體現自我時，均尊「梵」為最上之支配者，「彼之出也，余者皆出，彼之止也，余者皆止」（第二問）。關於修行，闡釋何為「唵」時，亦指點六子曰「身歿之際，定想三音，聯續念持，而不妄倒，外，中，內境，善妙念持……明者乃入，彼無上界，平安無老，永生無畏。」（第五問）關於祭祀，亦有「日日主導祀者至於大梵也」。總而言之，處處以「梵」之至高地位為準則，其終極目的均是至大梵境。

　　第二，對「世界起源的闡釋」、「自我生命」的定義、以及神我與自我關係的闡釋中，均肯定了「梵」的存在，滲透了「梵我一如」的哲學命題。在〈六問奧義書〉的第一部分，講到了世界的起源。〈六問奧義書〉第二部分和第六部分講到了自我。第二部分在定義諸生命中最優勝者時，對「自我生命力」下了定義。在第六部分，講到「神我「」與「自我」關係時，強調了二者的統一。神我與自我的合而為一是「梵我一如」的最高境界。印度民族中的這種「梵我一如」哲學思想以及印度哲學家、修行者從人生哲學意義上對它的追求，與中國古代聖賢的哲學思想亦有一些相通之處。可由以下兩個方面的比較窺見一斑。

　　道家之「道」與「梵」、儒道之「天人合一」與「梵我一如」的哲學精神比較。同印度的「梵」表示一種至高無上的存在一樣，中國文化特別是道家思想中，「道」表示的也是宇宙的本體。《老子‧二十五章》：「有物混成，先天地生。寂兮廖兮，獨立而不改，周行而不殆，可以為天下母。吾不知其名，字之曰道。」[13]真可謂道可道、非常道也！可見，在老子那裡，「道」首先是不可直接感知的，因此也就是不可用語言來名狀和界定的，但同時，「獨立而不改，周行而不殆，可為天下母」，「道」又是一個實實在在的存在，它派生、主宰和統控著宇宙萬物的生滅變化。「道」的體認只有通過觀察和反思才能獲得，即道家所說之「悟道」。這與〈六問奧義書〉乃至整個「奧義書」所描繪的「梵」的特徵是一致的。「天人合一」是中國哲學思想的重要部分。先秦時期儒家學者孟子就主張天人相通，說人性乃天之所與，盡心知性則知天，認為只要保持天生的善良本心，並不斷的擴充它，就能知道人的本性，也就可以知道天的本性，從而打通心性與天道的關係，與天道融為一體，成為天民。道家哲學也主張天人合一。老子說：「專氣致柔，能如嬰兒乎。」[14]復歸到嬰兒狀態，實際上就是要達到天人合一的境界。《莊子‧大宗師》：「仲尼蹴然曰：『何謂坐忘？』顏回曰：『墮肢體，黜聰明，離形去知，同於大通，此謂坐忘。』仲尼曰：『同則無好也，化則無常也。而果其賢乎！丘也請從而後也。』」[15]坐忘，從而化掉人我、物我的界限，達到萬物齊同天地與我與我為

13　〔魏〕王弼注，樓宇烈校釋：《老子道德經註》北京：中華書局，2011年，頁65。
14　老子著，李存山註譯：《老子‧第十章》鄭州：中州古籍出版社，2004年，頁13。
15　莊子著，王世舜註譯：《莊子註譯‧大宗師》濟南：齊魯書社，2009年，頁96。

一。因此，從主客體關係上看，「天人合一」與「梵我一如」所包含的哲學精神是一致的，均追求一種主客體消融的境界。不同的是，中國所謂的「天」不具有「梵」一樣的神性和宗教性，「天人合一」更多的指向倫理、自然和外在，而與印度的學說有所分別。

　　孔孟的「養浩然之氣」，道家的「修身養性」與印度「梵我一如」的實踐性特徵與二者之間的相似與相異追求的比較。印度哲學注重修行實踐和講求實際效果。印度精神表現為對肉體和欲望的蔑視，對個人內心主觀精神世界所獲得的自由的推崇和追求。中國哲學亦同樣有注重實踐性的特徵。孟子的養氣說，老莊的養生說，表明了中國哲學對個人主觀精神世界以及道德境界的實踐性追求。

　　《孟子‧公孫丑上》：「夫志，氣之帥也；氣，體之充也。夫志至也，氣次焉；故曰；『持其志，無暴其氣』。曰：『我知言，我善養吾浩然之氣』。『敢問何謂浩然之氣？』曰：『難言也。其為氣也，至大至剛，以直養而無害，則塞於天地之間。其為氣也，配義與道；無是，餒也。是集義所生者，非義襲而取之也。』」[16] 孟子所養的「氣」，是指人的精神氣質、個人修養、學識、品德、行操等之綜合體現，即精神的東西。浩然之氣，乃是一種培養理想人格的方法。所謂集義所生，要配義與道，即強調人的道德修養。修身養性、重生養生是道家的顯著特徵。在道家那裡，健康的身心是體道、得道的基礎，因此道家的追求是建立在對現世生命的珍惜和熱愛之基礎上的。關於如何修身養性，老子和莊子都有論述，老子在《道德經》中提到致虛極守靜篤、無私無知無欲，即要求人們保持虛靜，排除雜念，通過心而達到主客觀的溝通。莊子在〈知北遊〉中說，提倡無思無慮，無處無服。修身養性是一種實踐性修行，而其目的在於知道、安道、得道。它與儒家的養氣一樣，也體現了類似於梵我一如的實踐性特徵。

　　然而，同為對個體精神自由的追求，中印人生哲學中對這種追求所寄寓的意義則有所不同。梵我一如，指向超現實的彼岸世界，指向解脫。〈六問奧義書〉中多次提到的平安無老、永生無畏、出無明而登彼岸等，說的就是這一點。養氣與修身，則指向現實世界的人生。

五　結語

　　世界是什麼？人從何而來？這是人類自有文明史以來疑惑並追尋解答的問題。在不斷的認識自然，改造自然的過程中，人對自身的認識加深了，關於生存的焦灼也在加深。人總在追問和思考如何更好的與自然與整個世界乃至整個宇宙相處，追問如何獲得智慧、快樂，如何解答它的種種疑惑以及如何解脫人世的種種苦惱，總是在依賴自然的同時希望能夠認識自然，支配自然並超越自然。如此，才有了巫術，宗教，哲學，自然

16　孟子著，楊伯峻譯註：《孟子譯註‧公孫丑章句》北京：中華書局，2007年，頁62。

科學等等，有了對世界本源的種種解釋和對人何去何從的種種指向，有了印度的大梵，中國的道，西方的基督，以及伊斯蘭教的真主，有了注重彼岸的解脫、贖罪和注重現世的道德修養和修身養性。

作為古印度人哲學精神萌發的見證，《奧義書》將印度宗教從儀式領入了哲學的殿堂。《奧義書》的一篇〈六問奧義書〉中體現了整個《奧義書》乃至古代印度所體現哲學精神，在對梵的敬仰中描述了關於生命起源的問題，在對苦行的推崇中指引解脫的修行方式，並由此解釋了現實生活中印度人對自身的疑惑，安慰了他們對輪迴業報的恐懼，指引了到達精神上的永恆靜謐之境的途徑。〈六問奧義書〉的內容以及它所包含的哲學精神、美學意識等，均與中國文化中的相關部分有相通之處。然而，自漢代以後，中國哲學中「神」這一角色的缺失，及其注重現世的精神，使得中國式的解脫在此岸而非彼岸，並由此展現了與印度文化不同的地方。比較中印文化之間在這些方面的差異與相似之處，有利於我們更深的理解印度民族及其文化，甚至對我們更深的理解我們民族的文化及其精神有著深遠的意義。

試論杜甫寓居成都時期的閑適詩

孫聖鑒

中國人民大學國學院

　　白居易曾說：「文章合為時而著，歌詩合為事而作」。（〈與元九書〉）[1]每個時代都會由於其社會環境的獨特性，產生各具風格的傳世名篇。作為詩歌發展頂峰時期的唐代自然也是如此，特別是在其由盛轉衰的時期，即「安史之亂」時代，由於急劇的社會變革，造成了大量新題材的產生、新詩人的湧現和舊詩人風格的豐富與轉型。

　　杜甫被後人稱為「詩聖」，在文學風格上我們常說其詩風「沉鬱頓挫」，包含對國家和人民的萬分牽掛，也蘊含對當時社會的細緻描摹，因而他的詩也被稱為「詩史」。然而，杜甫在經歷了「憶昔開元全盛日，小邑猶藏萬家室」（〈憶昔二首〉其二）[2]的盛世之後，也經歷了「漁陽鼙鼓動地來，驚破霓裳羽衣曲」（白居易〈長恨歌〉）[3]的變亂，使得其人生迅速進入了「自經喪亂少睡眠，長夜沾濕何由徹」（〈茅屋為秋風所破歌〉）[4]的動蕩時期。當杜甫入蜀避亂，開始了能欣賞「留連戲蝶時時舞，自在嬌鶯恰恰啼」（〈江畔獨步尋花七絕句〉其六）[5]的相對安逸生活之後，自然會在眾多作品中留下大量的閑適詩。這些詩作是一個特定時期的產物，在杜詩「沉鬱頓挫」的大格局中必然也會佔據別具一格的、恬淡的一席之地，讓杜詩這座巨大的寶藏變得更加豐富多彩，也讓我們這些後人從這些閑適詩中，窺探到一個不一樣的杜甫。當然，本文只是對杜詩研究的一種「補充」，意在研究其主導風格之外的其他風格，達到「老樹開新花」的效果，並無意動搖歷代評論家對其主導風格的解讀。

一　杜甫閑適詩的創作背景

　　唐肅宗乾元二年（759）冬，杜甫入蜀，次年春在好友嚴武的幫助下在成都西郊浣花溪畔營建草堂，開始了他相對穩定的六年草堂時期，肅宗永泰元年（765）因嚴武病故，遂離開成都。這段時間是杜甫閑適詩創作比較集中的時段。創作主要分為三個背

1　〔清〕董誥：《全唐文》上海：上海古籍出版社，1990年，頁305。

2　〔唐〕杜甫著，〔清〕仇兆鰲注：《杜詩詳注》北京：中華書局，1979年，頁1163。

3　〔唐〕白居易：《白居易集》北京：中華書局，1979年，頁238。

4　〔唐〕杜甫著，〔清〕仇兆鰲注：《杜詩詳注》北京：中華書局，1979年，頁831。

5　〔唐〕杜甫著，〔清〕仇兆鰲注：《杜詩詳注》北京：中華書局，1979年，頁818。

景,即自然風光、社會環境和個人經歷。

(一) 自然風光

　　自古被稱為「天府之國」的巴蜀之地,地理位置險要。《華陽國志》:「其地東接于巴,南接於越,北與秦分,西奄峨嶓。地稱天府,原曰華陽。故其精靈,則井狼垂耀,江、漢遵流。〈河圖括地象〉曰:『岷山之精,上為井絡,帝以會昌,神以建福。』〈夏書〉曰:『岷山導江,東別為沱。』泉源深盛,為四瀆之首,而分為九江。」[6]《三國志》中更是直接點明「益州險塞,沃野千里,天府之土」,「若跨有荊、益,保其岩阻,西和諸戎,南撫夷越」。[7]而成都更有李白「九天開出一成都,萬戶千門入畫圖。草樹雲山如錦繡,秦川得及此間無」(〈上皇西巡南京歌十首〉其二)[8]的讚美。杜甫在這樣的地方生活六年,每天面對別具一格的風土人情,必然會心有所感,並有感而發,不期然而然地創作出閑適恬然的詩歌,為其「沉鬱頓挫」的基本風格畫卷上添加幾抹清新靚麗的色彩。

(二) 社會環境

　　天寶十四載(755),中原安史之亂的爆發造成社會動盪使得當時有識之士紛紛離開自己的家鄉,四處漂泊。四川由於地形險要,對外交通不夠便利,環境相對封閉,所以在這次動亂中受到影響較小,客觀上比戰亂區要安定許多。唐肅宗至德二年(757),以蜀郡為唐玄宗幸蜀駐蹕之地,升為成都府。《讀史方輿紀要》〈四川總序〉說:「蜀川土沃民殷,貨貝充溢,自秦漢以來,迄於南宋,賦稅皆為天下之最」,[9]也側面證明四川往往成為避難之所。古金牛道的修繕和擴建,一定程度上降低了入蜀的交通技術難度;交通狀況的改善帶來了商品交換的蓬勃發展,蜀地大量商品輸出到中原的戰亂地區,同時中原大量的勞動力和財富隨權貴階層的入蜀流入四川盆地,大大促進了蜀地經濟的繁榮;經濟的繁榮和社會的穩定,使得大量文人流浪至四川,從而帶來了更加先進的文化水準,帶來了文化蓬勃發展的局面。時任彭州[10]刺史的高適就說:「關中比饑,士人流入蜀者道路相系。」[11]所以,四川就成為文人墨客避難安居的首選之地,而成都的發展

6　〔晉〕常璩:《華陽國志》北京:中華書局,1985年,頁27。

7　〔晉〕陳壽著,〔宋〕裴松之注:《三國志》北京:中華書局,1982年,頁912-913。

8　〔唐〕李白著,〔清〕王琦注:《李太白全集》北京:中華書局,1977年,頁435。

9　〔清〕顧祖禹輯著:《讀史方輿紀要》北京:中華書局,1955年,卷66,第3冊。

10　彭州,治所在今四川成都西北彭縣。

11　〔後晉〕劉昫等:《舊唐書》北京:中華書局,1975年,頁3328。

相對於其他更為優越，故成都得天獨厚的特殊環境給了詩人創作閑適詩的源泉。

（三）個人經歷

在沒有來四川之前，杜甫過著顛沛流離的生活。在青年時期有著「會當凌絕頂，一覽眾山小」（〈望嶽〉）[12]的豪情壯志，並有過一段放蕩不羈的遊歷生活。中年時期來到長安，十年間不斷地投詩獻賦，卻到處碰壁，經歷了「朝扣富兒門，暮隨肥馬塵。殘杯與冷炙，到處潛悲辛」（〈奉贈韋左丞丈二十二韻〉）[13]的生活。安史之亂爆發後，詩人徹底開始了漂泊流浪的生活，自己目睹並親身經歷了國家危在旦夕、百姓流離失所和自己家人的悲歡離合，內心十分壓抑。終於來到四川後，生活相對安定，與親人重新團聚，這種喜悅的心情使得杜甫暫時忘記那段痛苦的經歷，在精神上處於相對輕鬆閑適的狀態，在很大程度上把自己的創作精力轉向了當地的自然美景及人文風光，更多地關注自己身邊的人和物，開闢了一條不同以往的創作思路。

二　杜甫閑適詩的創作內容

杜甫在成都時創作了二百餘首詩歌，其中閑適詩有近一半之多，主要可分為描寫自然美景、田園耕作、友人鄰里唱和等幾類。

（一）自然美景

杜甫人生中第一次來到四川成都，蜀中山水，自然會成為他描寫的對象。閑適詩中如〈絕句二首〉（其一）：「遲日江山麗，春風花草香。泥融飛燕子，沙暖睡鴛鴦」[14]，一句一景，典型的白描手法勾勒出春日山水鳥獸渾然一體的恬然安逸，讓全詩沐浴在煦暖的陽光下，和諧而優美，給人以春光旖旎之感。再如〈堂成〉：「榿林礙日吟風葉，籠竹和煙滴露梢。暫止飛鳥將數子，頻來語燕定新巢」[15]，「吟」與「滴」極具動感，讓樹葉與竹煙帶有了人格化的特點，使得自然的美景融入了人化的動作。同時，飛鳥將子和語燕定巢，在常見的飛鳥生活意象中注入了詩人樂享安然的情感，描寫了草堂竹木之佳和禽鳥之適的恬靜，這都歸結於成都優美的自然環境，將詩人寬慰的心態完滿的外化在這些靈動的景物當中。

12　〔唐〕杜甫著，〔清〕仇兆鼇注：《杜詩詳注》北京：中華書局，1979年，頁4。
13　〔唐〕杜甫著，〔清〕仇兆鼇注：《杜詩詳注》北京：中華書局，1979年，頁75。
14　〔唐〕杜甫著，〔清〕仇兆鼇注：《杜詩詳注》北京：中華書局，1979年，頁1134。
15　〔唐〕杜甫著，〔清〕仇兆鼇注：《杜詩詳注》北京：中華書局，1979年，頁735。

　　在成都居住一年後，一場春雨夜降成都，詩人以欣喜的心情寫下了〈春夜喜雨〉：「曉看紅濕處，花重錦官城」[16]。夜雨將全新的能量注入於此，更將全新的心情注入詩人的心中，讓詩人盡情地暢想，在這場春雨過後，滿城都是雨濕春花，而繁花風姿綽約，整個成都城都沐浴在花之雨當中了。在寫〈春夜喜雨〉的同一個春天，詩人獨自沿浣花溪畔踏青賞花，創作了〈江畔獨步尋花七絕句〉。「其四」中有成都少城的描寫：「東望少城花滿眼，百花高樓更可憐」[17]。少城在大城之西，草堂在西郊，又在少城之西，故詩人是東望少城，看到滿城繁花盛開，絢爛如霞。「百花高樓」顯然應該是當時少城地標樓屋，或許是樓名「百花」，或許是「高樓」處在百花簇擁之中。無論是哪種理解，能確定的是這種居高臨下的觀景角度給詩人帶來了極大的審美體驗，「可憐」二字更是直接點出繁華可愛、讓詩人欲罷不能的絕佳感受。

（二）田園耕作

　　除了欣賞成都的美景，圍繞著他居住的草堂，杜甫也開始了無憂無慮的草堂生活，詩人在這開墾土地，進行耕作活動，體驗田園之樂創作出一系列詩歌。例如他的〈為農〉：

> 錦里烟塵外，江村八九家。
> 圓荷浮小葉，細麥落輕花。
> 卜宅從茲老，為農去國賒。
> 遠慚句漏令，不得問丹砂。[18]

錦里至今仍是成都最為繁華的地方之一，杜甫說錦里「煙塵」外，首句即點明自己渴望遠離塵世喧囂，在「江村八九家」中返璞歸真。初到成都，他見到這離戰爭很遠，江邊農村又是那麼美麗，就想在這長期居住下去，終身為農，遠離朝中晨鐘暮鼓的「句漏」廳堂，也遠離每日朱批對奏的「丹砂」。雖然歸隱鄉村是身在動蕩亂局中詩人作出的不得已的選擇，但畢竟詩人已經把平靜與恬然當做自己上下求索的目標了。閑來無事時，杜甫便常到附近的村落閑逛，他在〈田舍〉中寫：「田舍清江曲，柴門古道旁。草深迷市井，地僻懶衣裳。楊柳枝枝弱，枇杷對對香。鸂鶒西日照，曬翅滿魚梁。」[19]田舍、清江、柴門、古道、深草、市井、楊柳、枇杷、鸂鶒，這麼多優美而質樸的意象都在夕照這一壯觀的大背景下，同時加入作者「懶衣裳」的情態，看似慵懶，其實是作者無所

16　〔唐〕杜甫著，〔清〕仇兆鰲注：《杜詩詳注》北京：中華書局，1979年，頁799。

17　〔唐〕杜甫著，〔清〕仇兆鰲注：《杜詩詳注》北京：中華書局，1979年，頁818。

18　〔唐〕杜甫著，〔清〕仇兆鰲注：《杜詩詳注》北京：中華書局，1979年，頁739。

19　〔唐〕杜甫著，〔清〕仇兆鰲注：《杜詩詳注》北京：中華書局，1979年，頁745。

羈絆的自然流露，鸂鶒的「曬翅」，其實也是作者在「養心」，以鳥的動作指代作者自己內心在夕陽下的平靜與安穩，生動描摹出一幅動人的江村夕照圖。

（三）友人鄰里唱和

杜甫在成都的日子還與四周鄰居和友人打交道，用這種人與人的交流與活動來填補自己空虛寂寞的日子。杜甫的詩中至少提到了其草堂附近的兩位鄰居，他的〈北鄰〉說：

> 明府豈辭滿，藏身方告勞。
> 青錢買野竹，白幘岸江皋。
> 愛酒晉山簡，能詩何水曹。
> 時來訪老疾，步屧到蓬蒿。[20]

在草堂的北面居住著一位不到任滿就辭去官職退隱於此的縣令，此人落拓風雅，喜歡詩酒歌賦，雖然生活比較貧困，僅以「青錢」[21]來購買野竹，然而頭上卻也頂著白頭巾，就像晉代名士山簡一樣行吟江皋，長嘯山林，並經常與杜甫煮酒論詩、瀟灑暢談。

杜甫的南鄰是一位隱士，他的〈南鄰〉說：

> 錦里先生烏角巾，園收芋栗不全貧。
> 慣看賓客兒童喜，得食階除鳥雀馴。
> 秋水纔深四五尺，野航恰受兩三人。
> 白沙翠竹江村暮，相送柴門月色新。[22]

詩中描繪了描繪了一幅農家待客圖，前面寫錦里先生頭戴烏巾，與北鄰的白頭巾遙相呼應，頗為有趣。三四句是一幅形神兼備的寫意畫，把主人耿介而不孤僻，誠懇而又熱情的性格刻畫出來，杜甫和他在水中泛舟，一直玩到夜很深還不肯回家，流連忘返。

還有一位黃四娘，院子種著眾多奇花異草，杜甫經常到那賞花，「留連戲蝶時時舞，自在嬌鶯恰恰啼」，經常會玩的不亦樂乎。

除了與鄰里關係融洽，友人還經常來拜訪杜甫。如他的〈客至〉：

> 舍南舍北皆春水，但見羣鷗日日來。
> 花徑不曾緣客掃，蓬門今始為君開。
> 盤飧市遠無兼味，樽酒家貧只舊醅。

---

20 〔唐〕杜甫著，〔清〕仇兆鰲注：《杜詩詳注》北京：中華書局，1979年，頁759。

21 即古代貨幣單位較小的通寶錢。

22 〔唐〕杜甫著，〔清〕仇兆鰲注：《杜詩詳注》北京：中華書局，1979年，頁760。

　　　　　肯與鄰翁相對飲，隔籬呼取盡餘杯。[23]

詩人詳細敘述了春水繞舍，群鷗環飛的農舍風情，描摹了雖然簡單卻豐盛的酒菜款待的
場面，還出人料想地突出了邀鄰助興的細節，表現出誠摯、真率的友情。這首詩，把門
前景，家常話，身邊情，塑造成富有生活情趣的場景，突顯了濃郁的生活氣息。可見杜
甫當時純樸的性格和喜客的心情，表現出杜甫寓居成都時與友人唱和的瀟灑快意。

　　　縱觀杜甫的閑適詩，通過上文的列舉分析，不難發現有如下幾個顯著的藝術特色：
一是寫景多用白描，常常是一詞一景，一句一轉，短短一首絕句就可羅列諸多意象，使
得內容極為豐富，畫面十分飽滿；二是從細微處著眼，身邊的一花一葉、一唱一詠能均
入杜詩，而少見宏觀龐大的物件，生活化的選材讓讀者感覺都出自身邊，平添許多親切
感；三是善於借景抒情，目前所見的閑適詩中，極少有直接抒情，絕大多數都是通過對
物象的刻畫、用詞的推敲，讓自己的感情不經意地傾瀉出來，不但毫無故作無病呻吟的
造作，反而大有「於無聲處聽驚雷」之妙。

三　杜甫閑適詩與其他詩人閑適詩的比較

　　　杜甫在四川成都所作的閑適詩有許多是借鑒了其他詩人的閑適詩，也有一些詩人獨
創的風格。在古代眾多文人中，陶淵明和王維的閑適詩具有一定的代表性，筆者試將二
人的閑適詩與杜甫進行比較，以得出杜甫閑適詩的獨特之處。

（一）與陶淵明的比較

　　　陶淵明對杜甫詩歌風格的影響，主要可以從杜甫閑適詩中諸如田園、農舍、友人等
意象窺見一斑，同時也不難發現，杜詩中在感情真摯、熱愛自然等方面與陶詩亦有異曲
同工之妙。

　　　杜甫草堂建成之前，杜甫寫詩向親朋討要草木用具：「奉乞桃栽一百根，春前為送
浣花村」（〈蕭八明府實處覓桃栽〉）[24]，要桃樹一百棵；「飽聞榿木三年大，與致溪邊十
畝陰」（〈憑何十一少府邕覓榿木栽〉）[25]，要榿木；「華軒藹藹他年到，綿竹亭亭出縣
高」（〈從韋二明府續處覓綿竹〉）[26]，要綿竹；「欲存老蓋千年意，為覓霜根數寸栽」
（〈憑韋少府班覓松樹子栽〉）[27]，要松樹；「石筍街中卻歸去，果園坊裡為求來」（〈詣

23　〔唐〕杜甫著，〔清〕仇兆鼇注：《杜詩詳注》北京：中華書局，1979年，頁793。
24　〔唐〕杜甫著，〔清〕仇兆鼇注：《杜詩詳注》北京：中華書局，1979年，頁731。
25　〔唐〕杜甫著，〔清〕仇兆鼇注：《杜詩詳注》北京：中華書局，1979年，頁732。
26　〔唐〕杜甫著，〔清〕仇兆鼇注：《杜詩詳注》北京：中華書局，1979年，頁732。
27　〔唐〕杜甫著，〔清〕仇兆鼇注：《杜詩詳注》北京：中華書局，1979年，頁733。

徐卿覓果栽〉〉[28]，要果樹；「君家白碗勝霜雪，急送茅齋也可憐」（〈又於韋處乞大邑瓷碗〉〉[29]，還要一些鍋碗瓢盆等雜物。從這些所要之物中，可以看出草堂規模不小。屋後，杜甫親手種下桃花松竹：「手種桃李非無主，野老牆低還是家。」（〈絕句漫興九首〉其二）[30]。草堂建成後，規模可以和陶淵明的田園居「方宅十餘畝，草屋八九間」（〈歸園田居〉其一）參看，前後的環境與陶詩所謂「榆柳蔭後園，桃李羅堂前」（〈歸園田居〉其一）[31]十分類似。杜甫很有可能就是參照陶淵明的風格對自己居住的地方進行修建。

　　在這個時期，杜甫的詩歌很多都與陶淵明的田園風派接近，風格閑適淡雅，如〈賓至〉、〈進艇〉、〈西郊〉、〈獨酌〉、〈屏跡〉等。例如〈賓至〉一詩：

> 幽棲地僻經過少，老病人扶再拜難。
> 豈有文章驚海內？漫勞車馬駐江干。
> 竟日淹留佳客坐，百年粗糲腐儒餐。
> 不嫌野外無供給，乘興還來看藥欄。

「賓」可能代表有身份的人，而全詩表現出一絲不易察覺的傲岸語氣，且含嘲諷之意，可以推斷此客為詩人尊而不親甚或不喜見之人，客人經過長途勞頓，來到杜甫的住所，杜甫雖表現出一定程度的歡迎，但絕非是老友喜相逢的狀態。首句「幽棲地僻經過少」，這句與陶淵明〈飲酒二十首〉（其五）中的「結廬在人境，而無車馬喧。問君何能爾，心遠地自偏」[32]有異曲同工之妙，杜甫單這一句詩，就囊括了四句陶詩的意思，可知言約義豐。

　　杜甫的另一首詩可以體現其與陶淵明的不同，如他的〈江亭〉：

> 坦腹江亭暖，長吟野望時。
> 水流心不競，雲在意俱遲。
> 寂寂春將晚，欣欣物自私。
> 故林歸未得，排悶強裁詩。[33]

這首詩從表面看，「水流心不競」是說江水如此滔滔，好像為了什麼事情，爭著向前奔跑，而詩人卻心情平靜，無意與流水相爭。「雲在意俱遲」，是說白雲在天上移動，那種

28　〔唐〕杜甫著，〔清〕仇兆鰲注：《杜詩詳注》北京：中華書局，1979年，頁734。
29　〔唐〕杜甫著，〔清〕仇兆鰲注：《杜詩詳注》北京：中華書局，1979年，頁734。
30　〔唐〕杜甫著，〔清〕仇兆鰲注：《杜詩詳注》北京：中華書局，1979年，頁788。
31　〔東晉〕陶淵明著，吳澤順編注：《陶淵明集》長沙：嶽麓書社，1996年，頁31。
32　〔東晉〕陶淵明著，吳澤順編注：《陶淵明集》長沙：嶽麓書社，1996年，頁18。
33　〔唐〕杜甫著，〔清〕仇兆鰲注：《杜詩詳注》北京：中華書局，1979年，頁800。

舒緩悠閑，與詩人的閑適心情完全沒有兩樣。《杜詩詳注》中仇兆鰲說它「有淡然物外、優遊觀化意」。同時《杜詩詳注》引張九成則曰：「陶淵明云：『雲無心以出岫，鳥倦飛而知還。』杜子美云：『水流心不競，雲在意俱遲。』若淵明與子美相易其語，則識者必謂子美不及淵明矣。觀雲無心，鳥倦飛，則可知其本意。至於水流而心不競，雲在意俱遲，則與物初無間斷，氣更混淪，難輕議也。」[34]

張九成雖沒有明說，但他的意思是杜甫這一句詩要比「雲無心以出岫，鳥倦飛而知還」好，人們總覺得陶淵明的生活時代要比杜甫早幾個世紀，所以理所當然地認為，在閑適詩方面陶詩應為杜詩之源。其實筆者看來，二人雖然寫閑適詩的風格有類似之處，但最終的目的是不同的。陶淵明的〈歸去來兮辭〉全文描述了作者在回鄉路上和到家後的情形，並設想日後的隱居生活，從而表達了作者對當時官場的厭惡和對農村生活的嚮往。另一方面，也流露出詩人的一種「樂天知命」的思想。陶淵明當時的立場是堅定的，態度很堅決，這一生肯定不會重回官場。這點與杜甫是不同的，詩中「寂寂春將晚」，帶出了心頭的寂寞；「欣欣物自私」，透露了萬物興盛而詩人獨自憂傷的悲涼。這個時節本應不寂寞，詩人移情入景，自然覺得景色也是寂寞空虛的；眼前百草千花爭奇鬥艷，欣欣向榮，然而這都與詩人無關，所以他就怪春物的「自私」。杜甫雖然避亂在四川，暫時得以「坦腹江亭」，到底還是忘不了國家的安危，因此詩到最後，就不能不歸結到「江東猶苦戰，回首一顰眉」，再次陷入憂國憂民的愁緒之中。杜甫這首詩表面上悠閑恬適，骨子裡仍是一片焦灼苦悶，這正是杜甫不同於一般閑適詩人的地方，也是與陶淵明較大不同的地方。

陳貽焮《杜甫評傳》亦論此詩：「寫出『水流心不競，雲在意俱遲』這樣『有理趣，無理語』的警句，就詩論詩，固然絕妙，若就人論詩，總不免扭捏作態，終遜陶令的率真質樸，須知老杜雖極諳閑適之趣，奈何他並非真正的曠達之人。這是他的痛苦和悲哀，我們不該把他吹得『飄飄然』，也千萬別對他的貌似閑適的生活和詩歌過多責難啊！」[35]

通過上文對陶、杜詩歌的分析和陳先生的評論，我們不難發現，杜甫雖居於較為安適之環境中，有時心緒也如外在環境般安適。但是內心深處，仍不能忘情太上，無法從社會現實中掙脫出來，畢竟家國情懷是老杜詩歌的主心骨。然而陶淵明到後來是出世的詩人，根本不為世俗所羈絆牽累，大有「野人」之態。簡言之，杜甫雖有閑適詩的創作，但始終是入世的詩人。入世與出世，是杜、陶的重要區別。

34　〔唐〕杜甫著，〔清〕仇兆鰲注：《杜詩詳注》北京：中華書局，1979年，頁801。

35　陳貽焮：《杜甫評傳（第二版）》北京：北京大學出版社，2011年，頁546。

（二）與王維的比較

　　王維可謂是唐代閒適詩創作的典範，尤其他的山水詩融入了禪意和畫意，被宋代蘇軾盛讚為「詩中有畫，畫中有詩」。杜甫在成都所創作的閒適詩也與王維的閒適詩有很多相同之處。如杜甫的〈絕句漫興九首〉（其七）：

> 糝徑楊花鋪白氈，點溪荷葉疊青錢。
> 筍根稚子無人見，沙上鳧雛傍母眠。[36]

詩中展現了一幅美麗的初夏風景圖：漫天飛舞的楊花撒落在小徑上，好像鋪上了一層白氈；而溪水中片片青綠的荷葉點染其間，又好像層疊在水面上的圓圓青錢。詩人掉轉目光，忽然發現，那一隻只幼雉隱伏在竹叢筍根旁邊，真不易為人所見。在岸邊沙灘上，鳧雛們偎依在母鳧身旁安然入睡。一句一景，表面看似乎是各自獨立，一句詩一幅畫；而聯繫在一起，就構成了初夏郊野的自然景觀。細緻的觀察描繪，透露出詩人漫步林溪間時對初夏美妙自然景物的欣賞心情，閒靜之中，也感到寓居異地的蕭寂之感。這與王維的〈戲題輞川別業〉有很大的相似之處：

> 柳條拂地不須折，松樹披雲從更長。
> 藤花欲暗藏猱子，柏葉初齊養麝香。[37]

「柳條、松樹、藤花、柏葉」，與杜甫同樣都是一句一景，四景合一，形成渾然一體的自然美感，可見二者在這類詩的創作中有其共通之處。

　　王維有一首〈過香積寺〉：

> 不知香積寺，數里入雲峯。
> 古木無人徑，深山何處鐘。
> 泉聲咽危石，日色冷青松。
> 薄暮空潭曲，安禪制毒龍。[38]

此詩第一句即寫「不知」香積寺，然後展開對這個寺廟周邊畫卷的描摹。由遠望雲峰逐漸走進山中，直到親臨潭邊，由遠及近，看似沒有寫這座寺廟，其實處處都著意於寺廟其地。比如廟中的古木、鐘聲、泉水、青松，還有傍晚時分響起的潭邊梵音，都讓詩人自身以及讀者完全融入了香積寺的佛門勝境中。

36　〔唐〕杜甫著，〔清〕仇兆鰲注：《杜詩詳注》北京：中華書局，1979年，頁791。

37　〔唐〕杜甫著，〔清〕仇兆鰲注：《杜詩詳注》北京：中華書局，1979年，頁594。

38　〔唐〕王維：《王維集校注》北京：中華書局，1997年，頁594。

而杜甫恰好也有一首〈游修覺寺〉：

> 野寺江天豁，山扉花竹幽。
> 詩應有神助，吾得及春遊。
> 徑石相縈帶，川雲自去留。
> 禪枝宿眾鳥，漂轉暮歸愁。

《杜詩詳注》引《蜀總志》：「修覺山，在新津縣治東南五里，山有修覺寺、絕勝亭。」[39]
此詩開頭亦寫野寺地處偏僻，在江天一色之遼遠之地，而杜甫也有幸春遊至此，在這座
寺廟周圍賞花訪竹，看巉岩百轉，觀青雲去留，又與寺中仿佛也得了佛家真傳偈語的鳥
兒閑話。本詩並未對修覺寺進行過多的著墨，然而也帶領讀者飽覽了山中的景色。可謂
與王維的〈過香積寺〉無獨有偶，不謀而合。

陳貽焮先生說：「發展到盛唐王孟詩派，山水詩的表現藝術日臻成熟。他們作詩，
多直接從生活中獲得感受，情動於中而形於外，發為吟詠，往往情景交融，意境清雅，
無截分兩橛之弊，有渾然一體之妙。但侷限是過於追求詩情畫意，美學趣味多偏於恬靜
優雅，久而久之，容易形成定法陳規，產生熟境、熟意、熟詞、熟字、熟調、熟貌，不
利於不同境地、不同感受的表現。」[40]造成這樣的原因，是與詩人的生平經歷分不開
的。我們要了解、分析並認識到，王維的一生與杜甫的一生有截然不同的軌跡。王維的
一生都相對比較安適，年幼時即有「遙知兄弟登高處，遍插茱萸少一人」（〈九月九日憶
山東兄弟〉）[41]的千古佳句，青年入長安時便以一曲〈鬱輪袍〉成為公主的座上賓，並
受公主舉薦為解頭，登進士第。[42]即使在安史之亂中也在長安，於安祿山政府中擔任偽
職，並未有流離顛沛之苦。晚年生活在長安城郊，得宋之問故宅輞川別墅，與故舊親友
唱和，有《輞川集》傳世，並沒有杜甫那種下層士子四處尋求出路，到處碰壁的艱辛。
而且王維的社會地位與官階比杜甫高許多，官至尚書右丞，與杜甫左拾遺的虛職不可同
日而語。同時由於王維書畫詩皆有盛名，求其作品的人絡繹不絕，其潤筆束脩的收入應
當也比較豐厚，加之其多年官居高位，可以推斷王維的財產狀況比較樂觀，不大可能有
杜甫為一家生計奔波艱辛勞苦之甚。同時王維晚年信仰佛教，精神十分放鬆，虔誠的信
仰使得宗教話題也融入了王維的詩歌當中，讓王維的閑適詩帶有濃濃的禪意。

簡言之，杜甫的閑適，更多的是現實主義中暫享安逸生活的竊喜與感慨，而王維的
閑適詩是完全不需要為生活瑣事牽累，又超脫於世俗之外，一心向佛的完全解脫。儒家
之「在朝憂民，在野憂君」與禪宗之「本來無一物，何處惹塵埃」的認知區別，就是杜

39　〔唐〕杜甫著，〔清〕仇兆鰲注：《杜詩詳注》北京：中華書局，1979年，頁786。

40　陳貽焮：《杜甫評傳（第二版）》北京：北京大學出版社，2011年，頁496。

41　〔唐〕王維：《王維集校注》北京：中華書局，1997年，頁3。

42　詳見《舊唐書·王維傳》。

甫與王維閑適詩區別的思想根源，故無論杜甫怎麼寫閑適詩，詩中也總會帶上生活的痕跡，總會透露出杜甫的心事，也就不會造成閑適詩的內容千篇一律。

四　餘論

　　杜甫的漂泊人生，前半生是為實現人生理想而辛苦奮鬥，後半生是為尋覓棲身之所而顛沛流離。無論何時，杜甫都沒有像在草堂時這樣，停下腳好好感悟自己的生活和心靈。眾多古代或現代的文人都會認同杜詩的主導風格是「沉鬱頓挫」，並認為杜甫是一位「苦情」詩人。但正是因為當時戰亂和時局動盪，促成了杜甫在四川避亂生活，也促成了其在成都修建草堂暫享安逸之樂，可以說蜀地的一山一水、成都的一家一戶、草堂的一草一木，都凝聚著詩人暮年求安的真誠情感，也是他漂泊顛沛生涯中為數不多的可久居而快意的棲身之所。而這休憩的驛站，不是詩人刻意尋來的，而是獨特的時代條件和詩人的社會交際圈帶個詩人的一個驚喜與饋贈。在嚴武去世，杜甫被迫離開成都與草堂之後，他便開始了又一次，也是人生中最後一次無所依靠的漂泊流浪，並且最終只能老病孤舟中，在湘江無邊落木的淒涼中黯然離去。因此研究杜甫這一段的生活，也就是研究杜甫一生中最後一段愜意的時光。我們可以從文學的角度挖掘出別樣風情的杜甫詩，可以從人性的角度解讀出晚年杜甫的快意情味，也可以為世人更加豐滿、全面地還原出一千四百年前這位「詩聖」的音容笑貌。

韋應物悼亡詩研究

——「高雅閑淡」之外的另一個韋應物

董思捷

中國人民大學國學院

　　韋應物在大曆、貞元詩壇卓然不群，自成一家。白居易評韋應物曰：「韋蘇州歌行，才麗之外，頗近興諷。其五言詩又高雅閑淡，自成一家之體，今之秉筆者誰能及之？」（〈與元九書〉）[1]後人論韋應物多祖白居易所評其「高雅閑淡」一面。如方回：「世言韋、柳，韋詩淡而緩，柳詩峭而勁。」（《瀛奎律髓·卷四》）[2]倪瓚：「韋、柳沖淡蕭散，皆得陶之旨趣。」《清閟閣全集·卷十》〈謝仲野詩序〉[3]沈德潛：「王右丞之超禪入妙，孟襄陽之清遠閑放，韋左司之沖和自然，柳柳州之清峭峻潔，皆宗陶，而各得其性之所近。」（陳明善〈唐八家詩鈔序〉）[4]這種對韋蘇州近乎一致的評價形態的形成或與中國文學批評傳統有關，即人們往往以作者人品的高潔，尤以對功名的淡泊與否來評判作品。韋應物曾多次罷官歸隱，反覆訴說自己對塵世的厭倦及對山林、佛門的嚮往，加之唐人有「韋應物立性高潔，鮮食寡欲，所居焚香掃地而坐」[5]的記載，長期以來，韋蘇州仿佛成為了人們心目中一個「不食人間煙火」的高士，與之對應的，「無聲色臭味」（朱熹《晦庵詩說》）[6]般的「高雅閑淡」也成為了其詩風的最主要甚至全部特點。當代學者也基本祖述此類觀點。如蔣寅《大曆詩人研究》也以「高雅閑淡」為韋應物詩歌的主導風格。袁行霈主編的《中國文學史》第二卷〈大曆詩風〉一章論韋應物詩也說：「嚮往隱逸的寧靜，有意效法陶淵明的沖和平淡，成為韋應物詩歌創作的主導傾向，往往能發纖穠於簡古，寄至味於淡泊。氣貌高古，清雅閑淡，自成一家之體。」[7]

　　然而細讀其詩集，不難發現其詩作題材廣泛，除人們常論及的山水田園詩外，亦有大量交遊酬唱贈答、歌頌親情友情、關心民生疾苦、批判統治黑暗之作。這些作品情感

1　〔唐〕白居易：《白居易集》太原：三晉出版社，2008年，頁201。

2　〔元〕方回選評，李慶甲集校點：《瀛奎律髓彙評》上海：上海古籍出版社，1986年，頁188。

3　〔元〕倪瓚：《清閟閣集》杭州：西泠印社出版社，2010年，頁313。

4　陶敏、王友勝：《韋應物集校注》上海：上海古籍出版社，1998年，頁652。

5　〔唐〕李肇：《國史補卷下》上海：上海古籍出版社，1957年，頁55。

6　〔宋〕黎靖德：《朱子語類》北京：中華書局，2011年，頁3327。

7　袁行霈：《中國文學史》北京：高等教育出版社，1999年，頁298。

真摯濃烈、意象豪放，有些甚至可以說是「沉鬱頓挫」。如其在〈睢陽感懷〉一詩中熱情讚揚了安史之亂中堅守睢陽城的張巡，並對那些擁兵自重的藩鎮、投降賊寇的「宿將」進行了強烈的譴責。再如〈漢武帝雜歌〉（三首）便將矛頭直指統治階層，用托古喻今的手法諷刺統治者沉迷道教迷信，不理朝政的現象。而其中情感最濃烈、最難為人忽略的要數其在妻子去世後所作的一組悼亡詩。組詩〈傷逝〉詩題下原注：「此後歡逝哀傷十九首，盡同德精舍舊居傷懷時所作。」[8]這十九首悼亡詩可謂字字沉痛真摯，令人讀來愀然欲淚，絕非能用「高雅閑淡」概括。本文試圖通過寫作內容及表現手法兩大方面分析展現韋蘇州悼亡詩之沉痛、真摯、深情，從而論證其詩風並非僅高雅閑淡一個方面。繼而讓人們看到，在所謂「高雅閑淡」的詩歌背後，實則是一個有血有肉、有著真性情、情深意切的詩人，為今後關注研究韋應物提供一種多元化的研究思路，即讓人們更加全面立體地對韋應物進行體認和把握。

一　寫作內容

（一）今昔對比　睹物思人

從悼亡詩鼻祖《詩經・邶風・綠衣》起，睹物懷人便成為詩人對妻子表達追思哀悼之情的典型範式。韋應物悼亡詩中自不乏此類詩作。正如人言，「睹物則思人，念彼之德，彼之功，昔者心之所鶩，情之所依，一旦成空，『存在』之物也就異化為傷情之標記」[9]。曾經美好的一切皆隨著妻子的逝世而變為一種刺眼的存在，觸痛著韋應物脆弱的神經。春日裡生機勃發的芳樹本應讓人感到滿心歡喜、活力四射，然而在詩人看來卻是「對此傷人心，還如故時綠」，皆因「佳人不再攀，下有往來躅」（〈對芳樹〉），看到樹下二人足跡尚存，如見往日一同嬉戲陪伴的歡樂場景，而這畫面卻只能永遠定格在過去，美景如故佳人不復，怎能不心傷。韋應物借用今昔對比，睹物思人之內容來抒發沉痛哀悼最典型的或為〈過昭國里故第〉和〈悲紈扇〉兩首。〈過昭國里故第〉[10]詩云：

> 不復見故人，一來過故宅。
> 物變知景暄，心傷覺時寂。
> 池荒野綺合，庭綠幽草積。
> 風散花意謝，鳥還山光夕。
> 宿夕方同賞，詎知今念昔。

8　陶敏、王友勝：《韋應物集校注》上海：上海古籍出版社，1998年，頁393。

9　謝衛平、張笑笑：〈論韋應物的悼亡詩〉，《湖南工程學院學報》，2007年第4期，頁41。

10　陶敏、王友勝：《韋應物集校注》上海：上海古籍出版社，1998年，頁402-403。

> 緘室在東廂，遺器不忍觀。
> 柔翰全分意，芳巾尚染澤。
> 殘工委筐篋，餘素經刀尺。
> 收此還我家，將還復愁惕。
> 永絕攜手歡，空存舊行跡。
> 冥冥獨無語，杳杳將何適。
> 唯思今古同，時緩傷與戚。

　　遇喪以來，詩人無法忘卻失妻的傷痛，朝思暮想不得釋懷，萬般無奈中，他重訪故居，希望尋得心靈的慰藉。可事與願違，我們仿佛看到韋蘇州推開昭國裡故第大門的瞬間，一個傷心的念頭就牢牢地攫住了他：那個「結髮二十載，賓敬如始來」的賢妻真的是永去不歸了！這種強烈的失妻之痛使作者將「不復見故人」之句置於篇首，以哀婉之情統領全詩，彌漫在字裡行間。接下來詩人描繪了一幅荒涼的庭景圖，往日被賢妻精心料理的池清庭綠、鳥語花香，如今變為池荒草雜，風吹花謝，昔日攜手遊園，而今只剩追憶。不忍繼續觸景生情的詩人轉入東廂，而種種舊跡撲入眼簾又難眠睹物思人，筆架上懸掛著久無人用致使筆端早已乾涸開裂的毛筆；賢妻留下的芳巾依然透出原先的光澤；筐篋之中是那沒有完工的針線活和量裁待繡的素絹。正是這一切，既使詩人生出了不忍為睹的傷痛之感，又使詩人生出不忍為棄的珍惜之情。詩人毫不掩飾的抒寫著矛盾的內心，既想帶回遺物以求慰藉，又知道其結果必然是徒增傷感。情苦至極，終於發出了「永絕攜手歡，空存舊行跡」的哭歎。至此，「不復見故人」的綿綿傷逝之情最終被推至頂點，孤獨淒苦的落寞情懷也被抒寫得淋漓盡致。此刻韋應物能做的只有自我安慰甚至可以說是自我欺騙，但想著「今古同」，讓自己的「傷與戚」得以片刻的緩解。這個深情真摯的男人就是以這樣一種盼望自我修復卻久久難以自拔的方式煎熬著失去妻子後的日日夜夜，詩歌讀來情濃意切，絕非「高雅閑淡」。

　　另一首小詩〈悲紈扇〉[11]：

> 非關秋節至，詎是恩情改。
> 掩嚬人已無，委篋涼空在。
> 何言永不發，暗使銷光彩。

　　全詩圍繞一把紈扇展開，正如《詩經注析》評〈邶風·綠衣〉中說該詩「既非妙喻，亦無深意，這裡反覆吟詠的，只是一件在旁人看來極其普通、而於作者卻倍感親切的衣裳。」[12]衣服是亡妻生前最常使用、最貼身、最散發著她的氣息的事物，詩人每每

---

11 陶敏、王友勝：《韋應物集校注》上海：上海古籍出版社，1998年，頁405。
12 程俊英、蔣見元：《詩經注析》北京：中華書局，2010年，頁65。

看到這件綠衣就睹物思人，觸目傷懷，實屬人之常情。而此處，這把紈扇也定為韋應物妻子常常攜帶之物，與妻子朝夕相處。與紈扇一般常伴妻子左右的韋應物在睹物思人的同時，更是將紈扇作為了自己寫照和象徵，由於「掩咿人無」，紈扇呆在空蕩蕩的箱子裡日漸塵封，默默讓歲月的塵埃消磨了昔日的光彩。而詩人也孤獨地居住在空蕩蕩的房子裡，在憂傷中日漸消瘦憔悴，頹然老去。紈扇主人的離世讓它的存在失去意義，同紈扇一樣被妻子「遺棄」的詩人也覺得自己的生命失去了光彩，如同枯井，了無生趣。看似悲紈扇，實則悲己身，通過如此簡單純粹的白描手法，我們看到的是一位有血有肉、敢於展現自身脆弱的詩人。

另外，其〈傷逝〉詩云：「一旦入閨門，四屋滿塵埃。斯人既已矣，觸物但傷摧。」詩人回到家中，映入眼簾的不是往日的潔淨與溫馨，而盡為塵埃，怎能不令人傷摧。我想其實哪怕此刻詩人家中依舊一塵不染，由於斯人已矣，昔日光鮮豔麗的一切在韋應物眼中也會變得灰濛濛如塵埃一般，妻子的離開也帶走了他世界的色彩。正因如此，詩人才會在〈出還〉一詩中吟詠：「昔出喜還家，今還獨傷意。」昔喜今傷，皆因妻子不在，今昔對比之中喪妻之痛躍然紙上。

物依舊，人已故。睹物思人，韋應物的深情或起於眼前舊物，或落於無人共賞之美色，或感於衰敗孤寂之哀景，覽之淒切，給人一種感人至深的力量，多情誠實之人總如是。

（二）妻子德行夫妻情意

韋應物之前的悼亡詩多側重對妻子過世後自己心情的吟唱，而作為悼亡對象的妻子往往被忽略。西晉詩人潘岳可謂確立了悼亡詩的體制，奠定了悼亡詩的歷史地位，而讀其三首著名的〈悼亡詩〉我們不難發現從中並不能看出悼亡對象——潘岳妻子的形象。潘岳的書寫重點明顯放在了自身情感狀態及生活狀態的描繪上，而不是對妻子的愛與歌頌，這也成為了後代悼亡詩約定俗成的基本範式。然而，自韋應物始開風氣，通過諸多細節將妻子形象大量引入詩中，使其悼亡更顯豐滿真實。可以說，從韋應物起，悼亡詩的寫作重心由悼亡主題即詩人自身向悼亡對象即詩人妻子轉移了，這也對韋應物之後的悼亡詩人影響頗深。存世文獻對韋應物生平記載很少，對其妻家世生平的記載更是無從稽考，這在很大程度上限制了人們對其悼亡詩歌的深入解讀。然而二○○七年，在西安市長安區韋曲鎮出土了四方韋應物家族的墓誌，其中韋應物妻子元蘋墓誌系韋應物親自撰文並書寫。這一出土文獻的發現對我們了解其夫妻間的深厚情誼、重新認識評價韋蘇州之悼亡詩都大有裨益。下面就將該墓誌與韋之悼亡詩相互比照分析，繼而展現其詩歌的沉痛真摯以及韋應物這位有血有肉、率直自在，有著真性情的詩人。

墓誌以飽含深情的筆觸抒發了對亡妻的深切悼念之情，從中也能窺見其對夫人之所

以情意如此深厚的幾方面因素。首先，誌文言：「娶河南元氏夫人諱蘋，字佛力，魏昭成皇帝之後……夫人吏部之長女。」[13]唐代世家大族通婚，多重門第族望，均為名門大姓之後的兩人結合可謂門第相當，珠聯璧合，這一點恐為婚姻幸福的基礎之一。其次，妻子的溫婉動人、賢能勤慧也讓韋應物為之傾心，久不能忘。其〈傷逝〉[14]詩云：

> 染白一為黑，焚木盡成灰。
> 念我室中人，逝去亦不回。
> 結髮二十載，賓敬如始來。
> 提攜屬時屯，契闊憂患災。
> 柔素亮為表，禮章夙所該。
> 仕公不及私，百事委令才。
> 一旦入閨門，四屋滿塵埃。
> ……

可見韋應物在與元蘋共同生活的二十年中，二人始終同甘共苦，相濡以沫。二十年中，韋應物歷任洛陽丞、河南兵曹、京兆府功曹等職，經歷了仕途中的任職、遷職和被訟貶職閒居等種種坎坷，度日之艱難可想而知。元蘋卻能始終勤勞體貼，包攬一切家中事務，這樣一位賢能的妻子怎會不讓人珍惜。賢能勤勞之外，元蘋亦是一個「柔素為表，具備禮章」的女子，她性情溫柔樸實，講究禮儀法度，「動之禮則，柔嘉端懿；順以為婦，孝於奉親。」[15]如此溫柔和順，樸素敦厚，知書達禮的女子可以說是無可挑剔。也正因如此，韋應物才愛之情深，袁宏道曰：「讀之增伉儷之重，安仁詩詎能勝此。」（劉辰翁點校；袁宏道參評《韋蘇州集》）[16]失去摯愛的痛苦讓作者在開篇即吟出「染白一為黑，焚木盡成灰」人死不能復生的哀歎。劉長翁曰：「（首二句）苦語更（一作便）不可堪。（劉辰翁《須溪先生校點韋蘇州集》明成化、弘治間張習刻本遞修本）」[17]如此苦語哀悼實非人們常言韋應物之「高雅閑淡」。

　　此外，倘若元蘋僅僅是個賢妻良母，韋應物的哀傷之情或也不至如此。分析墓誌及詩作我們不難發現夫妻二人實為情趣相投、心靈相通的知己，夫妻生活和諧融洽。其一，志文言：「嘗修理內事之餘，則誦讀詩書，玩習華墨」可見「妻子元蘋具有良好的文化素養，這種玩文弄墨的高雅品性正與具有雅逸情懷的韋應物相契，是他們能夠成為

13　王其禕：《唐韋應物暨妻元蘋墓誌銘》西安：陝西人民出版社，2009年，頁1。

14　陶敏、王友勝：《韋應物集校注》上海：上海古籍出版社，1998年，頁393。

15　王其禕：《唐韋應物暨妻元蘋墓誌銘》西安：陝西人民出版社，2009年，頁1。

16　轉引自陶敏、王友勝：《韋應物集校注》上海：上海古籍出版社，1998年，頁395。

17　轉引自陶敏、王友勝：《韋應物集校注》上海：上海古籍出版社，1998年，頁395。

知已的基礎。其二，情趣相投使得韋應物與元蘋景能同賞、心靈相通。」[18]前引〈對芳樹〉一詩，詩人曾與愛人一同在樹下共賞美景，可謂一副才子佳人的美好圖景。再看〈林園晚霽〉[19]一詩：

> 雨歇見青山，落日照林園。
> 山多煙鳥亂，林清風景翻。
> 提攜唯子弟，蕭散在琴言。
> 同遊不同意，耿耿獨傷魂。
> 寂寞鐘已盡，如何還入門。

青山、落日、飛鳥、清風，正是一年春好處，然而縱有好景，無奈同遊人並不同意，可同意人已沒，悠悠心事無人訴說，又引起詩人對已逝妻子的追憶和綿綿思念。通過這首詩我們也能更加明確的了解到夫妻二人的心意相通，這種相同的情意實屬難能可貴。於是在〈端居感懷〉中韋應物道：「沈沈積素抱，婉婉屬之子。永日獨無言，忽驚振衣起。方如在幃室，復悟永終已……」，「婉婉」，柔順貌，說明亡妻溫柔體貼、善解人意，「之子」指亡妻，用「之子於歸，宜其室家」（《詩經・周南・桃夭》）「之子歸窮泉，重壤永幽隔」（潘岳〈悼亡詩三首〉其一）之意。這樣一個讓人感到寬舒溫馨的伴侶不復，使得詩人整日獨坐，恍惚中竟突然驚立振衣而起，以為看到妻子仍在幃室之內。此時的詩人是多麼希望這是真的，然而復又醒悟過來的他深深知道妻子早已不在人世，失落之情無以言說。這種因過度思念而起幻覺的情態是那麼的真實從而感人至深。此等沉痛深情之語反覆出現在韋應物的悼亡詩中，他通過詩歌排遣著痛苦，他多麼盼望妻子能聽到自己的呼喚重又回到他的身旁。世間能有這般癡情、有著真性情的男子也實屬難得。

（三）兒女情長　責任意識

「韋應物的悼亡與前人相比，頗有一點特別，就是通過寫子女的感受和表現，來表達自己的傷感之情。」[20]將子女角色引入悼亡詩中進行描寫應該說是韋應物在悼亡詩史上的一大貢獻，且縱觀歷代悼亡之作，潘岳、元稹、李商隱等均未對此涉及太多。而韋蘇州則通過孩子時喜時悲、單純懵懂的反應昭示著母愛的不可或缺，也借此抒發著自己的無奈與傷痛。正如〈往富平傷懷〉中：「今者掩筠扉，但聞童稚悲」，子女的悲痛之聲

18　時紅梅：〈墓誌遺文空垂淚，悼亡數篇寄哀思——從韋應物悼亡詩和墓誌看其婚姻生活〉，《安徽文學》，2010年第12期，頁261。

19　陶敏、王友勝：《韋應物集校注》上海：上海古籍出版社，1998年，頁406。

20　胡旭：《悼亡詩史》上海：東方出版中心，2010年，頁52。

烘托出亡妻孤兒的淒清之景，也暗示出詩人難以言說的痛苦和悲淒。深入骨髓的傷痛讓他不禁吟出「銜恨已酸骨，何況苦寒時」的沉痛詩句，令人感受到一種錐心泣血的悲痛情緒。劉長翁評論該詩道：「唐認詩氣短，蘇州詩氣平，短與平甚懸絕。及其悼亡，自不能不短耳。短者，使人不欲再度。」（劉辰翁《須溪先生校點韋蘇州集》明成化、弘治間張習刻本遞修本）[21]又如〈傷逝〉一詩有：「單居移時節，泣涕撫嬰孩。」詩人經歷喪妻之痛，形單影隻，本已痛苦萬分，還要強裝歡笑來撫慰自己幼小的子女。又何況元蘋墓誌述曰：「長未適人，幼方索乳。又可悲者，有小女年始五歲，以其惠淑，偏所恩愛，嘗手教書劄，口授〈千文〉，見余哀泣，亦復涕咽。」[22]詩人見到孩子也不免想起往日那個對子女細心呵護、諄諄教誨的賢妻良母。「吾之不幸已深矣，而不諳世事的嬰孩儘管沒有言語，但只要出場、存在，就已是備受關注的所在，牽引著讀者的思緒和情感，想像著孩子現在和未來的可憐和淒慘，如此之小，就失去了母愛的潤澤與溫暖。無言之悲，實乃悲之更深更重更大者。」[23]

　　韋應物悼亡詩中涉及子女最令人感慨難忘的兩個場景出現在詩〈出還〉及〈送終〉裡。〈出還〉：「幼女復何知，時來庭下戲。咨嗟日復老，錯莫身如寄。家人勸我餐，對案空垂淚。」兒女因尚不懂事在庭院中無憂無慮的嬉戲，卻不知近在咫尺的房中正停放著自己母親的靈柩和牌位，幼女無知的歡樂與喪妻之痛形成鮮明而尖銳的對照，讓人倍感辛酸，詩人的尷尬處境也自然道出。子女年幼懵懂，愈發離不開妻子的愛撫，而佳人已沒，溫情不復。悲哀之意又增添一層。詩人以孩子的年幼無知反襯自己的哀痛之深，此情此景只讓他產生「至家如寄，還室無門」的感覺，家中沒有了妻子的影息也就沒有了家本應具有的依託與歸屬感，自然生出如在旅社一般的錯覺，實乃喪妻之人的真實寫照。清人沈德潛在《唐詩別裁集》中評價此詩曰：「（幼女二句）因幼女之戲而己之哀倍深。比安仁悼亡較真。」[24]這「真」絕非刻意作出，所謂男兒有淚不輕彈，但韋應物並不掩飾他難以抑制的傷痛，直言難餐垂淚，讓一位坐在飯桌前卻愁苦的只有淚水的男人真實的呈現在讀者面前，令人心疼亦令人欽佩。若非韋蘇州本身性情率真，對亡妻情意深厚，定寫不出此等沉痛之語。

　　另外一幕「童稚知所失，啼號捉我裳。即事猶倉卒，歲月始難忘」（〈送終〉），與無知嬉戲的場景形成對比。知道失去了母親的孩子嚎啕大哭，抓住詩人的衣裳仿佛央求著父親把母親還給他們，可此刻還有誰比韋應物自己更希望亡妻能夠回來呢？孩子的痛哭只會讓作者更加的傷心。詩人坦誠地表明現在妻子剛剛去世，事出倉促百事代理，事過之後，思念之情定是更難排遣，何等淒婉傷痛。劉長翁評：「哀傷如此，豈有和聲哉。

---

21 轉引自陶敏、王友勝：《韋應物集校注》上海：上海古籍出版社，1998年，頁396。

22 王其禕：《唐韋應物暨妻元蘋墓誌銘》西安：陝西人民出版社，2009年，頁1。

23 吳戩：〈試論韋應物的悼亡詩〉，《文教資料》，2008年第13期，頁9。

24 〔清〕沈德潛：《唐詩別裁集》上海：上海古籍出版社，1979年，頁99。

而低（一本作慘）黯條達，愈緩愈長。」[25]當對亡妻的哀悼不單單侷限於個人情感的單一宣洩和傾訴，而具有更為深重的生活基礎，融入了對子女的責任意識時，悼亡詩也就「成為一種更為可信的真實的感情、責任驛站」。這些借助子女之形態表現來吟詠的傷痛之情，無論是以樂寫哀還是以哀襯哀，都更顯傷痛，筆筆含情。

（四）朝思暮想夜不能寐

　　以「夜中不能寐」為題材來表現對亡妻的追思可謂歷代悼亡詩的慣用手段，讀韋應物的此類詩歌更能讓人感受到一種情真意深。在此不妨擇其三四以窺其貌，先看其〈秋夜二首〉（其一）[26]：

> 庭樹轉蕭蕭，陰蟲還戚戚。
> 獨向高齋眠，夜聞寒雨滴。
> 微風時動牖，殘燈尚留壁。
> 惆悵平生懷，偏來委今夕。

此詩開頭通過落葉、秋蟲等蕭颯之景，營造出淒涼的氛圍。「獨向」訴說著作者獨自一人的寂寞。而「高」字極妙，臥室、屋頂或是床鋪為何此時皆顯得高呢？所謂高處不勝寒，「高」實際是種淒涼落寞，孤獨難耐的心理感受。夜幕降臨，天色漸晚，但詩人似乎沒有絲毫睡意，他萬般無奈的象徵性躺下，而能「聞寒雨滴」又說明他實在不能痛快地入睡，唯有不眠才能捕捉到夜中的雨滴聲，睡眠蛻變成「假寐」。還應注意的是那個「寒」字，聽覺判斷不出雨的溫度，但心情可以，外界一切正常事物都因為自己這顆「寒徹骨」的心而變得冷冰冰。斷斷續續的雨滴量小卻持久，因而不乏滲透力，一分一秒地吞噬和絞殺著詩人這顆殘破的心。漫漫長夜是怎樣的痛苦！誠如宋人劉辰翁評價所云：「（獨向句）淒然。吾讀蘇州詩至此，初怪其情近婦人，非靳之也。（劉辰翁《須溪先生校點韋蘇州集》明成化、弘治間張習刻本遞修本）」[27]後「微風」二句更可看出韋應物心中有太多難以排遣的情愫，經過喪妻的折磨與摧殘，詩人的神經變得異常敏感脆弱，哪怕風吹草動都能覺察、體味出來。夜雨、微風、殘燈，都敏銳的被詩人感知，在蕭瑟的秋葉裡糾纏著他的神經，不得安寧。以上皆是韋應物在不能寐的夜晚中心靈境況和生存狀態的細緻而真實的寫照。正是這種真實才給每位讀者以共情的體認。

　　其〈秋夜二首〉（其二）中也有：「朔風中夜起，驚鴻千里來。蕭條涼葉下，寂寞清砧哀。歲晏仰空宇，心事若寒灰。」蕭瑟的北風讓詩人更加不能入眠，起身佇立卻看見

25　轉引自陶敏、王友勝：《韋應物集校注》上海：上海古籍出版社，1998年，頁399。

26　陶敏、王友勝：《韋應物集校注》上海：上海古籍出版社，1998年，頁407。

27　轉引自陶敏、王友勝：《韋應物集校注》上海：上海古籍出版社，1998年，頁407。

那妻子曾經洗衣勞作常用的搗衣石。「清砧」曾日日與妻子為伴，如今妻亡，它也被晾在了一邊無人使用，似乎也變得如詩人一般「寂寞」。清砧的悲哀，其實正是詩人情愫的另一種詮釋和流露。韋蘇州就是這樣在難眠的秋夜「心若寒灰」，讓人為之扼腕。

另外，〈感夢〉[28]一詩也將這種朝思暮想、夜不能寐的心緒表達的淋漓盡致，詩曰：

> 歲月轉蕪漫，形影長寂寥。
> 仿佛覯微夢，感歎起中宵。
> 綿思靄流月，驚魂颯回飆。
> 誰念茲夕永，坐令顏鬢凋。

煢煢孑立，形影相弔的詩人在歲月的流轉中獨自煎熬著，如果說白日尚能勉強度過，那這些充斥著無法控制的夢境與驚魂的夜晚實屬難熬。詩人只得一夜夜的獨坐，坐到顏鬢已凋尤不能釋懷喪妻之痛。類似的，在〈冬夜〉中作者感歎：「晚歲渝夙志，驚鴻感深哀。深哀當何為，桃李忽凋摧。……振衣中夜起，河漢尚裴回。」韋應物年老志不在，為自己感到深深的悲哀，偏偏此時愛妻也離開了自己，他就在這種悲己悲妻的雙重糾結中夜夜徘徊等待天明。〈月夜〉又言：「坐念綺窗空，翻傷清景好。清景終若斯，傷多人自老。」短短幾十個字道盡了春夜、景清、傷多、人老的悲涼。正所謂「閑坐悲君亦自悲，百年都是幾多愁。」劉長翁評曰：「悲哉似不能言者。」（劉辰翁《須溪先生校點韋蘇州集》明成化、弘治間張習刻本遞修本）[29]那首〈傷逝〉中的「夢想忽如睹，驚起復徘徊」更是表達了恍惚看到妻子死而復生，驚奇後又感到深深的茫然與慌亂的情緒，喪妻之痛刀割般地折磨著這位深情的男子，令他也令讀者肝腸寸斷。

（五）學佛悟道　難遣愁懷

被作為山水田園詩人代表的韋應物常言想要皈依佛門，求得隱逸，在面對喪妻之痛時他也常常想要學佛悟道派遣愁懷，其悼亡詩中亦有此類內容，先看〈夏日〉[30]詩曰：

> 已謂心苦傷，如何日方永。
> 無人不晝寢，獨坐山中靜。
> 悟澹將遣慮，學空庶遺境。
> 積俗易為侵，愁來復難整。

28　陶敏、王友勝：《韋應物集校注》上海：上海古籍出版社，1998年，頁408。

29　轉引自陶敏、王友勝：《韋應物集校注》上海：上海古籍出版社，1998年，頁402。

30　陶敏、王友勝：《韋應物集校注》上海：上海古籍出版社，1998年，頁403。

人常言苦夏，變長的白晝和燥熱的天氣本就令人難耐，他人中午都在休息，而心中傷苦的詩人又怎能入眠，他長久的獨坐山中，想要遣懷於山水。他想起佛道或能助他遣懷於是「悟澹」、「學空」，企圖真正做到將一切色相世界都看為虛妄，從而不再糾結於失去愛妻的痛苦。然而「愁來復難整」，長久積蓄於內心的、痛徹心扉、深入骨髓的愁苦又豈是能通過這悟與學真正排解的。劉長翁論此詩：「此夏日詩，其尤苦也。」（劉辰翁《須溪先生校點韋蘇州集》明成化、弘治間張習刻本遞修本）[31]

這種愁懷的難遣也在其〈端居感懷〉[32]中得到了印證：

　　……

　　暄涼同寡趣，朗晦俱無理。

　　寂性常喻人，滯情今在己。

　　空房欲雲暮，巢燕亦來止。

　　夏木遽成陰，綠苔誰復履。

　　感至竟何方，幽獨長如此。

詩人直白的坦言常常曉諭他人要有空寂之心性，而今自己卻執著的不能忘情。面對空蕩蕩的房間，夏木成蔭可門前綠苔不復人履，只剩韋蘇州孤單單的一個，此情此景，佛道亦不能遣懷的詩人只得發出「幽獨長如此」的無奈感歎，語沉情深。

二　表現手法

除了引入上述內容到詩中從而表達自己沉痛的傷和真摯的情以外，韋應物之悼亡詩也在表現手法上處處傳遞著淒涼悲愴的感受，與人們常說的其「高雅閑淡」的詩風截然不同。在此簡要從用詞用語、意象選擇及時序構建三個方面加以說明。

（一）用詞用語

韋應物之悼亡詩在詞語運用上有一個顯著特點，即大量使用疊詞和連綿詞。統計其十九首悼亡詩中，疊詞共出現至少十四次，且均為「淒淒」、「寂寂」、「蕭蕭」、「杳杳」、「蒼蒼」這類讀來拗口陰沉，基調悲傷蕭瑟的辭彙。例如〈秋夜二首〉（其一）開篇即用「庭樹轉蕭蕭，陰蟲還戚戚」營造出蕭蕭葉落，戚戚蟲鳴的蕭瑟氛圍，繼而傳達作者夜不能寐、惆悵滿懷的悲傷。〈過昭國里故第〉中同樣用「冥冥獨無語，杳杳將何

31　轉引自陶敏、王友勝：《韋應物集校注》上海：上海古籍出版社，1998年，頁404。

32　陶敏、王友勝：《韋應物集校注》上海：上海古籍出版社，1998年，頁404。

適」這樣帶有疊詞的句子表達詩人獨自無語、無所適從的揪心之痛。另外韋應物也多次用到「徘徊」「蕭條」等連綿詞抒寫自己夜夜輾轉不眠、起身徘徊之苦。正如張芳在其論文〈韋應物悼亡詩的時間感悟與審美選擇〉中所言，這些疊詞和連綿詞「在情感的傾向性上有其共同的低沉憂鬱的取意特徵，這些平常語在聽覺上回環往復，在節奏上舒緩條達，在語言的感受力和表現力上契合其悲情主題的語言美感，彰顯其抒情意義。」[33]

　　與此同時，韋悼亡在詞語選擇上大量使用與孤獨、傷悲、驚恐有關的辭彙。計可知，十九首詩中，「獨」字出現十三次，「傷」字出現五次，「驚」字出現八次，「單」字出現三次，與「哭」相關的詞語亦出現過五次。詩人一次次地申訴著自己「獨傷意」（〈出還〉）、「獨無言」（〈端居感懷〉）、「獨來歸」（〈同德精舍舊居傷懷〉）的孤單；申訴著「但傷摧」（〈傷逝〉）、「心苦傷」（〈夏日〉）、「獨傷魂」（〈林園晚霽〉）的傷感；申訴著「苦驚飆」（〈閑齋對雨〉）、「忽驚年復新」（〈除日〉）、「驚魂颯回飆」（〈感夢〉）的驚恐……此外，「寒、苦、愁、恨、悵」這類字眼也頻繁出現。這些主觀色彩濃烈並伴有強烈感覺衝擊力的表情詞語的重複使用，反覆地傳達出韋應物喪妻後境遇的孤寂無助，內心的驚恐麻木，現實的淒苦難奈。倘若還將這些極盡世間疾苦的字詞稱之為「淡語」，以「沖淡、疏淡」等來評價韋蘇州詩之遣詞造句恐不能為人苟同。

（二）意象選擇

　　袁行霈先生認為：「意象是融入了主觀情意的客觀物象，或是借助客觀物象表現出來的主觀情意。」[34]可見意象的選擇頗有講究，因而詩人在使用意象時都是精心選擇最能表達內心情感的物象。唐朝亦創作了大量悼亡詩的李商隱在其悼亡詩中常選擇「夢」、「蝴蝶」、「杜鵑」、「流鶯」等這類迷幻、柔弱、幽美的意象，藉以抒發美好事物脆弱易逝，以及失去愛妻的長恨之情。如其〈過招國李家南園二首〉（其二）：「惟有夢中相近分，臥來無睡欲如何。」〈殘花〉：「若但掩關勞獨夢，寶釵何日不生塵。」〈無題〉：「夢為遠別啼難喚，書被催成墨未濃。」皆是用夢來表達一種遺憾與無奈。同時他也常把自己與王氏的婚姻比作一場短暫的「曉夢」，〈賦得雞〉云：「可要五更驚曉夢，不辭風雪為陽烏」，可見詩人痛惜良辰短暫、時不再來，這種悼亡的情緒更多的是一種對往昔美好不再的遺憾和失落感，而並非撕心裂肺的沉痛悲傷。從那些涉及蝴蝶、杜鵑等意象的詩句，如「莊生曉夢迷蝴蝶，望帝春心托杜鵑」（〈錦瑟〉），「湘波無限淚，蜀魄有餘冤」（〈哀箏〉），「枕寒莊蝶去，窗冷胤螢消」（〈秋日晚思〉）中，更是可以窺見王氏資質的美麗纖弱，以及作者對美好事物逝去的哀怨情愫，但並非韋蘇州一般的深沉真摯之態。

33　張芳：〈韋應物悼亡詩的時間感悟與審美選擇〉，《湖南科技學院學報》，2012年第7期，頁31。

34　袁行霈：〈中國古典詩歌的意象〉，《文學遺產》，1983年第4期，頁10。

　　相比之下，韋應物悼亡詩中所選擇的意象則與其整體沉痛、真摯、深情的風格相一致，每一個意象，以及每首詩中的意象群皆向讀者傳遞著一種深深的淒涼、愁苦、傷痛之感。且其使用的意象大多是生活中十分熟悉常見之物，這就更易直白地傳遞情感，讓讀者產生真實的觸手可及的情感認知。如果說李義山之悼亡是一種迷幻式的哀怨，那麼韋蘇州之悼亡便是那可以觸碰的悲痛。〈過昭國里故第〉中選擇了「荒池」、「野筠」、「幽草」、「謝花」、「歸鳥」、「夕陽」、「殘工」、「餘素」等意象，這些庭院內、廂房中常見之物很容易引起讀者的共鳴，讓讀者理解並找到與詩人相同的情感體驗。詩中自然之景了無生機，人工之物又觸目傷懷，詩人使用灰暗頹敗的色調，構成一幅蕭涼殘破之圖景，傳達出其孤苦悲涼的內心情感。另一典型〈秋夜二首〉（其一）用「蕭蕭」落葉、「戚戚」陰蟲、「寒雨滴」、「微風」、「殘燈」這些秋季代表性意象真實而自然的傳遞出淒然之感，單看這些意象即讓讀者體驗到壓抑悲涼之情愫，更感受到韋蘇州悼亡詩愁苦沉痛之風格。通過與義山詩歌的對比，我們能清晰地認識到韋應物選擇這些平常之物，更接地氣、更現實也更直白地抒發了自己深深的傷痛。因此，透過表層意象的選擇，挖掘出意象背後深層的感傷情調是我們把握韋應物詩歌的重要一環，唯有體悟至此才能客觀的判斷是否可用「高雅閑淡」概括其一切詩風，也才能更靠近這個直率深情、有血有肉的詩人。

（三）時序構建

　　除詞語的運用和意象的選擇兩方面外，韋蘇州更是通過時序的構築建立了其悼亡詩的悲情體系。其悼亡融彙了春夏秋冬、晨昏晝夜，他也就是在這四季的輪迴、日月的更替中訴說著深深的傷痛與追思。劉勰《文心雕龍‧物色》云：「春秋代序，陰陽慘舒。物色之動，心亦搖焉。」鍾嶸〈詩品序〉道：「氣之動物，物之感人，故搖盪性情，行諸舞詠。」歷代文人對四時的變化都極為敏感，人們感悟著四季，四季也影響著人們的情緒，這一點在韋應物的悼亡詩中十分明顯。他絕大部分悼亡詩都明確表明了季節且四季皆有涉及：〈往富平傷懷〉用冬日的「苦寒」代言著詩人的心情，傳達酸骨之痛；〈除日〉用年新人故、冬去春來表現著詩人的無奈，春至但春日尚長，朝朝難度；〈歎楊花〉用迷亂的春風（「空蒙不自定，況值暗風度」）描寫著芳草如故人已悲的愁苦，讓劉長翁讀後評曰：「容易愀然」；〈夏日〉用「日方永」的漫漫長晝訴說著苦夏心更苦的煩惱；〈秋夜二首〉用淒涼的霜露朔風吟唱著心若寒灰的心死之傷。可見，此處四季已不再是詩歌的襯托，而是作者表達內心的必不可少的手段。

　　另外，在一天的時間內，韋蘇州亦於晨昏晝夜都有對亡妻思念的表達。〈送終〉中有「晨遷俯玄廬，臨訣但遑遑」的清晨送葬、遑遑訣別；〈閑齋對雨〉中有「空齋對高樹，疏雨共蕭條」的一屋一樹一人的白日獨坐、空念往事；〈林園晚霽〉中有「雨歇見

青山，落日照林園」的黃昏哀愁寂寞、無人會意；〈感夢〉中則描繪了「綿思靄流月，驚魂颯回飆」的夜中驚夢、顏鬢皆凋。詩人從晨至夜地哀悼著亡妻，這種每時每刻的愁思讓讀者看到其深情與沉痛。韋應物就是這樣四季輪迴、晨昏晝夜的思念他的愛人，全然不顧偽裝起自己的傷感或故作堅強地說些好似已自我修復、不痛不癢的淡語。他真實地表達著己之沉痛，這與其率真自在的性格有著必然聯繫。

縱觀歷代對韋應物之評價，朱熹和鍾惺的兩句話可謂一針見血，朱子曰：「其詩無一字做作，直是自在。（《晦庵詩說》）」[35]鍾惺曰：「韋蘇州等詩，胸中腕中皆先有一段真至深永之趣，落筆自然清妙，非專以淺淡擬陶者。世人誤認陶詩作淺淡，所以不知韋詩也。」（《唐詩歸》）[36]這種能夠不人云亦云，不受「以人品論詩品」影響，透過詩歌表像看到詩人內在品質的評價實屬難能可貴。通過分析韋蘇州這些沉痛真摯的悼亡詩，我們可以清晰地看到其詩風並非僅僅「高雅閑淡」，這些所謂「高雅閑淡」的詩歌背後實則是一種真性情、一種深情有骨血、一種自在不做作。正是詩人本身所具備的這些品質才令其悼亡詩得以感人至深，我想其山水田園詩之所以成就卓越，被冠以「疏淡」等名號也定與他真性情、不做作之品格密不可分。本文的寫作意義就在於為今後關注研究韋應物提供一種多元化的研究思路，即讓人們能在其主導詩風──「高雅閑淡」之外，看到另一個不同的韋應物，也只有這樣更加全面立體地觀照，方能對詩人及其作品有更清晰的體認與把握。

---

35 〔宋〕黎靖德：《朱子語類》北京：中華書局，2011年，頁3327。

36 轉引自陶敏、王友勝：《韋應物集校注》上海：上海古籍出版社，1998年，頁647。

略論基督教與佛教的人生觀

林律光

香港中文大學

一　導言

　　人生觀，是人對於人生的價值，意義和個人立身處世的態度的一種看法或見解，古語云：「人心不同，各如其面」，由於各人的環境感受的不同，所以對人生的見解亦各異。譬如說，有人認為人生是快樂、積極；反之，有人認為是痛苦、消極。生命由何而來，往何而去？生命的價值何在？意義又何在？實值得探討。現就基督教和佛教對人生之看法，作一論述。

　　基督教與佛教同是世界五大宗教之一，兩位教主都是偉人，虛懷若谷。耶穌說博愛，釋迦言慈悲，目的只有一個，拯救世人。

　　佛說法四十多年，一生發願，教化眾生，終日說法渡生，倍極艱辛；耶穌降臨人間為世人說教三年，最後獻上生命為世人贖罪。此二聖者，覺察人生之無常，致力拯救世人脫離罪惡、痛苦的深淵。然而他們對於解決方法上確有不同，但其目的是一致的。因為他們所說的都離不開人間的寬恕、包容，了解，體諒，並為人類開拓人間天堂與淨土之門。

　　本文旨在集中論述兩教在人生觀的看法，並引其本教的經典作為支持之論據，最後作一綜合之評論。誠然，本文乃屬作者個人之體會、認識，若有不善之處，乃作者認識不足，皆與兩教觀點無關。

二　基督教的人生觀

　　基督教認為，真正的生活就是當下的生活本身，真正的人生就應該建立在當下的生活中。人生的目的就在此當下的生活中去尋求，生命的意義就在此當下的生活中去獲得。其次，基督教更認為，人類墮落後，人類從亞當夏娃那裡傳下來的自然生命中充滿了罪惡，這種罪惡使人類喪失了道德承擔的能力和直接認識上帝真理的能力。由於人類喪失了道德承擔的能力，人類就不能只靠自己的力量來解決完滿人生的問題，因為人類只靠自己的力量承擔不起自身的罪惡。由於人類喪失了直接認識上帝真理的能力，人類就不能通過自己的理性去認識到上帝的意志是什麼，從而就不能按照上帝的意志生活。

因此，人類的生活中就充滿著緊張與不安。如果要擺脫這些恐懼和不安，基督徒必需建立一個正確的人生觀——生命的提升。

（一）豐盛人生觀

耶穌死後，他的教義被集成聖言，信徒依據聖典遵守生活規範，此為後世之聖經。依基督之說：神與世人，長存世間（指精神，共存生死），所以福音書說：

> 使他們都合而為一。正如你父在我裡面，我在你裡面。[1]

從上引文而言，人欲想成為完人，必而超越自我、時空，才能達至完美的人格，使信徒得到內、外一致的信仰，所以人、神、自然三者必需配合得當，才能發揮此種作用。因此，耶穌成為人類的精神導師，引領信徒提昇自我，古人亦有同樣之說法：

> 古今之成大事業大學問者，必經過三種境界。[2]

馮友蘭先生更把人生分為四種境界，它們是：自然境界，功利境界，道德境界和天地境界。[3]他認為哲學和宗教都有這種提高人心靈境界的作用，並說：

> 宗教也和人生有關係。每種大宗教的核心都有一種哲學。事實上，每種大宗教就是一種哲學加上一定的上層建築，包括迷信，教條，儀式和組織。[4]

雖然馮氏對宗教的看法未必人人贊同，但他卻指出無論是基督教也好或其它宗教也好，其宗教必需不斷地豐富自己的宗教，與時並進，只有這種不斷提昇才有生命力。基督教能與其它主流宗教有共同的話題，主要因為它對人的生命十分關注，聖經曾記載耶穌說：

> 我來了，是要叫人得生命，並且得的更豐盛。[5]

又說：

> 我就是生命的糧。[6]

又說

1　〈約翰福立書〉，第17章第21節。

2　王國維：《人間詞話》香港：中華書局，1961年，卷上，頁16。

3　馮友蘭：《三松堂全集》鄭州：河南人民出版社，1986年，卷4，頁549-646。

4　馮友蘭：《中國哲學簡史》北京：北京大學出版社，1985年，頁3。

5　〈約翰福音〉，第10章第10節。

6　〈約翰福音〉，第6章第35節。

> 我就是道路，真理，生命[7]

由此可知，聖經對人生之貧乏、豐盛，極為重視，尤其後世神學家對此發揮得淋漓盡致，以下就是一些好例子：

一、中世紀修道院全盛時期的光明谷的伯爾納，在其名著《論愛神》中，將人生畫分為人為己之故而愛己，人為己之故而愛神，人為神之故而愛神及人為神之故而愛己等四個階段[8]；

二、十九世丹麥思想家克爾凱郭爾曾在多部作品中說明人生提昇的重要，並把人生分成感性，倫理及宗教三個階段；

三、中世紀學術文化全盛時期的波拿文都拉，更將心靈分為六個階段。[9]

四、天主教靈修學大師聖十字若望，也提出了靈魂攀升至與主合一之過程及不同工夫。[10]

其實歷代基督教思想家也喜歡把豐盛人生的心靈作出不同層次的畫。由此可知，基督教的人生觀對於豐盛人生看得如何重要。

由於基督教強調人與眾生關係之重要，因此基督教視積極之人生便能融通人神之關係。人神關係越是密切，其人生境界便越是高上。一如馮友蘭先生說：

> 而聖人的最高成就是個人與宇宙的同一。[11]

依馮氏看，要與神接觸，必需從人格著手，提昇個人的精神境界，從而達聖人之境。

（二）神和人之關係

一個宗教能屹立不倒，不在於他有何無邊的救世良方，而在於他有沒有重視當世與人之關係。所以我們必須把人放在大前提，並從另一角度來理解他的脈絡，透過理解人與終極的存在關係，才能從神性去了解人性和兩者之關係。因此，加爾文說：

> 真實的智慧主要地是由兩部分所組成，即對上帝的認識，與對我們自己的認識。

7　《約翰福音》，第14章第6等。

8　B Trans。M。Ambrose Conway and Robert Walton (kalamazoo, Michigan:Cistercian Publications, 1980) pp。115-121。

9　Saint ernard of clairvaur, Treaties II: The steps of Humility and Pride, On Loving God, Bonaventura, The mind's Road to God, trans George Boas (:Bobbs-Merriall,(o。, 1953), P。9 (I。6)。

10　Indianapolis The collected Works of st。John of the 甲、Cross, (Washington, D。C, Institute of Carmelite Studies, 1979)。

11　馮友蘭：《中國哲學簡史》北京：北京大學出版社，1985年，頁8。

不過因為這兩種認識相互的密切關係，所以二者孰先孰後，很難確定。[12]

其後，他續說，認識自己有助人認識上帝，同樣也有助上帝了解自己，人神之學互為影響。故此，早期的信徒與神保持密切的交誼，如以諾一生與神同行（創五：22，24）；挪亞也是如此（創六：9）；耶和華在毀滅所多瑪蛾摩拉城之前，先將此事通知亞伯拉罕，因為祂說：「我所要作的事，豈可瞞著亞拍拉罕呢？」（創十八：17）。又保羅稱提摩太為「屬神的人」，即與神有交誼的人（提前六：1）。

總的來說：耶穌基督是神的形象，道成肉身後帶著人的形像，由此重新連接了神與人的關係。

（三）人生的命運

根據《聖經》記載，人本來是過著純潔、快樂、無罪的生活。自從人類祖先犯下違背上帝的指令，後被驅逐出樂園，投進苦的世界。所以整個人類的命運與罪惡有不可分割（羅五：14-15）。此種人類，雖待耶穌再世，重新審判，凡未稱義得救者，必須投進「永死」的悲慘人生命運。

至於基督徒，若依從神的指引，堅定不移，最後必能一帆風順，前途光明。例如舊約中的約伯說：「然而祂知道我所行的路，祂試煉我之後，我必如精金。」（伯二十三：10）；又新約雅各也說：「我的弟兄們，你們落在百般試煉中，都要以為大喜樂，因為知道你們的信心經過試驗就生……使你們成全完備毫無缺欠。」

基督徒面對的問題不是怎樣去解釋痛苦，而是怎樣去對待痛苦，因為他們認為只有按照一種正確的方式去對待痛苦，才能找到一個滿意的解釋。

（四）生命之救贖

在宗教裡，救贖的方法可謂各施各法，不一而足。最終目的只有一個——改變命運。

基督教救贖之道，從耶穌降生至道成肉身，用言教、身教啟發人心，以自我犧牲之精神，死於十字架上，為世人完成救贖之功。基督教認為，人是因原罪，才受人間痛苦，我們又無法自救，唯有真誠悔改，信仰耶穌是上帝派遣下凡，救人類之神，如能誠心悔改，必得超昇。

耶穌到世上為世人贖罪代死，就是為了要救人離開這個困境。對人而言，是提昇生命，把這救恩融入個人生命裡——悔改離罪。信靠歸主。於是，人生命便得到更新，得

12　約翰加爾文著，徐慶譽譯：《基督教要義》香港：基督教文藝出版社，1955年，上冊，頁30。

到「重生」[13]，成為「新造的人。」[14]

　　由於此一原因，就基督教的信仰而言，若要達至天人合一的理想，一方面必須有願意赦罪之天，而另一方面必須有願意悔罪之人。換言之，有願救之神，更必須有願救之人。而聖經上所說的「上帝愛世人，甚至將祂的獨生子賜給他們，叫一切信他的，不至滅亡，反得永生」（約三：16），所顯示的，便是一願意赦罪之神，也是一願意救人之神，「因為上帝差祂的兒子降世，不是要定世人的罪，乃是要叫世人因祂得救。」（約三：17）所以說：「我們若認自己的罪，上帝是信實的，是公義的，必要赦免我們的罪，洗淨我們的一切不義。」（約十一：9）因此人若願認罪便必能蒙赦罪；若願意被救，便必能得救。而此福因，卻是由聖子基督的成身降世受死復活所宣示的。因此道成肉身的基督所帶給我們的，便不獨是道德之神，而且是救贖之神了。

（五）人生的目的

　　耶穌死後，祂的教義被結集成聖句，成了世界上萬人的日常生活規範，這些結集的聖句稱為新約全書和舊約全書，合稱聖經。

　　依基督教的說法，神就住在我們的心裡，無時無刻不與我們共同生存，認為我們的未來還有很多是可以實現的。在約翰福音書十七章二十一節有這一段話：「使他們都合而為一。正如你父在我裡面，我在你裡面。」這暗示基督徒活在世上的目的，不只是為成家立業，傳宗接代，而且要傳耶穌的救世福音。

　　首先，基督徒不管人生的面目如何，基於信仰，照單全收。在人生的決斷方面，他們皆以神的意志為考慮的出發點。當他們徘徊在人生的十字路口時，他們總以真摯的態度來面對新的人生課題，對自己的選擇負完全責任。門徒保羅在《新約全書》的〈哥林多後書〉第四章八至九中記載：「我們四面受敵，卻不被困住。心裡為難，卻不至失望。遭逼迫，卻不被丟棄。打到了，卻不至死亡。」這種勇氣是固有存在的，更是對自己負責的人的基本權利。最後必能成為一個完人。其次，從基督教的觀點來看，真正的基督徒是一個人格統合的人，所謂人格統合的人，即是一個能在如戰場的地球上完全鬆弛的人，他們擁有超越自我的偉大能力，積極加入愛的歷史洪流中，不斷地去認識、去感覺，最後擁有個人意志。

　　總的來說，基督徒的目的是，充分肯定愛和真理，瞭解美和善的價值，努力不懈地達成目標，並和周遭的人共享造物者的一切——歸入基督救恩之內，同享永生福樂。

13　〈約翰福音〉，第3章第3節。

14　〈哥林多後書〉，第5章第17節。

（六）小結

基督教信仰，最重人之能知天命，更能完成天命，而所謂完成天命者，亦即完成上帝所交付與人的神聖使命也。基督教相信人之生命，乃由上帝而來，而人在世上所有之一切，亦皆由上帝所賜。然而上帝所賜與人之生命與一切，以完成上帝所授與之使命。

基督教因有人生最大目的，所以基督徒天天依靠耶穌，排除萬難，勇往直前。基督徒有救人離罪的神聖目標，所以不做十惡不赦之大罪，為諦造和平的世界有所貢獻。最後值得一提，基督徒雖受造物主所造，但絕不表宗卑下的。因聖經〈創世記〉有說：人的地位雖然不如創造主，但和其他受造物相比，人的地位卻是崇高而尊貴的。

三　佛教的人生觀

在佛教方面，有兩種人，一種是菩薩，另一種是阿羅漢，他們的人生觀剛剛相反。菩薩發心廣大，不願個人單獨得到解脫，而且要自度度人，自利利他，希望每一個人都可以和他一樣，永恆得到解脫。這類聖者肩負如此艱巨的神聖任務，必須富有大慈悲、大智慧、大願力、大功德才能做到。

阿羅漢為小乘人，他們知道三界並不穩定，無心救濟別人，當證果時，便入無餘涅槃，不出現於世間，此類阿羅漢的人生觀較為自利。如龍樹菩薩所說：

> 解脫味有二種，一者俱為自身，二者兼為一切眾生；雖俱求一解脫門，而有自利，利人之異[15]

雖然阿羅漢沒有利人，始終是潔身自愛，在社會上是個好公民，在佛教是位獨善其身的聖人，仍值得人們稱讚。

（一）豐盛人生

佛教修行的終極是成佛，故其人生目的便顯而易見了。惟達此目的，須經入世與出世兩個範疇，而兩者不能分離，亦不可分離。六祖壇經有云：「佛法在世間，不離世間覺，離世覓菩提，恰如尋兔角。」

佛陀成道後，在鹿野苑為憍陳如等五人初轉法輪時，所說的是「四諦法」。四諦是佛法的基點，依佛教之觀點，不但生活是痛苦，人生是痛苦，而且生命或存在本身皆是

---

15 龍樹菩薩：《大智度論》。

痛苦，如佛經記載：「八相為苦。所謂生苦，老苦，病苦，死苦，愛別離苦，怨憎會苦，求不得苦，五陰盛苦。」

佛教揭示人生之痛苦，認為世界上萬事萬物，都是因緣暫起的，瞬息萬變的，名利財色也是虛幻的，故勸人不要太過執著於世間物欲。佛教認為「多欲為苦」，欲望太多，常是痛苦的煩惱的根本，但佛教並沒有要我們「絕欲」，而只說「少欲知足」。佛經有這樣一個故事記載，佛問一個未出家前喜歡彈琴的和尚說：

> 「琴的弦如果太鬆，拉得出聲音嗎？」
> 「不能。」
> 「如果弦調得太緊呢？」
> 「弦會斷了。」
> 「如果弦調得恰到好處呢？」
> 「說可以拉出各種美妙的樂音了。」

所以佛教並非不顧明天的放縱者，亦非挨饑抵餓之虐待者，而是以「中庸之道」（即中道主義）去面對人生——少欲知足。

世俗人說，和尚長居山林，潛修苦鍊，或因世事不如意才遁入空門，存有這種觀念之人，實大錯特錯！佛教主張「悲智雙修」的，單有救世之心，卻無救世之良策（實學），可謂於事無補。因此佛教行者，大乘人則以「兼善天下」為目標；小乘人亦以「獨善其身」為依歸。他們初期亦須隱居潛修，目的是為日後普度眾生作好準備。如科學家們，苦心研究，整天躲在實驗室一樣，一日研究成功，其貢獻人人受惠。行者以出世為手段，以「入世」為目的。如此看來，佛教實抱有積極進取，犧牲小我，完成大我的鴻圖大計之積極人生觀。

（二）佛與眾生之關係

佛陀的現身說法以六道眾生為主，而六道中又以人道為主要化導對象，佛陀不誕於天界，也不生於地獄，而擇人間而示現，在人間大轉法輪。由此證明，佛陀是人間佛陀，佛法是人生佛法，經云：

> 靈生之所以往來者，六道也；鬼神沉幽愁之苦；鳥獸懷猖狂之悲；修羅多嗔；諸天耽樂；可以正心慮，趣菩薩提者，唯人道為能耳。人而不為，吾未如之何也！[16]

這正是說出了佛與人生的關係，不但密切，而且重要。

---

16 《四十二章經》，第34章。

此外，佛是福智圓滿的人，既是圓滿，便不能以形相來形容，不能以有無來判斷。《法華經》說：「佛以一大事因緣出現於世」。這表明娑婆世界的眾生與佛有善根，才感應世尊降世。故此，佛與眾生的關係是有前因的因緣。因為佛住世時，也表明不能度無緣之人及滅除眾生之定業。所以，在佛住世期間，亦無能阻止琉璃王滅其祖國之禍。

（三）眾生的命途

佛陀在菩薩提樹下成道，所覺悟的內容就是「因緣法」。他發現所有事物和人生的現象，都離不開因果的道理。而生命的循環有如十二把鎖鏈層層相扣，互相依存。因此，佛教用十二因緣來闡眾生為何有如此命途，追本尋源乃起於「無明」（愚癡）。

十二因緣有順、逆兩種不同的觀察方法，分別說明人生的兩個方向。一是生死輪迴，由老死起，即從現實生命開始，尋求這痛苦的因，結果追溯至無明，徹底洞悉生死輪迴，是由於錯誤的思想行為，輾轉相引，永無了期，稱為「逆觀」。另一個是還滅解脫，「無明」起。如果能斷除「無明」，也就是扭轉了人生的命途。即徹底去除人生的痛苦，得到自在，稱為「順觀」。

佛教是一個實事求是的宗教，要信徒積極地去面對人生的種種問題。正如佛年輕為太子時，體驗到生命種種痛苦時，便去尋找解脫方法一樣，最終他亦能在樹下覺悟十二因緣的道理，不但能令自己解脫，也令眾生得到解脫，徹底明白「此有故彼有，此生故彼生；此無故彼無，此滅故彼滅。」[17]的緣生無我之理。

（四）個體之解脫

一般來說，其它宗教都以進天堂，求永生為目的，唯有佛教主張不但要超越天堂，而且要超越生死。換言之，佛教認為天堂實非永恆之樂土，要真正解脫個體生命形式，必須尋求涅槃之境界，如經云：

> 張大教網，恆法海界，漉人天魚，置涅槃岸。[18]

小乘修行者為達此界，其修行以三十七道品為主；大乘修行者則以六度、四攝為主。見道者，其狀態是斷絕一切生死煩惱，無為寂靜。正因為它是本體，所以佛教認為用思維和語言都無法把握，是言語道盡，心行絕處，不可思議的。[19]

17　《阿含經》。

18　《法華文句》，卷1。

19　何光三、許志偉：《對話：儒釋道與基督教》北京：社會科學文獻出版社，1998年，頁433-434。

佛陀開化眾生入涅槃之境，必須從做人學起。即指人天所修之世間善法。人乘之善法是五戒：一、不殺生，近乎仁；二、不偷盜，近乎義；三、不邪淫，近乎禮；四不妄語，近乎信；五、不飲酒，近乎智。繼而進修十善、十二因緣……，奠定人生道德的根本，進一步才學出世的三乘善法，循序漸進。如果世間善法的基礎都沒有，而高談學出世的三乘善法，可謂不設實際，更遑論涅槃。

（五）生存的目標

人間的富貴，不易持久；天堂的禪悅，亦歸無常。佛教真正的永恆快樂，是在世涅槃的解脫。凡人多以涅槃是死，其實不然。其義為圓寂，即圓滿智德，寂滅惑業；或煩惱不生，功德不滅，不生不滅，清淨安樂。英國韋爾斯在他的著作《世界史綱》把涅槃解釋得很好。他說涅槃不是滅絕，而是新生，即是煩惱苦悶的人生的終結，解脫自在的人生新生。這與佛教所指的目的「轉迷為悟，離苦得樂」之意義相同。

釋迦牟尼降生人間，貴為太子，不以此為樂，甘願放棄功名富貴而樂於為人類尋找離苦得樂之境，他是一個具有廣大的慈悲心的智慧的人。在世期間，佛陀食不甘味，席不暇暖。他說法四十多年，栖栖遑遑，夙夜匪懈，留下不少寶貴的真理與訓誨。信徒尊崇他的偉大慈悲心，自然依循他的教化，止惡行善。最重要的，還是修行達至涅槃之境，廣度眾生，造福社群，實踐他的自利利他精神，更將其悲智延續下去。

（六）小結

佛教人生觀之實義，最終是由迷轉悟，成就覺悟之人生。成就此者，必須認識生命即生死，生活即生死，敢於挑戰人生，改造人生，推己及人，自利利他，方能從覺悟人生。能如此者，自能在生活中覺醒生命，成就生命，提升生命及圓滿生命。

佛陀和耶穌以生命呈現的教化，我們應以兩位聖者修行典範為依歸。佛經不是佛陀給我們的活教訓，我們必須效法佛陀自己的生活與工作，還要與時並進、因材施教、因地制宜，這才能吸引真正的教化。基督亦如是，單憑記諸文字和口傳福音，都不是耶穌給信徒活的教訓。

四　總結

基督教和佛教兩位教主皆為後世推崇之聖者，佛陀為教化眾生而勞碌一生，耶穌更為信徒贖罪而被釘死於十字架上。他們同樣體悟到人生之苦、空與無常，同樣懷有一顆博愛、慈悲之心，使他們致力於尋找痛苦之根源。但礙於生長時空不同，其解決方法亦

各異。儘管如何，其精神與目的是一致的，因為二人皆述說人與人之間的寬恕，包容，了解與體諒，並且皆為人類求喜樂，自在的淨土，開啟和樂之窗。[20]

　　基督教與佛教不應只侷限於這一少部份的相同面，學人如加以觀察、研究，應不難得知兩者其實有甚多相同之處，諸如愛、慈悲、自由、諒解等特質被人格化，是很自然的事，終極的理念也是如此。例如終極的意義可以用人的形象來代表，但佛教的終極不可能只是五蘊相合而成的。又耶穌的真正的身體，祂給我們的教誨。祂的活著的身體，不論何時何地，只要實踐了基督的教誨，這活的身體就會顯現出來。[21]諸如此類，在兩教中可見的亦多的是。然而，兩教之相異之處，亦值得我們研究，諸如兩教之有神與無神論之別，佛教眾生以自力為主作為解脫，基督教信徒以他力為主作求永生；佛教憑個人修正道而悟道，基督教以救恩赦免離苦果……。誠然，兩教之教義單憑人生觀之看法，恐怕亦未能全盤反映兩教之實義，本文只作拋磚引玉之功，讓後學者有志研究此一命題作一參考。

20　一行禪師：《生生基督世世佛》臺北：立緒文化公司，2010年，頁13-14。

21　同上註，頁16。

Zhan Dunren: A Patriot with the Taoist Person

詹敦仁

——一位具有道教神格的愛國者

ZHANG Siqi

College of Literature, Wuhan University, Wuhan

張思齊

武漢大學文學院

ZHAN DUNREN HAS THE TAOIST PERSON.

Zhan Dunren 詹敦仁(914-979) is the ancestor of the Zhan clan whose most members live in the coastal region of Southeast China. Zhan Tianyou 詹天佑(1861-1919), an outstanding forerunner of the railway engineering in China, is one of his descendants, with whom many of us are quite familiar. In addition to this, Zhan Dunren is a man of letters who was active in a period when the Tang was changed into Five Dynasties. In Book 900 of *The Complete Tang Prose* 全唐文 there is *An Account of a Pure-Recluse Hall* 清隱堂記, one of his prose works. In Book 48 of *Leftover Works of the Tang Prose* 唐文拾遺 there is *The First Foundation of Anxi County* 初建安溪縣記, his another prose work. Zhan Dunren has left a lot of poems to us in that his six poems are kept in Book 761 of *The Complete Tang Poetry* 全唐詩. In the *Addendum to the Complete Tang Poetry* 全唐詩補編 compiled by Chen Shangjun 陳尚君, a scholar active today, there are thirteen poems written by Zhan Dunren. Zhan Dunren's hometown is now counted for Anxi County, Quanzhou City, Fujian Province. Thanks to the scholars thereof who have made efforts for years, now we have altogether more than one hundred poems and two ci-poems written by Zhan Dunren. The literary achievement of Zhan Dunren is quite good, to be sure, but he is in the main a great patriot. And what is more, Zhan Dunren has been changed substantially into a god that has definite persons of divinity, as is evident in the evolutional process of the Chinese nationality's thinking patterns.

Zhan Dunren has divine persons.

Judging by the status quo of the Chinese folk belief, there are indeed many gods and spirits in it, to be sure, but only what are placed in the ancestral temple are qualified to have divine persons and to be regarded as genuine gods and spirits as well. People worship them in an ancestral temple according to certain rituals, and in a pious frame of mind people believe in them. The reason why people believe in gods and spirits lies in that they hope to gain strength from the belief so that they may bravely go forward in the realistic life. The psychological route of man is like this. Our ancestors are assuredly changed into glorious gods after their death only because they have great deeds when alive. They are substantially changeable. Such being the case, we as beings living today may also be changed into glorious gods only if we can have great deeds in the realistic life. We are also substantially changeable. Zhang Dunren is just in such a case as is worshiped in the ancestral temple by everybody of his clan.

The divine persons of Zhan Dunren are a factual existence, as may be illustrated by examining the process in which he has changed from a man into a god. Zhan Dunren is the founder of the present-day Anxi County, which is located in southeast of Fujian Province. Yexian County 冶縣 was founded here early in the Han Dynasty. In the Eastern Han Dynasty it was renamed as Houguan County 侯官縣. In the Jin Dynasty it as renamed Jin'an county 晉安縣. In the Chen Dynasty, one of the Six Dynasties, it was renamed Nan'an County 南安縣 in that the Nan'an River runs peacefully through it. In the Sui and Tang dynasties, Xiaoxi (literally, small-stream), a market of Nan'an County, became prosperous and important gradually. In the Five Dynasties this market became even more important than ever. On such account, in AD 955, traditionally the thirteenth year of the Baoda Reign, the Southern Tang used a part of Nan'an County to establish a new county which was called Qingxi (literally pure-stream) County. In 1121, traditionally the third year in the Xuanhe Reign of the Northern Song Dynasty, Qingxi County was renamed Anxi County. Zhan Dunren passed away in AD 979, traditionally the fourth year in the Taiping-Xingguo Reign of the Northern Song Dynasty. Zhan Dunren is called alias Qingxi. Soon after his passing-away, the local people set a temple for him, which is called Pure-Recluse Clan Temple 清隱祠堂. On the fifteenth day of the fourth month the next year, Chen Yongbi 陳永弼, the adjutant of the personnel section of the very prefecture that had jurisdiction over Qingxi County, wrote *An Account of a Pure-Recluse Clan Temple* 清隱祠堂記. And this account is kept in Book 23 of the *Genealogy of the Zhan*

Clan in Qingxi 清溪詹氏族譜.

We cannot help asking a question. What is the function of a clan temple? There are two implications of a clan temple. In the first place, the clan temple is a great hall in which the clansmen worship their ancestors or sage forerunners. In the second place, the clan hall is a general term for the building in which the clansmen do various activities. In most cases the clan temple we see among folks refers to the second situation, namely the public place in which the clansmen may do various activities. Since a clan temple is usually spacious and there are many rooms in it, after 1949 most clan temples were changed into schools, as is especially so in Southwest China. Up till now I can clearly remember what the ancestral temple of the Huo clan looks like. It is located in Nanping 南平 Town, Nanchuan 南川 District, Chongqing Municipality, which is my hometown. This temple once served as the central primary school of Nanping Town, which belonged then to Nanchuan County, Sichuan Province. This was a great building complex, of which the middle was a very big courtyard. And this courtyard served as the playground in which schoolboys and schoolgirls might gather when a school day began and ended. Prim and proper they stood there, facing a stage on which the headmaster delivered a speech spontaneous but stern to them. On either side of the stage there is a building of two stories in which there are many rooms which serve as the bedrooms for teachers. On either side of the courtyard there was likewise a building, in which there are more than ten big rooms which served as classrooms. Thus there are more than twenty classrooms in all. Opposite to the stage stood a terrace on which there were some rooms even bigger than all the other rooms, so they provided the school with offices, a meeting room, a dining hall, a kitchen, and dormitories for some resident pupils. My mother used to be a schoolteacher there. My mother, my three younger brothers and a domestic child-care nurse lived there. Every summer vocation I went there to live with them. It was a complete primary school, which had quite a few resident pupils before the Cultural Revolution. Most of them were children of the geological prospecting team which was stationed nearby. During the Cultural Revolution I was sent to the countryside as a fellow of the so-called educated youth. Later I became a schoolteacher of a primary school run by the village. Every other week I must went there to attend the collective study. Everything thereof was just the same as what I had seen in my childhood, except that the trees were taller and the buildings shabbier than before. In fact the clan temple in the second sense works out from the clan temple in the first sense. This is because almost all the sacrificial activities of a clan unfold around offering a sacrifice to its ancestors. Take, for example, the ancestral temple of the Huo clan. In the rear of the stage there was a room in which some clay idols were stacked. Its door was, however, closed ordinarily. We children knew that there was a hole big enough for us to get in. So we sometimes got into the room and we usually had a good time in it. Those clay idols were in fact the ancestral statues of the Huo clan. When people offer a sacrifice to their ancestors, they pinned a kind of religious consciousness onto the sacrificial activities. The rites of offering sacrifices to ancestors are almost the same as some religious rites. The reason why children take those ancestral statues for Buddhist idols lies in that those statues are the materialization of some divine person. I and some other children with family names different to the Huo clan were forbidden to touch any of those clay idols. We found them interesting, and we hoped to touch them very much, but we were sternly forbidden to do so. The children of the Huo clan were much prouder than us in this respect. They considered those clay idols holy, so they never permitted us to touch them. The above-mentioned experiences may as well be counted as a sort of field work, is that right?

The early state of man may be conjectured from the daily behaviors of children. From the attitude of children we may see the religiousness of man in its early stage. It follows that the Pure-Hermit Clan Temple is where the Zhan clansmen express their religious feelings to Zhan Dunren who passed away. From the angle of comparative religion, the Pure-Hermit Clan Temple belongs essentially to the chapel private to the Zhan clan. James Henry Leigh Hunt (1784—1859), an English poet, writes in his poem "Song of Fairies Robbing an Orchard" as follows.

> Stolen sweeter are always sweeter,
>
> Stolen kisses much completer,
>
> Stolen looks are nice in chapels,
>
> Stolen, stolen, be your apples.[1]

On the gate to a chapel there are usually some words as follows. "This is the abode of God. Be pious and devotional!" Why do children hope to peep into a chapel? This is because of its great mysteriousness. Have a good time in a clan temple! This attracts children very much. The religion is mysterious. All clansmen have such an experience. Up till now the complicated rituals of offering sacrifices to the ancestors are kept very well in the Zhan clan's hometown. And such rituals are rather close to the worship rituals of any chapel in the countryside of UK.

As is recorded in *An Account of a Pure-Hermit Clan Temple* by Chen Yongbi, after Zhan

---

[1]　*The Concise Oxford Dictionary of Quotations*, 2nd edition (Oxford: Oxford University Press, 1981) p.128.

Dunren's death the local officials and folks felt as if one of their kinsmen had passed away. They stood on both sides of the road along which his burial procession went, some sobbing, some cried, and some even howling. They shed tears endlessly. Later on they set up a statue for Zhan Dunren. Around the statue they did some "Buddhist activities" for seven days. We can't help asking a question. What does the term "Buddhist activities" refer to? In my view, the term "Buddhist activities" mentioned here does not refer to any activities proper to Buddhism. Instead of it, it refers to some religious activities designed to reminisce the soul of the deceased, and these religious activities are centered round Taoism. In various places of South China there is a situation that many religions are mixed together. Taoism, Buddhism, elements of ancient Confucianism and folk beliefs exist simultaneously and harmoniously. Nevertheless, these four religions have different proportions in people's belief. Within China the religious characters of Confucianism are by no means obvious in that various ethnic groups, especially the Han which is the main body of the Chinese nationality, suffer from no national oppression what so ever. In Southeast Asia the situation is quite different. Take, for example, Indonesia, Malaysia, Singapore and suchlike countries or areas like the old Hong Kong, where the Chinese is not the dominant nationality or in some periods it was under colonial rule. And therefore the national oppression occurs from time to time. In suchlike countries or areas Confucianism manifests itself in a highly religious form. In such places there are some fixed sites for Confucianism, which are similar to churches. There are clergymen, too, who instruct people to enjoy the religious life. And the canonicity of Confucian classics manifests itself in a particularly obvious way. This may be seen more clearly if we compare it with Judaism. Historically the Babylonian Captivity is an important event which took place in 597—538 BC. The Jews lost their motherland and prophets organized the folks in exile up, they read the biblical texts, they sang, they worshipped, they foretold the future, and they sought for revelations. This highlights the religious characters of Judaism objectively. The Jews could remain hopeful though they continued to suffer from exile in more than two thousand years after that. Why could they be so? This is because such misfortunes have brought about a positive result, that is, the religiousness of Judaism is boundlessly firm and strong. Buddhism is in vogue in our motherland China in that the ruling class of bygone dynasties advocated it, to be sure, but it is after all a religion come from abroad. The foundation of Buddhism is far less powerful than Taoism. Mr. Lu Xun once pointed out, "The root of China lies completely in Taoism."[2] And furthermore I think that Taoism is not only the root of Chinese culture but

---

2　Lu Xun 魯迅 wrote 魯迅書信集上卷 (Peking: Renmin Wenxue, 1976) p.18.

also the trunk of Chinese culture. Confucianism in China functions mainly as a sort of ethic doctrine which penetrates into our everyday life. As for the other religious characters of Confucianism, such as religious rituals, working sites, clergymen, and religious festivals, they have melted into Taoism already. In the inland there are no Confucian fellowships at all. Every Chinese who follows the traditional Chinese culture may be regarded as a member of the general fellowship of Confucianism, and as is mentioned above, the root of Chinese culture lies completely in Taoism. From here we may see that a genuine Confucian must care Taoism, and those who love Taoism must be able to understand Confucianism. And in my view, Confucius and Laozi are in fact twin brothers, as is the true essence of the Chinese culture. As for the folk beliefs among the Han people, they may be brought into the great category of Taoism. From here we may see that the "Buddhist activities" the folks did for seven days after his death means that the Anxi people adopted the Taoist ritual to offer sacrifices to the deceased and such a ritual lasted for seven days. According to Taoism, seven days forms a term. Counted from a person's birth, every seven days form a searching-out term, and after one searching-out term one sense comes into being. After seven searching-out terms a person may have all his seven senses. Counted from a person's death, every seven days form a taboo term. After one taboo term one sense disappears. After seven taboo terms all the seven senses of a person may disappear at all. For this reason, in funeral ceremony, sacrifices are offered on the taboo day. Every seven days form a taboo term. From the fist taboo term to the seventh taboo term there are seven taboo terms in all. Seven times seven is forty-nine. This is called the seven-seven term or the term-marked term. After Zhan Dunren passed away, the local people followed the Taoist ritual of the seven-marked term to commemorate him. In *An Account of a Pure-Hermit Clan Temple* by Chen Yongbi, the phrase "seven days" is mentioned. In the Chinese original the seven-marked term reads 臘 *zha*. Philology tells us that there were by far more similarities among the languages of remote ages than nowadays. In my view, the so-called *zha* is nothing but *sacrum* in Latin. The plural of *sacrum* is *sacri*, which means *sacrifice*.

It is an academically meaningful research project to have a historical investigation into Zhan Dunren's divine person. Zhan Dunren has a double person of divinity. His first divine mode is the person of Duke Liu 公劉, as is embodied in how Zhan Dunren, as a descendant of god, led people in reclaiming wasteland and thus founded Anxi County. This is a historical fact. His second divine mode is the person of Qu Yuan 屈原, as is embodied in his lofty and pure qualities. In the mind of people he has already become an everlasting monument of morality. This is a historical fact, too.

ZHAN DUNREN'S PERSON CAN BE TRACED BACK TO DUKE LIU.

The achievements Zhan Dunren made in his official career are truly outstanding. As Duke Liu he is honest, sincere, and diligent. Zhan Dunren's political achievement is in the main the founding of Qingxi County, namely the present-day Anxi County. In Book 99 of the Geographical Summaries of Reading Historical Books 讀史方輿紀要 by Gu Zuyu 顧祖禹 there is a passage of Anxi County, Quanzhou Prefecture, Fujian, which says as follows. "The seat of the government of the present-day county is the town Qingxi, which was called Xiaoxi Market in old days. In the thirteenth year of the Dabao Reign of the Southern Tang, Zhan Dunren was in charge of the market, so he sent a report to Liu Congxiao 劉從效, the military commissioner of Qingyuan 清源, in which he says as follows. West of Xiaoxi is Zhangzhou 漳州 and Tingzhou 汀州, and east of Xiaoxi is the great sea. Xiaoxi has a circumference of 200 *li*. Three peaks stand there and a river runs through it. In the front of it a yellow dragon seems to jump up, in the rear of it a red phoenix seems to fly high. Its land is suitable to plant the hemp and the mulberry. Its products contain various kinds of deer, fowl and fish. Its folks take delight in farming and silkworm-raising. Its metallurgy includes silver and iron. Taxes come mainly from bamboos and woods. As for its defense, there are streams and mountains we can rely on. This is a piece of land fertile enough to set up a county on it. If the court agrees, the county may be called Qingxi."[3] In ancient times the population was so sparse that a county might be set up in where there were one thousand households. In the then Xiaoxi Market together with the nearby areas there were more than three thousand households, therefore had reached the scale of a medium-sized county. On this account, Zhan Dunren's report was approved very soon, and he became the first magistrate, as is well-reasoned.

The system of prefecture-and-county is the great invention of the Chinese nationality. Prefectures plus counties are called jointly prefecture-county. As for the appellation of prefecture-county, it was first seen in the Zhou Dynasty. After Qin Shi Huang unified China, he divided the whole country into 36 prefectures, as is the first beginning of the prefecture-county system. In the *Historical Records·Book 6: The Basic Annals of the First Emperor of the Qin* 史記·秦始皇本紀 there is a passage which says as follows. "In ancient times the Five Emperors possessed domains that were 1,000 *li* square. Beyond were the feudal lord who were

---

3　Gu Zuyu 顧祖禹 wrote 讀史方輿紀要 (Shanghai: Guji,1998) p.646.

submissive and the barbarians who were submissive. Of the feudal lords, some came to pay respects at court and some did not, but the Son of Heavens could not force his will on them. But now Your Majesty has raised troops to punish the evil and remiss, brought peace to the world, made the entire area within the seas into prefectures and counties, and insured that laws and rulings shall proceed from a single authority. From highest antiquity to the present, such a thing has never occurred before, nor could the Five Emperors equal it."[4] In the Han Dynasty the system of enfeoffment and the system of prefecture-county coexisted. But later on the prefecture-county became the constant system. China has a large territory and a large population, to be sure, but altogether there are about 3, 000 counties, that's all. In order to consolidate the country, in ancient China such a system as combines tilting and fighting into one was adopted, and it had lasted for a long time. A county in the locality equals roughly a regiment in the army. When people talk of levels, they usually say a county-regiment level and so on so forth, as is a clear evidence. In the army, a regiment has its own designation of Arabic numerals, so it may be called Troop so-and-so. In a regiment, except for militant units, there are headquarters, a staff, and a political department, which are directly under the regimental commander; and there are a hospital, a communicating company, and a cultural troupe and so on, which are auxiliary units. The structure of a regiment is rather complete. Thus we may say, a qualified regimental commander is able to direct the whole army if necessary. As for a county in the locality, it has the civil, financial, educational, constructional, and suchlike establishments. The structure of a county is rather complete. Thus we may say, a qualified magistrate is able to run well the whole country if the situation needs him to do so. In short, the county is the most fundamental unit of administration. It is a major event to found a county. To found a county may shake heaven and earth. Zhan Dunren is the founder of a county, and therefore the local people kindly call him Founder-Magistrate, or Esteemed Mr. Founder-Grandpa.

Among the Chinese there is a tradition to mention one's native place. When one does so, one usually takes the county, in which one's ancestors lived, for one's native place. Perhaps you may produce such a question that some people take such-and-such prefectures for their native places, and that in classics there are a lot of such instances. In fact it is not so. If we investigate into the historical evolution of such-and-such prefectures which are called native places, immediately we may discover that those prefectures were originally counties. They were promoted to be prefectures only after their economy had greatly developed in later times.

4　Zhonghua Press 中華書局 compiled 史記 (Peking: Zhonghua, 2000). p.168.

Such an interesting phenomenon tells us how important a county is. One takes a county for his native place, as shows that one has dependence on the county. As for the foundation of such dependence, it is dependent on one's religious feelings. This is because in such-and-such a county has lived one's ancestors one generation after another. When one of his ancestors passed away, he was buried there. Even if the body of an ancestor is rotten, his spirit will exist forever. In this sense, his ancestor has never been dead at all. We cannot help asking a question. In what a manner does the ancestor exist? The answer is like this. The ancestor has been changed substantially into deity. If so, where did the ancestor go? He went nowhere. The ancestor lives in the spiritual domain of the county.

From Zhan Dunren's foundation of Anxi County we naturally think of the great personage called Duke Liu. Please read *The Book of Songs·Poem 250: Duke Liu* 詩經·公劉.

High-souled Duke Liu! /He could not rest, nor take repose, /Perambulating farm and field, /Storing the grain in mow and stack, /Tieing [*sic*] up stores, of these the yield, /Dry stores in bag and haversack. /For ends of peace and glory, lo! /Forth come the arrow and the bow, /The shield and spear, the axe and bill: / "Forward," he cries, "with me who will."

High-souled Duke Liu! /Lo, congregated on the plain, /The multitude, a concourse great! /Now they disperse at his behest. /Nor long do they bewail their state. /This done, he scales the mountain's crest; /Then to the plain makes his descent, /And what are those upon his waist? /Jadestones and gems! Rare ornament/Wherewith his sword-sheath shall be graced.

High-souled Duke Liu! /He visited the Hundred Springs, /Looked o'er the plains there broad and vast; /Ascending then the southern heights, /He found an eminence at last, /Round which all followers might have sites; /And here he settled, here he stayed, /Here huts for all who came he made, /Here let his will and word be known, /Here counsel took, and gave his own.

High-souled Duke Liu! /Now in his citadel secure, /His liegemen proudly paid their court: /The mats were spread, the rests supplied, /Those for their seats, these their support. /Unto his herdsmen oft be hied, /And brought a porker from the pen! /And drink from calabashes poured. /Thus did he feed and feast his men; /Thus did he act both host and lord.

High-souled Duke Liu! /Long now and broad were his domains; /He took their bearings—climbed the hills, /Surveyed the sunned and shadowed lands, /The rivers and the fountain-rills; /Disposed his forces in three bands; /Then portioned out the watered plain, /Allotting fields, for tax of grain; /Then portioned out the westering slopes: /Pin's settlers throve beyond their hopes.

High-souled Duke Liu! /Ill-lodged in Pin, they made them rafts /And crossed the Wai, and gathered thence /Sandstone and iron. Strong then stood /Each dwelling and each border fence. /Growing in wealth and multitude, /They crowed and fill the vale of Hwang, /And press far up the vale of Kwo; /At length, so thick becomes the throng, /Beyond the Juy they overflow.[5]

Poem 250: Duke Liu is a famous poem of The Books of Songs·Greater Elegantiae 詩經·大雅. The epic of the Zhou people is called Zhouwen Epic by some western scholars. The Zhouwen Epic is an undeniable fact, though only some fragments are extant at present. This is because King Wen of Zhou marks a great age of the Chinese civilization. Of the Zhouwen Epic the kernel is a cycle which is made up of three poems, and they are Poem 237: The Ever Stretching Line 緜, Poem 245: The Beginning of the Zhou People 生民, and Poem 250: Duke Liu. In the present-day Wugong County 武功縣, Shaanxi Province there is a place called Tai 邰, which is the birthplace of the Zhou people. Poem 245: The Beginning of the Zhou People tells us about the Zhou people's activities. They did farm work there. If we went there today we can still eat the noodles of naked oats. Though they are dark, they taste wonderful. A native Shaanxi told me that the best naked oats came from Tai. Poem 250: Duke Liu relates to us the great exploit that the Zhou people expanded their territory and started their cause. Poetical Minor Preface 詩小序 says: "Poem 250: Duke Liu tells us how Duke Kang of Shao warned King Cheng duly. When King Cheng was about to rule by himself, Duke Kang warned him that it was necessary to care for civil affairs. He praised Duke Liu for his love of the people. This is the reason why he presented the king with this poem."[6] When the Zhou people increased in its population, they had to expand their domain. Thereupon Duke Liu led them in moving northwards, and they came to Bin 豳, which refers to the area of the present-day Xunyi 旬邑 and Binxian 彬縣. Poem 237: The Ever Stretching Line writes about how Danfu the Late Grandpa 古公亶父 led his men in moving from Bin westwards to the area around Mount Qi 岐山. The so-called area around Mount Qi refers to the present-day Qishan County, Shaanxi Province. The Zhou people grew up day by day in the process of expanding their domain. Later on King Wen inherited their unfinished great cause, and the foundation of the Zhou people was further developed. From here we see that, Duke Liu is a key personage in the developmental history of the Zhou people.

The whole poem successfully builds up the glorious image of Duke Liu. Having deep thoughts Duke Liu embraced a great plan. Thus he possessed very strong spirit of forging

---

5　William Jennings tr., The Shi King (New York: Paragon Book Preprinted Corp., 1969) p.305.

6　Zhonghua Press 中華書局 compiled 漢魏古註十三經 (Peking: Zhonghua,1998) p.131.

ahead. As a matter of course, continuing to farm in Tai might also bring a peaceful and comfortable life to Duke Liu. Nevertheless, Duke Liu never hankered after a stable, habitable and comfortable life in a fixed place. Quite the contrary, he always thought about the interests of the coming generations. Actively he reconnoitered the terrain, and he led his men in opening up Bin, which is geographically better than their old homeland. As the head of a large area Duke Liu demonstrated an unusual talent for organization. He was proficient in the art of leadership, knowing how to bring everybody's enthusiasm into play. Before the great migration, he made a good preparation. After arriving in the destination, he did not shirk hardships, and he planned the construction of their new homestead. He attended personally to all kinds of work, no matter how big or trivial they might be. Such a leader must be during his lifetime supported by his men, and after death he must be cherished in the heart of his men forever. In the *Textual Explications for the Classic Canons·Book 7: The Pronunciations and Implications of the Mao Poems·Part Two* 經典釋文 · 毛詩音義下, Lu Deming writes as follows. "About Duke Liu, Wang says that duke is a title, and *liu* is a name. *The Book of History* also says that duke is a title and *liu* is the name."[7] Duke Liu is an appellation which combines the title and name of a man. Zhan Dunren is called Founder-Magistrate or Esteemed Mr. Founder- Grandpa, which is also a combined appellation. What a similarity there is between Duke Liu and Zhan Dunren! *The Shi King* is translated from Chinese into English by William Jennings, a missioner. This book was first published in London in 1891, and it was reprinted by Paragon Book Preprinted Corporation in USA in 1969. This book is a very good translation seldom seen in that it is true to the original and in accordance with English prosody in meter, rhythm, foot and rhyme. If we put this poem into a collection by any English poet, it must be regarded as a poem composed by a certain sterling English poet, instead of a translation. By the coinage of "Duke Liu" he indeed gets a fresh insight into the personage's essence. Such a coinage may help the Western reader vividly see the greatness of the titular hero of the poem. "High-souled [is] Duke Liu!" This is the first line of all the six stanzas of the poem, which is possessed of the significance of a recurrent image. In the Chinese original the word *du* 篤 means "honest and sincere." Compared with the original meaning, the translation made by William Jennings conveys a more faithful understanding of the whole work. Some descendant of the Zhou people composed *Poem 250: Duke Liu* to recall the heroic deeds of their common ancestor. So also is case that we write essays to recall Zhan Dunren.

7　Lu Deming 陸德明 wrote, Huang Zhuo 黃焯 collected and checked 經典釋文彙校 (Peking: Zhonghua, 2006) p.213.

That being the case, we cannot help asking a question. Does Duke Liu have any person? The answer is a definite yes. Duke Liu does have a person. Then, we have to ask one more question. What a person does Duke Liu have? The answer is very clear. Duke Liu has the ancestral person of the Chinese nationality. This is well-grounded. When making an annotation to *Poem 250: Duke Liu*, Zheng Xuan 鄭玄 says, "Duke Liu is a great-grandson of Houji. When the Xia Dynasty began to decline, he was forced to migrate to Bin. And he had a good way in leading his men. At that time King Cheng was quite young, Duke Zhou acted as regent before he returned the power to him. When King Cheng was about to rule by himself, Duke Kang of Shao and Duke Zhou became two prime ministers, one standing on the left side, and the other right. Duke Kang of Shao worried that King Cheng was too young to pay enough attention to civil affairs, so he composed a poem to eulogize Duke Liu as a grim warning to him."[8] This passage needs a further explanation. In the *Historical Records·Book 4: Basic Annals of the Zhou* 史記 · 周本紀 there is a passage, which runs as follows. "When Houji died, Buku, his son, was set up as the ruler. In the last years of Buku, the rule of the Xia Dynasty began to decline, and he disposed the official of agriculture. Since Buku lost his post, he escaped to where the barbarians lived. When Buku died, Ju, his son was set up as the ruler. When Ju died, Duke Liu, his son was set up as the ruler. Though Duke Liu lived among the barbarians, he devoted himself to agriculture. By plowing and sowing, he made a good use of the land. In order t obtain enough timbers he first crossed the Qi and the Ju, two streams, and then he crossed the Wei, a great river. Thus travelers had their properties and settlers had some savings. People's happiness depended on him. Thinking fondly of him, they migrate to his place and adhered to him. From then on the Zhou began to rise up day by day. This is the reason why poets were glad to sing for his virtues. When Duke Liu died, Qingjie, his son was set up as the ruler, who founded a state in Bin."[9] The above is the documental basis which may support the person of Duke Liu. Here we may as well to ask another question. Which system does Duke Liu's person belong to? In my opinion, Duke Liu's person belongs to the divine system of Taoism. This is because Taoism has a tendency to absorb the ancestral gods of the Chinese people continuously and then it integrates them thoroughly into the gigantic system of the Taoist deity. Taoism is typically a polytheistic religion. The reason why Taoism has so many gods and goddesses lies in that its divine system reflects the variety of the ethnical sources of the Chinese nationality. Judging from the ethnical sources, the Chinese

---

8　Zhonghua Press 中華書局 compiled 漢魏古註十三經 (Peking: Zhonghua, 1998) p.131.

9　Zhonghua Press 中華書局 complied 史記 (Peking: Zhonghua, 2000) p.82.

nationality is indeed a great ethnic group. Whoever is tolerant is great. So also is the case with a religion. This is the internal reason why the Chinese nationality may multiply in an endless succession. The internal elements of the Chinese nationality are able to produce the contradictory movement to reach the unity of opposites. This is the reason why the Chinese nationality is full of vitality. As is compared with the Babylonian culture, the Mayan culture and the Egyptian culture, which were prosperous in ancient times, the Chinese culture is different from all of them in that those cultures are too to remain long. After a short span of prosperity all of them perished. Different factors inside the Chinese nationality may draw on the strong points from others to make up for their own weak points, and as a result they reach a common progress. The general tendency of the Chinese nationality is towards a rich, strong and prosperous future. There is an adage that any member of the Chinese nationality can do without the others' help. All the members of the Chinese nationality are daughters of one and the same sun. This is not only a graceful metaphor pleasant to ears but also irrefutable truth. In order to have a profound understanding of the Taoist person of Zhan Dunren, we may as well use for reference the manner in which Christianity infers the person of Jesus from genealogy. Thus we may see more clearly than ever that there does be connection between Zhan Dunren and Duke Liu as far as the divine person is concerned. Luke 3: 23-38:

Jesus was about thirty years old when he began his work. He was the son (as was thought) of Joseph, son of Heli, son of Mtthat, son of Levi, son of Melchi, son of Jannai, son of Joseph, son of Matthatias, son of Amos, son of Nahum, son of Esli, son of Naggai, son of Maath, son of Mattathias, son of Semein, son of Josech, son of Joda, son of Joanan, son of Rhesa, son of Zerubbabel, son of Shealtiel, son of Neri, son of Melchi, son of Addi, son of Cosam, son of Elmadam, son of Er, son of Joshua, son of Eliezer, son of Jorim, son of Matthat, son of Levi, son of Simeon, son of Judah, son of Joseph, son of Jonam, son of Eliakim, son of Melea, son of Menna, son of Mattatha, son of Nathan, son of David, son of Jesse, son of Obed, son of Boaz, son of Sala, son of Nahshon, son of Amminadab, son of Admin, son of Arni, son of Hezron, son of Perez, son of Judah, son of Jacob, son of Isaac, son of Abraham, son of Terah, son of Nahor, son of Serug, son of Reu, son of Peleg, son of Eber, son of Shelah, son of Cainan, son of Arphaxad, son of Shem, son of Noah, son of Lamech, son of Methuselah, son of Enoch, son of Jared, son of Mahalaleel, son of Cainan, son of Enos, son of Seth, son of Adam, son of God.[10]

Of the text quoted above, the first sentence relates to us the background on which the

_____

10　*The Holy Bible, NRSV, Minster Text* (Cambridge, UK: Cambridge University Press, 1989) p.57.

genealogical narration is unfolded, and the rest is the genealogy proper. The three words in the bracket, namely "as was thought," are very interesting, which shows the narration is what has been accumulated in human mind which is supported by a firm belief. What does a genealogy function? A genealogy helps clansmen or even a people trace their past and their origin. In the view of us Chinese, if there is to be a trace, there must be a thorough trace which means that the farther the better. How far should a trace be? An ideal trace should trace a given people back to their earliest ancestor. The longer a people's history is, the more sufficient the grounds of their development will be. The logical thinking clue of men is like this. Since our ancestors could be able to accomplish such-and-such a great cause, why should not we? The person of Jesus is in this manner brought out one generation after another. From here we see how our ancestors have acquired their divine modes. The more we trace them back to the past, the stronger the import of their divine modes will be, and vice versa. In the evolution of man's history, the person of a given god is embodied in concrete individuals step by step, as is a process of materialization. If we take the person of a given god for an idea, then such an idea must be concretely and vividly unfolded step by step in the evolution of history. An idea changes from invisible existence into visible existence. And an idea changes from blurred existence into clear existence. This is the reason why an idea may change from intangible existence into a tangible being. In a particular profound way some biblical scholars have made an investigation into the ancient history of China, so also is the case with G. W. F. Hegel (1770-1831). In the introduction (B.1.c) to *Vorlesungen über die Geschichte der Philosophie* he writes as follows.

Der Geist hat das Prinzip der bestimmenten Stufe seines Selbstwußtseins, die er erreicht hat, jedesmal in den ganzen Reichtum seiner Vielseitigkeit ausgearbeitet und ausgebreitet. Dieser reicher Geist eines Volkes ist eine Organisation — ein Dom, der Gewölbe, Gänge, Säulenreichen, Hellen, vielfache Abteilungen hat, welches alles aus einen Ganzen, einem Zwecke hervorgegangen. Von diesen mannigfaltigen Seiten ist die Philosophie *eine* Formen, und welche? Sie ist die schönste Blüte, — sie der Begriff der ganzen Gestalt des Geistes, das Bewußtsein und das geistige Wesen des ganzen Zustandes, der Geist der Zeit, als sich denkender Geist vorhanden.[11]

Of this passage, my interpretation is as follows. At a certain stage the spirit has the principle it may reach. Each and every time it brings its rich and complete content into play.

---

11 G. W. F. Hegel, *Vorlesungen über die Geschichte der Philosophie, I* (Frankfurt am Main: Suhrkamp Taschenbuch Verlag, 1986) p.73.

Such an abundant spirit of a people is an organic structure—a cathedral, which has its arch, passage, columns, many rooms and sections. All these come from a whole and a goal. There are so many respects, but philosophy has only one form. Then, what is it? She is the most beautiful flower, for it is the concept of the spirit in its whole form, it is the self-awakening and the essence of the spirit, and it is the spirit of the age in that it exists as the spirit that is available. Thus we may understand why Zhan Dunren left us so many unique poems and prose writings, why among the Anxi folks there are so many legends and tales, and why there are so many rare and eccentric geographical names. Beautiful is Anxi! The daffodil in the sun is uniquely graceful. This is the melodrama performed by the Zhan clan in Anxi. This is the Absolute in the Hegelian vocabulary.

ZHAN DUNREN'S PERSON CAN BE TRACED BACK TO QU YUAN.

The lofty personality of Zhan Dunren is just like the pure river which runs through Anxi County. From this we naturally think of Qu Yuan. All his life Qu Yuan is indissolubly bound to water. Before worshipped as a god in temples, Qu Yuan was a man in realistic life. Qu Yuan is not only a historical personage but also a reformer of old things. All the lifelong achievement of Qu Yuan may be traced back to the lofty aspirations he was determined to fulfill while young. Of Qu Yuan's personality the *Elegies of the State of Chu·Ode to the Orange* 楚辭·橘頌 is a eulogy, from which we may see how he was determined to fulfill his lofty aspirations. Below is the ode.

Here the orange tree is found, /Shedding beauty all around. /Living in this southern grove /From its fate it will not move; /For as its roots lie fast and deep, /So its purpose it will keep. /With green leaves and blossoms white, /It brings beauty and delight. /Yet foliage and sharp thorns abound /To guard the fruit so ripe and round. /Golden clusters, clusters green /Glimmer with a lovely sheen, /While all within is pure and clear /Like heart of a philosopher. /Grace and splendor here are one, /Beauty all and blemish none.　　Your youthful and impetuous heart /Sets you from common men apart, /And well-contented I to see /Your resolute integrity. /Deep-rooted thus you stand unshaken, /Impartial, by no fancies taken. /Steadfast you choose your course alone, /Following no fashion but your own. /Over your heart you hold firm sway, /Nor suffer it to go astray; /No selfish wishes stain your worth, /Standing erect 'tween heaven and earth. /Then let not age divide us twain; /Your friend I ever would remain. /Be noble still without excess, /And stern, but yet with gentleness. /Though young in years and in complexion,

/Yet be my master in perfection. /Then Po Yi as your standard take, /his virtues as your model make.[12]

Altogether there are thirty-six lines in the poem. Of the extant versions of the *Elegies of Chu* 楚辭, the oldest is the *Elegies of Chu Annotated* 楚辭章句 by Wang Yi 王逸, a scholar of the Eastern Han Dynasty. After every two lines of the *Ode to the Orange*, Wang Yi jotted down a passage of his explanation. Without any documents as evidence, we cannot see how Wang Yi divided the whole poem into stanzas. Later on Zhu Xi 朱熹, a scholar of the Song Dynasty, wrote the *Collected Annotations to the Elegies of Chu* 楚辭集注, who divided the whole ode into nine stanzas in that after every four lines he wrote a passage of his explanation. This is the reason why in most modern versions of the *Ode to Orange* there are nine stanzas. Professor Peter Bol of Harvard University and some other scholars think that the transition of socio-economical structure of the Chinese society took place in the Song Dynasty. That is to say, the Song Dynasty marks the beginning of the early modern times of China. This is indeed an insightful viewpoint in that it is in accordance with the actual situation. The reason why Zhu Xi divided the *Ode to Orange* into nine stanzas lies in his understanding of the structure of the sentences in the poem. Just as Aristotle (384-322 B.C.) says, in poetics the form is higher than the content. And this Aristotelian view is in accordance with modern narrative theories. Nevertheless, if we hold our discussion from the organization of the poem, then we may as well divide the poem into two parts. The first sixteen line form the first part, which describes the external beauty of the orange tree. The rest twenty lines form the second part, which describes the internal beauty of the orange tree. By means of the orange tree Qu Yuan illustrates what his lofty aspirations are like. He praises the orange which is independent and firm, for it takes its roots deep into the soil. A man like the orange tree must be morally of total honesty and sincerity. The orange tree Qu Yuan writes about is in fact his own self. Here the "southern grove" is a metonymy which refers to South China. Jiangling 江陵, where Qu Yuan lived while young, is an area which produces oranges in large quantities. Xupu 溆浦, where Qu Yuan visited while in exile, is an area which produces oranges in large quantities. Fujian 福建, where Qu Yuan had never been, is a large area which produces oranges in large quantities likewise. All these places have one point in common that there is plenty of water. What quality is there in water? Water symbolizes purity and loftiness. Taoism pays much attention to water, and water is used as metaphor in many Taoist doctrines. This is the reason why almost all the eminent Taoists love water.

12　Yang Xianyi and Gladys Yang tr., *Selected Elegies of the State of Chu* (Peking: Foreign Languages Press, 2004) p.122.

Qu Yuan is of course not a Taoist. He is possessed of the spiritual qualities of an eminent Taoist, however. Qu Yuan killed himself by plunging into water. No wonder even now people worship Qu Yuan as a god of water. In Book 291 of the *Excessive Records from the Reign of Great Tranquility* 太平廣記 there is a prose work taken from the *Continuation of Universal Harmony* 續齊諧記 by Wu Jun 吳均, a scholar of the Liang Dynasty, which runs as follows.

On the fifth day of the fifth month Qu Yuan killed himself by plunging into the Miluo River, and the Chu people feel sad for this. Thus on this day every year they put rice into bamboo tubes and then they throw them into water in order to worship him. One day in the Jianwu Reign of the Han Dynasty there was a queer occurrence. Ou Qu, a Changsha native, saw a scholar-official in broad daylight, who claimed to be the Lord of the Three Clans. And to Ou Qu he said, "I have heard that you are going to worship me, it's very good. But what you put into water in bygone years was carried away by dragons. Now if you do favor to me, you may as well stick a leaf of chinaberry onto the bamboo tube and then you wind a colorful thread around it. All the dragons fear these two things." Ou Qu followed his advice. Now the *zongzi* people cooked on the fifth day of the fifth month every year is with either a leaf of chinaberry or a five-hued thread. This is an old practice left to us by those who lived on the Miluo River.[13]

Simply speaking, men worship Qu Yuan just in the same way they worship the god of water. In the *History of Sui·Catalog of Classics and Documents* 隋書 · 經籍志 there is a famous proposition that "Fiction is the talk of streets and lanes."[14] From here we see that in the mind of the broad masses Qu Yuan has changed substantially into a god already. Human personality and divine person, which are two modes of existence, have already been unified in Qu Yuan. According to the compiling rules and layout of the *Excessive Records from the Reign of Great Tranquility*, in which there are altogether 500 volumes, the category of immortal beings is the most important of all, and therefore this category is placed in the front of the whole book. And this category is of a bulk body. Volume 1 to Volume 55 forms the category of immortal beings, which occupies 11% of the whole book. Volume 56 to Volume 70 forms the category of female immortal beings, which occupies 3% of the whole book. Altogether 70 volumes belong to the category of immortal beings male and female. These two categories occupy 14% of the whole book. Let's have a contrast. Volume 291 to volume 315 forms the category of deities. Only 25 volumes belong to the category of deities, which occupies 5% of

13　Li Fang 李昉 compiled 太平廣記（三）(Shanghai: Guji,1990) p.174.

14　Zhonghua Press 中華書局 compiled 隋書 (Peking: Zhonghua, 2000) p.680.

the whole book. From this we see that in the mind of the compiler the category of deities does not occupy the highest position. Why is it so? This is because the position of immortal beings is very high in China which is the native country of Taoism.

Perhaps some people may produce such a question as follows. Has Qu Yuan really become a god? If Qu Yuan has become a god, is his person lower than the person of such gods as dwell in immortal beings? The answer is a definite not. Please read a record kept in Book 10 of the *Records of Gleanings* 拾遺記 by Wang Jia 王嘉, a scholar of the Jin Dynasty.

Mt. Dongting floats on water. Beneath it there are several hundred golden halls in which jade girls live. All the year round you may hear the music of metals, stone, strings and bamboos, which reaches the mountaintop. During the reign of King Huai of Chu, the king and a group of talents composed poems on the lakeside, saying the music of River Xiang and Lake Dongting may keep the listeners young. Though the Xian Chi and Nine Shao music is sweet, the music here is still sweeter. In the four mid-season festivals, the king unexceptionally holds a feast after walking around the mountain. The material force of the four mid-season festivals is a theme, and his men must compose a piece of music on it. The temperament of the mid-spring is *jiazhong*, so one should describe the gentle breeze and running water in his poem, and the feast should be held south of the mountain. If the temperament is *ruibin*, one should describe the white dewdrops and autumnal frost in his song. Later on King Huai promoted quite a few treacherous pretenders, the group of sages ran away. Qu Yuan was repelled because of his loyalty, and he had to live as a recluse between River Yuan and River Xiang. He broke through brambles, ate wild grasses, lived among birds and beasts, and he had no connection with worldly affairs at all. He gathered the seeds of cypresses and then he mixed them with the resin of the cinnamon. By eating such a mixture he kept up his thought and energy. When driven by the king, he plunged into the abyss pure and cold. The Chu people thought of him with esteem, so they called him god of water. His soul travelled in the Milky Way and his spirit sometimes descended to the earth. The Chu people living in the Xiang valley set up a temple for him. The temple stood on the river up to the last years of the Han Dynasty. [15]

In the divine system of Taoism, the gods of water form a type of immortal beings. There is a passage in the *Heavenly Hermit·The Explanation of Gods* 天隱子 · 神解, which runs as follows.

Therefore the Heavenly Hermit lives in changes, and dies in changes. He moved because there is the myriad of things, and he kept still because there is the myriad of things. The evil

---

15　Zhejiang Guji Press 浙江古籍出版社 compiled 百子全書 (Hangzhou: Zhejiang Guji,1998) p.1255.

comes from one and the same nature, and the true comes from one and the same nature. For this reason, life and death, movement and stillness, evilness and trueness can all be explained by gods. When a god lives among men he is called human immortal; when a god lives in heaven, he is called the heavenly immortal; when a god lives on the earth, he is called the earthly immortal; and when a god lives in water, he is called the water immortal. All in all, what can change is called a divine immortal. Therefore, there are five ways to the divine immortality, but there is only one gate to it, that is to say, one must learn and practice gradually. [16]

Here the five types of divine immortals are numerated and discussed in detail. The first four types of immortals, namely, human immortals, heavenly immortals, earthly immortals and water immortals, live separately in a certain domain. The fifth type is called the divine immortal, and this is in essence a general type. A divine immortal has great magic power in that he may appear in various forms and shapes to show itself to the ordinary men. Qu Yuan has changed indeed into the water immortal. The so-called "water immortal" is an appellation with distinctive Chinese characteristics, and in essence he is a god of water. The record gives us a hint that Qu Yuan has become a god of water. As for his person, it is the same lofty as the other divine immortals.

Zhan Dunren is not a Taoist, to be sure, but he has the qualities of an eminent Taoist. Zhan Dunren died a natural death. The loftiness and purity of Qu Yuan and Zhan Dunren decide that their person is lofty and pure when they changed substantially into gods, as may be supported by a lot of historical data. For instance, the family tree of Qu Yuan is kept in the *Sorrow for Departure* 離騷: "A Prince am I of ancestry renowned, /Illustrious name my royal sire hath found. /When Sirius did in spring its Light display, /A child was born, and Tiger marked the day. /When first upon my face my lord's eye glanced, /For my auspicious names he straight advanced, /Denoting that in me Heaven's marks divine /Should with the virtues of the earth combine." [17] This record is believable for it is his self-narration. The prince is a son of the *di* 帝, which may refer to either an emperor or a heavenly god. The context hints to us that it refers to the heavenly god that dominates a sphere. In the *Book of Rites·Summary of Rules of Propriety·Part Two* 禮記 · 曲禮下 there is a passage, which runs as follows. "When announcement is made to all the states of the mourning for him, it is said, 'The king by the grace of heaven has gone far on high.' When his place is given to him in the ancestral temple,

---

16　Zhejiang Guji Press 浙江古籍出版社 compiled 百子全書 (Hangzhou: Zhejiang Guji,1998) p.1505.

17　Yang Xianyi and Gladys Yang tr., *Selected Elegies of the State of Chu* (Peking: Foreign Languages Press, 2004) p.2.

and his spirit-tablet is set up, he is styled on it, 'the *di*.'"[18] As for the *di*, Zheng Xuan makes an annotation, which says, "It is equal to the heavenly god."[19] And Kong Yingda 孔穎達 makes a further interpretation, saying, "What is called *di*? The heavenly god is called *di*. Now it is said that the lord is equal to the heavenly god, so *di* is used here. So also is the case with Emperor Wen, Emperor Wu and so on."[20] As is known to all, in ancient times the emperor in China claimed to be the son of heaven.[21] It is interesting enough that in Latin *dues* means god, the plural of *deus* is nothing but *di*. From this we see that Qu Yuan is a descendent of deity. The family tree of Zhan Dunren is recorded in the *Genealogy of the Zhan Clan of Anxi* 安溪詹 氏族譜. "Of the county the Zhan clan of Anxi is a famous family, which descends from a god. The Zhan clan comes from the Ji clan, and later it was enfeoffed in Zhan. The clansmen take the name of the state for their family name. Its early generations lived in Gushi 固始, Guangzhou, Henan."[22] In this passage of words, the key sentence is "The Zhan clan comes from the Ji clan." In Book 10 of the *Remarks of Monarchs* 國語 there is a passage, which runs as follows. "In old days Shaodian took a woman from the Youqiao clan to wife, and he begot the Yellow Emperor and the Red Emperor. The Yellow Emperor grew up in River Ji, and the Red Emperor grew up in River Jiang. When they grew up their gifts were different, so the Yellow Emperor's family name was Ji, and the Red Emperor's family name was Jiang. These two emperors used troops to fight against each other in that they have different gifts. Men bear different family names have different gifts. Those who have different gifts form up different categories. People from different categories are close to each other in blood, to be sure, but they may produce healthy children when their grown-up men and women get married."[23] Legend has it that the Yellow Emperor takes Ji for his family name because he lived in the valley of River Ji. The family name of Houji, the progenitor of the Zhou people, and his descendents is also Ji. From this we see that Zhan Dunren is indeed a descendent of deity.

The natural features of the circumstances in which Qu Yuan lives decide that he dependence on water. The natural features of the circumstances in which the Zhan clan live decide likewise that it has dependence on water. Water is the material band which links Qu

---

[18] Chen Shuguo 陳戍國 punctuated 周禮／儀禮／禮記 (Changsha: Yuelu,1989) p.291.

[19] Li Xueqin 李學勤 compiled 十三經註疏／禮記正義 (Peking: Beida,1999) p.126.

[20] Li Xueqin 李學勤 compiled 十三經註疏／禮記正義 (Peking, Beida,1999) p126.

[21] Li Xueqin 李學勤 compiled 十三經註疏／禮記正義 (Peking:Beida,1999) p.126.

[22] Qingxi Zhanshi Zupu 清溪詹氏族譜，Book 23卷二十三。

[23] Xu Yuangao 徐元誥 wrote，王樹民／沈長雲 checked and punctuated 國語集解 (Peking: Zhonghua, 2002) p.336.

Yuan and the Zhan clan. Now the Zhan clan is distributed in the main throughout the coastal region of Southeast China. *Genealogy of the Zhan Clan of Anxi* tells us that there are probably some members from the Zhan clan where there is abundant water. The Zhan clan is by nature fond of water and ardent of the seas. There is affinity between the Zhan clan and water. Since Taoists think highly of water, therefore almost all the members of the Zhan clan care for Taoism, love Taoism, and uphold Taoism. Very naturally the Zhan clan always takes it for its responsibility to defend great Taoism of the Chinese nationality. Early in 1560, traditionally the thirty-ninth of the Jiajing Reign in the Ming Dynasty, the Zhan clan led local people in building up the city walls to fight against Japanese pirates. Since then many years have passed away, but the banner of patriotism still flies overhead wherever the clansmen of the Zhan live. As a great pillar which stands in South China, the Zhan clan holds high the banner of patriotism up till now. Through the demonstration of the historical grounds of Zhan Dunren's divine mode we may increase our belief in greeting in the rejuvenation of the Chinese nationality.

《廣韻》一字三音現象與《切韻》系諸書之承傳關係

馬顯慈

香港公開大學教育及語文學院

引言

又音，又稱又切、又讀、異讀，是指一個字於本字讀音外另有一種或多種讀音。古代的韻書通常會以切語或另一文字作記錄，如《廣韻》於「去聲・十遇」小韻色句切「數」字一條下云：「又色矩、色角二切，又音速」。據研究所知，《廣韻》全書收錄了數量相當豐富的又音字，保守估計超過一萬條，其類型可分為兩音、三音、四音、五音、六音、七音幾種。單從數量而言，兩音最多，三、四音較少，五、六、七音最少。這些語音現象反映出收錄者對一字異讀的某些取態。按初步考究推測，此等又音不外乎與訓讀、方音、詞義發展、古今音變等語言現象相關。公元一○○八年，《廣韻》繼《切韻》而刊出，為北宋官方頒定之韻書。今天所見之《切韻》系書材料，其所保留之又音與《廣韻》所見關係頗為密切。然而，於音系、切語用字、又音類別、數量等，兩者卻有所不同。本文試從《廣韻》之一字三音為切入點，從對《切韻》系諸書之查考比勘方向進行研究，論證《廣韻》與《切韻》之承傳關係。

一　承傳系統

據古籍所載，較早出現之韻書是《隋書・經籍志》所記錄之李登《聲類》，陸法言《切韻》序中提及之韻書則有呂靜《韻集》、夏侯詠《韻略》、陽休之《韻略》、周思言《音韻》、李季節《音譜》、杜臺卿《韻略》六種。自《切韻》面世後，此書一紙風行，成為權威著作。長孫訥言曾為《切韻》作箋注，其序言云：「此製酌古今，無以加也。」孫愐《唐韻》序云：「惟陸生《切韻》，盛行於世。」（詳見《廣韻》卷首），王仁昫《刊謬補缺切韻》於序言云：「陸法言《切韻》，時俗共重，以為典規。」事實上，《唐韻》《刊謬補缺切韻》皆是《切韻》之增訂本。《切韻》成書後有不少增訂本子，尚存於今而又最重要的則是《廣韻》。《廣韻》一書由宋朝官方修訂，朝臣陳彭年、邱雍等負責編訂，全名為《大宋重修廣韻》。據王應麟《玉海》所云：「景德四年（1007）十一

月戊寅，崇文院上校定《切韻》五卷，依九經例頒行。祥符元年六月五日，改為《大宋重修廣韻》。」顧炎武《音韻・論韻書之始》引宋人李燾云：「隋陸法言撰，唐郭知玄益之者，時號《切韻》。天寶末，陳州司馬孫愐以《切韻》為謬，略復加刊正，別名《唐韻》之名，大中祥符元年，改賜新名曰《廣韻》。」今存之《廣韻》書前載有宋大中祥符元年六月五日牒文，云：「仍將換新名，庶承昭于成績，宜改為《大宋重修廣韻》。」於此可知，《廣韻》是經過官方監定下修訂而成，與《切韻》由陸氏等九位來自南北之語音專家所編訂的情況不同（詳見〈切韻序〉）。昔日陸氏等人編撰之原則為取諸家音韻而論南北是非、古今通塞，當中有涉及審音、訂音之原則性問題。

《廣韻》首卷，清晰記載了收錄前代各家之增訂箋注本子，計有：陸法言撰本、長孫訥言箋本、儀同三司劉臻等八人同撰集及郭知玄拾遺緒正更以朱箋三百字、關亮增加字、薛峋增加字、王仁昫增加字、祝尚丘增加字、孫愐增加字、嚴寶文增加字、裴務齊增加字、陳道固增加字等各類本子。眾所周知，《切韻》原書早已佚亡，近世發現有唐人鈔本，此為《切韻》之增訂本，其中較重要的有以下幾種：王國維寫印本唐寫本《切韻》殘卷三種（簡稱〈切一〉、〈切二〉、〈切三〉）；蔣斧藏本唐寫本《唐韻》殘卷，上海國粹學報館景印；王仁昫《刊謬補缺切韻》殘卷之一，敦煌掇瑣第一〇一號；王仁昫《刊謬補缺切韻》殘卷之二，故宮博物院藏，有延光室照片及唐蘭寫本，以上各本子全見收錄於劉復等編之《十韻彙編》、姜亮夫及潘重規寫印之《瀛涯敦煌韻新編》所收之〈切一〉（S2683）、〈切二〉（S2055）、〈切三〉（S2071）及《刊謬補缺切韻》殘卷之P2011。此外，王仁昫《刊謬補缺切韻》於故宮博物院有一九四七年之景印本，為現存最完備之本子。以上諸本韻書，基於同一語音系統，與後出之《廣韻》同屬一系，傳統音韻學派都將之一併總稱為《切韻》系書。

二　研究材料

本文研究材料以《廣韻》為首要對象，同時結合現存之《切韻》系書及由近人周祖謨輯校之《唐五代韻書集存》，一並將之歸納為七類：一、陸法言《切韻》傳寫本，有伯三七九八、伯三六九五、伯三六九六、斯六一八七、斯二六八三、伯四九一七、西域考古圖譜列 TID；二、箋注本《切韻》，有斯二〇七一、斯二〇五五、伯三六九三、伯三六九四、伯三六九六、斯六一七六；三、增訓加字本《切韻》，有斯五九八〇、伯三七九九、伯二〇一七、斯六〇一三、斯六〇一二、伯四七四六、斯六一五六、TII1K7S（a）、TII1K70+71（b）；四、王仁昫《刊謬補缺切韻》，有伯二〇一一・《切韻》二、全王本・北京故宮本；五、裴務齊正字本《刊謬補缺切韻》，即王二；六、《唐韻》寫本，有伯二〇一八、蔣斧印本；七、五代本韻書，即伯二〇一四、伯二〇一五、伯二〇一六、伯四七四七、伯五五三一、列 TIL 一〇一五、列 TIID1a,b,c,d。

此外，另將目前所見之其他《切韻》系諸書材料一併附入上述七項類別作綜合研究，計有劉復等輯《十韻彙編》、潘重規編《瀛涯敦煌韻新編》及《瀛涯敦煌韻輯別錄》、龍宇純著《唐寫本全本王仁昫刊謬補缺切韻校箋》、蔣一安編著《蔣本唐韻刊謬補闕》及龍宇純著《英倫藏敦煌切韻殘卷校記》。至於《廣韻》一書，今存版本亦有幾種，茲採用較為完備之張氏重刊、澤存堂藏版宋本《廣韻》。本文所引之擬測國際音標，主要參照余迺永《互註校正宋本廣韻》及何文華《廣韻聲類韻部與音值之研究》兩書。

三　音系概要

《切韻》之語音系統，根據王力（《漢語史稿》上冊，49頁）所析，可從其反切與韻目得知，此系統與四百年後出之《廣韻》反切及其韻目系統基本一致。據唐人鈔錄各本韻書及《廣韻》原書，可溯本推源《切韻》之大概面貌及其與《廣韻》之關係。綜合各類文獻所考，《切韻》全書分為五卷，平聲字較多，佔兩卷；上、去、入三聲則各佔一卷。《切韻》共分一百九十三韻，今存之王仁昫《刊謬補缺切韻》則分一百九十五韻，及至《廣韻》分作二百零六韻。按李榮《音韻存稿》之統計分析，其表解如下：

	《切韻》	《刊謬補缺切韻》	蔣斧本《唐韻》	《廣韻》
平聲	54	54	-	57
上聲	51	52	-	55
去聲	56	57	59	60
入聲	32	32	34	34
合計	193	195	-	206

如上表所示，《刊謬補缺切韻》比《切韻》多兩韻：上聲多一「广」韻，此《廣韻》作「儼」韻；去聲多「嚴」韻，此《廣韻》作「釅」韻。全本王韻正文則無「嚴」韻，其上聲之總數仍是五十一韻。蔣斧本《唐韻》，去聲韻有五十九個，比後來之《廣韻》少一個「醿」韻，入聲韻則與之相同。此外，從整套韻部而論，《切韻》有十一個韻到《廣韻》時分別由一析為二，並且同屬於一組系統，此有三類：其一，真（分作真、諄）、軫（分作軫、準）、震（分作震、稕）、質（分作質、術）；其二，寒（分作寒、桓）、旱（分作旱、緩）、翰（分作翰、換）、末（分作末、曷）；其三，歌（分作歌、戈）、哿（分作哿、果）、箇（分作箇、過）。此等分法皆為合口與開口之別，由此可知，兩部韻書是屬於同一音系。於入聲韻方面，按《切韻》音系是與陽聲鼻韻相配，即是平、上、去三聲而不收鼻韻尾者，則無相配應之入聲韻，此亦是入聲韻數量較少之理由（說見張世祿之《廣韻研究》）。另外，《廣韻》去聲有泰、祭、夬、廢四韻，此並沒

有與之相配之平、上、入三聲。比對之下，此類韻目比《切韻》之去聲多出四項，綜觀而論，其體系相當一致。

此外，按五代刻本《切韻》材料之分韻而言，周祖謨認為《切韻》與《唐韻》其仙韻和薛韻之合口情況均不單獨分立為一部。刻本中所見之入聲韻也不如《廣韻》之細分：麥韻兼有昔韻字、洽韻有盍韻字、德韻有職韻字，此等皆與《切韻》之系統相一致，及至《廣韻》則將之細分釐析，一分為二。由《切韻》至《廣韻》四百年來（案：《切韻》成書於隋仁壽元年〔601〕，《廣韻》成書於宋大中祥符元年〔1008〕），漢語語音發展之變化，於此可推究其大概面貌。

四　編排與字量

按全書每個韻部下所收之小韻而論，《廣韻》比《切韻》不斷益增。以其編排而言，據周祖謨氏《唐五代韻書集存》所收之陸法言傳寫本而論，多數是先出反切，再錄訓解注文。一般而言，常用字則多不下注釋。又如全王《刊謬補缺切韻》，書中每一小韻下第一個字之注文，皆先出反切，接著為本字之訓解，之下為本字之又音，小韻收字數目置於最末。然而，此非各《切韻》系書之必然格式，間中某些本子亦有鈔錄疏漏、訛脫，或臨時衍增，於小韻下所收字之總數補上「幾加幾」等文字，有關例子見唐寫本《切韻》殘卷、箋注本斯二〇五五、伯三六九三、唐寫本《唐韻》。至於切語體例方面，唐人鈔本韻書均一致作「某某反」，至大宋《廣韻》則避諱而一律作「某某切」。至於某字之又音、注文又讀，唐寫本亦作「某某反」，《廣韻》均改「反」字為「切」字。

在收字數量方面，據李榮《音韻存稿》所考，《切韻》有一百九十三個韻部，共三千四百〇六個小韻，收一萬二千多字，平均每字約有兩字之「訓釋」，此與現存唐人韻書之〈切一〉非常接近，〈切三〉則近於長孫訥言注本，〈切二〉之體例則與諸本稍為不同。據李氏所考，可以推測應是一個拼湊的本子。至於裴務齊本，按周祖謨《唐五代韻書集存》所考，則別具一格，其所收字、切語、又音、互註等，均與王本，甚至與《廣韻》多有不同。蔣斧本《唐韻》與《廣韻》之關係最密切，此書切語與《廣韻》比較一致，是一個最接近《廣韻》的本子。《廣韻》所收字數，據卷首所載，凡二萬六千一百九十四言，注文一共九萬一千六百九十三字，比之前《切韻》所收之一萬二千字之數量約多出兩倍。

五　一字三音

按目前所蒐集之《切韻》系各本韻書及其殘卷（本文一律稱為「《切韻》系諸書」），依其韻部先後輯為一集，並參照周祖謨《唐五代韻書集存》之七類排列法，將上

述各項研究資料及其他有關原始《切韻》系諸書的材料，包括劉復等輯《十韻彙編》、潘重規輯《瀛涯敦煌韻輯新編·瀛涯敦煌韻輯別錄》、龍宇純著《唐寫本王仁昫刊謬補缺切韻校箋》、饒宗頤編集《敦煌書法叢刊·第二卷·韻書》、蔣一安編著《蔣本唐韻刊謬補闕》、龍宇純著《英倫藏敦煌切韻殘卷校記》依次排列，接著將全部材料按《廣韻》所見之一字三音情況，從各《切韻》系書之韻部逐一比勘查考。按本文對《廣韻》全書研究所知，當中一字而具三種切音，一共有七百九十條。此一字有三種異讀音者（即上所稱之「一字三音」，亦簡稱「三音字」），一般情況皆是散見於平上去入四聲之韻目內。本研究就針對此七百九十字之異讀情況考究，茲先將上述七大類別分述如下：

第一類　陸法言《切韻》傳寫本

　　包括伯三七九八、伯三六九五、伯三六九六、斯六一八七、斯二六八三、伯四九一七、西域考古圖譜列 TID。其中伯三七九八，潘重規所輯與周祖謨所錄相同，周氏有所補充，摹本亦較清楚。伯三六九五、伯三六九六，此潘周二氏所錄相同，周氏有校正，次序及正反面稍有不同。潘氏之伯三六九六，有去聲一卷，見《別錄》五九六頁，此項資料同見於周氏《唐五代韻書集存》之伯三六九三。周氏收錄之斯二六八三、伯四九一七，即是《十韻彙編》所收之〔切一〕，此同見於潘氏所輯之 S 二六八三；潘氏摹本與周氏所錄相同，所收同由軫韻至銑韻。潘氏所輯之 P 四九一七亦即巴黎未列號之乙，收錄材料為四十八感韻、四十九敢韻及三十六養韻，此等與周氏所錄亦相同。至於西域考古圖譜，《十韻彙編》簡稱作〈西〉，此與潘氏所輯相同，周氏另有寫本（詳見《唐五代韻書集存》七十頁）。

第二類　箋注本《切韻》

　　周氏收錄之斯二〇七一、斯二〇五五，《十韻彙編》所收與之相同，簡稱之為〈切三〉、〈切二〉。〈切三〉即潘氏輯錄之 S 二〇七一，與周氏之摹本相同，由四江韻殘卷至廿七藥韻。〈切二〉亦即潘氏輯錄之 S 二〇五五，所錄由一東韻至九魚韻。至於伯三六九三、三六九四則併為一類。潘氏所輯有新抄 P 三六九三，潘周二氏所錄其正反面不盡相同。潘氏之 P 三六九六與周之伯三六九六相同，潘氏所輯稍為詳細，詳見去聲卷。此外，伯三六九六、斯六一七六，潘氏所輯與周氏摹本亦同，有去聲一卷。

第三類　增訓加字本《切韻》

　　按周氏收錄之增字本 T VI K7S、T VI 70＋71，《十韻彙編》同有收錄，簡稱之為

〔德〕；K7S，潘氏有摹本。增訓伯三七九九，潘氏所錄亦相同，周氏之摹寫則較清晰。增字伯二○一七，潘氏亦有摹本。增字伯四七四六，與潘氏收錄亦相同，分別收有職、德、業三韻，為入聲殘卷。

第四類　王仁昫刊謬補闕《切韻》

此由三類資料合成：其一，伯二一二九《切韻》，與潘氏抄本相同。其二，《切韻》一（伯二○一一），即《十韻彙編》之王一，此周氏有刻本，亦與潘氏所錄相同，由五支殘韻起輯錄，周氏另有補正。此類與饒宗頤所輯之 PC 二○一一《王仁昫刊謬補缺切韻殘卷》同。其三，《切韻》二，即北京故宮博物館藏本，《十韻彙編》稱王三，即全王本，亦即龍宇純之《唐寫全本王仁昫刊謬補缺切韻》本子。

第五類　裴務齊《正字本刊謬補缺切韻》

裴務齊《正字本刊謬補缺切韻》（以下簡稱裴本）同見於《十韻彙編》，簡稱王二。周氏將裴本稱為北京故宮博物院舊藏。

第六類　《唐韻》寫本

其收錄有兩種：一為伯二○一八摹本，即潘氏所輯之 P 二○一八摹本。此本收一東、二冬兩殘葉，與周氏所收相同。另一為蔣斧印本，全名為唐寫本《唐韻》，《十韻彙編》簡稱為唐。

第七類　五代本韻書

周氏此類分為七種：第一種為伯四八七九、伯二○一九，此與潘氏收錄之 P 四八七九同，即巴黎未列號之戊本。伯二○一九，潘氏亦有收錄，但所抄本子有疏漏。第二種為伯三六三八，即《十韻彙編》之唐序乙，此同見於潘氏別錄之《唐韻序》。第三種為伯二○一五、伯二○一四。伯二○一四與潘氏所收之 P 二○一四基本一致，但排列次序方面，潘、周二氏有所不同。此外，饒宗頤氏所錄之《大唐刊謬補闕切韻》亦與伯二○一四相同，應是同一本子。伯二○一五，潘、周二氏所錄本子相同，周氏將之與伯二○一六互拼為一個本子。第四種為伯二○一六、伯四七四七。潘氏有 P 二○一六本子，其所收之 P 四七四七，即巴黎未列號之丙；周氏之影印本有補充，潘、周兩本所錄內容基本相同。第五種為寫本二○一六背面，潘氏則將 P 二○一六同列，周氏之資

料較為詳細，多出六行影印資料。第六種為刻本列 TIL 二〇一五，潘氏則為柏林刊本 VI1205（案：周、潘二氏之編號稍有出入），基本上兩本相同。第七種亦是刻本：列 T II D1a,b,c,d，此潘氏為柏林刊本 J II D1a（案：a 本與周氏收錄有所不同），b 本周氏有補充，c、d 兩本，周、潘二人所錄相同。

六　分類辨析

上述七類《切韻》系諸書材料按次序排列，即按《廣韻》二百〇六韻次序，由一東韻起排列，由此逐一查檢《廣韻》之「三音字」。綜合有關研究而論，這些《廣韻》又音字中之一字三音類別，可細分為甲、乙、丙三類：

甲類，《廣韻》之三音字，於《切韻》系諸書中，該字之三種異讀切音皆有，但有若干本字並不具備三種讀音。茲分三類並各列舉字例說明如下：

於《切韻》系諸書中，三種異讀切音均收有本字

如：瞢，莫中切〔一東〕；武登切〔十七登〕；莫鳳切〔一送〕

　　潨，職戎切〔一東〕；徂紅切〔一東〕；藏宗切〔二冬〕

　　茈，疾移切〔五支〕；十佳切〔十三佳〕；將此切〔四紙〕

　　悾，苦紅切〔一東〕；苦江切〔四江〕；苦貢切〔一送〕

　　憃，書容切〔三鍾〕；丑江切〔四江〕；丑用切〔三用〕

案：以上例子共二百一十六條。

一、於《切韻》系諸書中，某兩字音收有本字，餘下一音不收本字（即是本字只有兩讀）。此可細分為兩小類：

（一）餘下一音，《切韻》系諸書不收，此音只見於《廣韻》

如：踡，將倫切〔十八諄〕；阻頑切〔二十七刪〕＊；莊緣切〔二仙〕

　　騩，居追切〔六脂〕；舉韋切〔八微〕＊；俱位切〔六至〕

　　緺，古蛙切〔十三佳〕＊；古禾切〔八戈〕；古華切〔九麻〕

　　莓，莫杯切〔十五灰〕；莫佩切〔十八隊〕；亡救切〔四十九宥〕＊

　　孱，士山切〔二十八山〕＊；士連切〔二仙〕；士限切〔二十六產〕

案：以上例子共三十八條。

（二）餘下一音，《切韻》系諸書備有但不收本字，此音同見於《廣韻》

如：艐，子紅切〔一東〕；古拜切〔十六怪〕；口箇切〔三十八箇〕＊

　　涳，苦紅切〔一東〕＊；女江切〔四江〕；苦江切〔四江〕

　　跂，巨支切〔五支〕；丘弭切〔四紙〕＊；去智切〔五寘〕

　　姼，汝移切〔五支〕＊；人賒切〔九麻〕；丑略切〔十八藥〕

　　縒，楚宜切〔五支〕＊；蘇可切〔三十三哿〕；倉各切〔十九鐸〕

案：以上例子共三百一十九條。

二、於《切韻》系諸書之三音只有一音收有本字，餘下兩音不見本字（即是本字只有一種讀音），此又可細分為三小類：

（一）餘下兩音，《切韻》系諸書不收，此兩音只見於《廣韻》

如：涳，藏宗切〔二冬〕＊；士江切〔四江〕；色絳切〔四絳〕

　　楎，武元切〔二十二元〕；莫奔切〔二十三魂〕＊；母官切〔二十六桓〕

　　遭，張連切〔二仙〕＊；除善切〔二十八獮〕；持碾切〔三十三線〕

案：此類共五條。

（二）餘下兩音，《切韻》系諸書與《廣韻》分別各收一音

如：狋，儒佳切〔六脂〕▲；如累切〔四紙〕；如壘切〔五旨〕＊

　　楯，丑倫切〔十八諄〕＊；詳遵切〔十八諄〕；食尹切〔十七準〕▲

　　焉，謁言切〔二十二元〕；於乾切〔二仙〕▲；有乾切〔二仙〕＊

案：此類共二十七條。（▲見於《切韻》、＊見於《廣韻》）

（三）餘下兩音，《切韻》系諸書均有與《廣韻》相一致

如：儚，莫中切〔一東〕；莫紅切〔一東〕；武亙切〔四十八嶝〕▲

　　伎，巨支切〔五支〕；渠綺切〔四紙〕；支義切〔五寘〕▲

　　蠡，呂支切〔五支〕；落戈切〔八戈〕；盧啟切〔十一薺〕▲

案：此類共一百五十四條。（▲表示與《切韻》不一致）

乙類，《廣韻》之三音字，不見於《切韻》系諸書。以下可分為三項：

其一，《廣韻》之三音均見《切韻》系諸書，但一律不收本字

如：瀰，武移切〔五支〕；綿婢切〔四紙〕；奴禮切〔十一薺〕

　　著，居銀切〔十七真〕；舉云切〔二十文〕；渠殞切〔十六軫〕

　　婺，蘇禾切〔八戈〕；博禾切〔八戈〕；薄官切〔二十六桓〕

案：此類共二十二條。

其二，三音於《切韻》系諸書只收其中兩音，餘下一音來自《廣韻》

如：傶，莊俱切〔十虞〕；鋤祐切〔四十九宥〕；女洽切〔三十一洽〕

　　覸，古閑切〔二十八山〕；方免切〔二十八獮〕；古莧切〔三十一洽〕

　　怚，子邪切〔九麻〕；慈呂切〔八語〕；將預切〔九御〕

案：此類共七條。

其三，三音於《切韻》系諸書只收其中一音，餘下兩音來自《廣韻》

如：份，府巾切〔十七真〕；普巾切〔十七真〕；撫文切〔二十文〕⚫

　　喊，呼覽切〔四十九敢〕；下斬切〔五十三豏〕⚫；呼鼸切〔五十三豏〕

案：此類有二條。（⚫表示見於《切韻》）

按本文統計，甲類七百五十九條、乙類三十一條；甲、乙兩大類合計共七百九十條，即於《廣韻》書中所見之三音字總數。

丙類，《切韻》系諸書之特殊三音字類。所謂《切韻》系諸書之特殊三音字，是指《切韻》系諸書所見之有關切音，其中某一音，或某兩個音，甚至三個音，均與《廣韻》所收之一字三音情況有所不同。此類可細分之為以下列五項：

一、出於《切韻》系諸書之註文又切，此與本字之原來切音於《廣韻》一字三音中的某一音、或某兩音，甚至是三音皆不同。此項合共三十四條，其讀音情況如下：

（一）聲調異於《廣韻》

字例：橦、蜎、湩等，共五條。

（二）聲母異於《廣韻》

字例：篍、請、編等，共十二條。

（三）韻母異於《廣韻》：i 等韻之別 ii 開合之別 iii 韻攝之別

字例：i 釭　ii 鍛　iii 霓等，共十條。

（四）聲母、韻母異於《廣韻》

字例：荼、靑、濩等，共五條。

（五）聲調、韻母異於《廣韻》

字例：痒、獥，共二條。

二、《切韻》系諸書之三音中，其一、其二，甚至其三之又音異於《廣韻》。此項合共十二條，其讀音情況如下：

（一）聲母異於《廣韻》

字例：鬊、扭等，共五條。

（二）韻母異於《廣韻》：i 同攝而異等 ii 開合口韻之別

字例：i 虋、熯　ii 刖、咶等，共七條。

三、《廣韻》因收錄有誤而與《切韻》系諸書之三音中，其中某一音不同。

字例：褶，只此一條。

四、《切韻》系諸書所見之切音，到《廣韻》時已刪削或衍增。

字例：[illegible]、說、[illegible]等，共四條。

五、《切韻》系諸書所見之一字三音中某一音，或其注文之又切，因抄寫、摹印而錯漏訛誤。

字例：彭、堤、蒫、顚等，共二十三條。

七　研究總結

如上五項合計，丙類之特殊三音字合共七十四條。若撇開第五項之錯漏訛誤一項不計，共五十一條，此於本文查考之甲、乙兩大類之七百九十條計算，特殊三音字只佔百分之六點四五，於此可佐證由《切韻》至《廣韻》之音變情況十分輕微。據本文查考所知，丙類之特殊三音字之來源有兩種：

第一種、《廣韻》根本不收該項切音，計有橦、笯、鸒、媠、蛶、抯、盎、渾、㵾、薙、說、咭等，一共十八組。以本文之《廣韻》三音字七百九十條計算，約佔百分之二點二，差異相當微小，《廣韻》與《切韻》系書之緊密相關性由此可證。

第二種、《廣韻》有該項切音而不收本字，字例有釭、仳、茶、折、霓、頇、編、睜、請、蟉、湛、屙、滷、堁、爆等，一共三十三組。按七類資料所見，此三十三組切音，裴本有十四組，佔全數百分之四十二點四。《廣韻》不收此等切音，可見裴本與之不同，此甚可能與當時當地某類方音有關。

茲舉兩字例略說如下：

例一：「說」

案：此字音見於上述特殊三音字之其中一項。《廣韻》本字收有三音，分別為舒芮切、弋雪切、火爇切。「說」字之第一項切音舒芮切（ɕĭuæi），《廣韻》本字之釋義為「誘」，《玉篇》釋作「談說也」。《增韻》：「說誘。謂以語言論人，使從己也。」《孟子・盡心下》有「說大人，則藐之」。案：此項讀音即今之「說服」、「游說」。第二項切音弋雪切（o̯ĭuæt），《廣韻》本字之釋義為「姓，傅說之後」。《玉篇》釋作「懌」。《類篇》：「喜也，樂也」。《易經・益卦》：「民說無疆。」《詩經・召南・蟲草》：「我心則說。」即今之「悅」，古書多通借，此為訓讀又音。第三項切音火爇切（ɕĭuæt），《廣韻》本字之釋義為「告」，《玉篇》釋作「言」。《易經・咸卦》：「滕口說也。」《易經・繫辭》：「故知死生之說。」《詩經・衞風，氓》：「士之耽兮，猶可說也。女之耽兮，不可說也。」此即今人謂「說話」、「解說」之讀音。其實，「說」又可借為「脫」，如《易經・蒙卦》：「用說桎梏。」《禮記・檀弓》：「使子貢說驂而賻之。」若連同借字計算，此可算是第四種讀音。

然而，裴本「說」字另有兩音，一為蘇拙反，另一為前傚反。此二音不知何所本，《康熙字典》「說」字下亦無此二音。裴本所收錄之又音，大概與方音有關。《廣韻》「說」字之三音均與字義解釋有關，充份反映出其與訓讀、假借、引申發展之語言現象。

例二：「數」

　　案：此為非特殊三音字。《廣韻》收有三音，分別為所矩切、色句切、所角切。（此外，古書中「數」又可借為「速」，《廣韻》「數」字另收一音，為桑谷切，見屋韻下，讀與「速」同。此為第四項切音，因為屬於借字，與前者「說」字情況相近。基於借字又音不是本文討論重點，不再贅說。）「數」字之第一項切音所矩切（s jou），《廣韻》引《說文》「計也」。《易經・說卦》：「數往者順。」《詩經・小雅・巧言》：「心焉數之。」《左傳・昭公二年》：「使吏數之。」此為動詞，與今謂「數算」、「不能盡數」，音義相同。第二項切音色句切（s jou），《廣韻》作「筭數」解，並引《周禮》作證。《羣經音辨》釋為：「計之有多少曰數。」《類篇》釋作「枚也」。《易經・節》卦：「君子以制數度，議德行。」《尚書・大禹謨》：「天之曆數在汝躬。」〈疏〉云：「天之曆，運之數。」此即今所謂「數目」之讀音，作名詞用，有聲轉別義作用。第三項切音所角切（s ok），《廣韻》釋作「頻數」，此音今較少用，今天中醫術語中仍保留「尿頻數」、「脈數急」等說法。誠然，古書經義仍有此讀音，如《禮記・祭儀》：「祭不欲數，數則煩。」《爾雅・釋詁》：「數，疾也。」〈疏〉云：「急疾也。」《史記・屈原賈生列傳》：「淹數之度兮，語余其期。」〈三家注〉引徐廣：「數，速也。」《論語・里仁》：「事君數，斯辱矣。」〈注〉云：「數，謂速數之數也。」綜合以上三音之書證，可佐證古代確有依隨字義訓讀而以音變辨析之語言現象。

　　據七類《切韻》系書材料研究所知，裴本所收之又音多不見於《廣韻》，其收音原則或與《切韻》之音系不盡相同。因此《廣韻》編撰之時，就將裴本之又音剔除。同一理念，《廣韻》亦不收錄見於其他《切韻》系書所收之又音，而此類又音必與方音，或是某一學派之讀書音相關，即是說《廣韻》編撰者認為與不合於《切韻》音系而剔除不錄。本文提出之特殊三音字研究，不少並非來自單一之《切韻》音系材料，其見於某兩本或三本之中反而比較普遍，而且多數不是常用字。《廣韻》此類又音現象，可綜合說明如下：

　　《切韻》至《廣韻》成書期間經歷了四百多年時間，兩書縱然是同一音系，但於社會、政治、經濟、文化等不斷蛻變及發展之中，語音有所差異是自然而又必然的現象。正如本文對特殊三音字所考，不少字音於聲母有所變化，如脣音之幫滂、非敷；舌音之知澄、端定；齒音之邪禪。又如韻母之等呼差異，韻攝之鄰旁通借等，皆可追溯其變化軌跡。

　　《廣韻》是由官方修訂之書，陳彭年、邱雍等人受詔重訂，人力眾多，兼且廣納天下《切韻》各類材料而編撰，其間博取《說文》、《玉篇》、《釋名》、《經典釋文》、《十三經注疏》等專書，相互考證，增刪訂改，並不如《切韻》編撰那樣，由陸法言等九位音

韻專家集中於語音討論。於人力物力，編修理念，各方各面，兩書皆有差異。《廣韻》
是近乎一部形音義之綜合工具書，與《切韻》之重視音韻，「因論南北是非，古今通
塞」之情況，在編撰精神上明顯有異。《廣韻》是承接《切韻》音系編撰，於韻部音系
加以析釐開合，於文字大幅增收數量，於字義詳加訓解補註。然而，在審音方面，其嚴
謹性與《切韻》之情況及要求都不同。無可否認，兩書於音系及編撰體例上之承傳脈絡
則是非常鮮明。茲略舉五例，以見《廣韻》承傳自《切韻》系書之蹤跡：

一、「莽」

　　《廣韻》此字三音之一為莫朗切，斯二○七一、全王本、裴本均為莫古反。《廣
　　韻》於莫朗切，本字下註「又莫古反」。

二、「笪」

　　《廣韻》此字三音之一為多旱切，全王本此切音下互註「都達反」。《廣韻》作當
　　割切，於多旱切本字下註「又都達切」。

三、「妊」

　　《廣韻》此字三音之一為陟駕切，蔣本作陟嫁反。《廣韻》於丑下切，本字下註
　　「又陟嫁切」，與蔣本同。

四、「詬」

　　《廣韻》此字三音之一為呼漏切，此音伯三六九四、全王本、裴本、蔣本，均作
　　呼候反。《廣韻》於古厚切，本字下註「又呼候切」，與上諸本同。

五、「懘」

　　《廣韻》此字三音之一為特計切，全王本下有互註作恥厲反。此音《廣韻》切語
　　於丑例切，而於特計切下註「又恥厲切」，與全王本同。

此外，另有一類是見於《廣韻》三音中本字註文又切，此音與《切韻》系書並不相關，
而此等切音又不見於《廣韻》之小韻。這種現象反映出《廣韻》在收錄各類切音期間，
擷取材料繁雜而眾多，甚有可能來自某類於今仍未發現之本子，事實上有若干切音來自
經書註文之又切。總之，《廣韻》之編撰是博取所有，兼收並蓄，而沒有像《切韻》那樣
注重對字音之嚴謹審訂。據了解，《廣韻》收錄之三音字中有未見於《切韻》系諸書，
其中有不少為非常用字，茲略舉五條表解於下：

三音字	《廣韻》切音	本字下註音	《切韻》系諸書
灅	於靳切	於覲切	不收此項註音
灘	奴案切	他丹切	同上
疼	託何切	叨丹切	同上
芇	母官切	武仙切	同上
萹	布玄切	北泫切	同上

綜觀而論,《廣韻》全書包容了不少於今所見之《切韻》系書材料,當中以蔣斧《唐韻》之切語與《廣韻》最吻合。按本文對三音字之研究所得,兩書相一致而又不與其他《切韻》系書相同者有八十多條。於此可證《廣韻》的修訂編撰,蔣氏《唐韻》應是當時最重要,甚至是必要的參考本子。從對三音字之考究可知,自陸法言《切韻》傳寫本至蔣斧《唐韻》,無論是收字數量、訓釋內容,乃至其又音、又切,切語用字,其發展都是從略而詳,由少至繁,及至後來《廣韻》由官方一統而成書,其字數已超過陸氏《切韻》兩倍。然而,要研究漢語中古音系,甚至上古音系,不論是語音、訓詁,乃至文字方面,單靠現存《廣韻》並不賅備,必要同時參用《切韻》系諸書材料。若要討論古今音之源流發展,乃至一字多音之流變,具系列的《切韻》音系文獻更是不容忽視。上述七類研究資料,縱然是零散不全,但確實對有關研究具有決定性及關鍵性之意義。

北宋閩詩僧釋守卓生平考述

葉德平

香港中文大學專業進修學院

　　釋守卓（1065-1124）為北宋福建路泉南（今福建泉州）人，師承黃龍宗靈源惟清禪師，為南嶽下十五世[1]禪師。因為「初移太平長靈室」故「衲子因以長靈稱之」[2]，又號「長靈守卓」。清乾隆時修撰的《泉州府志》記載道：

> 守卓禪師，泉州人，開堂東京。宣和五年臘七，示寂闍維日。皇帝遣中使，賜香持金盤求舍利，熱香金盤中，鏗然視之，舍利五色者數顆，其大如豆。使者持報。上見之，大悅。[3]

上述資料說明了守卓祖籍福建，即北宋時期的福建路；他開堂說法的地方卻不是家鄉福建，而是當時的東京，即現時的河南省開封市。還有，當時北宋的皇帝，宋徽宗，也十分重視守卓，在其示寂之日，特別派遣使者「賜香持金盤」，求取他的舍利子。由此可見，從宗教地位而言，守卓縱然不是最著名的僧侶，但最少也是當時皇帝十分重視的一員；從文學層面而言，據《全宋詩》記錄，守卓創作了詩歌一百四十一首，在數量上遠超同期的閩籍禪師。而詩歌題材更遍及生活的各個層面，有說法開示，有頌贊偈頌；有富含禪趣禪境的，也有與時人交往唱和的作品。無論量與質，他的作品也較勝同期諸僧，堪稱禪家的詩人。

一　現存文獻資料審視

　　儘管守卓的宗教及文學地位不低，但有關他的研究卻十分稀少。而在闡述守卓的生平以前，首要任務就是先審視、梳理相關的文獻資料。

　　據《大正藏》統計，記載或旁及守卓事蹟的佛典，共有十三部，包括：《教外別

1　《全宋詩》誤記其為南嶽下十四世。詳見傅璇琮等主編，北京大學古文獻研究所編：《全宋詩》北京：北京大學出版社，1991年，冊22，頁14519。

2　《東京天寧萬壽禪寺長靈卓和尚語錄・行狀》，載於〔宋〕介諶編：《長靈和尚語錄語錄》，《大正藏》冊69，經1347，頁257-272。

3　〔清〕懷蔭布修，黃任、郭賡武纂：《乾隆泉州府志》上海：上海書店出版社，2000年，第3冊，頁430。

傳》、《續傳燈錄》、《禪林寶訓筆說》、《聯燈會要》、《嘉泰普燈錄》、《五燈會元》、《聖箭堂述古》、《指月錄》、《五燈全書》、《禪林寶訓順硃》、《宗統編年》、《五燈嚴統目錄》、《東京天甯萬壽禪寺長靈卓和尚語錄》。至於佛典以外的文獻，則以當代的《全宋詩》卷一二八四及一二八五〈釋守卓一〉、〈二〉記述最詳。

　　上面十三部佛典中，只有《五燈會元》、《嘉泰普燈錄》及《東京天甯萬壽禪寺長靈卓和尚語錄》記錄最詳，其餘都只是簡要地記述了守卓的生平及其部分詩歌創作。而《全宋詩》的資料，正正是參考了《五燈會元》卷十八〈長靈守卓傳〉、《嘉泰普燈錄》卷十三〈東京天寧長靈守卓〉及《東京天甯萬壽禪寺長靈卓和尚語錄》卷末的〈行狀〉三篇而成。其優點在於綜合了三書的要點，然而卻因其只是附於詩前的「詩人小傳」，故相對較為簡略[4]；另，亦有些錯漏。毫無疑問，這三篇文本記載的資料最全，故此本文的資料依舊以此三篇文獻為本。而此三篇之中，尤以守卓的嗣法弟子介諶所撰之《東京天甯萬壽禪寺長靈卓和尚語錄·行狀》資料最為可靠。針對這個情況，本文將以《東京天甯萬壽禪寺長靈卓和尚語錄·行狀》為主要參考對象，並輔以《五燈會元》、《嘉泰普燈錄》撰寫。

　　首先，先討論一下有關《東京天甯萬壽禪寺長靈卓和尚語錄》的成書年份問題。《東京天甯萬壽禪寺長靈卓和尚語錄·行狀》上記載了介諶書曰：「紹興十四年，正月十五日，門人介諶謹狀」[5]；「紹興十四年」即西元一一五四年。《嘉泰普燈錄》及《五燈會元》的成書時間，大約在西元一二〇四年或以後，而守卓弟子介諶撰寫的〈行狀〉則成於西元一一五四年。換句話說，介諶的〈行狀〉比《嘉泰普燈錄》及《五燈會元》最少早了五十年。三書內容相近，顯然有因襲的關係，而三書之中又以介諶的〈行狀〉成書最早；按成書時間推斷，《嘉泰普燈錄》及《五燈會元》極大可能是根據《東京天甯萬壽禪寺長靈卓和尚語錄·行狀》而寫成。

　　其次，有關《東京天甯萬壽禪寺長靈卓和尚語錄·行狀》的可信程度問題。要討論這個問題，就先要理解「行狀」這一種文體的特性。「行狀」的功能是記錄亡者的德行狀貌、生平事蹟。梁劉勰《文心雕龍·書記》說：「狀者，貌也。體貌本原，取其事

4　《全宋詩》所載釋守卓小傳，僅有二百六十六字，十分簡約。全文詳見傅璇琮等主編，北京大學古
　　文獻研究所編：《全宋詩》北京：北京大學出版社，冊22，頁14519：「釋守卓（1065-1124），俗姓
　　莊，泉南（今福建泉州）人。弱冠遊京師，肄業天清寺，試大經得度。遊學至三衢，見南禪清雅禪
　　師。舍去，抵姑蘇定慧寺，從遵式禪師，通《華嚴》。時靈源清禪師住龍舒太平寺，道鳴四方，遂
　　前往依從。清禪師遷住黃龍寺，守卓隨侍十載。既而又至太平寺，佛鑑勤禪師請居第一座。後主舒
　　州甘露寺，又遷廬州能仁資福寺，終住東京天寧萬壽寺。稱長靈守卓禪師，為南嶽下十四世，黃龍
　　清禪師法嗣。徽宗宣和五年十二月二十七日卒，年五十九。有《長靈守卓禪師語錄》（收入《續藏
　　經》）。事見《語錄》所附介諶〈行狀〉，《嘉泰普燈錄》卷一〇、《五燈會元》卷一八有傳。」
5　同註2。

實，先賢表諡，並有行狀，狀之大者也。」[6]；清姚鼐《古文辭類纂·序》據此進一步
闡釋道：「（傳狀類者）雖原於史氏，而義不同。劉先生（劉大櫆）云：『古之為達官名
人傳者，史官職之。文人作傳，凡為圬者、種樹之流而已。其人既稍顯，即不當為之
傳，為之行狀。』」[7]。一般來說，在古代當一些有名望的人死後，他的家人、朋友就會
請了解死者的人撰寫行狀。今人褚斌傑綜合前人說法，繼而指出：「（行狀）往往有兩個
特點，一是它敘述人物的生平事蹟，比較詳盡，篇幅較長；二是傳記文可以有褒有貶，
而行狀文則有褒無貶」[8]。從文體的角度而言，守卓弟子介諶撰寫的《東京天甯萬壽禪
寺長靈卓和尚語錄·行狀》屬「行狀」一體，此點並無可爭議之處。而正正因為它是
「行狀」，專記傳主的生平事蹟，且比較詳盡，故值得信賴。唯一可議之處，就是其所
輯之資料或是「有褒無貶」，但也無損其已載之資料的可靠性。更重要的是，這篇〈行
狀〉是守卓的嗣法弟介諶親自撰寫，故其可信度理應較其他資料為高。因此，本文將以
此為底本，輔以《五燈會元》及《嘉泰普燈錄》撰述。

二　釋守卓生平考述

　　據〈行狀〉所載，釋守卓「生莊氏，泉南人也」[9]；他本來姓莊，籍屬今日泉州南
部。「泉南」屬於福建路，是北宋「一府五州二軍」之一。北宋期間，泉南佛教香火甚
為鼎盛，素有「泉南佛國」之譽[10]，朱熹甚至題聯曰：「此地古稱佛國，滿街都是聖
人」[11]。守卓就是在這樣的佛教氛圍下長大。

　　二十歲弱冠之年時，守卓遊歷京師，於今日的河南省天清寺[12]肄業，並「試大經得
度」[13]，正式成為了佛教僧侶。這裡的「試大經」是指皇帝詔令天下，試童行經義，能

6　〔梁〕劉勰著，范文瀾註：《文心雕龍註》北京：人民文學出版社，1962年，頁459-460。

7　〔清〕姚鼐選纂，宋晶如、章榮注釋：《古文辭類纂》北京：中國書店，1986年，頁14。

8　褚斌傑：《中國古代文體概論》北京：北京大學出版社，1984年，頁415。

9　同註2。

10　唐無等禪師曾居於泉南元等岩前，並題刻「泉南佛國」四字於岩額。詳見黃威廉編注：《九日山摩
　　額石刻詮釋》，頁29。

11　張真好編：《泉南佛國三大叢林攬勝》泉州：泉州市新聞出版局，2002年，頁83。

12　據《佛學大辭典》：「位於河南開封。五代周太祖建，初名國相寺，又稱白雲寺。寺有塔，六面九
　　級，宏偉莊嚴，通稱繁塔，故俗稱繁塔寺。明末毀於水患，僅存一殿一塔，塔復折斷，僅餘三級。
　　清乾隆中（1736-1795），重修之，前臨惠濟河，後依古吹臺，碧水綠楊，景物佳美。民國十七年
　　（1928），馮玉祥毀像驅僧，改為農林實驗場。」。詳見丁福保：《佛學大辭典》臺北：華嚴蓮社，
　　1956年。

13　同註2。

夠做到「挑通無滯」的人，方為「得度」。此制始於唐代中宗神龍二年[14]，宋代遵行此舉。[15]守卓能「試大經得度」，說明了他對佛教經義之稔熟。其後，守卓遊學至三衢，即今天浙江衢縣，跟從南禪清雅學習。在得到雅禪的「印可」[16]後，守卓便離開了三衢，抵達姑蘇定慧寺，師從遵式禪師。在定慧寺期間，守卓努力鑽研《華嚴經》。據〈行狀〉記載，守卓「遂臻其奧」，通悟了《華嚴經》之奧妙處，連遵式亦「敬異之」。《華嚴經》的內容主要是發揮大乘瑜伽思想，中心內容是從「法性本淨」的觀點出發，對大乘佛教理論的發展有很大的影響。故此，守卓「臻《華嚴經》的堂奧」一事，一方面說明了《華嚴經》經義之熟悉；另一方面，亦可以看出他對文字的不抗拒，這也是臨濟宗黃龍一脈「不離文字」的特色。

師從南禪清雅、遵式學習後，守卓得悉黃龍宗二傳弟子靈源惟清（1040-1117）於龍舒太平寺（位於今溫州）弘法，「道鳴四方」[17]，於是守卓便前往依從。《嘉泰普燈錄》及《東京天甯萬壽禪寺長靈卓和尚語錄・行狀》分別紀錄了一個守卓求法的小故事：守卓特地前往太平寺向惟清求法，適值夜參，所聞之法皆中其疑惑未解之處，守卓因此「猛省曰：『此（惟清）真吾師也』」[18]；於是，守卓便「投誠入室」，向惟清求救佛理。惟清為了啟發其心，特意考究其義理、機智，而守卓皆能一一應對。正常而言，守卓通曉義理，應該受到嘉許，但是此恰恰落了禪宗之下乘。黃龍宗雖然不離文字，但是反對學者沈溺於接入之文字，迷頭認影，囿於其中，不能超脫。故此，惟清告誡守卓必須要戒守緘默，不應自炫；守卓也從此領悟「不渝節，不苟狎」之行[19]，由巧返拙，從智而愚。一些對他認知不深的人，卻因而誤以為他是一個倔強的人。這個小故事主要帶出兩個重點：一是黃龍宗的多精深義學，此從清、卓二師以言語應付一事可見；二是黃龍宗對文字的若即若離的處理態度。雖然黃龍宗不主張拘泥於文字，但其宗師卻是深諳經義。此兩點也正是黃龍宗屹立於宋禪派而不倒的原因。

其後，守卓傳法師傅惟清禪師遷往黃龍寺（位於今江西省修水縣黃龍山），守卓隨侍十載。後來，他決定離去，惟清在送行之時，贈守卓以偈曰：「居無二志，動必全

14　《禪林象器箋・試經得度》：「《佛法金湯編》云：『唐中宗神龍二年八月，詔天下，試童行經義，挑通無滯者度之。』試經度僧始此」。詳見〔日〕無著道忠編著，河北禪學研究所編輯：《禪林象器箋》北京：中華全國圖書館文獻縮微複製中心，1996年，頁311。

15　《佛祖統紀》：「仁宗詔試天下童行誦法華經，中選者得度。參政宋綬夏竦監試」。詳見〔宋〕志磐：《佛祖統紀》，《大正藏》冊49，經號2035，頁452。

16　據范文瀾、蔡美彪等著《中國通史》第三編第七章第二節：「如果弟子思索得一個公案的答案，說給師聽，得師同意（稱為印可），那就表示得道了……這些人從口裡取得成佛的印可」。詳見范文瀾、蔡美彪等著：《中國通史》臺北：長橋出版社，1979年，第3編。

17　同註2。

18　同註2。

19　同註2。

心，遂越化城，以登寶所。而捲舌冥懷，不事談耀，故其所到，人或罕知。予獨觀其無今時學輩，短販近圖之患，謂可以步修途而加鞭，絕纖意於百年也」[20]。惟清這一句偈語別具深意，且蘊含禪理。所謂「全心」、「化城」、「寶所」皆有其特別意思；而「無二志」、「全心」都是指要求全心全意，不作他想。《黃龍宗譜・寶訓・記聞》記載了黃龍宗開山祖黃龍慧南的法語曰：「夫聖賢之學，非造次可成，須在積累。積累之要，惟專與勤。屏絕嗜好，行之勿倦，然後擴而充之，可盡天下之妙」；黃龍宗素來認為「專」與「勤」是求道之必要條件，故惟清便以之訓戒守卓。「化城」、「寶所」，都是《法華經》常用的詞彙；前者是「法華七喻」[21]之一，它的表層意思是「一時化作之城郭也」，而《法華經》則以之譬喻為「小乘之涅盤也」[22]；後者的意思是「以一切眾生成佛之所為寶所」。按《法華經》的說法，通往「寶所」（即成佛）之路，途遠路險，恐怕行人（即求佛的眾生）疲倦退卻，在途中「化城」（即以小乘涅盤之道說之），使他們稍事休息，好由此「使發心進趣真實之寶所」。[23]話說回來，惟清開首第一事，就是勉勵守卓要全心全意，向著大乘涅盤之道進發。惟清接著指出時人之弊——「短販近圖之患」，意即常人甫學會一點禪理，就急不及待地要展現給人家看。針對這項弊端，惟清勸戒守卓要「捲舌冥懷，不事談耀」；「捲舌」即是舌在口裡向上捲翹，以表忿怒之相[24]，「冥懷」就是把想法收藏在心底；兩個意思加起來，就是叫守卓要少點放空言，多做點實事。事實上，這個舉措導致了天下人都誤解守卓，不過，卻大大有利於他的修行。

惟清一句看似平常無奇的叮嚀，實際卻包涵了黃龍宗的修行態度——黃龍宗對文字的態度既是不離不棄，又是即離即棄。他既藉文字以悟宗，又如其他宗派一樣，反對沉溺於文字義法之中。另外，黃龍宗向來重視韜光養晦的生活態度，主張退隱山林，不為世俗雜務所擾故其所到，故「人或罕知」自然不是問題，甚至可以說是他們素來的追

20　同註2。

21　「法華七喻」為「火宅喻」、「窮子喻」、「藥草喻」、「化城喻」、「衣珠喻」、「髻珠喻」、「醫子喻」。

22　《佛學大辭典》「化城」條。詳見丁福保：《佛學大辭典》臺北：華嚴蓮社，1956年。

23　《佛學大辭典》：「法華經第三之終說化城之喻之品名也。化城者，一時化作之城郭也。其喻意以一切眾生成佛之所為寶所，到此寶所，道途悠遠險惡，故恐行人疲倦退卻，於途中變作一城郭，使之止息，於此處養精力，遂到寶所，佛欲使一切眾生到大乘之至極佛果，然以眾生怯弱之力，不能堪之，故先說小乘涅盤，使一旦得此涅盤，姑為止息，由此更使發心進趣真實之寶所也。然則小乘之涅盤，為一時止息而說，是佛之方便也。文曰：『譬如五百由旬，險難惡道，曠絕無人，怖畏之處。若有多眾，欲過此道至珍寶處。有一導師，聰慧明達，善知險道通塞之相。將導眾人，欲過此難。所將人眾，中路懈退。白導師言：我等疲極，而復怖畏，不能復進。前路猶遠，今欲退還。導師多諸方便，（中略）於險道中，過三百由旬，化作一城。（中略）是時疲極之眾，心大歡喜，歎未曾有。（中略）爾時導師，知此人眾既得止息無疲倦，即滅化城，語眾人言：汝等去來。寶處在近，向者大城，我所化作，為止息耳。』詳見丁福保：《佛學大辭典》臺北：華嚴蓮社，1956年。

24　《藏傳佛教辭典》「捲舌」條。詳見丁福保：《佛學大辭典》臺北：華嚴蓮社，1956年。

求。古謂「君子贈人以言，庶人贈人以財」[25]；今天，惟清臨別贈言，一方面表現了他對守卓的理解，另一方面說明了靈源惟清對的寄望。

與師傅分別以後，守卓又回到太平寺，佛鑒懃禪師[26]請其居於第一座。守卓認為懃禪師的說法是知己之言，故此他也「不固辭」，欣然接受了。這個舉動，一開始時，讓太平寺僧眾既疑且駭，可是當他們聆聽過他的說法後，都一一給折服了，諸人「罔不欽服」。

之後，守卓應舒州太守孫傑之請，入主甘露寺（今安徽省青陽縣）。當時，甘露寺儼如「荒村破院」[27]，佛鑒懃及一眾僧尼都勸他不要前往，可是，守卓卻回應曰：「政不以此為慮，顧在我者如何耳」，堅持前往。據〈行狀〉記載，「舒民素號難化」；可是，在守卓的開化下，舒民「亦翕然信向，樂於不斁」，人人都樂於向道。這一座「荒村破院」般的甘露寺，在守卓的努力下，竟搖身一變，成為了一座「寶坊」。後來，有人訝異地問守卓，舒城之民以「難化」見稱，到底用了什麼去改變？守卓回應道：「吾豈暇家至戶到而化之耶。然吾佛祖兒孫，但不乏吾事，莫知其所以然而然也」，把功勞與榮譽全歸於佛祖。守卓不畏艱難，堅持入主甘露寺；事成後，又不自抬身價，以之邀功，確實與時下「短販近圖」之輩迴異。因此，其授業恩師惟清也讚賞道：「吾之責可付，而積翠[28]之風，可追矣」，意即認為守卓可傳其衣鉢，更能振興黃龍宗。〈行狀〉收錄了惟清當時的一首偈語：

> 即此用離此用，一鏃離弦墮喝中。紅心心裡中紅心，發我江西大機用。付爾宜將振祖風，荷擔勿憚千鈞重。鍛聖鎔凡善放收，會應不與諸方共。

又曰：

> 世稱承紹者，多名存而實亡。予於此時，法爾不能忘，有望於汝，汝亦能不法爾所慮哉。

並勉勵他曰：

> 執善應之樞，處會通之要，理須遵古，事貴適時。委靡結佗緣，孤標全己任，是

---

25 《荀子・大略篇第二十七》。詳見王先謙撰，沈嘯寰、王星賢點校：《荀子集解》北京：中華書局，1988年。

26 舒州（治所在今安徽懷甯）太平慧懃佛鑒，五祖法演之法嗣，俗姓汪，本郡人。慧懃少時從廣教圓深出家，試經得度。

27 同註2。

28 「積翠」即翠色重迭，是形容草木之繁茂。《文選》張銑注顏延之〈應詔觀北湖田收詩〉（「攢素既森藹，積翠亦蔥芊。」）曰：「松柏重布，故云積翠。」。杜甫〈玉臺觀〉、范成大〈謁南嶽〉、金農〈宿焦山〉，皆有此語。

必自勉，不待吾言也。

惟清認為當時所謂嗣法者、得衣缽者多名不副實，故囑咐守卓必須遵黃龍宗訓，適時行事，期望他能夠「發大機用」、「振祖風」，振興黃龍一脈。

後來，守卓又遷往廬州能仁資福寺，最後擔任東京天甯萬壽寺住持。這兩座寺廟在守卓入主前，跟舒州甘露寺一樣，都是「法席久廢處」，可是經過守卓的一番苦心孤詣後，都在不久之後「向合如甘露」。

守卓嗣法弟子介諶形容守卓「面目嚴冷」，外號「卓鐵面」。此稱號正好說明了守卓一直躬行實踐惟清臨別的贈言——「捲舌冥懷」。介諶又記述守卓起居生活十分儉樸：「平生刻苦，用度儉約。凡所住處，齋粥僅粒」[29]。守卓對其師惟清十分尊敬，除了躬身履行師父教晦外，更常常引用師父之言勸導弟子。他曾告訴弟子，要學習惟清之言：「當易眾人之所難，緩時流之所急」。事實上，守卓不光是口頭上說說，而且更是身體力行，努力為眾人表率。理所當然地，由於守卓生活起居，樸素輕簡，能急人之所急，甘露寺、資福寺及天甯寺都在他手上由廢轉興。

人終不免一死。宣和五年十二月二十七日（1124年），守卓辭卻眾人，獨然安坐而化，享年五十九歲。按《嘉泰普燈錄》卷十〈東京天寧長靈守卓〉記載：「宣和五年十二月二十七，奄然示寂……皇帝遣中使賜香，持金盤求設利、爇香，罷盤中鏗然。視之五色者數顆大如豆，使者馳還。上見大悅，而京城傳為盛事」。當時北宋的皇帝，即宋徽宗，十分重視守卓。宋徽宗特在其示寂之日，差遣了使者「賜香持金盤」，求取他的舍利子。

三　結語

「皇帝遣中使賜香」求舍利子之舉，說明了守卓縱然不是最著名的僧侶，但最少也是當時皇帝十分重視的一員；而皇帝的重視，更是印證了守卓之名滿天下。他一生勤於創作，有詩歌一百四十一首，是北宋閩籍詩僧中最能為詩者。一如既往，守卓大部分詩作都是用於接引學人。他以詩破除學人的執念，務使學人免於文字之窠臼。這些詩歌，雖然多以禪門公案為題材，以詠讚前人或解讀公案為主，但卻富有義蘊，別具聲韻之美。孟子曰：「頌其詩，讀其書，不知其人，可乎？」；我們欣賞守卓詩歌之餘，也必須同時了解守卓的生平。

---

29 同註2。

從佛教「無我」看宋儒「去人欲、存天理」

楊永漢

香港樹仁大學

一　緒論

《老子・十三章》說：「何謂貴大患若身？吾所以有大患者，為吾有身，及吾無身，吾有何患？」老子這樣說，很明顯就是自己的一切合理行為，將會受到身體的覺受，或意識欲望所限制。往往「合理」與「道德」敵不過欲望，而作出違背「天理」的行為。故老子得出的結論是「沒有了身體，就沒有什麼好可怕！」

所謂「人」，基本上具有兩種理解：一是與禽獸無異的原始欲望，行為乃隨著身體的欲望而出發；二是與禽獸有異的特性，即即孔子所說「仁」及孟子所說的「義」，其行為本諸愛人而出發，即所謂仁者愛人。修仁是要發揮與生俱來的與禽獸有異的人性，生活中的一切活動乃可全依仁而出發。

孔子、孟子從來沒有否定此種生理需求的人，孔子說「飲食男女，人之大欲存焉。」孔子明確指出飲飲食食，即身體五官的享用，及男男女女，即男女之間的愛慕，其終極的要求是繁殖，此亦是身體覺受中最令人有快感的活動。此兩種欲望是人類最大的欲望，無可否認，此兩種欲望是源於人類原始動物性，與禽獸共通。即一切生物，包括人類，基本欲望是維持生命（飲食）及繁衍下一代（男女）。

馬斯勞在一九四三年發表的《人類動機的理論》（*A Theory of Human Motivation Psychological Review*），提出了「需要層次論」[1]：

（一）人要生存，他的需要能夠影響他的行為。只有未滿足的需要能夠影響行為，滿足了的需要不能充當激勵工具。

（二）人的需要按重要性和層次性排成一定的次序，從基本的（如食物和住房）到複雜的（如自我實現）。

（三）當人的某一級的需要得到最低限度滿足後，才會追求高一級的需要，
　　此逐級上升，成為推動繼續努力的內在動力。

---

[1]　網址：wiki.mbalib.com/zh-tw/（瀏覽日期：2014年3月24日）。

馬思勞的的三角金字塔指出人類必須滿足生理需要及安全需要，才有動力提升自己的境界。根據此理論，即人類若不能滿足生理需要，即無法「自我實現」。當然，馬斯勞的學說未必如此穩妥，因為他疏忽了如佛祖、孔子、耶穌、莊子等聖人，為尋求真理而摒棄一切欲望的人。他們亦不必要滿足後才提升自己的境界。但此學說卻足以說明一般人會在生理需要中打轉，得到滿足後，才逐步提升。

人類無法摒除的就是基本的欲望，但欲望的存在，卻令道者不能進入更高的精神境界。本文希望透過佛家的「無我」觀，看看如何成就宋儒提出「去人欲，存天理」的理論。宋代理學有濂、洛、關、閩四派，閩派代表人朱熹集北宋諸賢的大成，本文只取洛派及閩派有關「去人欲，存天理」作出討論。

二　論「無我」

先說「我」，佛家認為「我」是由物質及精神所組合而成，即由五蘊結合所形成。五蘊見於《心經》：

> 觀自在菩薩，行深般若波羅密多時，照見五蘊皆空，度一切苦厄。舍利子，色不異空，空不異色；色即是空，空即是色，受想行識，亦復如是。[2]

又見《雜阿含經》卷二·五五經：

> 所有諸色，若過去，若未來；若內，若外；若粗，若細；若好，若醜；若遠，若近：彼一切總說色陰。[3]

陰即蘊，是有情眾生的五聚。色蘊即物質，身體是由地（骨、肉）、水（血液、唾涎、分泌物等）、火（體溫）、風（呼吸）所組成，亦有一說是佔有空間，即「空」。受蘊是感覺，感覺苦和樂。想蘊是取象能力，可以說是記憶物象的能力。行蘊是指受、想、識三蘊外的一切精神活動，如用手去捉、用腳去行，及一切活動的次序與後果考量。識蘊是是認識作用的主體，包括眼、耳、鼻、舌、身、意六識。除色蘊屬物質外，其餘四蘊均是精神層面。

「無我」（梵文：Anātman／Nirātman），是佛教思想之一，亦是修行的一種境界。無我是否定客觀物質的主體性，否定自我思維的真實性。分「人無我」及「法無我」。所謂「人無我」，是說人身不外是由五蘊組成，即色（形質）、受（感覺）、想（觀念）、行（行動）、識（意識）五種元素。五蘊合則成，散則滅，沒有常恆自在的主體性。即

2　《佛教十三經·般若波羅蜜多心經》北京：國際文化出版社，1993年，頁185。

3　轉引自印順：《佛學概論》新竹：正聞出版社，1998年，頁58。

這個肉身無非是因緣和合而成，其呈現亦是因緣而已。

「法無我」是認為色、受、想、行、識等五類都是由因緣和合而生，因時因地因緣而生，也無常恆堅實的自體。即一切客觀存在物，及一切規律法則、原理等等人類確認為是實在的東西，亦不過是因緣而生。故此，「我」存在萬法當中，其實不著一法。為何人類會糾纏於五蘊中？就是因為「四識住」，所謂「四識住」就是有情的情識，在色上留戀，貪戀著在情緒、認知、意志等的覺受與記憶，故執我執我所，流轉生死洪流而不自覺。《雜阿含經卷三・六四經》言「識不住東方、南北西方，四維上下，除欲、見法、涅槃」，意思是說能不住物質、不住精神，即可見法、涅槃。

無論是「人無我」或「法無我」，都提到因緣（梵語：hetupratyaya）及五蘊。先是解釋因緣，丁福保《佛學大辭典》有如下解釋：

> 一物之生，親與強力者為因，疏添弱力者為緣。例如種子為因，雨露農夫等為緣。此因緣和合而生米。大乘入楞伽經二曰：「一切法因緣生。」楞嚴經二曰：「彼外道等，常說自然，我說因緣。」長水之楞嚴經疏一之上曰：「佛教因緣為宗，以佛聖教自淺至深，說一切法，不出因緣二字。」維摩經佛國品註：「什曰：力強為因，力弱為緣。肇曰：前後相生因也，現相助成緣也。諸法要因緣相假，然後成立。」止觀五下曰：「招果為因，緣名緣由。」輔行一之三曰：「親生為因，疏助為緣。」【又】梵語尼陀那之譯意。十二部經之一。又云緣起。【又】四緣之一。因即緣之意。此非因與緣各別而論，親因即名為緣。俱舍論七，謂：「因緣者，五因之性。」六因中，除能作因，餘五因雖總為因緣，而唯識論七唯名同類因為因緣。六因四緣及十二因緣。

龍樹《中論》，提出四緣，即因緣、次第緣、緣緣、因上緣。因緣即引生自果的原因，因緣對所生果有決定性，故又稱「親因」或「真因」。[4]次第緣，又稱等無間緣，人們的前念是後念的原因，前念既滅，後念繼生，二念體用同等，二念無間，故前念為後念的等無間緣。[5]緣緣，又稱所緣緣，前「緣」字有攀緣的意思，即心識對境能起作用，「所緣緣」即「能緣心」，如無「所緣境」這條件，即無心識的「能緣」作用。[6]增上緣是指一種事物對於其他事物有助長其生長或阻礙之力。[7]而《雜阿含經》載佛言：

> 我憶宿命，未成正覺時，獨一靜處，專精禪思，作是念：何法有，故老死有？何法緣，故老死有？

4　弘學：《佛學概論》成都：四川出版社，2012年，頁342。

5　同上註，頁343。

6　同註5。

7　同註4，頁344。

　　佛是要理解什麼理由，會產生「老死」，故原始佛教提出「緣生法」及「緣起法」。「緣起法」即因緣法。因緣之解釋眾多，本文以「十二因緣」為討論重心。「因」有產生、動力、本身因素的意思，故佛家稱之「種子」。有「因」就有「果」，倘若因緣不成熟，果就不出現。「緣」[8]是客觀條件及附帶條件，包括環境、對象、人物、事情，受眾即時心態等等。「第一因」幾乎是所有哲學家、科學家最難理解的問題，佛將之歸納為「無明」，無明而產生「行」。當然，破除無明，即一切自然明明白白，亦不會流轉於生死洪流中。由「無明」始，而產生的各種感受與行為，稱「十二因緣」即「緣生法」。

　　《增一阿含經》說佛悟十二因緣（梵文：dvādaśāvgapratītya-samutpāda），因悲憫眾生而解說十二因緣。《阿含經》所說根本佛教之基本教義，即：無明（梵文：avidyā）、行（梵文：sajskāra）、識（梵文：vijñāna）、名色（梵文：nāma-rūpa）、六處（梵文：sad-āyatana）、觸（梵文：sparśa）、受（梵文：vedanā）、愛（梵文：trsnā）、取（梵文：upādāna）、有（梵文：bhava）、生（梵文：jāti）、老死（梵文：jarā-marana）。

十二因緣的內涵[9]：

　　（一）無明：一切法無我，眾生不知，（一）生一切煩惱。

　　（二）行：能造作，發動「身」、「口」、「意」業行。有了業行，就自然產生輪轉生死的業力。行亦可分為善、惡和無記三種性質。

　　（三）識：精神統一的總體，有明瞭、認識和分別的意思，是心對境象認知和執持的功能，有分別能力。

　　（四）名色：是指心識所緣的六境（色、聲、香、味、觸、法）。「名」即精神作用的法境，而「色」即色、聲、香、味、觸的物質境象。包括主觀的精神和客觀的物質。

　　（五）六入：即眼、耳、鼻、舌、身、意的六根。與六境合為十二處，乃心識憑

8　所謂「因緣」，有多種解釋，現引《瑜伽師地論》五十一卷所載，作參考：「云何因緣？謂諸色根、根依、及識，此二、略說能持一切諸法種子。隨逐色根，有諸色根種子、及餘色法種子、一切心心法等種子。若隨逐識；有一切識種子、及餘無色法種子、諸色根種子所餘色法種子。當知所餘色法自性，唯自種子之所隨逐。除大種色。由大種色、二種種子所隨逐故。謂大種種子、及造色種子。即此所立隨逐差別種子相續，隨其所應，望所生法，是名因緣。復次若諸色根、及自大種，非心心法種子所隨逐者；入滅盡定，入無想定，生無想天，後時不應識等更生。然必更生。是故當知心心所種子，隨逐色根。以此為緣，彼得更生。復次若諸識、非色種子所隨逐者；生無色界異生，從彼壽盡業盡沒已，還生下時，色無種子，應不更生。然必更生。是故當知諸色種子，隨逐於識。以此為緣，色法更生。又云：復次此所建立種子道理，當知且依未建立阿賴耶識聖教而說。若已建立阿賴耶識；當知略說諸法種子，一切皆依阿賴耶識。又彼諸法，若未永斷，若非所斷；隨其所應，所有種子隨逐應知。」

9　參考張培峰：《佛教常識》臺北：聯經出版公司，2012年，頁165-166及二〇一一年香港會考《佛學》科參考資料。

藉而生起之處，故又名「六入處」。

（六）觸：即根（六根）、境（六境）、識（六識）三者和合、接觸而生起的覺知。

（七）受：從接觸而生起的感受，對不喜歡產生「苦受」、而喜歡的產生「樂受」和不苦不樂的「捨受」。從識到受，是現在五果。

（八）愛：愛乃心對外境生樂受起染著不捨的依戀、貪愛和執著。

（九）取：從愛而生起的行為。愛之越切，執取越強，以致對所愛生起渴求而不辭勞倦的執持和索取。對五欲起追求心，曰貪取；產生我見或邊見等，曰見取。

（十）有：即存在、生存之意。有愛取，就會造業（身、口、意）；有了業，就引生未來的存在。「有」在此亦指「三有」，即三種存在的狀態——欲界、色界和無色界。

（十一）生：當業的因緣成熟，就會有新的生命出現，故名為生。生亦有活躍、演變、不斷成長和老化的含義，一切痛苦憂患隨生而來。

（十二）老死：有了「生」，就自然有老、病、死和憂悲苦惱隨著。「生」與「老死」是未來二果。

由五蘊所聚，順十二因緣而流轉輪迴大河，難以超拔。五蘊無非是指色與心的結合。即精神世界與物質世界的聚合，因而產生種種法。眾生誤認其中的「我」是不需要依賴眾緣而獨立自存的個體，可以隨業而流轉。眾生就執著，以為真有個「我」存在，故稱「人執」。而「無我」就是說世間沒有不需要依賴眾緣而能獨立存在，永恆不變的個體或實體。其實這個「我」，不能自主，隨業隨緣而轉。能做到認清「無我」，就能超脫輪迴。

「人無我」，又稱「補特伽羅無我」，是指眾生不斷起惑造業，流轉六趣之中，福報高則天人，低則畜生、地獄。當中無法自主，故稱「無我」。可是，眾生誤認有個「我」存在。

「法無我」，是指世間每一事物都有自身的規律，眾生能分辨萬物、是因為法本身具有其特徵所決定。一切法是因緣生，因緣滅，無實體，故「法無我」。「人」「法」皆空，我未空，則煩惱生；法未空，執淨境，起所知障。故佛教歸納總論，以「空」解釋無我、無法。

《佛光電子大辭典》解釋「二無我」：

即人無我與法無我。又稱人空、法空，或我法二空。（一）人無我，了知人身乃五蘊假和合，實無自主自在之我體。是為小乘之觀道，以斷煩惱障而得涅槃。

（二）法無我，了知諸法因緣所生，實無自性實體。乃大乘菩薩之觀道，以斷所知障而得菩薩。徹知此理之智慧，稱為二無我智。

如何從「無我」得到證境？《金剛經‧第三品大乘正宗分》說：

> 佛告須菩提：「諸菩薩摩訶薩應如是降伏其心！所有一切眾生之類：若卵生、若
> 胎生、若濕生、若化生；若有色、若無色；若有想、若無想、若非有想非無想，
> 我皆令入無餘涅槃而滅度之。如是滅度無量無數無邊眾生，實無眾生得滅度者。
> 何以故？須菩提！若菩薩有我相、人相、眾生相、壽者相，即非菩薩。」[10]

　　佛說過去世度無量眾生，實無度一人，這說以邏輯觀來看是絕對矛盾，因為「有」
等於「無」，物理現象是不成立的。如從證境來看，我們要先知四相是什麼？四相有指
是四種不同的證境，如明代一如所寫的《三藏法數》[11]就提及過，有謂是心識對外境或
自我的執著，如壽者相，自以及為人生經驗豐富，地位尊崇，而產生執著或傲慢心。我
認為佛這樣說是因為所有眾生皆有自己的因緣而成就，所謂佛或菩薩者，只是助緣。

　　又《金剛經‧第六品‧正信希有分》：

> ……是諸眾生無復我相、人相、眾生相、壽者相；無法相，亦無非法相。何以
> 故？是諸眾生若心取相，則為著我人眾生壽者。若取法相，即著我人眾生壽者。
> 何以故？若取非法相，即著我人眾生壽者，是故不應取法，不應取非法。以是義
> 故，如來常說：汝等比丘，知我說法，如筏喻者；法尚應舍，何況非法！[12]

　　這一節闡述無「四相」，無「法相」，亦無「非法相」，若執著「相」或「法」，是不
能成就。此節與「人無我」、「法無我」相應。所生四相，只是誤認是證境，當達至無
「四相」時，就是證悟時，故佛說：「若以色求我，以聲音求我，是人行邪道，不得見
如來！」，為何「不得見如來」？因為只要有個「我」存在，無論在色或識的層面，都
是執著，不可能證道。故度無量眾生，是無量眾生因緣成熟，應該得度。同樣，若認為
一切無為法、有為法等，中間是有個「我」存在，是不可能證道。

10　《佛教十三經‧金剛般若波羅蜜經》北京：國際文化出版社，1993年，頁162。

11　〔明〕一如《三藏法數》：「我相者，謂眾生於涅槃之理，心有所證，而其有所證取之心，執著不
　　忘，認之為我，名為我相。經云：是故證取方現我體。是也。（梵語涅槃，華言滅度）……人相
　　者，比前我相已進一步，雖不復認證為我，而猶存悟我之心，名為人相。經云：悟已超過一切證
　　者，名為人相。是也。……眾生相者，比前人相已進一步，謂雖已超過我人之相，猶存了證了悟之
　　心，名眾生相。經云：但諸眾生，了證了悟，皆為我人而我人相所不及者，存有所了，名眾生相。
　　是也。……壽命相者，比前眾生相已進一步，謂心照清淨，於前眾生相中，所存了悟之心，雖已覺
　　知超過，然猶存能覺之知，如彼命根，潛續於內，名壽命相。經云：覺所了者，不離塵故。是
　　也。」

12　《佛教十三經‧金剛般若波羅蜜經》北京：國際文化出版社，1993年，頁164。

三　從「去人欲，存天理」到「無我」

　　無論是佛家、儒家或道家或任何宗派的的成就者，同樣遇到一個問題，就是「欲望」揮之不去。身體的愉佚，眼、耳、鼻、舌、身的觸覺享受，是實實在在的感覺。意識方面的不能自控，如仇恨、怨懟、性幻想、情感發洩等等都是人身不能自主的反應。當行者、梵行者下決心要完整自己的心口意時，困難痛苦就出現。我常說孔子知道「飲食男女，人之大欲存焉！」不單是觀察所得，而是自身領悟所得。當然，很多朋友說我不要冤枉先聖，但不是自身感受，不能如此下定論。

　　宋代儒學發展至不得不變的時代，漢儒偏重章節訓詁的學風，已發展至盡頭。繼而是以闡釋命理、談性說命的學風就展開了。「理」、「氣」之論，「性」、「命」之學漸次發展。「去人欲，存天理」的論點，應運而生，然而這論點與佛家「無我」有相同之處，好使我們知道，東方、西方聖人賢者，所遇的自身困難，大致一樣。

　　「去人欲，存天理」最早的出處是宋人程頤解釋〈損〉卦卦辭：

> 先王制其本者，天理也。後人流於末者，人欲也，損之義，損人欲以復天理而已。

其後程門高棟南宋朱熹更廣而應之：

> 臣聞人主所以制天下之事者本乎一心，而心之所主，又有天理人欲之異，二者一分，而公私邪正之塗判矣。蓋天理者，此心之本然，循之則其心公而且正；人欲者，此心之疾疢，循之則其心私且邪。（《朱子文集・延和奏劄二》）

又《四書集注・孟子》：

> 仁義根于人心之固有，天理之公也；利心生於物我之相形，人欲之私也。循天理，則不求利而自無不利；殉人欲，則求利未得而害己隨之。

又《朱子語類》卷十三：

> 人之一心，天理存，則人欲亡；人欲勝，則天理滅。未有天理人欲夾雜者。學者須要于此體認省察之。學者須是革盡人欲，復盡天理，方始是學。

　　宋儒主張「存理去欲」，認為理是宇宙本源。理與欲是對立體，互不兼存。我們要先看孔孟如何看待欲望？孔曰成仁，孟曰取義，這是孔門兩大道德支柱。要達至仁的境界，要反躬求諸己。人雖有仁的根器，可惜受利欲所薰染，時生疑惑，故孔子曰「克己復禮為仁」，「苟志於仁，無惡也」，「君子無終食之間違仁，顛沛必於是，造次必於

是」。子曰「回也，其心三月不違仁。」由是觀之，安貧樂道亦是修練的一種方法。儒家說的修煉是達至「仁」者的境界，這與無我有什麼關係？先看看孟子論修仁的過程或方法：

一、〈公孫丑上〉：「仁者如射，射者正己而後發，發而不中，不怨勝己者，反求諸己而已矣。」

二、〈離婁下〉：「君子所以異於人者，以其存心也，君子以仁存心，以禮存心。仁者愛人，有禮者敬人；愛人者恆愛之，敬人者恆敬。有人於此，其待我心橫逆，則君子必自反也。」

三、〈盡心上〉：「萬物皆備於我矣，反身而誠，樂莫大焉，強恕而行，求仁莫近焉。」

四、〈盡心上〉：「尊德樂義，則可以囂囂矣。故士窮不失義，達不離道。窮不失義，故士得己焉；達不離道，故民不失望焉。古之人，得志，澤加於民；不得志，脩身見於世。窮則獨善其身，達則兼善天下。」

第一、二引文是論及心性，「反求諸己」，即看看自己的問題在哪裡？是自我檢視的行為。「仁者愛人」是指達至仁者境界的人，必然呈現內心對世界世人的愛。孟子認為人有四端，「仁、義、禮、智」，是與生俱，人行惡，是失去本心即「放心」。修仁，就是「求其放心」。第三是悟道境界，「萬物皆備於我」，是知道世間一切均有他存在的理由和價值。第四節是人的窮與達，與「道」無關，對一切外境不起分別心。

在「無我」境界中，知道身體的六種覺受，當中是因緣而成。達與不達亦是因緣，即孔子說我有三畏中的畏天命，天命就是連孔子也不能預計的命運。「無我」令人產生最大的誤會是以為是世界無我，什麼都不重要。但我們要知道，覺受是的的確確存在的，我們要面對他，而且要清楚當中是沒有一個「我」存在。這與《大學》所說，不謀而合：

所謂誠其意者，毋自欺也。如惡惡臭，如好好色。此之謂自謙，故君子必慎其獨也……此謂誠於中，形於外，故君子必慎其獨也。

「惡惡臭，好好色」是人身體機能感覺的自然反應，無所謂對或錯，但不要沉溺其中。故儒家提出「誠明」、「慎獨」等修行方法，去減低欲望的困擾。

發展至宋代，提出「天理」與「人欲」的對立情態，二者存其一。朱熹解釋天理是：

一、「天有春夏秋冬，地有金木水火，人有仁義禮智，皆以四者相為用也。」

二、「理者有條理，仁義禮智皆有之。」

三、「大而天地萬物，小而起居食息，皆太極陰陽之理也。」

四、「至於一草一木昆蟲之微，亦各各有理。」

五、「天地之間，有理有氣，理者也，形而上之道也，生物之本也。」

六、「天下萬物當然之則便是理。」

七、「世間之物，無不有理，皆須格過。」

八、「天下之理，終而復始，所以恆而不窮。恆，非一定之謂也，一定則不能恆矣。
　　惟隨時變異，乃常道也。天地常久之道，天下常久之理。非知道者孰能識之？」

九、「有此理，便有此天地；若無此理，便亦無天地，無人無物，都無該載了！有
　　理，便有氣流行，發育萬物。」

十　「理只是這一個。道理則同，其分不同。君臣有君臣之理，父子有父子之理。」

十一、「理，只是一個理。理舉著，全無欠闕。且如言著仁，則都在仁上；言著誠，
　　則都在誠上；言著忠恕，則都在忠恕上；言著忠信，則都在忠信上。只為只是這
　　個道理，自然血脈貫通」。

　　根據上列的解釋，我們大概知道朱熹所言的天理，包括自然界運作，生物成長規
律，人性的秉懔，物與物及人與物之間的影響，人倫關係等都屬於「天理。」天理是規
律、是準則、是人情、是物理、是秩序。朱氏無非是強調「心」之外，還有一個
「理」。此處已很明顯與傳統儒家想，發展善性，有點出入。孟子提倡「求其放心」，將
上天付與我們的四端，擴而充之，則可以保四海。就「心」上而言，如「萬物皆備於
我，反身而誠」。(《孟子‧盡心上》)「盡其心者，知其性也；知其性，則知天矣。存其
心，養其性，所以事天也。」《孟子‧盡心上》明確把《中庸》裡面代表天道的「誠」
進一步內化於主體的「心」，從「心」上言。「誠」非外在，「心」本有之。「誠」與
「心」，兩者實際上是一而二、二而一的，由此，《中庸》「誠」所具有天道意義被孟子
賦予了內在於主體的「心」，「心」同時也具有作為天道本體的意味。如此，則朱氏指出
心外一個「理」是與孟子的理論有出入。

　　實然，宋明兩代大儒多曾細讀佛家經典，在修仁的過程中，有意無意之間，將佛家
的一些理論滲入自己的學說內，例如「養心莫過於寡欲」。可是，孔門從不否定欲望，
慎獨、思誠等修煉工夫，是在節制人欲上，求其合乎人情，但宋代的修持工夫已接近帶
宗教性質。然則，朱氏說的心就是「有我」，「無我」就是理，以佛家角度看宋儒的「去
人欲，存天理」，應該是成立的。但又何以要去人欲？

　　宋人袁采[13]說：

　　飲食，人之所欲，而不可無也，非理求之，則為饕為饞；男女，人之所欲，而不

13　袁采，字君載，衢州人。宋朝學者、官員。孝宗隆興元年（1163）進士，官至監登聞鼓院。淳熙五
　　年（1178），任樂清縣令，任內重建縣學，纂修《樂清縣誌》十卷。官至監登聞鼓院。曾實地考察
　　雁盪山，撰《雁盪山記》。著有《袁氏世範》等。《袁氏世範》成為關於禮儀的重要讀物。

　　可無也，非理狎之，則為奸為淫；財物，人之所欲，而不可無也，非理得之，則

　　為盜為賊。人惟縱欲，則爭端起而獄訟興⋯⋯

袁氏解釋飲食男女都是在天理之內，人之欲是不可無，但不是以理而求之，則是縱欲，
非理求之，則成盜賊。

四　結論

　　至此，我們大概有個結論，宋儒的「去人欲，存天理」，與孟子的心學，有所出
入。大學的條目，從格物致知到止於至善，就是修行的漸次步驟與境界。「至善」的境
界是純然為著別人，毫無私心，我想這個就是「無我境界」的一種顯示。亞里斯多德說
人生的目的就是追求幸福，所謂幸福是實踐道德，「靈魂依著自身的理性與外在習俗、
教養的熏培使自己逐步的去符合所謂的完美德行，而在這個實踐的過程中，也就是幸
福」。

　　我們不能至善是受困於物欲，包括身體六種覺受的享受（眼、耳、鼻、舌、身、
意）。同時，亦受身體感覺的困擾，道教稱「我累」，包括榮譽、利益、金錢、地位，社
會尊重，自滿自大與自覺有成就，類似佛家的貪、嗔、癡、慢、疑。

　　修道就是要將外緣所觸發的欲望降到最低，使之能到達完滿的道德境界，即越接近
神，越臻至完善道理境界，這亦是追求精神世界時的痛苦與矛盾。如果確認「人無
我」、「法無我」，則去人欲是能成就的。

　　所謂「無我」，並不是無感覺，佛成就了，肯定已證「無我」境，但佛慈悲。以至
佛陀割肉餵鷹及被哥利王節節肢解等，都是沒有怨恨，只有憐憫，這與「去人欲，存天
理」，純然配合宇宙天理，在物，則陰陽互動，在人，則盡人倫至善之極。

述與變

——元代《詩經疏義會通》合作著述的經學形態

曹繼華

北京師範大學哲學與社會學學院

　　時代在吐故納新中不斷前行，文學藝術也在羽翼和傳承中不斷豐盈，這其中不乏遵從、模仿、突破。在特定的時代文化土壤中，作者往往在建構自身意識形態、價值尺度的同時，又可能成為被他人重新建構的對象。元代《詩經》學就體現了這樣一種情形：學者用自己的熱情和篤定增益朱子學說，而他們的學說又被稍晚同時代的追隨者不斷豐富。這種基於前代與同代學術傳承的增益，不斷深化《詩經》學的內涵，而於增益中的那些基於權威的超越，則在另一個層面上展示著學者的立場與思考。

　　《詩經疏義會通》系元代特殊的一部《詩經》著述，成書於至正丁亥年（1347），直到明正統甲子年（1444）才付書林葉氏刊行。該著述不是由一個人獨立完成，而是由朱公遷、王逢、何英合作完成。朱公遷完成《詩經疏義》部分後，由何英根據其師王逢所授遺稿重加增訂，凡王逢所補，題為「輯錄」；凡何英所補，題為「增釋」。

　　這種合力創作的著述在當時並不多見，當前學界也沒有專門學術論文涉及討論該著述，筆者希望借此合力維度中的著述梳理，探究其文本內在的學理價值，觀照其在《詩經》學史上的增益之功，洞悉其在學術傳承中的堅守與變革、回護與超越。

一　紹述中的商榷：朱公遷與「詩經疏義」

　　朱公遷生活於元代中後期，這個時期圍繞朱子思想開展的各類文學活動較為頻繁。《詩經疏義》是一部旨在發明朱子集傳思想的《詩經》學著述。對一個作品的考察，需要注意兩點：一是作品的關注點在哪裡？二是它是以怎樣的方式呈現出這些關注點的？《詩經疏義》關注什麼？從朱公遷所援引的文獻典籍和諸家學說中，或許能獲得一些答案。

　　朱公遷在《詩經疏義》中主要援引的典籍有：《史記》、《漢書》、《詩童子問》等，主要援引的諸儒有：孔氏、歐陽氏、程子、陳氏、輔氏等。從援引的典籍來看，朱公遷注重歷史的觀照方式，這從該書編排體例中的「諸國世次圖」和「作詩時世圖」就可以看到。從援引的諸儒來看，朱公遷注重向宋代歐陽修、輔廣這樣的《詩經》學者學習。

歐陽修和輔廣的詩學觀念雖然不盡相同，但存在相似之處：即回到詩歌本身。《詩經》學的發展經歷了從先秦禮儀詩學，到漢代經學詩學，到唐代注疏詩學，再到宋代義理詩學的漫長過程。如何回到詩歌本身去解讀？如何在詩歌中感受詩歌原初的情致和風韻？歐陽修和輔廣等《詩經》學者用他們自身實踐給出了最好的闡釋。從歐陽修發「詩本義」先端，到朱熹主張「以詩說詩」「諷誦涵詠」，再到輔廣傾向品鑒詩歌，《詩經》學的闡釋越來越關注詩歌生成的歷史土壤和藝術方法。朱公遷對歐陽修和輔廣學術思想認同與學習的過程，實則是其自身《詩經》學觀念形成的過程。

　　對詩《小序》的修定，展示著朱公遷願意商榷意圖背後的超越。

　　《詩經》大小《序》從產生之日起，就伴隨著對它無休止的爭論。其中規模和影響力最大的要算宋代尊序和反序的爭論。歐陽修首先開啟疑序先聲，程頤則認為「學《詩》必須求《序》」。繼歐陽修而起的反《序》的先鋒是鄭樵，他在《詩辨妄》中提倡「聲歌之說」，反對詩《序》。在南宋初年，和鄭樵反《序》觀念相對的是嚴格尊從《序》說的范處義，其《詩補傳》明確表示：「《補傳》之作，以《詩序》為據，兼取諸家之長。」范處義和鄭樵之後，呂祖謙和朱熹的爭論，是宋代《詩序》論爭最有影響力的一次。宋代的這種詩《序》之辯，根本目的不是要爭出什麼高下，而是在更深廣的層面上探討詩歌旨意。元代學者對詩《序》的熱情並未消減，只是褪去了那種你來我往的激情辯駁，走向更深層次的詩《序》體認。對詩《序》的尊與不尊，他們不會用言語直接傳達，而是通過對朱熹《詩集傳》的增釋，通過對詩歌旨意的冷靜展示從容實現。

　　朱公遷全面羅列詩《序》，表明了他對詩《序》的認同。但與此同時，朱公遷又根據朱熹《詩集傳》內容對部分詩《序》進行了改定，這一舉動很值得玩味。在尊從的同時，又表現出了一種渴望超越的意願，這或許也是元人在《詩經》闡釋過程中表現出來的糾結與困惑。一個學術思想高度統一的時期，文化精神如何延展？變與不變之間如何保持平衡？「變化到底起於什麼呢？變化起於對立。有輕重的對立故有動搖，有強弱的對立故有競爭，有智慧的對立故有詐亂。要想沒有詐亂，就要使天下的人無智無愚，更換句話說，便是不許有超過水平線上的智者。要使沒有競爭，便要使無強無弱，也就是要使天下的人不許有超過水平線上的強者。要想沒有動搖，那就只好使兩端的輕重使得其中。」[1]朱學獨尊的元代，如何在不冒犯朱學神聖地位的同時，保有自己的學術判斷，這也是更多的學者面對的挑戰。

　　朱公遷對詩《序》的尊從既不同於完全尊《序》的一派，也不同於蘇轍等人的取《小序》首句的「半尊《序》」一派，而是完全根據集傳內容進行改定。這一作法在宋代少見，但在元代似乎並非朱公遷首創。許謙也對詩《序》進行必要的改造，而且標注出「異」字，以示與詩《序》的差異。朱公遷對詩《序》的這種處理方式和許謙接近，

1　郭沫若：《中國古代社會研究》北京：中國華僑出版社，2008年，頁96。

是出於偶然巧合，還是內在學術思想上的相互借鑒？根據朱熹《詩序辯說》明確提出存在「序誤」，「序非」的詩篇，筆者進行粗略統計，竟然驚異發現：凡是朱子標明《序》說存在失誤的篇章，朱公遷都對其進行了修定，而且其修定的內容竟然和許謙《詩集傳名物鈔》所列詩《序》驚人相似。

五十篇朱公遷和許謙所改的《序》中，有二十九篇內容完全相同；有十八篇除語言有微小差別外，意義相同；只有三篇表述存在差異。元代另一部重要的《詩經》學著作《明經題斷詩義矜式》中，林泉生所作的「題斷」和朱公遷所改的很多《序》也不謀而合。對於這些彼此之間微妙的牽連，筆者也生發一些推測：在元代似乎有改定的詩《序》流傳，至於最初改定者是誰，則需要進一步探討。

對詩《序》進行改定，這毋庸置疑反映出研究者的一種質疑精神和變革態度。但問題是修改的標準和作出的新的判斷究竟是什麼？朱熹《詩集傳》中只是傳達出一些「序誤」「序非」的訊息，並沒有說應該是什麼。這本身就是一些很開放性的問題，但是為何朱公遷、許謙、林泉生他們對詩《序》修改後，得出的結論卻驚人一致？是誰在學習和借鑒誰？抑或是在他們更早已經有改定的詩《序》在社會上流傳？源頭是誰？他們改定的標準又是什麼？再抑或是當時元代《詩經》學存在相互交流切磋的現象，大家交流溝通後給出的判斷一致？要解決這些問題，有必要先梳理朱公遷和許謙學術思想的淵源。

朱熹詩學思想被他的弟子和詩學傳人在社會上廣泛傳播，尤其值得關注的是他的弟子一派的傳《詩》。朱熹弟子一派的傳詩，總括其要有三脈：浙江金華一脈、江西餘干一脈、江西鄱陽一脈。其中浙江金華一脈為：朱熹——黃榦——何基——王柏——金履祥——許謙。江西餘干一脈為：朱熹——黃榦——饒魯——吳澄——虞集。江西餘干另一脈為：朱熹——黃榦——饒魯——吳中——朱以實——朱公遷——洪初——王逢。江西鄱陽一脈為：朱熹——黃榦——董夢程——胡方平——胡一桂。

不難發現，以上朱學思想的傳承中，各脈有共通的源頭，即朱熹弟子黃榦。這也就能夠理解為何朱公遷和許謙雖然屬於不同兩脈，但在對詩《序》的處理上有著如此之多的相似點。更重要的是：朱公遷的「疏義」中有援引許謙觀點的情形，從這一點可以推測，朱公遷向許謙學習的可能性較大。但另一個問題是林泉生的詩學源頭在哪裡？林泉生是永福人，與盧琦、陳旅、林以順稱閩中文學。從目前很少的文獻資料中，似乎很難釐定林泉生的學術思想源自哪一派，好在還能從他們具體的《詩經》學著述進行挖掘與推斷。

同中求異，往往能看出各自的特徵。朱公遷處理《小序》的幾個特點：一是尊從朱熹的觀點，尤其明顯體現在「淫詩」說。二是有羽翼朱子背後的超越意識，有著強烈的表達意圖，這種意圖來自於內在的變革情結。

對朱子《集傳》的訓釋，同樣體現了朱公遷在傳承中的突破。

對朱子《集傳》的內容，朱公遷進行增益。如〈何彼穠矣〉，朱熹認為「此乃武王

以後之詩，不可的知其何王之世。然文王、太姒之教，久而不衰，亦可見矣。」朱公遷則進一步補充「〈召南〉詩皆道文王時事，於此類無有也。或成周時有此詩，即取之；或後所作，而夫子錄之，皆不可考。但合〈甘棠〉、〈穠李〉二詩觀之，可見〈二南〉本於文王之化，而未必皆作於文王之時也。」朱熹認為「不可的知其何王之世」，朱公遷進一步解釋後認為〈二南〉未必皆作於文王之時。

對集傳解釋不足之處，朱公遷進行修正。如《詩經疏義會通》卷一，朱子認為國風是「諸侯采之以貢于天子，天子受之而列于樂官」，朱公遷認為朱子說法未必正確，然後用衛有〈新臺〉、〈牆茨〉，齊有〈南山〉、〈敝苟〉作為反證，最後再用班固的看法來強化自己的觀點。整個訓釋可謂有理，有據，有節。

朱公遷還注意對《詩集傳》版本進行考辨。如〈載芟〉篇，朱子集傳為「此詩未詳所用，然辭意與〈豐年〉相似，其用應亦不殊。下篇放此。」朱公遷則認為，「初本無『其用應亦不殊』一句，改本無『下篇放此』一句。今按：無上句則不足以定此詩之用，無下句則不足以定後篇之用，必合二本而兩存之。則或祭宗廟，或報田祖先農方社，而三詩所用無不同矣。」朱公遷不僅注意到了初本和改本之間的差異，而且還從「詩之用」的角度進行綜合分析比對，提出自己「必合二本而兩存之」的看法。

涉及版本之間差異探討的，在《詩經疏義》中也還有幾例，如〈豐年〉篇，朱子曰：「此秋冬報賽田事之樂歌，蓋祀田祖先農方社之屬也。」朱公遷則認為：「《集傳》初本作『穀始登而薦於宗廟之樂歌』，改本作『報賽田事之樂歌』。輔氏以初本為是，趙氏以改本為是。經文只言『烝畀祖妣』，未嘗如〈甫田〉有『以社以方，以御田祖』等語，則似難捨經文而用《小序》之說也。不知改本何以又用《小序》，且其說又有『《序》誤』二字，尤為可疑。但今不敢質言，特備兩說，以俟明者。」朱公遷對初本和改本的提法進行比對分析，顯示出他對朱熹《詩集傳》版本流傳和文本內容的熟悉。

對《集傳》意義的把握，傳遞著朱公遷對《詩經》學重要學術問題的理解與思考。

朱公遷吸收和借鑒朱熹對「興」「比」的闡發，關注「興」「比」的意義拓展。如〈關雎〉篇，朱公遷指出興的幾種類型：有義相因；有語相應；相因相應兼備；義不相因而語又不相應。針對這幾種類型，他以〈關雎〉為例進行闡釋，認為詩的首章是義相因，二、三章是既義相因而語又相應。不僅在一篇內部關注這種手法，朱公遷還在篇章之間進行橫向比較，如〈何彼穠矣〉篇，朱子曰：「以桃、李二物興男女二人也。」朱公遷據此進一步說，「此其起興，與〈終南〉、〈九罭〉、〈魚麗〉同。」

朱公遷在詩歌闡釋時，還注意篇章之間的關聯。如〈式微〉篇，「衛有他國之詩六篇，〈式微〉、〈旄丘〉、〈河廣〉，作于衛者也。〈載馳〉、〈泉水〉、〈竹竿〉，為衛而作者也。作于衛者，衛國之所錄；為衛而作者，衛國之所傳。況黎、許國小，宋無風，〈泉水〉、〈竹竿〉不知出何國，列于衛，何怪乎？」朱公遷首先提到衛有他國之詩六篇，然後分「作于衛者」和「為衛而作者」兩類進行分析，最後傳達出對〈泉水〉、〈竹竿〉列

于衛的困惑。這種把詩篇放在整體中去觀照的方式，顯示著朱公遷巨集闊的學術視野。

朱公遷除注意篇章之間的關聯外，還注意詩篇內部的關聯，如〈竹竿〉，「一章歸而亂辭以決之，二章思歸而以正義決之，三章、四章則思不能忘，而義若不能決也。然則所以自處者，有道矣。〈竹竿〉、〈泉水〉、〈載馳〉三詩為一類，〈載馳〉之詩其情迫，此與〈泉水〉其詞緩，勢不同也。然〈載馳〉馳驅而出矣，聞大夫之言而後反；〈泉水〉亦與諸姬伯姊謀，而後知義理之必然而無疑；此則斷之以心，不待謀而後決，告而後知，比之〈泉水〉、〈載馳〉，尤為賢也。」朱公遷首先分章解說該詩的詩義，然後再從語言和旨意方面，把該詩和其他兩首詩歌進行類比，認為〈載馳〉「情迫」，該詩和〈泉水〉「詞緩」；比之〈泉水〉、〈載馳〉，該詩「尤為賢也」不難發現，朱公遷注重篇章聯繫的這種詩學特點，和輔廣以及謝枋得相似。

朱公遷對《集傳》的探討還涉及一些重要的命題，如〈大武〉樂章問題，「豳風」、「豳雅」、「豳頌」的問題等。

〈大武〉樂章問題歷來被諸多學者不斷徵引和探討，時至今日也沒有最後定論。朱熹集傳中把〈賚〉篇定為〈大武〉之三章，其文獻支撐就是《左傳》宣公十二年楚莊王話語中〈武〉即〈大武〉。基於此，李山也認為〈大武〉樂章依次為「〈武〉、酌、〈賚〉、閔、閔、〈桓〉，〈賚〉是〈大武〉第三章」[2]。「何楷、魏源、高亨、楊向奎、李炳海等」[3]其他一些學者，儘管對〈大武〉樂章的排列順序有不同看法，但對「〈賚〉是〈大武〉之三章」這一點也持相同觀點。

朱公遷認為「〈桓〉詩有武王字，以為〈大武〉之六章猶可。此詩無武王字，而以為〈大武〉之三章，則未必然也。」這裡朱公遷從詩文內部的線索去探討〈大武〉樂章的章數，認為〈賚〉並非〈大武〉樂章第三章，但是沒有給出究竟是第幾章的結論。朱公遷雖然沒有提出新的見解，但對朱熹觀點的質疑本身體現了他的一種反思精神。他留意歷史，但又不侷限於《左傳》提供的材料，而是根據詩文內涵給出自己的判斷，將人們的視野從詩歌週邊的探討，引入詩歌內在文本的解讀。

朱公遷除直接對集傳意義進行拓展外，一般還喜歡先援引其它學者的意見，再給出自己的見解。

結合朱公遷同時代的《詩經》學著述，不難發現他們最大的特點就是援引。但朱公遷的這種援引和劉瑾等人的做法還有很大差別。劉瑾著述中的大量援引目的在於文本意

2　李山：〈周初〈大武〉樂章新考〉，《中州學刊》，2003年第5期。

3　何楷認為〈大武〉樂章依次為：〈武〉、〈酌〉、〈賚〉、〈般〉、〈時邁〉、〈桓〉。
　魏源認為〈大武〉樂章依次為：〈武〉、〈酌〉、〈賚〉、〈般〉、閔、〈桓〉。
　高亨認為〈大武〉樂章依次為：〈我將〉、〈武〉、〈賚〉、〈般〉、〈酌〉、〈桓〉。
　楊向奎認為〈大武〉樂章依次為：〈武〉、〈時邁〉、〈賚〉、〈酌〉、〈般〉、〈桓〉。
　李炳海認為〈大武〉樂章依次為：〈武〉、〈酌〉、〈賚〉、〈般〉、〈時邁〉、〈桓〉。

義的不同展示，往往援引不同學者觀點只為說明一個問題，具有吳派經學的堆積材料的
傾向。朱公遷的〈自序〉中表達過對援引的態度：援引多是對文本內部關聯探討，指向
性在於文本解讀和意義梳理。

二　增益中的言說：王逢與「輯錄」

　　朱公遷完成《詩經疏義》部分以後，王逢又對其進行了補充訓釋，也就是現在見到
的「輯錄」部分。王逢「輯錄」主要援引的諸儒有：程子、朱子、輔氏、謝氏、呂氏、
李氏、安氏、陳氏、陸氏、嚴氏、范氏、許氏、胡一桂、劉瑾等；主要援引的典籍有：
《白虎通》、《禮記》、《孟子》、《大學》、《爾雅》、《本草》、《埤雅》、《廣雅》、《釋文》、
《史記索引》、《史記正義》、《孔疏》、《漢書》、《初學記》、《語錄》、《解頤》、《詩本
義》、《詩童子問》、《詩詁》、《詩傳通釋》、《考工記》等。王逢顯然要比朱公遷關注的視
野寬泛，有著不同的詩學風範。

　　首先，王逢對朱熹《集傳》以及朱公遷《詩經疏義》進行補充訓釋。如《詩經疏義
綱領》，朱熹曰，「風雅頌者，聲樂部分之名也。」王逢集傳曰，「風有風之詩，雅有雅
之詩，頌有頌之詩，猶軍法之部伍，有一定不易之分也。」王逢運用比喻的手法，將
風、雅、頌的區別比喻為軍法的部伍，可謂形象生動。大多時候，「輯錄」均是對朱公
遷疏義的進一步說明。

　　其次，王逢對朱熹《集傳》和朱公遷《詩經疏義》訓釋過程中，在試圖展示一種超
越。如〈七月〉篇，朱熹曰，「禾者，穀連槁秸音戛之總名。禾之秀實而在野曰稼。先
種後熟曰重，後種先熟曰穋。再言禾者，稻秫音述苽音孤粱之屬皆禾也。」王逢曰：
「秫似黍米而粒小，堪作酒。苽，雕胡也。孔氏曰：『麻與菽麥，則無禾稱，故于麻麥
之上更言禾字，以總諸禾也。』許氏曰：『麥非納于十月，蓋總言農事畢耳。』」王逢首
先對朱熹集傳中的字詞給出自己的解釋，「秫似黍米而粒小，堪作酒。苽，雕胡也」接
著再援引孔氏和許氏的觀點。朱熹關注的是「禾」的屬性；王逢關注的是「秫」的功
用；孔氏關注「麻麥」、「禾」的命名；許氏關注「禾」代表的農事資訊。

　　顯然他們關注的點不完全相同，但是都被統攝到一個問題之下，這樣展示的目的何
在？這種「王顧左右而言他」的方式，恰恰是王逢另一種增益朱說的方式。對朱熹已經
解釋清楚的地方，王逢不再重複敘述，而是另闢蹊徑，另立視角進行重新觀照。不受他
人觀點限制，但又不完全遊走在觀點之外，這需要的恰恰是一種延展的詩學思維。和朱
公遷給出自己觀點的方式不同的是，王逢解釋集傳內涵時，已經不是小心翼翼先援引其
他人的觀點，再作出自己的判斷，而是先展示自己的觀點，再輯錄別人的觀點。兩種順
序，兩種效果。朱公遷是在遵從的同時，進行小心評判；王逢是在自我觀點的陳說中，
體現一種學習。這恰恰反映出一種時代的變遷和詩學觀念的變化。

　　從〈卷阿〉和〈維天之命〉的闡釋方式中，不難看出王逢在增益集傳過程中試圖展示的一種超越。權且不說這種方式算不算真正意義上的超越，但至少他的解說方式已經在發生某種微妙的變化。自我走向前臺，或許也是經學和文學關係轉化的一個開始。

　　再次，王逢對朱熹《集傳》和朱公遷《詩經疏義》闡釋時，關注了幾點，即「《詩》與史」的問題；孟子「以意逆志」的問題。

　　如〈鐘鼓〉篇，歐陽公把《詩》與《書》、《史記》並提，嚴氏也認為「《詩》即史」。這雖然是一個細小資訊，但可以看出王逢是贊同這種說法的。《文中子》提到過「《詩》即史」的觀點，「其述《書》也，帝王之製備矣，故索焉而皆獲；其述《詩》也，興廢之由顯，故究焉而皆得；其述《春秋》也，邪正之跡明，故考焉而皆當。」

　　朱公遷關注歷史，他用歷史引證《詩經》的合理性；王逢關注歷史，他用別人對《詩經》的引證，確證自己對歷史合理性的觀照；明代何楷也關注歷史，他把《詩經》本身當成合理性的歷史。朱公遷、王逢、何楷對歷史與《詩》關係的不同理解中流露著諸多時代漸變的訊息，也悄然預示著一個更為激進，更為主觀的時代的到來。

　　王逢還關注孟子「以意逆志」的思想，如〈雲漢〉篇，朱熹曰，「言大亂之後，周之餘民，無復有半身之遺者。」王逢輯錄曰，「孟子曰：『說《詩》者不以文害詞，不以詞害志，以意逆志，是為得之。如以詞而已矣，〈雲漢〉之詩曰「周余黎民，靡有子遺」，信斯言也，是周無遺民也。』朱子曰：『若但以其詞而已，則如〈雲漢〉之言，是周之民真無遺種矣。惟以意逆志，則知作詩者之志，在於憂旱，而非真無遺民也。』」

　　孟子和朱子都講「以意逆志」，所謂「意」是讀者之意；所謂「志」是作者之志。何為「逆」？《說文解字》解釋為「迎」，也就是要讀者充分發揮自己的主觀能動性，去積極探索，迎合作者的旨意。周裕楷認為「『以意逆志』是孟子對《詩》的『意圖重建』的努力。」[4]孔子曰《詩》可以觀，通過《詩》可以觀天地萬物，可以明世間百態。《左傳》也引《詩》，但它是更寬泛意義上的賦詩言志，這些仍然屬於「觀志」層面，真正發生變化的就是孟子，他提出「逆志」，也就是不僅要觀，還要逆，得有強烈的自我意識，唯有如此，才能把握詩歌的本義。何為詩歌本義？歐陽修作了精彩回答，他認為「『詩人之意』『聖人之志』是詩本義；『經師之職』『講師之業』是詩本末。」[5]孟子顯然已經將主動探討詩人旨意的目的放在了首位，而不是簡單的閱讀和體認。

　　孟子「以意逆志」的觀點，開闢了一條從詩歌接近詩人的道路；王逢同樣注重探尋詩歌的本義，詩人的意圖，但是不一定得強行迎合作者的意圖，而是尋求這個本義之外的另一種新的內涵，新的視角。

　　最後，王逢對《集傳》和朱公遷《詩經疏義》進行訓釋時，還注意辨析和質疑。

4　周裕楷：《中國古代闡釋學研究》上海：上海人民出版社，2003年，頁36。

5　歐陽修：《詩本義》，卷14「本末論」。

　　如〈采薇〉篇，朱子認為：腓，猶芘也。程子認為：腓，隨動也，如足之腓，足動則隨而動。吳伯豐認為：腓為先足而動，不當引之以解此詩，不如「芘」恰當。〈生民〉詩「牛羊腓字之」，《傳》「以腓為芘。」基於以上，王逢認為：第一，朱傳不該兼收二說；第二，吳伯豐不應該雲隨動之說而存猶芘之說；第三，毛氏初釋腓為避字，鄭氏覺避之說不通，就改說腓當作芘；第四，鄭氏不是以腓訓芘，而是改腓訓芘，不能因其改字，就以為是字訓。第五，若以腓為隨動，雖主程說，而程非自為之言。因為以上五點，王逢進一步援引《字書》和《易》，確定對腓的解釋：「隨物而動」，指出吳伯豐存疑之處不合常情，認為沒有足不動而足肚先行的情形，再引〈生民〉進一步闡釋，最後得出結論：此詩腓字，朱傳止當獨留程說。王逢這種對字義詞義的辨析，意義闡發的取捨，展示了他的一種治學態度。

　　王逢雖然遵從朱子學說，但也不是沒有立場的完全認同，如〈執競〉篇，朱熹認為，「此昭王以後之詩。」朱公遷認為，「祭三王無其例，然武王有世室，則必有專祭矣。豈昭王以後，祭武世室，而配以成康歟？借曰文世室無詩，則夫子正樂於殘缺之餘，但因所存者存之耳。」王逢繼續分析曰，「按《中庸或問》云：『如諸儒之說，至共王時，立武世室。如劉歆之說，至孝王時，立武世室。』朱子亦以劉歆之說為然，則是自昭王以下，歷穆、共、懿、孝四王，而始有武世室也。此或未然。」

　　朱公遷和王逢的觀點涉及「一詩兼及三廟」的問題。朱倬認為「以諸頌例之，後稷、大王、文武、成王皆各有頌，獨〈賚〉之一詩以為頌文武之功，然《春秋傳》以此為〈大武〉之三章則為武王之頌明矣，疑不得為兼頌成康也。然如〈天作〉之詩，本祭大王，而下及文王，又及其子孫。〈昊天有成命〉本祀成王，而其辭又上及文武二後。〈賚〉亦武王之頌，而其辭又上及文王往往，上則推本其先，下則期美於後。今〈執競〉之詩，朱子斷以為昭王以後，豈非祀康王之詩乎？蓋所謂〈執競〉武王者亦推本而言，若祀成王而上及文武，若曰『不顯成康』，則亦父子連文之辭，夫如是則文武、成康之各有詩，而〈執競〉之兼用於三廟者，決不然也。」[6]朱倬的推斷表明他對朱熹「此昭王以後之詩」的觀點並不認同。而王逢先補充進劉歆的說法，為朱熹的觀點找到相應文獻支撐，再給出自己的判斷，顯示了一種質疑精神。

三　整合中的思考：何英與「增釋」

　　何英在朱公遷和王逢訓釋的基礎之上，又進行了補充訓釋，這就是《詩經疏義會通》的「增釋」部分。何英援引的諸儒和典籍指向性明確，援引的諸儒主要有嚴氏、彭氏、張氏、吳師道、金履祥、許謙等；援引的典籍主要有《樂書》、《周禮》、《儀禮經傳

6　朱倬：《詩疑問》附錄。

通釋》、《史記》、《爾雅》、《詩集傳名物鈔》等。

何英「增釋」的方式主要有兩種，即直接援引諸儒；直接給出己意。

何英在訓釋中大量援引許氏的觀點，這是最突出的一個特點。許氏實際上就是許謙。朱公遷和王逢的訓釋也有援引許謙觀點的情形，但是像何英這樣大規模、高頻率援引，實在少見。這無疑反映出何英遵從許謙思想的《詩》學傾向。何英援引諸儒中的吳師道也值得關注。何英援引吳師道的觀點，吳師道又曾問學於許謙，這就能看出彼此之間的學術淵源與師承關係。比如〈芣苢〉篇，王逢對朱公遷「言之有序」的觀點作了進一步發揮。何英先援引許謙的觀點：因為教化流行，風俗淳美，所以婦人以有子為樂；再援引吳師道的觀點：言樂不出樂，讀之自見。何英援引許謙在前，吳師道在後，這表明何英很清楚他們之間的學術師承關係。

能把兩種方式完全分開的就是何英，他要麼直接援引諸儒，要麼直接給出己意，很少見到他援引的同時給出自己的判斷。如〈常棣〉篇第七章，何英直接解釋曰，「二章至四章言急難危殆之時，惟兄弟為能相救；六章、七章又言燕樂和平之際，無兄弟則亦無與共用而久安之。反覆而言，則兄弟之情相與切至，而不可解者自見矣。」何英的訓釋方式和朱公遷接近，更注重篇章內在的關聯，在動態中觀照詩歌，探求詩歌本義。

《詩經疏義會通》在朱公遷、王逢、何英的陸續增益中不斷完善，最終成書二十卷，編排順序為：詩經疏義小序（朱子辯說、大序、小序以及據集傳改定的小序），詩經疏義綱領，詩經大全圖（思無邪圖、四始圖、正變風雅圖、詩有六義之圖、十五國風地理之圖、靈臺辟廱之圖、皋門應門圖、泮宮圖、大東總星圖、七月流火圖、楚丘定之方中圖、公劉相陰陽圖、豳公〈七月〉風化之圖、冠服圖、衣裳圖、佩用之圖、禮器圖、樂器圖、雜器圖、車制之圖、周元戎圖、秦小戎圖、兵器服圖），諸國世次圖，作詩時世圖，正文（經、傳、輯錄、增釋、詩章數）。

朱公遷、王逢、何英以這種並不多見的合作成書的方式，傳達著元代學者對前代學術紹述的意圖。既然是合作，就表明彼此學術思想有相通之處，但這並不意味著彼此學術思想的完全一致，忽視了這一點也就忽視了「輯錄」和「增釋」的意義。

鄭吉雄將中國傳統經學著述分為四個層次「第一類是經書（即《五經》），第二類是直接詮釋經書的著作（包括兩類，一類為《公羊》、《爾雅》之類，初為釋經著作，後則入於『經』的行列，與《詩》、《書》並列；另一類則為《毛傳》、《尚書大傳》等未列入《十三經》卻同為直接釋經的著作），第三類是注釋第二類釋經著作的著作（如何休《春秋公羊解詁》、鄭玄《毛詩箋》之類），第四類是疏釋第三類釋經著作的著作（如徐彥為何休《春秋公羊傳解詁》作《疏》、孔穎達為鄭玄《毛詩箋》作正義之類）。」[7]

7　鄭吉雄：〈從經典詮釋傳統論二十世紀《易》詮釋的分期與類型〉，收入黃俊傑編：《中國經典詮釋傳統》上海：華東師範大學出版社，2008年，第1冊，頁113-162。

　　照鄭先生的這樣畫分，元代的《詩經》學著述大概屬於第三，第四類，甚至是對第四類著述的再注釋本。理論上這樣的畫分沒有問題，但是仔細觀照元代的這些《詩經》學著述，發現並非如此簡單。很多人有著強烈的表達意圖，就像朱公遷、何英等人，他們不僅有對第二、第三、第四類注本的闡釋，而且有對第一類經文本身的解讀，應該說能進入元代學者視野的闡釋點越來越多。正是這種廣博，才使得闡釋本身能夠不斷走向深入。這也許是元代學者在另一種意義上對《詩經》學作出的貢獻。

　　作為一部闡釋經典，傳承朱學的著述，《詩經疏義會通》儘管還存在一些不足，比如王逢的「輯錄」部分，大量引文均用「某某氏」代替，不特別標注其字、號等，像書中多次提到「陳氏」、「劉氏」等，而宋元專修《詩經》的「陳氏」也有不少，如陳鵬飛、陳傅良、陳謙、陳經、陳埴、陳櫟等，很難區分到底是哪個「陳氏」，朱熹也常引「陳氏」，從這一點可以肯定元代學者再引的「陳氏」肯定和朱熹所引的不同。這就需要讀者有很高的學術功底，得自己去判斷每次援引的究竟是哪個「陳氏」，要不就需要仔細核查每個引文，這無形中加大了讀者閱讀過程中的困難。但是，以上這問題瑕不掩瑜，該著述在增益前代學術中展示的質疑權威的立場，在合作著述方面表現出的求真向實的態度，在經學闡釋中傳達的謹慎超越的精神，這些都強化著該著述在元代《詩經》學史上的獨特意義。

元代江南儒士拜謁闕里考論[*]

黃二寧

北京師範大學古籍與傳統文化研究院

　　蒙元滅宋實現了南北之間空前規模的統一。對於偏安一隅的原南宋治下的儒士來說，在經受了亡國之痛的同時，這種統一局面也打通了南北方百餘年的隔閡，激發了他們北上干謁、游歷、觀光的熱情。「自中州文軌道通，而東南岩氓島客，無不有彈冠濯纓之想，彼誠鬱積久而欲肆其揚揚者也。」[1]關於元代士人的游歷之風，學術同仁已有所注意併著文探討[2]。元代江南儒士拜謁闕里的現象作為蒙元一統之後的特殊文化現象，具有鮮明的時代特徵和文化色彩。本文將對此問題進行更進一步的討論，以更全面、更深入地認識元代南人北游包含的豐富的文化內涵。

一　江南儒士拜謁闕里的「朝聖之游」的興起

　　「朝聖之游」是指江南儒士拜謁孔子故里闕里的行為，這是在元代實現南北一統的大背景下產生的一種獨特的文化現象，也是江南儒士北上游歷的大潮中的一個支流。

　　闕里即今山東曲阜城內闕里街，據載，孔子曾在此講學。有學者考證，「今天的孔子墓正位於周魯城北城牆圭門之北，由此推知，闕里應是由圭門雙闕命名的，闕里即在圭門的內外附近。這裡的闕里是古闕里，亦即是孔子早年所居之闕里。今天孔子故宅前的闕里乃屬後起，與古闕里不是一回事」[3]。不論闕里的具體位置如何，闕里作為聖人故居和儒學的發源地的代稱在後代具有頗為崇高的文化地位，所謂「闕里宣尼宅，儒林禮樂區」[4]。正因為如此，拜謁闕里的「朝聖之游」，在一定程度上反映了江南儒士對儒

---

* 　二〇一三年度國家社科基金重點項目《元人著述總目叢考》（項目號13AZW005）的階段性成果。

1 　〔元〕戴表元：〈送子儀上人北遊序〉，李軍、辛夢霞校點：《戴表元集》長春：吉林文史出版社，2008年，頁158。

2 　如申萬里〈元代江南儒士遊京師考述〉（《史學月刊》，2008年第10期）和〈元代游學初探〉（《中國史研究》，2006年第2期）對士人之游京師與游學進行了考證分析；史偉〈元初江南的游士與干謁〉（《江西社會科學》，2010年第9期）論述了江南游士群體的干謁行為；查洪德〈元代文壇風氣論〉（《第二屆元上都遺址與文化研討會論文集》，2012年9月）對包括游歷之風在內的元代文壇風氣進行了梳理；筆者〈元代南人北游述論〉（《內蒙古大學學報》，2013年第5期）從整體上分析了南人北游的類型特徵及文學影響，初步論及南人北上朝拜孔子故居闕里的朝聖之游。

3 　黃立振：〈闕里考論〉，《孔子研究》，2003年第1期。

4 　〔元〕周伯琦：〈八月六日丁亥釋奠孔子廟三十韻〉，《近光集》，清《文淵閣四庫全書本》，卷1。

家文化之根的回訪，對儒家文化的重溫與堅守。

　　從客觀上看，江南儒士拜謁闕里得以成行，主要得益於元代南北一統之局。「國家混一以來，有欲觀夫徂徠之松、新甫之柏、瞻山之雲、泳沂上之風者，川有舟航，陸有車馬，不待贏糧計日而可至。視前代分裂隔亂之世，欲往而不可得，則其游豈不快哉！」[5]國家混一的局面，「川有舟行，陸有車馬」的交通，為江南儒士闕里之行提供了極大的便利。士人對此感受深刻：「伏以闕里宮牆久矣，關河之隔朝廷疆里，適茲文軌之同，欲瞻尼山師道之尊，合致曲阜心香之敬，況洙泗即非弱水，而鄒魯正是中原。今既在邦域之中，何自棄門牆之外，愧聖師夫子救時猶老於轍環，而吾儕小人閱世甘忘於株守。」[6]

　　從主觀上看，江南儒士的文化信仰是其拜謁闕里的內在動力。元代一統南北之後，孔子故居所具有的強大的文化感召力吸引不少南方士人前往拜謁，「章甫逢掖之士視魯孔林，如支庶流裔觀于父母宗子之家，孰不以為歸往瞻仰之地乎？」[7]虞集年老時曾以「數經濟泗之間，每以王事有程，不獲伸闕里之敬」[8]而懊悔。此時的闕里就具有了儒家聖城的意味，儒士拜訪闕里就具有了文化尋根的特別意義。北方士人王元慶等人的表達也當能代表江南儒士的一種想法：「世誦聖言，服聖服，食聖人之余，于聖人鄉壟，獨未嘗一到者，孰不以為闕……遠者數千里，近者數百里，往往不憚其勞，必伏謁廟下，徘徊歷覽。」[9]以此來表達其慕聖之情。陸文圭對江南儒士北上齊魯的情形有所描述，可見孔、孟先聖所在的齊魯之地在江南儒士心目中崇高的文化地位：

　　　　山東之地，古多君子。守經學而矜節行，其天性則然。自齊魯建國，以迄唐宋，風俗不變矣。不幸六七十年連厄於兵，故家遺老，典刑文憲，日以湮墜，然其間豈無特立獨行之士卓然不為流俗所變者，巖居野處，顧亦莫得而知焉。而江左僻在一隅，聲問復不與中華相接，尤未易知之也。歲在丙子，天下大定，車書同文軌，自南而之燕者道濟汴，自北而游宦者樂江浙，繻節往來，道路無壅。於是周公太公之先烈，仲尼孟軻之遺跡，名臣賢士之風猷，悉得於所見所聞，而江南之士見聞日廣。[10]

　　從蒙元朝廷的政策上看，至元二十三年（1286）的程鉅夫江南訪賢之舉在一定程度上刺激了江南儒士北上的熱情。程鉅夫奉特旨赴江南求賢，道經揚州，到達杭州，歷浙

5　〔元〕虞集：〈送李仲永游孔林序〉，李修生主編：《全元文》南京：鳳凰出版社（原江蘇古籍出版社），2004年，第26冊，頁192。

6　〔元〕王奕：〈東魯義約〉，《全元文》，第10冊，頁599。

7　同註5。

8　同註5。

9　轉引自孟凡港：〈從曲阜碑刻看歷史上的尊孔活動〉，《孔子研究》，2009年第1期。

10　〔元〕陸文圭：〈送丁仲謙歸東魯序〉，《全元文》，第17冊，頁502。

西、浙東、江西、江東諸地，尋訪之地頗為廣泛。至元二十四年（1287）春，程鉅夫回京復命，薦舉了趙孟頫等二十多人，其中有人留京任用，有人授官南歸，也有人未接受官職而南返[11]。從朝廷的角度來看，這既是一次求賢之旅，也是向江南儒士表示禮敬，釋放出徵用賢才的信號。對於不少處於觀望狀態的江南儒士來說，北上游歷也是了解北方政治形勢的機會。

從士人的出路來看，由於蒙元一統之後廢止科舉制度，士人失去了正常的進階之梯，不少南方士人繼承士人游歷的傳統北上干謁：「自宋科廢而游士多，自延祐科復而游士少，數年科暫廢而游士復起矣。蓋士負其才氣，必欲見於用世，不用於科則欲用於游，此人情之所同。」[12]在干謁以及任職的路途中，也有不少儒士專門或路經闕里進行拜謁。

總之，基於南北一統的局面、儒家信念的支持、江南訪賢的影響以及因科舉停廢而產生的個人游謁的需求，不少江南儒士紛紛北上游歷，拜訪闕里成為其中一個更具文化色彩的游歷形態。

二　拜謁闕里的江南儒士考

拜謁闕里的江南儒士可以分為三類：第一類主要是江南孔氏後人，第二類是普通的江南儒士，第三類在朝中任職的南士官員。

（一）拜謁闕里的江南孔氏後人

金滅北宋，宋室南遷，包括衍聖公在內的孔子後人也隨之南下，隨後，南宋和金分別尊崇孔子後人為衍聖公，形成了中國歷史上獨特的「南北二宗」現象，「南宋統治的疆域尊南宗，奉祀衢州孔氏家廟；金、元統治的北方地區尊北宗，奉祀曲阜孔氏家廟。」[13]蒙元攻滅南宋以後，隔絕數百年的南北大地重歸一統，包括孔子後人在內的江南儒士得以回歸曲阜拜謁闕里。

孔子後裔在江南分佈廣泛，「宋元之際，江南孔子後裔除了衢州的南宗以外，還有：平陽孔氏、臨江（清江）孔氏、黟縣孔氏、溧陽孔氏、泰州孔氏、永嘉孔氏、建康（金陵）孔氏以及江陰孔氏等。」[14]根據筆者考證，拜謁闕里的江南孔氏後人主要有孔

11　王樹林：〈程鉅夫江南求賢所薦文人考〉，《信陽師範學院學報》，1996年第2期；陳得芝：〈程鉅夫奉旨求賢江南考〉，《蒙元史研究叢稿》北京：人民出版社，2005年，頁566。

12　〔元〕劉詵：〈送歐陽可玉〉，《全元文》，第22冊，頁58。

13　喬衛平：〈孔氏南北宗裔若干世系考辨〉，《孔子研究》，2009年第4期。

14　申萬里：〈元代江南孔子後裔考述〉，（韓國）《亞洲研究》，2008年第3期。

洙、孔文定、孔思深、孔學禮、孔克己、孔惟中等，其中孔洙屬於南宗傳人，孔文定屬於平陽孔氏，孔思深、孔學禮、孔克己、孔惟中屬於臨江孔氏。其拜謁闕里的主要目的在於歸拜墳廟、認祖歸宗，間或也有北上京師干謁、先達闕里祭祖者。

1 至元十九年（1282），孔子五十三世孫、南宋襲封衍聖公孔洙

　　孔洙，字思魯，一字景清，號村齋，衢州人，孔子五十三世孫，南宋襲封衍聖公。孔洙是最早北上的孔氏南宗後人。至元十九年（1282）十一月，「江南襲封衍聖公孔洙入覲，以為國子祭酒，兼提舉浙東道學校事，就給俸祿與護持林廟璽書。」[15]明代王圻《續文獻通考》云：「孔子後自宋南渡初，其四十八代孫端友子玠寓衢州。元既平宋，擬所立，或言孔氏子孫寓衢者乃其宗子。召洙赴闕，洙遜於居曲阜者。帝曰：『寧違榮而不違親，真聖人後也。』故有是命。」[16]可見，孔洙北上沒有能夠繼續其衍聖公的身份，而是讓位給曲阜孔氏，這也就結束了孔氏南北二宗長期分立的局面而完成南北合宗。孔子五十三代孫孔淑所撰〈闕里世系圖題辭〉云：「當聖朝混一之初，宋故五十三代襲封洙首膺召命。還，謁林廟，與今襲封公洽暨諸族會。百年之分，一旦復合，吾族之盛事。」[17]孔洙還前往孔子林廟拜謁，之後南還。據李賢《明一統志》，孔洙此行還使得江南衢州孔氏獲免各種徭役：「凡孔氏子孫居衢者悉復其家。」[18]

2 元初，溫州孔子五十四代孫、平陽孔文定

　　孔文定，溫州平陽人，孔子五十四代孫。元初為南康路教授。據吳澄〈送孔教授歸拜廟序〉：「孔氏居江南者，有臨江之族，在宋以三仲顯；有溫州之族，蓋自後唐同光年間諱檜者，厭中土之亂避地吳越，家于溫之平陽，越十有三世，其孫文定。」[19]孔文定「少時以孔氏胄試補國學弟子員，後授初階官。未及仕，入國朝，為南康路教授。」[20]官滿再調，任溫州儒學教授。此後，孔文定北上齊魯，歸拜曲阜墳廟，吳澄作序送之。

3 時間不詳，孔子五十四世孫、臨江孔思深

　　孔思深，字學在，臨江人，孔子五十四世孫，西江（即臨江）孔氏後人。他以聖人子孫的身份北上拜謁曲阜林廟並前往京師，傅若金作序送行：「……學在將適京師，念其先世之不可忘也，則浮江淮、道河濟以達於洙泗，求曲阜林廟拜之，而序長幼於闕里

15　《元史·世祖本紀》，卷12，頁248。

16　〔明〕王圻：《續文獻通考》，明萬曆三十年松江府刻本，卷56。

17　轉引自趙文坦：〈孔氏南宗「讓爵」考〉，《史學月刊》，2012年第3期。

18　〔明〕李賢，《明一統志》，清《文淵閣四庫全書本》，卷43。

19　〔元〕吳澄：〈送孔教授歸拜墳廟序〉，《全元文》，第14冊，頁97。

20　同註19。

之族，然後北之京師焉，可謂知所先矣。……且京師之搢紳大人，佩服吾聖人之道，沐浴吾聖人之澤，孰不欲富貴吾聖人之子孫者乎？學在益宜不忘其先矣。詩云：『無念爾祖，聿脩厥德』，富貴其外者焉。」[21] 由此可見，由於蒙元滅宋後長期廢止科舉，孔氏後人與其他普通士子一樣面臨人生的仕進問題，於是在拜謁闕里之後仍然前往京師，在認祖歸宗的同時，尋求仕進的機會。

值得注意的是文中「序長幼於闕里之族」的表述。「元制：凡孔氏後，得從其族長推舉，移衍聖公府送所隸，類選注學校官，出身視庶姓優一等。」[22] 有學者據此認為，「江南聖裔要想入仕，需要其家族和曲阜衍聖公官府的雙重認可，對『散而四方，墜在編戶』的江南孔子後裔來說，就需要通過族譜證明自己聖裔的身份，否則可能就會『以譜裔不自，遭黜者不免[23]。』」或許正是這個原因，江南孔氏後人北游京師之前務必先到闕里歸拜墳廟，以確認自己的聖裔身份。可見，江南孔氏後人拜謁闕里，還有便於入仕的現實考慮。

4 時間不詳，孔子五十四世孫、清江孔學禮

孔學禮，清江人，盛年力學，才藝兼美，有意於仕進。「今辭親別友，將展敬孔林，掉鞅燕冀，曳裾王侯之門，以舒其平生之所蘊蓄，於是邦之士夫咸詩以壯之。」[24] 對於聖人之後人的北上，士人往往給予更高的期待，並成為期待儒學復興的一個標誌。「方今崇篤夫子之道，凡誦其詩、讀其書者，取官爵如寄，矧為聖人之冑乎！學禮造曲阜而挹孔林之秀，升堂而聞金石絲竹之音，入宗廟而見琴瑟書典之懿。精神意氣，互相感發，而心領神會於千載之上，他日施諸事業，必求無媿於聖人之冑，是則吾黨之所期待也。」[25]

5 天曆二年（1329）前，孔子五十五世孫孔克己

孔克己，臨江人，孔子五十五世孫，「孔氏世家一卷。其派之在江西而顯者，是為臨江三孔，孔之子孫曰克已者，是為先聖五十五世孫。由江西不遠千里拜曲阜林廟，且因以考訂其譜牒，而收其所未繼者。」[26] 揭傒斯「得與觀焉」，並為之作〈孔氏譜序〉，末署「天曆二年二月丁酉後學揭傒斯敬書」。可見，天曆二年（1329）《孔氏譜》應已修

---

21 〔元〕傅若金：〈送孔學在詩後序〉，史傑鵬、趙彧校點：《傅若金集》長春：吉林文史出版社，2010年，頁254。

22 〔明〕徐一夔：〈故元松江府儒學教授孔君墓誌銘〉，《始豐稿》，清武林往哲遺著本，卷13。

23 同註14。

24 〔元〕傅若金：〈送清江孔學禮謁曲阜詩卷序〉，《傅若金集》，頁252。

25 同註24。

26 〔元〕揭傒斯：〈孔氏譜序〉，李夢點校：《揭傒斯全集·文集》上海：上海古籍出版社，1985年，頁282。

訂完畢，則孔克已拜謁闕里的時間當在此之前不久。

6　時間不詳，孔惟中

孔惟中，臨江人，為「故家三孔後」，曾訪曲阜、游京師而歸[27]。孔惟中似不止一次前往曲阜。傅若金有詩〈送孔伯吾拜祖林〉、〈送孔惟中再謁祖林〉，部分表述相似，如〈送孔伯吾拜祖林〉云「三孔風流譜牒存，祖林迢遞隔中原」[28]，〈送孔惟中再謁祖林〉云「北通三仲譜，南下九江船」[29]；兩首詩詩題上也有繼承關係。可見孔伯吾與孔惟中很可能為同一人。作為同鄉，傅若金曾與其一起游京師，所謂「京師同逆旅」[30]。而孔惟中與孔克已同為臨江三孔之後，且均與修譜有關，可知二人關係密切。

7　時間不詳，孔貫道

孔貫道，疑為江南孔氏之後，事蹟不詳。郭鈺〈送孔貫道應賢良徵辟就謁孔林〉：「詔下江南選俊良，君行千里似還鄉。淮河天近魚龍會，闕里春回草樹香。一代又論新禮樂，千年仍覿舊宮墻。仲舒三策陳王道，文獻承家好激昂。」[31]所謂「詔下江南選俊良，君行千里似還鄉」，透露出孔貫道很可能是江南孔氏後人。

（二）拜謁闕里的江南普通儒士

除了江南的孔子後人，文獻中也有不少普通的江南儒士拜謁孔林的記載。與孔子後人的血緣關係不同，普通的江南儒士主要是出於虔誠的儒學信仰，專程前往拜謁；或在北上南下的途中前往拜謁，體現了江南儒士群體對孔子的文化崇敬之情。

1　至元二十六年（1289），王奕等人

最早北上拜謁闕里的江南儒士屬於南宋遺民。王奕的經歷可以為我們觀察元初江南儒士拜謁闕里提供一個觀察分析的樣本。

王奕，生卒年不詳，字伯敬，號斗山，玉山（今屬江西）人，與謝枋得、文天祥相友善。宋亡後，隱居不仕。但南北一統的形勢激發了作為儒士的他埋藏在內心很久的一個夢想：前往夫子故居闕里。他在〈東魯義約〉中表示：「汶陽鄒魯之邦，吾夫子之宮闕在焉。今九域既一，關河無阻，學者不能致樽酒辦香之敬，是不知有師也。欲壯茲

27　〔元〕揭傒斯：〈送孔惟中歸臨江〉，《揭傒斯全集·詩集》，頁171。

28　《傅若金集》，頁161。

29　《傅若金集》，頁172。

30　同註29。

31　〔元〕郭鈺：《靜思集》，清《文淵閣四庫全書》本，卷8。

行，敢告吾黨。伏以闕里宮牆久矣，關河之隔，朝廷疆里，適茲文軌之同，欲瞻尼山師
道之尊，合致曲阜心香之敬，況洙泗即非弱水，而鄒魯正是中原。今既在邦域之中，何
自棄門牆之外。」[32]於是，在隱居了十年之後，至元二十六年（1289），他約集同志，
東游齊魯，拜謁闕里。可見，王奕此行應有一些同行者。此次齊魯之游，王奕「自葛水
買舟至維揚，又自揚州買舟至孔林、登泰山，復遂淮楚，住復六千里。……真所謂茲行
冠平生者也。」[33]

　　大約八月份，王奕等人到達闕里，先後祭奠了孔子、顏子、孟子、曾子、子思等聖
賢，瞻仰了杏林等文化遺跡（〈八月望日深衣抱高廟御琴奠酒首歌南風繼作憶顏三氏諸
孫環立以聽為杏壇一時之盛千古下令人憮然作歌云〉），與當地的儒學教授及孔、顏、孟
三氏諸孫童現場模擬孔子與學生的風雩之樂、浴沂詠歌（〈八月八日偕廟學教授曹彥禮
及孔顏孟三氏諸孫童齊集遊達泉到沂水緬想風雩之樂余乃浴沂作詠歸歌〉），並作《東行
斐稿》記錄其激動人心的朝聖之游，所謂「此夕何夕，得游聖域，真足以補平生之大
欠！」[34]

　　值得關注的是，王奕還參加了闕里的宣聖廟祭祀儀式。其〈祖庭觀丁歌　八月朔獲
陪拜杏壇得觀周禮之所在〉云：

　　　……北方學者曹博士，新膺上命來交承。聖門不敢負所學，事事必欲行六經。爾
　　時己丑八月朔，大中門闢天微明。左開毓粹右觀德，燈毬燦爛交流星。奎文閣下
　　爇柴燎，栢林鳩鵲爭飛鳴。金絲堂前班引出，笙鏞隱隱金石聲。三氏諸孫列左
　　右，皎潔宿鷺排圓汀。各崇尊長例就位，深衣徵及江南生。禮官三請詣罄所，朱
　　扉咿嗢開中局。太常金樂交佚奏，秩秩籩豆環簪纓。首從先聖告祝後，鄒兗次
　　第犛罇傾。却詣齊國父母廟，泗沂分配隨重輕。五賢推尊孔道者，俎豆亦得陳其
　　誠。春秋天下祀文廟，太常四丁惟魯行。青衿白髮老學校，觀丁未有如斯榮。儼
　　然清都聽雅樂，耳目變換心神驚。南門禮畢飲福胙，公堂交錯飛兕觴。飲餘獨立
　　杏壇下，予懷縹緲欣嘅并……[35]

　　所謂「觀丁」指的是元代儒學的春秋祭丁制度，該詩即是對這一祭祀過程的詳細記
錄。元代儒學祭祀分為春秋祭丁、朔望祭祀、殿謁（或廟謁）、鄉飲酒禮等多種形
式。[36]王奕到達曲阜時可能剛好碰到舉行春秋祭丁、朔望祭祀等祭祀活動，於是有幸目
睹並參與了祭祀的全過程。從「深衣徵及江南生」來看，王奕竟然受邀參與了祭祀儀

---

32 同註6。

33 〔元〕王奕：《玉斗山人集》，民國刻《枕碧樓叢書》本，卷3。

34 〔元〕王奕：《玉斗山人集》，民國刻《枕碧樓叢書》本，卷1。

35 同註34。

36 申萬里：《元代教育研究》武漢：武漢大學出版社，2007年，頁191。

式。「衣深衣」是江南春秋祭丁的服飾，與北方「自今以往，擬合令執事官員，各依品序，穿著公服，外據陪位諸儒，亦合衣襴帶，冠唐巾，以行釋菜之禮」[37]不同。有研究者指出，春秋祭丁以大成樂伴奏，莊嚴肅穆，祭奠儀式主要有祭奠前的準備、辟戶、行禮、合戶、「行禮飲酒」等。[38]祭祀儀式的程序在王奕的上首詩中都有所反映。更重要的是，這種帶有強烈宗教性的祭祀儀式，對王奕的思想和精神產生了巨大的影響，在詩的最後，他激動地表示：「歸與玉斗授論語，願與諸子歌菁菁。庶乎可以報罔極，蠢生未必終頑冥。斐然成歌記祀事，刊作學者座右銘。」[39]

在參加了闕里宣聖廟春秋祭丁儀式後，王奕等人也似乎還單獨舉行了祭祀活動，具體時間如〈奠大成至聖文宣王文〉中所言：「維至元二十六年，歲在己丑八月丁未朔越三日己酉。」值得注意的是一個涉及南北方配享制度的細節。王奕《東行斐稿》記載了他寫作的五篇祭祀之文：〈奠大成至聖文宣王文〉、〈奠先師兗國公顏子〉、〈奠先師鄒國公孟子〉、〈奠先師郕國公曾子〉和〈奠先師沂國公子思〉。這應是在祭祀儀式中宣讀的祝文。顏、孟、曾、思是江南孔廟中的四配。據劉壎《隱居通議》載：

> 州縣學祀文宣王，以兗國公顏子、鄒國公孟子配享文廟。後宋咸淳中，議者以本朝崇尚《四書》，宜併祀曾、思配享，於是以郕國公曾子、沂國公子思子升配文宣王，與顏、孟為四，其意蓋以顏主《論語》，孟主《孟子》，而《大學》則曾之所述，《中庸》則思之所作，是因《四書》而尊四賢，可謂備一代之盛典！其後見北人云：「北方文廟惟以顏、孟配，而曾、思不與焉。」蓋移蹕東南，曾、思並配之令不及北方，故中原惟守舊制也。[40]

可見，以顏、孟配享是北宋舊制，被金代沿襲。當代有研究者指出，「元代孔廟祭祀制度最初承襲金制，全國統一以後，北方在相當一段時間仍然按照金代孔廟制度，以顏、孟配享。江南則多承宋制，以顏、孟、曾、思（子思）四配，塑於孔子廟。在四配之位這一問題上，南北廟學異制表現的最為明顯。」[41]這裡所說的「宋制」當指南宋而言。另據《元史·祭祀志》記載，北方由二配向四配轉變是在元仁宗期間：「延祐三年秋七月，詔春秋釋奠於先聖，以顏子、曾子、子思、孟子配享。」[42]似乎在此之前均是顏、孟二配。但從王奕五篇祭奠祝文的對象和順序來看，闕里當地的宣聖廟中似乎已有四配。那麼，該如何解釋這個問題呢？

37　陳高華等點校：《元典章·禮部二·服色》北京、天津：中華書局、天津古籍出版社，2011年，頁1035。

38　《元代教育研究》，頁202、203。

39　同註34。

40　〔元〕劉壎：《隱居通議》，清《海山仙館叢書》本，卷27。

41　《元代教育研究》，頁301。

42　〔明〕宋濂等著：《元史·祭祀五》北京：中華書局，1976年，卷76，頁1892。

　　筆者認為，最大的可能是北方宣聖廟配享依然是二配。從王奕「首從先聖告祝後，鄒兗次第彝罇傾」的記載可以看出，他所參與的祭祀活動確實是實行二配。據明陳鎬《闕里志》記載，元至大元年（1308）七月，元武宗派王德淵「往祀林廟，以兗國公、鄒國公配。」[43]可見，直至武宗時期，朝廷的闕里孔廟祭祀中仍然是二配。只是王奕作為江南儒士，他在闕里孔廟祭祀時卻是按照江南四配的配享制度而行事。事實可能是，在孔廟中，顏、孟、曾、思的畫像都有，只是在舉行祭祀儀式時，北方主要是以顏、孟配，而江南儒生王奕則是按照江南祭祀禮儀都進行了祭奠。這從王奕〈奠先師郕國公曾子〉中所說的「幸混車書，獲瞻儀貌」的表述也可以得到印證。

2　元初，黃吾老

　　黃吾老，南宋進士，曾任南宋通判之職，疑為江西人。具體資料不可考。據吳澄〈送黃通判游孔林序〉所言，他幼時「聞江西部使者薦人，以黃吾老豐城之政為五十四縣第一，因是得君姓名，而未識也。」[44]後來數次相見。南北一統之後，黃吾老東游齊魯：

> 君年益老氣益壯，容甚澤，而言議亹亹不衰。方將東游魯，拜孔林闕里墳廟。或謂君將於是求夫子之道，君求之久也。孟子云見而知聞而知，知不知不在乎其居也，亦不系乎此行也。而君此行豈他游比哉？余故取其意焉。……今以紹定遺老、德祐朝士，年六十有七猶能跋涉數十里，縱觀宋氏百五十餘年欲至而不得至之邦，其可喜也夫，亦可悲也夫。[45]

　　紹定（1228-1233）是宋理宗的年號，共計六年；德祐（1275-1276）是宋恭帝的年號，共二年。所謂「紹定遺老、德祐朝士」，可見黃通判在南宋時的大致活動時間。黃通判「昔為才進士，歷官所至有能聲」[46]，在年近七旬之際仍然不畏艱險長途跋涉拜訪孔林，摒除功利之意而獨存信仰之心，尋訪儒家文化的源頭。

3　元初，鄭聖與

　　鄭沂，字聖與，上饒人（一作貴溪人）（今屬江西），有詩才，方回〈次韻贈上饒鄭聖予沂序〉云：「貴溪鄭君沂聖予過我，論詩所謂得正脈者也。貌瘠而氣腴，年妙而詞老。」[47]他曾拜謁闕里，戴表元有〈送鄭聖與游闕里序〉云：「江東之貴溪有鄭君聖

43　〔明〕陳鎬：《闕里志》，明嘉靖刻本，卷8。

44　《全元文》，第14冊，頁192。

45　同註44。

46　同註44。

47　〔元〕方回：《桐江續集》，清《文淵閣四庫全書》本，卷15。

與，名沂，獨毅然勇往。余甚異而嘉之。」[48]

4 延祐五年（1318），周應極、周伯琦父子

周應極，字南翁，鄱陽（今屬江西）人，周伯琦之父。據周伯琦〈拜孔林賦〉序言記載：「延祐五年，歲在戊午，春三月，大人由集賢待制貳守池郡。四月廿有三日癸丑，取道濟州，距曲阜有百里。旦日騎出兗州，詣闕里。」[49]周伯琦父子及隨從在孔子五十四代孫襲衍聖公孔思晦家，並與孔子族人、當地官員等一起舉行了祭祀儀式。周伯琦作〈拜孔林賦〉對此行進行了詳盡的描述，所謂「凡山川林墓之盛，燕寢游息之蹟，與夫廟庭之規制，碑碣之銘欽，靡不周覽悉究。其平昔聞而未覯者，一旦盡在目中，匪厚幸歟！」[50]另，袁桷有〈次韻周南翁拜孔林二首〉[51]，當是指的同一件事。

5 至順三年（1332），胡棣

胡棣，字伯友，豫章（今屬江西）人，揭傒斯〈送胡伯友拜孔林序〉云：「胡某伯友，吾鄉之賢而秀者也。好學而篤志。嘗謂吾受夫子罔極之思，欲一拜孔林而不獲焉。至順三年夏，以職事上計京師，過任城，距曲阜九十里，欲往不可得。及竣事將還，告予曰：『吾必一至孔林遂所願焉……』」[52]可見，胡伯友是在公事之暇前往孔林拜謁。

《元詩選補遺》云：「胡杕，一名棣，字伯友，南昌進賢人。博學雄文，好古尚士，以詩賦名。薦授江西儒學提舉。」[53]應為同一人。虞集有〈某與胡伯友書問疏闊稍久因楚石藏主待謁翹仰高誼賦寄此詩〉[54]，王禕〈鄭氏水木居記〉云：「昔者吾友豫章胡伯友氏學行之士也，與吾游，而密嘗名吾居曰水木居，而虞文靖公、揭文安公皆為之賦詠，上清方方壺外史又從而圖之。」[55]可見，胡伯友與虞集、揭傒斯、王禕等均有交往。

6 時間不詳，廣信葉鈞仲

葉鈞仲，廣信人。吳澄〈送葉鈞仲游孔林序〉云：「鈞仲工詩而多藝能，挾此以游，誰不愛且敬？抑曲阜聖師之林廟，雖逢盛代襃崇，而不免於寂寞荒落也？」[56]

48　《戴表元集》，頁144。

49　《全元文》，第14冊，頁247。

50　《全元文》，第44冊，頁520。

51　同註50。

52　〔元〕袁桷著，李軍等校點：《袁桷集》長春：吉林文史出版社，2010年，頁179。

53　〔元〕揭傒斯：《文安集》，《四部叢刊》景舊鈔本，卷8。

54　〔清〕錢熙彥編次：《元詩選補遺》北京：中華書局，2002年，頁175。

55　〔元〕虞集：《道園學古錄》，《四部叢刊》景明景泰翻元小字本，卷29。

56　〔明〕王禕：《王忠文公集》，清《文淵閣四庫全書》補配清《文津閣四庫全書》本，卷8。

7 時間不詳，歐陽尚古

歐陽尚古，事蹟難考。吳澄〈楚語贈歐陽尚古序〉云：「歐陽尚古將游孔林，遂游京師，壯哉斯游也！」[57]

8 時間不詳，吾丘衍

吾丘衍（1268-1311），字子行，號貞白，錢塘（今浙江杭州）人。工篆隸書，通聲音律呂之學，性格曠放，高蹈不仕。他有〈題闕〉詩云：「長歌杏壇春，俯拜闕里前。行道各有志，韶音振朱弦。回首郭隗臺，期君步雲煙。」[58]可見其曾拜謁闕里。

9 時間不詳，李遠

李遠，字仲永，疑為江西人，出身儒學世家，事蹟難考。據虞集〈送李仲永游孔林序〉「仲永之先侍郎公實爲朱、張二子所稱道，議論名節見諸文章。仲永尚論先世，其亦有所聞也乎？」[59]可知他出身於儒學世家。在拜謁闕里之前，他請虞集作序，受到虞集的鼓勵與讚賞：「李遠仲永，視予年僅將半之，有其志、有其財、有其時，欲爲孔林之行，其行矣哉！毋因循毋簡慢，毋退志，爲它日有予之悔者也。」[60]

此外，還有不少士人有拜謁孔林的跡象，但並沒有留下直接的證據。如豫章楊顯民，「游秦淮，歷齊魯之墟，過泰山拜孔林，而迤北至於京師。其郡人胡君栢友倡為詩歌以餞贈之。」[61]胡君栢友或為胡伯友。再如徐伯輈，「浮彭蠡而過秦淮，或由黃河之南，經泰山之下，望孔林而走京師」[62]。還有不少拜謁闕里的江南士人連姓名都沒有留下，如吳澄〈書囂囂序後〉中的「向年有遊孔林者」、李存〈送人遊孔林〉中的士人等，均是拜謁闕里的江南儒士群體中的一員。由此可以想見，前往聖人故居闕里拜謁的江南儒士應有不少。只是由於文獻有闕，我們無從具體考證拜謁闕里的江南儒士的準確人數，但從元人的詩文中我們可以了解當時人的心聲。

（三）代祀闕里的朝廷南士官員

闕里廟祭始於太宗九年（1237），《元史·祭祀五·宣聖》云：「闕里之廟，始自太

57　〔元〕虞集：《道園學古錄》，《四部叢刊》景明景泰翻元小字本，卷32。

58　同註57。

59　《全元文》，第14冊，頁3。

60　〔元〕吾丘衍：〈題闕〉，《竹素山房詩集》，清武林往哲遺著本，卷3。

61　〔元〕李存：〈送楊顯民遠游序〉，《全元文》，第33冊，頁346。

62　〔元〕李存：〈贈徐伯輈序〉，《全元文》，第33冊，頁347。

宗九年，令先聖五十一代孫襲封衍聖公元措修之，官給其費。而代祠之禮，則始於武宗。牲用太牢，禮物別給白金一百五十兩，彩幣表裡各十有三匹。四年冬，復遣祭酒劉賡往祀，牲禮如舊。延祐之末，泰定、天曆初載，皆循是典，錦幣雜彩有加焉。」[63]大德十一年（1307），武宗即位，加封孔子為大成至聖文宣王，並對配享者、從祀者、孔子父、母、妻等進行加封。朝廷派使臣代祀闕里，也始於武宗時期。根據馬曉林〈元代代祀闕里宣聖廟一覽表〉[64]的統計，元代代祀闕里宣聖廟共十三次，有三次代祀分別為皇太后、察罕帖木兒、皇太子遣使，元代皇帝遣使代祀闕里共十一次。而代祀使臣，幾乎皆為以儒學入仕或儒學修養較高的大臣。其中最常見翰林學士、集賢學士、國子祭酒等職[65]。

　　代祀使臣有王德淵（廣平人，今河北）、劉賡（名水人，今河北）、王存義（籍貫不詳）、曹元用（汾上曹莊人，今山東嘉祥）、趙世安（淶水人，今河北）、王思誠（兗州嶧陽人，今山東）、高元肅（不詳）、孔思立（曲阜人，今山東，孔子五十四代孫）、周伯琦（鄱陽人，今江西）、郭孝基（曹州人，今山東菏澤）、董立（咸寧人，今湖北）、尹師彥（不詳）、魏元禮（肅寧人，今河北）十三人。從這個名單可以看出，代祀使臣的絕對主體是北方漢人，這與蒙元朝廷選擇代祀使臣的標準有關：「至元二十八年正月，帝謂中書省臣言曰：『五嶽四瀆祠事，朕宜親往，道遠不可。大臣如卿等又有國務，宜遣重臣代朕祠之，漢人選名儒及道士習祀事者。』」[66]可見，使臣的選擇範圍主要是漢人和道士，南士鮮能入選。元中後期，隨著科舉制度的舉行，南方士人朝中任職者漸多，才有南方士人擔任代祀使臣，如虞集、周仁榮、張起巖、揭傒斯、周伯琦等。但代祀宣聖只有周伯琦、董立二人。

1　至元六年（1340），翰林修撰周伯琦

　　周伯琦（1298-1369），字伯溫，號玉雪坡真逸，鄱陽（今屬江西）人。其父為周應極（即周南翁）。伯琦少游京師，年十五補國子生，深受寵遇，仕途順遂，「帝嘗呼其字伯溫而不名。……十二年，有旨令南士皆得居省臺。除伯琦兵部侍郎，遂與貢師泰同擢監察御史。兩人皆南士之望，一時榮之。」[67]以南臺侍御史致仕。周伯琦有〈七月十二日奉詔以香酒使曲阜代祀孔廟作〉、〈八月六日丁亥釋奠孔子廟三十韻〉等詩記錄其代祀闕里之行。〈八月六日丁亥釋奠孔子廟三十韻〉末云：「制作先東魯，朝廷用大儒。愚生

63　《元史‧祭祀五》，卷76，頁1899。

64　馬曉林：《元代國家祭祀研究》，南開大學博士學位論文，2012年，頁413-415。

65　馬曉林：《元代國家祭祀研究》，南開大學博士學位論文，2012年，頁416。

66　《元史‧祭祀五》，卷76，頁1900。

67　《元史‧周伯琦》，卷187，頁4296、4297。

深有幸，歸上〈孔林圖〉。」[68]詩中所言的〈孔林圖〉，揭傒斯曾作〈孔林圖詩併序〉，在序言中說：「集賢待制周侯能脩禮于孔林，侍讀學士商公圖之史官，揭傒斯詩詠之。」[69]可見，此次代祀的同時，周伯琦一行還將曲阜宣聖廟等景觀繪製成圖上報史館復命。

2 至正八年（1348），董立

　　董立，字植夫，號玉峯，咸寧人（今屬湖北）。中經元，會試以疾還，遂隱居教授三十餘年。據魏源《元史新編》記載，順帝至正七年（1347），丞相賀太平以隱逸薦舉之：「（賀太平）舉隱士董立、張樞、李孝先等。平生好訪問人材，不問南北，必記錄於冊，至是多進用之。」[70]第二年，董立就作為代祀使臣前往闕里拜祭宣聖廟。現存文三篇，收錄在《全元文》。[71]

三　江南儒士拜謁闕里的文化意義

　　闕里作為儒家文化意義上的聖城，拜謁闕里的朝聖之游更具有文化意味。元初的江南儒士專程前往闕里拜謁，顯示出疆域重歸一統後，江南儒士文化尋根的熱情。而有元一代，更多的江南儒士則是在北上或南下時路經闕里，進行拜謁致意，甚至有朝廷南士官員代祀闕里，這也顯示出江南儒士以及蒙元政治集團對儒家文化的認同。

　　首先，拜謁闕里是江南儒士對儒學信仰的致敬方式，對於「伏以闕里宮牆」的儒學傳承者來說，拜謁闕里顯示了江南儒士認祖歸宗的文化認同。在拜謁闕里的過程中，往往伴隨著祭祀活動，這讓士人重新思考「華夷之辨」的現實問題，並獲得一種類似於宗教體驗的靈魂解救或淨化，所謂「群經日月行天地，萬古韋紳沐聖恩」[72]（袁桷〈次韻周南翁拜孔林二首〉）如王奕在拜謁闕里之後寫有〈歸途有感〉：「少小從師讀魯書，幾回掩卷想風雩。得游鄒魯聖賢地，誰創華夷道德涂。地勢雖然有離合，腳跟卻莫放模糊。不知江右明經士，曾識春秋兩字無。」[73]南宋時期在儒家文化燻陶中成長的江南士人，囿於地理限制而只能想像聖人之鄉的風采，一旦有機會拜謁闕里，情感頗為複雜，更堅定了儒家文化的認同與信仰，這頗能反映出元初江南儒士拜謁闕里的文化心態和時代特徵。

68　〔元〕周伯琦：《近光集》，清《文淵閣四庫全書》本，卷1。

69　〔元〕揭傒斯：《文安集》，《四部叢刊》景舊鈔本，卷2。

70　〔清〕魏源：《元史新編》，清光緒三十一年邵陽魏氏慎微堂刻本，卷42。

71　《全元文》收錄董立的三篇文章出現重複，分別在第56冊頁337-341與第58冊頁525-530。

72　同註52。

73　〔元〕王奕：〈歸途有感〉，《玉斗山人集》，民國刻《枕碧樓叢書》本，卷2。

　　其次，拜謁闕里在一定程度上增進了江南儒士對蒙元政權的認同。這看似矛盾的現
象，確實發生在江南儒士中，特別是對於沒有經歷易代之痛的江南儒士來說，尤其如
此。比如周伯琦，出生於一二九八年，他在仕途上的頗為順遂，並代表蒙元皇帝祭祀闕
里。周伯琦在〈越五日別翰林諸友〉中難掩激動之情：「分班扈躍到灤京，侍從官閑暑
氣清。聖主素知吾道重，頒香特遣孔林行。中原廟貌山川古，萬代綱常日月明。虔祀歸
時迎大駕，共承經術贊承平。」[74]周伯琦的闕里之行完全沒有了易代之際的感傷與痛
苦，更多的是對蒙元大一統的讚頌，其〈拜孔林賦〉云：「昔誦其書，今游其鄉。匪遭
聖代之一統，焉能臻魯邦之全壤。……諒茲生之曠遇，慰平素之鑽仰……凡我有生……
亦猶身游乎闕里，而日親炙乎聖賢也。」[75]其他如袁桷〈次韻周南翁拜孔林二首〉云：
「山蔌平林野水清，整冠下馬得徐行。壇空尚憶風雩樂，宅近惟聞金石聲。環珮齊趨文
有度，豆籩初秩禮為程。百年雨露同車軌，郡國千官奠帛生。」[76]吾丘衍〈題闕〉詩
云：「長歌杏壇春，俯拜闕里前。行道各有志，韶音振朱弦。回首郭隗臺，期君步雲
煙。」[77]這些詩歌都退去了故國之思，反映了江南儒士對蒙元政權的認同與對仕途的希
望。

　　再次，拜謁闕里使得儒士汲取了積極進取的力量和更為自覺的文化擔當。特別是蒙
元政權推崇儒家文化的舉措，更是讓儒士感到振奮。實際上，元代士人對於京師與闕里
的重要意義有所體認：

> 夫京師天下之會，而闕里聖人之鄉也。為士者身不至京師，不足以昌其道；為聖
> 人子孫者，身不及闕里，不足以正其宗。不昌其道非忠也，不正其宗非孝也，忠
> 孝之失，君子不與。[78]

這裡將士人與聖人子孫對舉，強調了京師與闕里的重要性。京師是「昌其道」的地方，
而闕里時「正其宗」的所在。「正其宗」固然是針對孔子後人而言，但對於服膺孔子學
說的普通江南儒士來說，拜謁闕里的文化尋根意味依然強烈。因此，江南儒士拜謁闕里
在文化上的認祖歸宗之後，也肩負起了傳承儒家之道的擔當。如王奕〈東魯義約〉寫
道：「汶陽鄒魯之邦，吾夫子之宮闕在焉。今九域既一，關河無阻，學者不能致樽酒辦
香之敬，是不知有師也。」[79]其〈和疊山送淮安士友韻〉云：「行計竟為尊魯出，櫓聲

74　〔元〕周伯琦：《近光集》，清《文淵閣四庫全書》本，卷1。

75　〔元〕周伯琦：〈拜孔林賦〉，《全元文》，第44冊，頁522。

76　同註52。

77　同註60。

78　〔元〕傅若金：〈送孔學在詩後序〉，《全元文》，第49冊，頁277、278。

79　同註6。

相逐過江來」[80]。以道自任的士人經常以帝王師自期，在拜謁孔子故居後，更加堅定了其傳承弘揚儒家文化的決心。

總之，元代江南儒士拜謁闕里具有朝聖的文化意味，不論是元初的南宋遺民，還是游歷干謁的儒士，或者是代祀闕里的南士官員，在拜謁闕里、祭祀先聖的過程中，都逐漸褪去了易代的悲情，表達了對儒學先賢的致敬之情和對南北大一統的讚頌，激發了儒士群體以儒學傳承為己任的責任感和使命感。考慮到處於異族統治下的時代現實，元代江南士人的拜謁闕里之舉更是反映了他們對儒家文化信仰的堅守，具有鮮明豐富的時代特徵和文化內涵，值得我們關注和思考。

80　〔元〕王奕：〈和疊山送淮安士友韻〉，《玉斗山人集》，民國刻《枕碧樓叢書》本，卷2。

《大明一統志》編修與流傳考

齊冠凱

中國人民大學國學院

　　《大明一統志》為明英宗諭敕官修的一部全國性地理總志，成書於天順五年。相關研究有傅貴九〈讀《大明一統志》劄記〉[1]、張英聘〈論《大明一統志》的編修〉[2]兩篇。傅文由於為讀史劄記，只簡略介紹了有明一代輿地總志的編修、景泰《寰宇通志》與《大明一統志》體例之不同、《大明一統志》的版本與流傳等情況；張文較為細緻的闡述了《大明一統志》的編修體例問題，並對其史料價值及意義和影響作了研究[3]。學界目前雖於《大明一統志》修志體例的繼承、諸史志具體內容之比較等問題初具輪廓，然於修志始末、後世流傳等問題尚有待補之闕，既有研究如以上二者於諸史實亦有不能辨明之處，故今筆者試在前人的基礎上就以上問題作進一步的探討。

一　洪武至景泰間輿地總志的編纂

　　天順《大明一統志》前輿地總志之編纂共三次，茲分述於下：

（一）洪武三年《大明志書》

　　朱元璋建國後即命群臣編纂地理總志，據《明太祖實錄》洪武三年十二月辛酉條載：

> 辛酉《大明志書》成。先是命儒士魏俊民、黃箎、劉儼、丁鳳、鄭思先、鄭權六人編類天下州郡地里形勢，降附始末，為書。凡天下行省，十二府、一百二十州、一百八縣、八百八十七安撫司、三長官司，一東至海，南至瓊崖，西至臨洮，北至北平。至是書成，命送秘書監鋟梓頒行，俊民等皆授以官。[4]

此書為明朝建國後編纂全國性地理總志的第一次嘗試，頒行範圍依行政區畫幾至全部疆

1　傅貴九：〈讀《大明一統志》劄記〉，《史學史研究》，1993年第1期，頁78-80。

2　張英聘：〈論《大明一統志》的編修〉，《史學史研究》，2004年第4期，頁48-56。

3　其他論作或有提及之處，然非專文探討，此處不再贅述。

4　《明太祖實錄》卷59，《明實錄》臺北：中央研究院歷史語言研究所，1962年，第3冊，頁1149。

土，其中「降附始末」的體例亦可見編纂者為彰一統之用意。又據明代沈文〈聖君初政記〉所載：

> 洪武三年命儒臣魏俊等六人類編天下郡縣地理形勢為《大明志》。[5]

此處應為原書誤。後《明史・藝文志》亦著錄此書，題為《大明志書》。原書已佚，卷數詳目於今皆無可考[6]。

　　除此之外，洪武時尚有兩部全國性地理志的編纂，其一為《大明清類天文分野書》，據《明太祖實錄》洪武十七年閏十月癸亥條載：

> 是月《大明清類天文分野書》成。其書以十二分野星次分配天下郡縣，於郡縣之下又詳載古今建置沿革之由，通為二十四卷。詔頒賜秦、晉、今上、周、楚、齊六王。[7]

按《實錄》無載此書編者，亦無編纂始末，《四庫全書提要》以其為「明劉基撰」[8]，而劉基卒於洪武八年，故當存疑；其二為《寰宇通衢書》，據《明太祖實錄》洪武二十七年九月庚申條載：

> 庚申修寰宇通衢書成。時上以輿地之廣不可無書以紀之，乃命翰林儒臣及廷臣以天下道里之數編類為書。其方隅之目有八：東距遼東都司陸行為里三千九百四十四，馬驛六十四，水陸兼行為里三千四十五，驛四十……四川之道三，水驛九十四，為里七千二百六十五，馬驛八十二，為里四千七百九十五，水馬驛七十，為里五千九百。時天下道里縱一萬九百里，橫一萬一千七百五十里，此其大略也，四夷之驛不與焉。[9]

　　此書初修於洪武，景泰中再命重修[10]，兩次修纂之人員史籍皆無記載，張英聘〈論《大明一統志》的編修〉以其為劉基所著，應為誤。

　　而後洪武二十年又有《洪武志書》一書修成，據《明太祖實錄》洪武二十八年十一月辛亥條載：

> 辛亥《洪武志書》成。其書述都城、山川、地里、封域之沿革，宮闕、門觀之制

5　〔明〕沈文：〈聖君初政記〉，《叢書集成新編》臺北：新文豐出版公司，1985年，第85冊，頁698。

6　《明史・藝文志》：「《大明志書》。洪武三年詔儒士魏俊民等類編天下州郡地理形勢、降附顛末為書。卷七。」北京：中華書局，2003年，頁2405。

7　《明太祖實錄》卷167，《明實錄》，第6冊，頁2563-2564。

8　《四庫全書總目》北京：中華書局，2008年，卷110，頁938。

9　《明太祖實錄》卷234，《明實錄》，第8冊，頁3423-3426。

10　《千頃堂書目》上海：上海古籍出版社，2001年，卷6，頁151。

度，以及壇廟、寺宇、街市、橋樑之建置更易靡不具載，詔刊行之。[11]

上文洪武初已有《大明志書》，如欲另修輿地總志，《實錄》理應具載修志始末，然於《洪武志書》史籍記載皆語焉不詳，又據《曝書亭集》載：

> 先是洪武三年，命儒士魏俊民、黃篪、劉儼、丁鳳、鄭思克、鄭權六人類編《大明志書》。迨二十八年，覆命廷臣修飾刊行。[12]

按《洪武志書》應為以《大明志書》為底本重修，這一問題也是張英聘〈論《大明一統志》的編修〉沒有注意到的。

（二）永樂十六年《天下郡縣志》

明成祖朱棣即位後亦曾有編修全國性地理總志的計畫，據《明太宗實錄》永樂十六年六月乙酉條載：

> 詔纂修《天下郡縣誌》書，命行在戶部尚書夏原吉、翰林院學士兼右春坊右庶子楊榮、翰林院學士兼右春坊右諭德金幼孜總之，仍命禮部遣官遍詣郡縣博采事蹟及舊志書。[13]

而後《實錄》中並無此書修成之記載，只有代宗及英宗分別在《寰宇通志》與《大明一統志》的御制序中曾提及此事，據《明英宗實錄》景泰七年五月乙亥條錄《寰宇通志》御制序文云：

> 肆朕皇曾祖考太宗文皇帝嘗思廣如神之智，貽謀子孫，以及天下後世，遣使分行四方，旁求故實之凡有關於輿者，採錄以進，付諸編輯。事方伊始，而龍馭上賓，因循至今，而先志未畢，則所以成夫繼述之美者，朕焉得而緩乎？[14]

又據《明英宗實錄》天順五年四月乙酉條錄《大明一統志》御制序文云：

> 肆我太宗文皇帝慨然有志於是，遂遣使遍采天下郡邑圖籍，特命儒臣大加修纂，必欲成書貽謀子孫以嘉惠天下後世。惜乎，書未就緒而龍馭上賓，朕念祖宗之志有未成者，謹當繼述。[15]

11　《明太祖實錄》卷243，《明實錄》第8冊，頁3534。

12　〔清〕朱彝尊：《曝書亭全集》長春：吉林文史出版社，2009年，頁486。

13　《明太宗實錄》卷201，《明實錄》第14冊，頁2089。

14　《明英宗實錄》卷266，《明實錄》第35冊，頁5643。

15　《明英宗實錄》卷327，《明實錄》第37冊，頁6740。

其意皆為修志計畫因成祖逝世而中輟，明人文集亦有載此事者，如明王直〈汝寧府志序〉即載：

> 我太宗皇帝在位時，稽古右文，既修《永樂大典》，以資盛治矣。即詔禮部搜集舊聞，欲作志書，以著一統之大，而未及成書。[16]

然《千頃堂書目》中有「夏原吉《天下郡縣誌》一百卷」[17]一條，明人文集中亦有不記此志未成者，如明柯暹〈華容縣誌書序〉載：

> 永樂中詔修志書，頒定凡例，俾天下郡邑采輯以進，然後儒臣得以參校成書。[18]

按《千頃堂書目》所載「《天下郡縣誌》一百卷」或為後人據稿、鈔本輯成，類似之事並不稀見，如明嘉靖八年時巡撫遼東之右副都御史潘珍重修《遼東志》，然因家憂去而修志未成，後由徐文華、劉琦、程啟充三人得其成稿而肆成之。

（三）景泰七年《寰宇通志》

土木堡之變英宗被俘，景帝朱祁鈺以藩王身份繼位，於景泰五年詔修全國地理總志。據《明英宗實錄》景泰五年七月庚申條載：

> 命少保兼太子太傅、戶部尚書陳循等率其屬纂修天下地理志。禮部奏遣進士王重等二十九員，分行各布政司並南北直隸府州縣，採錄事蹟。[19]

景泰七年書成，乙亥大學士陳循等進呈御覽，並賜循等白金彩幣有差，景帝御制序文[20]。奉敕纂者總裁五人：文淵閣大學士陳循、東閣大學士高穀、王文、翰林院學士蕭鎡、左春坊大學士商輅。纂修四十有二人：左春坊大學士彭時、右春坊大學士劉儼、翰林侍講學士倪謙、呂原、左春坊左諭德林文、司經局洗馬劉定之、李紹、右春坊右中允柯潛、翰林院修撰孫賢、左春坊左贊善周洪謨、右春坊右贊善錢溥、左司直郎萬安、李泰、翰林院編修黃諫、陳鑑、劉吉、劉珝、曹恩、王獻、劉宣、童緣、檢討李本、馬昇、江朝宗、中書舍人兼司經局正字趙昂、庶起士丘濬、耿裕、彭華、劉釪、牛綸、孟勳、何琮、吳禎、嚴淓、尹直、陳政、甯珍、馮定、金紳、黃甄、夏時、王寬。[21]

---

16 《抑庵文後集》卷22，《景印文淵閣四庫全書》臺北：臺灣商務印書館，1986年，第1241冊，頁866。

17 《千頃堂書目》上海：上海古籍出版社，2001年，卷6，頁152。

18 《東岡集》卷4，《四庫全書存目叢書》濟南：齊魯書社，1997年，集部第30冊，頁532。

19 《明英宗實錄》卷243，《明實錄》第34冊，頁5285。

20 《明英宗實錄》卷266，景泰七年五月乙亥條，《明實錄》第35冊，頁5643。

21 《寰宇通志》卷首著錄，《玄覽堂叢書續集》臺北：國立中央圖書館，1947年，影印明初刊本，第38冊，頁1a-3b。

　　《寰宇通志》鏤板內府，本欲頒示中外，然逢奪門之變，英宗復辟，遂遭毀版[22]，此後傳世甚稀，「自《一統志》頒行，而《通志》不復流布，民間儲藏者寡矣」[23]，現存版本可考者僅有明景泰間內府刻本，中國國家圖書館、臺北國家圖書館、日本東京大學東洋文化研究所等藏之，近世以來亦有影印本，鄭振鐸先生《玄覽堂叢書續集》收其明初刊本。

二　《大明一統志》的編修

　　明英宗朱祁鎮復辟重登皇位後，改元天順，為削景泰政權之影響，重正一統，敕諭重修全國地理總志。據《明英宗實錄》天順二年八月己卯條載：

> 敕諭吏部尚書兼翰林院學士李賢、太常寺少卿兼翰林院學士彭時、翰林院學士呂原曰：「朕惟天下輿地之廣不可無紀載以備觀覽，古昔帝王率留意焉，我文祖太宗皇帝嘗命儒臣修之，未底於成。景泰間雖已成書，而繁簡失宜，去取未當。今命卿等折衷群書，務臻精要，繼成文祖之初志，用昭我朝一統之盛以幸天下，以傳後世，顧不偉歟。卿等其盡心毋忽。」[24]

天順五年書成，全書九十卷，英宗御制序文[25]，賜總裁纂修等官學士李賢等鈔錠有差[26]。

　　在類目改刪上，《一統志》改《通志》「公廨」為「公署」，「橋樑」改為「關梁」，合併「宮殿」、「樓閣」、「堂亭」、「池館」、「臺榭」為「宮室」，刪削「館驛」、「井泉」、「關隘」、「題詠」等項，增補「流寓」、「列女」、「仙釋」諸目。[27]按《大明一統志》之編修與前志成書相隔兩年，政區細事無大變化，後世學者多譏其編修之草疏，如清顧炎武《日知錄》卷三十一下有「大明一統志」一節，曾略摘數事舛謬，以供後人改定[28]，《四庫全書總目》亦以此為提要：

> 知明代修是書時，其義例一仍元志之舊，故書名亦沿用之。其時纂修諸臣，既不出一手。舛訛抵牾，疏謬尤甚。如以唐臨洮為漢縣。遼無章宗，而以為陵在三

22　〔明〕葉盛：《水東日記》卷39〈寰宇通志序表凡例〉：「此書印裝已備，方欲下頒，適天順改元，遂已。」北京：中華書局，1980年，頁373。

23　《曝書亭全集》，頁486。

24　《明英宗實錄》卷294，《明實錄》，第36冊，頁6281。

25　《明英宗實錄》卷327，天順五年四月乙酉條，《明實錄》，第37冊，頁6740。

26　《明英宗實錄》卷328，天順五年五月辛丑條，《明實錄》，第38冊，頁6751。

27　《大明一統志》，哈佛燕京圖書館藏萬曆歸仁齋楊氏刊本。

28　詳見《日知錄集釋》上海：上海古籍出版社，2006年，頁1741。

河。金宣宗葬大樑，而以謂陵在房山。以漢濟北王興居為東漢名宦。以箕子所封
之朝鮮為在永平境內。俱乖迕不合，極為顧炎武《日知錄》所譏。至所摘王安石
《處州學記》地最曠大山長穀荒之語，則並句讀而不通矣。[29]

清顧祖禹稱其「於古今戰守攻取之要，類皆不詳，於山川條列，又復割裂失倫，源流不
備」[30]，清朱彝尊言「《寰宇通志》自好，修為《一統志》變不佳」[31]等。此類關於史志
內容的問題如前文所言已為傅、張二文所及，今僅就《大明一統志》編修人員及所謂
「學術源流」二問題進行討論。

（一）《大明一統志》的編修人員

奉敕纂《大明一統志》者總裁三人：吏部尚書兼翰林院學士李賢、太常寺少卿兼翰
林院學士彭時、翰林院學士呂原。副總裁三人：翰林院學士林文、翰林院學士劉定之、
翰林院侍讀學士錢溥。纂修二十一人：翰林院侍講萬安、李泰、左春坊左中允孫賢、右
春坊右中允劉珝、翰林院修撰陳鑒、劉吉、童緣、黎淳、左春坊左贊善牛綸、翰林院編
修王□、戚瀾、徐溥、李本、丘濬、彭華、尹直、徐瓊、陳秉中、楊守陳、翰林院檢討
邢讓、張業。催纂二人：中書舍人馬麟、韓定。謄錄二十八人：太常寺卿夏衡、順天府
府丞余謙、禮部郎中王叔安、禮部員外郎陳綱、凌耀宗、林章、葉玟、何暹、書舍人謝
宇、曹冕、溫良、劉珙、黃清、焦彬、凌暉、王暕、鴻臚寺序班李惠、陳福、蔚瑄、周
璟、吳震、陳經、王禮、門□、劉詢、梁俊、毛顯、翰林院秀才姜立綱。[32]

總裁、副總裁、纂修三者之職分與聯繫今不可考，僅可從明人文集中略知其貌，明
陸容曾辨《大明一統志》不志戶口之事：

> 《大明一統志》，即景泰間修而未成者，天順間，始成之。初修時，學士錢溥為
> 副總裁，嘗欲志戶口，而李文達以戶口戶部自有數，慮傷繁而止。按《周禮》：
> 「獻民數於王，王拜受之。」是民數朝廷之所重也。苟在所當志，何傷繁之慮
> 耶？如以此為戶部有數而不志，則內外文武諸司之設，吏兵二部有數；學校寺
> 觀，禮部有數；皆將不必志耶？文達既自用，而彭、呂諸公又皆務為簡重，不相
> 可否。故此書之成，不但戶口之登耗無徵而已。[33]

29　《四庫全書總目》卷68，頁597。

30　《讀史方輿紀要》北京：中華書局，2005年，頁12。

31　《曝書亭全集》，頁486。

32　《大明一統志》卷首著錄，第1冊，哈佛燕京圖書館藏萬曆歸仁齋楊氏刊本，頁5a-8a。

33　〔明〕陸容：《菽園雜記》北京：中華書局，1997年，卷10，頁125-126。

由此可知時總裁、副總裁主「去取」事，副總裁若提出編修意見，則由總裁定奪。

　　另天順時吏部權重，總裁李賢作為明季第一位首輔兼吏部尚書，曾就參修人員的出身問題進言於上，據《昭代典則》載：

> 先是永樂中令夏原吉、楊榮等纂修《天下郡縣志》未成，景泰中重修《寰宇通志》僅成，未刻而賢復位，遂命李賢等重修。賢嘗謂翰林實文學侍從之臣，非雜流可與，景泰間陳循輩各舉所私，非進士出身者十將四五，率皆委靡浮薄之流，一時無由而退。至是上欲重修《通志》，惟推擇進士出身者，此輩遂知不當居此，願補外職，賢乃言於上，命吏部外除之，翰林為之一清。[34]

由是則《大明一統志》纂修以上皆為進士出身。王劍英先生曾疑黃光升所言「十之四五」，並據《明清進士題名碑錄索引》考證《寰宇通志》所有纂修人員皆為進士出身[35]。按參修《寰宇通志》四十七人中有三人非進士出身，其一為曹恩，據《館閣漫錄》載：

> 景泰元年三月壬申改大理寺評事曹恩為翰林院編修，恩以蔭敘為評事，自陳願改職於翰林院讀書，故有是命。[36]

故知曹恩以蔭敘為評事，非進士出身；其二為馬昇，據《商文毅疏稿》缺官疏條載：

> 題為缺官事。臣照得本院額設孔目一員，專掌管文案。先因孔目馬昇考滿，一時文案缺人理辦。該學士陳循等奏保本官升授檢討，職事仍管孔目事，已經一年之上，切緣檢討系史官，孔目系首領官，以纂修之職事兼理案牘，於事體未便。如蒙準題，合無馬昇止令任檢討職事。其孔目一員，乞敕吏部別選廉能勤慎相應之人，銓注補缺管事，庶得職務不紊。緣系缺官事理，未敢擅便，謹題請旨。[37]

按進士館選者，散館例授編、檢、給事中、主事諸官，未與館選者分部行走，補官亦為主事。翰林院孔目為末秩微員，大抵以歲貢等低級科名者充任，並非進士授官之階；其三為趙昂，據《翰林記》載：

> 本院辦事帶俸官以書辦為職，起自內閣三楊用事時。於制詔、制敕二房聽用，多由秀才、儒士、譯字生舉任。始授鴻臚寺序班，稍遷至中書舍人，升授大理寺卿

34 〔明〕黃光升：《昭代典則》卷17，《續修四庫全書》上海：上海古籍出版社，2002年，第351冊，頁481。

35 王劍英：〈明代總志評述〉，《中國歷史地理論叢》，1991年第2期，頁177-178。

36 〔明〕張元忭：《館閣漫錄》卷3，《四庫全書存目叢書》濟南：齊魯書社，1996年，史部第258冊，頁687。

37 〔明〕商輅：《商文毅疏稿》，《景印文淵閣四庫全書》第427冊，頁423。

正、寺副、評事，尚寶司卿、少卿、司丞，太常寺卿、少卿、寺丞，各部左右侍郎、郎中、員外、主事等職，至三品而止。獨華亭沈度善書馳聲，永樂時自典籍累遷學士；景泰中，中書舍人趙昂升編修，進通政司參議，為特異。其後亦有由官生及舉人、進士入者，治中林章官至三品，遇恩加勳階至榮祿大夫，前此未有也。[38]

由是知趙昂由秀才、儒士、譯字生舉任，而非進士。

　　除此之外，王劍英先生在其〈明代總志評述〉一文中還提到《寰宇通志》、《大明一統志》二書纂修人員中皆無精通地理學之人才，並以元代編《大元大一統志》時召虞應龍來京任少監、清代編《大清一統志》時召顧祖禹、閻若璩等參與編修二事為對比。按元代編《一統志》時，欲將「漢兒田地里」的圖志四十五冊與秘書監已有的回回圖冊「都總做一個圖子」[39]，而「漢地」作為大蒙古國的一部分，其地理志的編纂並非蒙古人及色目人（札馬剌丁）之能力所及，故方有召虞應龍入京並參用其所編《統同志》之舉；至於康熙間徐乾學總裁編修《大清一統志》召顧祖禹等，則明顯為清廷籠絡南方士人之舉，王劍英先生以此二事對比明代編修輿地總志事實略失偏頗。

（二）所謂「學術源流」問題

　　《四庫全書總目》認為《大明一統志》之義例「一仍元志之舊，故書名亦沿用之」[40]，這一觀點為後世學者所承襲，如史念海先生曾云：「繼之而起的《大明一統志》，即以《大元大一統志》為藍本。」[41]張英聘〈論《大明一統志》的編修〉一文通過對諸唐宋地理總志體例的分析，認為《大元大一統志》「綜合了唐《元和郡縣圖志》、宋《太平寰宇記》、《元豐九域志》、《輿地紀勝》等書」，進而得出《大元大一統志》「其中許多好的體例原則和規範形式，為明代一統志編修者所遵循和發展。」的結論。筆者以為，一代修志者參考前代書自為常事，本不必專文論述，如若論及則有強加因果之嫌。按《大明一統志》以《寰宇通志》為藍本，此點毋庸置疑，而《寰宇通志》「采事實凡例，一準祝穆《方輿勝覽》」[42]，至天順間《大明一統志》「歸併了景物方面的門類，刪除了題詠門，刪除了記敘文，才基本上改變了《勝覽》以來的地志面貌。」[43]事

38　〔明〕黃佐：《翰林記》，《景印文淵閣四庫全書》第596冊，頁895-896。

39　《秘書監志》杭州：浙江古籍出版社，1992年，卷4，頁74。

40　《四庫全書總目》卷68，頁597。

41　史念海：〈論歷史地理學和方志學〉，《方志文摘》第1輯，1982年，頁76。

42　《水東日記》卷39，頁250。

43　譚其驤：〈論《方輿勝覽》的流傳與評價問題〉，《長水集續編》北京：人民出版社，1994年，頁328。

實上，欲探所謂的「學術源流」，應更側重文獻中的線索而非對於繼承關係的臆測。洪武以來修輿地總志者素重修志前期地理資料的積累，如洪武六年「上以天下既平，薄海內外幅員方數萬里，欲觀其山川形勢、關徼厄塞，及州縣道里遠近，土物所產，遂命各行省每於閏年繪圖以獻」[44]，次年二月浙江等行省並直隸府州縣「皆以山川險易圖來獻」[45]，又如洪武十六年「詔天下都司，凡所屬衛所、城池，及境內道里遠近、山川險易、關津亭堠、舟車漕運、倉庫、郵傳、土地所產，悉繪圖以獻」[46]，再如洪武二十五年「詔五軍都督府諭各都指揮使司，以軍馬糧儲之數及關隘要衝、山川險易、道里遠近悉繪圖以聞」[47]等，這些地理資料的準備雖無明確的成書指向，但亦是後世編修全國性地理總志除前述六部地志外最直接的資料來源。除此之外，永樂十年與十六年又分別頒有修志凡例，英宗敕修《大明一統志》如欲繼述成祖之志，則永樂間頒定的修志凡例亦應為其最直接的參考來源。

三　《大明一統志》的流傳

（一）《大明一統志》的版本

　　《大明一統志》傳世刻本較多，今僅錄筆者所見及有書志題跋（如《美國哈佛大學哈佛燕京圖書館中文善本書志》、《中國善本書提要》等）記之者於下：

1　明天順五年內府刻本

　　哈佛燕京圖書館藏本九十卷六十四冊，半頁十行二十二字，四周雙邊，黑口，雙魚尾。鈐印有「廣運之寶」。[48]北京大學圖書館藏本冊數、板式俱與哈佛燕京圖書館藏本同，內有補版，卷內有「越府圖書之寶」、「巴陵方式碧琳琅館藏書印」、「巴陵方式功惠柳橋甫印」、「碧琳琅館珍藏」等印記。此本紙墨俱佳，猶為內府早期刷印本，賜與越府者。美國國會圖書館藏本八十冊，板式與哈佛燕京圖書館藏本同。此本文字稍模糊，當是後印。卷內鈐「廣運之寶」，又有：「中吳錢氏收藏印」、「吳越王子孫」、「懸罄室」、「錢穀」、「叔寶」等印記。「廣運之寶」上，又有墨文長方木記云：「賣衣買書志亦迂，愛護不異隨侯珠，有假不返遭神誅，子孫鬻之何其愚！」與《愛日精廬藏書志》卷二十

44　《明太祖實錄》卷81，洪武六年四月己丑條，《明實錄》第4冊，頁1462。

45　《明太祖實錄》卷81，洪武七年二月甲寅條，《明實錄》第4冊，頁1553。

46　《明太祖實錄》卷155，洪武十六年七月丁未條，《明實錄》第6冊，頁2416。

47　《明太祖實錄》卷223，洪武二十五年十二月丙子條，《明實錄》第8冊，頁3266。

48　沈津：《美國哈佛大學哈佛燕京圖書館中文善本書志》上海：上海辭書出版社，1999年，頁196-197。

九《書上人集》所鈐印文稍異。眉端有批註，蓋出錢氏父子之手，為可寶也。[49]

2　明弘治十八年慎獨書齋刻本

　　哈佛燕京圖書館藏本九十卷四十八冊，半頁十行二十二字，四周雙邊，黑口，雙魚尾，雖版式與天順五年內府刻本同，但開本較小。是書纂修職名後有牌記，刊「皇明弘治乙丑慎獨書齋刊行」。是本御制序有抄配。卷八十七第三十六至四十一頁，卷九十第二十八、二十九頁配清抄本。[50]

3　明嘉靖三十八年書林楊氏歸仁齋刻本

　　美國國會圖書館藏本九十卷五十一冊，半頁十行二十二字，開本與弘治慎獨齋刻本略同。卷首職名後有：「皇明嘉靖己未歸仁齋重刊行」木記，卷末又有：「大明嘉靖己未孟秋吉旦書林楊氏歸仁齋重梓行」牌記。[51]

4　明萬曆十六年楊氏歸仁齋刻本

　　哈佛燕京圖書館藏本九十卷十六冊，半頁十行二十二字，四周單邊，黑口（間有白口），雙魚尾，開本與嘉靖間刻本略同，周之禎先生跋。是書纂修職名後有牌記，刊「皇明嘉靖己未歸仁齋重刊行」。卷九十末又有荷蓋蓮座牌記，刊「萬曆戊子孟秋歸仁齋楊氏刊」。王重民先生曾以此書核明嘉靖三十八年書林楊氏歸仁齋刻本（美國國會圖書館有此二種藏本），以為「間有補刻之版，然十之九仍為嘉靖間原版也。此當是萬曆十六年就嘉靖二十八年原版修補重印本」。王說甚是。按歸仁齋為建陽書林楊先春坊肆。楊先春又刻有《文章正宗》、《新刊性理集要》、《續資治通鑒綱目》、《新編事文類聚翰墨大全》、《三蘇先生文集》、《通鑒綱目全書》、《重修政和經史證類備用本草》等。歸仁齋刻書自嘉靖始，至萬曆終。此本有扉頁，刊「大明一統志。御制新頒。劉雙松重梓」。又鈐有「每部實價紋銀三兩」紅色木記。劉雙松亦為建陽坊肆，刻有《新刻瓊琯白先生文集》等。此本或為劉氏得板重印。扉頁所云重梓，非也。[52]周之禎先生跋云：「《明一統志》自天順官刊大字本外，有正德間慎獨齋小字刊本，均不易見。此為萬曆間歸仁齋楊氏刊本，字體古雅，似嘉靖仿宋，惜漫漶多處，棄置不收者屢矣。卒以留籍難得，勉留插架，得者勿輕棄之。退舟。民國六年四月識。」跋前有《四庫全書總目》「《明一統志》」條。

49　王重民：《中國善本書志》上海：上海古籍出版社，1983年，頁183。

50　《美國哈佛大學哈佛燕京圖書館中文善本書志》，頁197。

51　《中國善本書志》，頁183。

52　《美國哈佛大學哈佛燕京圖書館中文善本書志》，頁197-198。

5 明萬壽堂刊本

美國國會圖書館藏本九十卷四十冊，半頁十行二十二字，開本較嘉靖間刻本略大。下書刻「萬壽堂刊」四字，不記年月，似在萬曆時。卷內有：「岡本藏書」，「簾篋藏書」、「閻魔庵圖書部」等印記。[53]

6 明萬壽堂刻清初剜板印本《天下一統志》

哈佛燕京圖書館藏本九十卷四十冊，半頁十行二十二字，四周單邊，白口，單魚尾，書口下有「萬壽堂刊」，開本與明萬壽堂刊本略同。[54] 按入清以後，《大明一統志》未遭查禁，坊間仍有流通，書名一律改為《天下一統志》，《四庫全書》著錄《明一統志》，然惟不可攜帶出境，據《清聖祖實錄》康熙三十年七月己丑條載：

> 禮部題，朝鮮國進貢使臣違禁私買《一統志》書。查《一統志》載天下山川興地、錢糧數目，所關甚重。應將違禁私買一統志書之內通官張燦，革職發伊國邊界充軍；正使李沉副使徐文重等，失於覺察，並應革職。朝鮮國王李焞姑免議。得旨：李沉、徐文重從寬免革職，餘如議。[55]

此類事件屢見不鮮，由此可見《大明一統志》在清代流傳之境況。

《大明一統志》於天順間成書後是否再付重修今不可考，傅貴九先生〈讀《大明一統志》劄記〉一文認為《大明一統志》「終明之世，未有重修之舉」，鄭振鐸先生亦以《大明一統志》「直至萬曆間尚未重修，仍沿用舊本」[56]，此說仍有待商榷。另傅貴九先生曾疑《四庫全書總目》所載「此本內多及嘉靖、隆慶時所建置，蓋後人已有所續入，亦不盡出天順之舊」[57]事非坊間所為，事實上以當時社會上通行的地理知識，坊間完全有能力完成這一工作，況且此類書籍之私刻在當時亦為中央政府所默許，《元典章》之成書即為一例。

（二）《大明一統志》之流傳日本

《大明一統志》傳入日本集中在江戶時代，《四庫簡明目錄標注（續錄）》有「日本元祿十二年（1699）刊本」[58]一條，那麼至遲在這之前，《大明一統志》九十卷全本即

53　《中國善本書志》，頁183。

54　《美國哈佛大學哈佛燕京圖書館中文善本書志》，頁198。

55　《清聖祖實錄》卷152，《清實錄》北京：中華書局，1985年，第5冊，頁682。

56　鄭振鐸：《劫中得書記》上海：上海古籍出版社，2006年，頁38。

57　《四庫全書總目》卷68，頁597。

58　〔清〕邵懿辰：《增訂四庫簡明目錄標注（續錄）》上海：上海古籍出版社，2000年，頁283。

已傳入日本。《舶載書目》載《大明一統志》隨商船傳入日本共三次，其一為正德二年
（1712）傳入之不足本，據此則臺北國家圖書館所藏日本正德三年弘章堂刊本之底本應
與元祿十二年本相同或時間相近；其二為正德四年傳入之四套二十四本；其三為享保九
年（1724）傳入之二部各六套，一套六十冊，一套四十冊。[59]又《分類舶載書目》有
「明一統志。六十本又四十本」一條[60]，按《分類舶載書目》記隨船來書時限起於元祿
十二年，迄於寶曆間，此記載或與享保九年傳入二部事同。[61]

　　《大明一統志》傳入日本後，對江戶時代地方誌的編修造成了一定的影響。日本於
十七世紀中期始盛行編修地志，廣島藩之《芸備國郡志》作為初期地志的代表作之
一，即以《大明一統志》為藍本編修而成，之後的《常陸國志》、《芸藩通志》等，皆效
仿《大明一統志》而作。[62]除此之外，日本還有學者對《大明一統志》進行了專題輯
錄，日本國立國會圖書館藏有《大明一統志通考》稿本一卷，卷首題有「大洲嚴夫子口
授，衡川兼葭源禮子和筆受」，下鈐「白井氏藏書」。此書專輯《大明一統志》所載各地
土產，作者應為江戶時代中期本草學家太田澄元，太田澄元初姓「嚴永」，後隨母姓
「太田」，後又改姓「嚴」，號「大洲」，故稱「大洲嚴夫子」，「白井氏」為日本近代植
物學家白井光太郎，此書為其舊藏所輯「白井文庫」中一種。

（三）《大明一統志》之流傳朝鮮

　　《大明一統志》流傳朝鮮於明清兩代皆有禁令，據《宣祖實錄》宣祖二十八年（萬
曆二十三年）五月乙亥條載：

> 接待都監啟曰：「即刻副使到正使房相話，招南好正等問曰：『《地志》終不可得
> 見耶？』因出弘文館所抄《地志》單子，至聖節拜表儀，乃曰：『此必忘未書
> 填，追後書之，故置於末端也。爾到上國，不曾貿《大明一統志》來耶？』好正
> 曰：『上國有禁，不敢貿來耳。』正使戲曰：『爾試納盟。我有《一統志》，今當
> 給汝，可換爾國《地志》否？』」[63]

由此可見萬曆時朝鮮使臣不得私購《大明一統志》，然明代此種禁令並無成文記載，成

59　《舶載書目》，宮內廳書陵部藏本，京都：關西大學東西學術研究所，1973年。

60　《分類舶載書目》，內閣文庫藏本，京都：關西大學東西學術研究所，1973年。

61　關於《舶載書目》與《分類舶載書目》是否同為一書問題，日本學者大庭脩於其所編著《舶載書
　　目》卷首有相關解題，此處不再贅述。

62　〔日〕賴祺一：〈江戶時代の地誌編纂と中國の地誌—芸備地方における官製地誌を例として—〉，
　　《中國の現代化と日中文化交流》，広島大學平和科學研究センタ，1984年，頁16。

63　《宣祖實錄》卷63，《朝鮮王朝實錄》首爾：國史編纂委員會，1969年，第22冊，頁493。

化十七年朝鮮使臣李承召即於北京「求買《大明一統志》，得一件於書肆」[64]。這種具有偶然性的禁令在清代依然存在，前文已述康熙三十年朝鮮國進貢使臣違禁私買《大明一統志》事，正使李沇、副使徐文重覆命時曾詳述此事始末，據《肅宗實錄》肅宗十七年（康熙三十年）三月甲辰條載：

> 冬至正使瀛昌君沇、副使徐文重等覆命。上引見，問清國事情……又曰：「《大明一統志》貿來之際，被捉於搜括，臣以為《史記》外約係無禁令，此是地家書之類，不必禁之，衙譯終不肯聽矣。」[65]

除使臣私購之外，亦有由官方向朝鮮贈《大明一統志》者，如《燕山君實錄》燕山君元年（弘治八年）六月庚午條載：

> 天使令頭目二人獻《大明一統志》及《綱目通鑑》，王令承旨權景佑往謝之。[66]

關於明清兩代圖籍東傳的具體制度規定，因史料闕略，仍待進一步探討。

　　《大明一統志》的傳入為朝鮮國修本國史志提供了效仿之法，成化間重修《東國輿地勝覽》，其凡則「一以《大明一統志》為法」[67]，嘉靖二十一年行副司果魚得江上疏重修《東國通鑑》，亦有類似建議：

> 臣觀劉用章編輯《新增宋元通鑑》，古郡縣名下必書今名、去某地幾里，一從《大明一統志》，極為分明。中國地理，了然於目，今宜法此。[68]

由此則可略見《大明一統志》傳入之影響。

四　餘論

　　《大明一統志》上承洪武《大明志書》、永樂《天下郡縣誌》，以《寰宇通志》為藍本，於天順五年成書，較著版本有天順內府刻本、弘治慎獨書齋刻本、嘉靖書林楊氏歸仁齋刻本等。《大明一統志》不僅為明代一統之輿地總志，對明代地方志的體例規範也有重要的影響，而後流傳朝鮮與日本，亦對兩國史志的編纂提供了一定的範式。

　　傅貴九先生認為「學界以往對《大明一統志》一書的研究還很不夠，今人尤少論

64　《三灘先生集》卷8，《韓國文集叢刊》首爾：民族文化推進會，1989年，第11冊，頁453。

65　《肅宗實錄》卷23，《朝鮮王朝實錄》首爾：國史編纂委員會，1970年，第39冊，頁242。

66　《燕山君日記》卷6，《朝鮮王朝實錄》首爾：國史編纂委員會，1968年，第12冊，頁686。

67　《佔畢齋文集》卷2，《韓國文集叢刊》首爾：民族文化推進會，1989年，第12冊，頁418。

68　《中宗實錄》卷98，中宗三十七年七月乙亥條，《朝鮮王朝實錄》首爾：國史編纂委員會，1969年，第18冊，頁605。

及」，時至今日，情況依舊如此。由於《大明一統志》後世流傳版本較多，史志對勘就不應僅侷限於異書之間，同書異版的對比研究亦是重要的工作。在探討學術源流等問題時，不能僅承襲清人的觀點，更應對第一手史料進行深入的考察，進而理清文獻脈絡，並以此為基礎考鏡學術源流。除此之外，海外流傳亦是研究明清兩代志書的重要問題，今有《唐通事會所日錄》、《燕行錄》以及明清檔案文獻等，皆為研究《大明一統志》、《大清一統志》編修與流傳的重要史料，斷不可忽視之。

明萬曆筆記的言說動機與態度

陳剛

香港大學中文學院

　　雖然二十世紀以來，關於中國古代筆記的定義問題頗多爭論，然而若論及筆記書寫的基本性質，記錄無疑是這類著作的主流。不可否認，相較於創作而言，記錄更加強調事件的真實性與客觀性，但事實上，記錄也並非一個完全客觀的過程：在記錄對象轉化為文本的同時，記錄者往往會因為受到自身生平經歷、知識背景、興趣愛好等因素的影響，而對記錄客體有意無意地進行選擇、加工乃至評價，從而使記錄演化成為一種有態度的「言說」。而任何一種言說，都處在一定的時代背景下，需要面對當時的文化傳統與歷史語境。那麼，明萬曆時人的言說背景到底是什麼？筆記的作者為什麼要對特定的內容加以言說？他們的言說是以一種怎樣的姿態或立場進行的？在言說的過程中，語言或文字所發揮的功用又是怎樣的？這些都對筆記的書寫原則、寫作特徵與文筆風格產生了巨大的影響。本文正意欲對以上幾個問題作出淺嘗輒止地回應。

一　明萬曆時期的言說背景：「慎言」

　　「言說」一詞，在中國古代既可指口頭的談論與說話，又可兼表書面的文辭與辭藻。筆者的注意力並不在於表達的形式與媒介，而在於：個體為什麼要將個人的見聞與感想訴諸口頭或形諸文字？從這一角度來說，古代的談話不僅與書寫有著相互轉化的現象，二者之間的許多原則也往往有著緊密聯繫與相通之處，只有將二者綜合起來看，方能更全面透澈地考察這一問題。

　　整體上言，在中國古代傳統文化中，言以「簡」、「少」為貴：如《論語》中言：「君子敏于事而訥於言。」、「辭，達而已矣。」；《易》曰：「吉人之辭寡，躁人之辭多。」；《老子》則云：「多言數窮，不如守中」，又曰：「知者不言，言者不知」等等，都對後世「慎言」的言說風氣產生了深遠影響。晚明人的許多言論也鮮明體現出這一特色，在署名「李贄」的《大雅堂訂正枕中十書》中就有一帙《尊重口》，專門從子史百家中刺取「慎言」之語，分類立目雖頗為瑣碎，然首列「戒多言」、「戒輕言」與「戒妄言」三類，萬曆時期慎言之風由此可見一斑[1]。這並非《尊重口》一書的特色，在當時

1　據王重民先生考證，此書當為託名之作。

眾多的文人筆記中也可以看到大量「慎言」的內容，如陳繼儒〈安得長者言〉：「出言須思省，則思為主而言為客，自然言少。」、「有一言而傷天地之和，一事而折終身之福者，切須檢點。」，又如其對言語等級的畫分：「神人之言微；聖人之言簡；賢人之言明；眾人之言多；小人之言妄。」[2]另一位文人黃奐甚至化用古語說：「惟以口飲食，何敢妄有言？」[3]這些話語都是在講求慎言，而慎言不僅要慎於口，也要慎於筆──「出於口、落於筆皆言也，慎於口而不慎於筆，謂之孫言可乎？」[4]那麼，為什麼要慎言？不同個體考慮的出發點又不盡相同，概括說來主要有以下三個原因：

（一）言不可恃

　　雖然儒家的「三不朽」之說中有「立言」這一項，但從地位上講，立德為上，其次立功，立言則是在德與功無從樹立的情況下，退而求其次的選擇。故而「言」是否真的可以不朽？許多明人並不以為然。陶冶就認為：「夫太上立德，其次立功，其次立言。捨德與功，又何足言者？」[5]吳炯則否定純粹「以言為言」的意義，而以立德為上：「太上立德，其次立功，其次立言……如以言為言者，談天雕龍，錦心繡口，而終不可以入道。是故君子立德之為貴。」[6]徐昌祚亦言：「夫纂述，事功之末事，而稗官，尤纂述之末也。」[7]對於纂述，尤其是稗官一類的纂述頗有輕視之意。更為明確系統表達「多言無益」、「言不可恃」這一觀念的是明代應城名儒陳士元。隆慶年間，湖北成仁卿奉命校《楚志》，為此造訪陳士元，「訊楚中古昔奇事」，二人問答過後，成仁卿想將陳的言論藏諸名山，貽之後世，但陳士元先是引述歐陽修〈送徐無黨南歸序〉中的文字，認為著書之士，言語雖工，然無異於「草木榮華之飄風，鳥獸好音之過」；又以為言語、人、物，雖時間上有遲有速，但最終都會歸於泯滅。最後，他闡明了自己的立場：「昔人所謂萬形皆有弊，惟文為不朽，又非定論。」[8]

　　「文亦有弊」，主要從時間的角度否定了言說的經典性與持久性，也有人從言說的範圍上對其意義加以瓦解，陳師在《禪寄筆談》的序言中就集中表達了一種「言不可竟

2　〔明〕陳繼儒，《安得長者言》卷1，《四庫全書存目叢書》臺南：莊嚴文化公司，1995年，第94
　　冊，頁474、472、471。

3　〔明〕黃奐：《黃玄龍小品》卷3，《四庫全書存目叢書》，第111冊，頁309。

4　〔明〕陳繼儒：《岩棲幽事》卷1，《四庫全書存目叢書》，第118冊，頁696。

5　〔明〕王同軌：《耳談類增》序言，《續修四庫全書》上海：上海古籍出版社，1995年，第1268冊，
　　頁3-4。

6　〔明〕吳炯：《叢語》卷4，《四庫全書存目叢書》，第90冊，頁596。

7　〔明〕徐昌祚：《燕山叢錄》序言，《四庫全書存目叢書》，第248冊，頁377。

8　〔明〕陳士元：《江漢叢談》卷2，《景印文淵閣四庫全書》臺北：臺灣商務印書館，1984年，第590
　　冊，頁497。

事」的迷茫：

> 不能盡覽者書，無限而寡聞者事。古今名物、巨細事變轉幻夢如也。汗牛莫贖，
> 掛漏之弊，于餘心大無當。探聚珍之庫，大盈之歲，有不恍然失乎？間又思之，
> 筆談以代齒煩也，即兩相對而塵談，同方類聚而叢談，錯綜商評，彼此互發。雖
> 日有會月有聚，談不既雄且多乎？然安能竟天下事？即假我數年，卮言日生，日
> 亦不足夫？始之以無言，繼之以有言，既以有言闖無言，究所不能盡者，言終而
> 還，諸忘言總之皆贅言也[9]。

這並非陳師一人的感觸，明代曹臣在輯《舌華錄》一書時也感慨：「古今書集如牛
毛，天下語言如蚊響」，正因為意識到了個人所得之有限，他才強調自己「所取在一案
之書，所聞在一隅之口。」[10]陸樹聲在《汲古叢語》中的表達則更深一層：「夫見聞易
局，名理難窮；即言鏡之可循，豈智綆之能測？」[11]可見在他眼裡，言不僅不可以竟
事，在認知名理時也有著一定的侷限。

而對於口述之言，更多的人表達了對其可靠程度的懷疑。如陳繼儒說自己得古書
後，校印數次，尚有「魚魯帝虎」之處，眼眼相對尚且如此，「況以耳傳耳，是非毀譽
寧有真乎？」[12]這在一些以娛樂為目的的談話場合中表現尤為明顯：為了追求表達的效
果，言說者往往會對敘述的內容進行一定地改造與潤飾，從而使事件對聽眾更具吸引
力，久而久之，事件原來的面目便不復清楚。陳禹謨在《說儲二集》中就說：「大抵世
之好異者多見有非常可喜之說，即不必傳之信使，競侈為美談。」[13]曹臣亦說：「耳中
所聞之語，說之者常溢，聽之者常繆，以溢復謬，其中不無一二差移。」[14]都表達出一
種對於口耳相傳所得內容品質的隱憂。

（二）中庸之德、全身遠害

在「慎言」的具體要求上，因為受儒家中庸、中和的處世觀念與古代史書「為尊者
諱」等記錄傳統的影響，有相當一部分人認為，書寫或談話時應儘量避免他人的過錯與
是非。唐李肇曾作《國史補》，宋歐陽修在《歸田錄》中就明言自己與肇不同者，乃

9　〔明〕陳師：《禪寄筆談》序言，《北京圖書館古籍珍本叢刊》北京：書目文獻出版社，1988年，第
　　66冊，頁4。

10　〔明〕曹臣：《舌華錄》鄭州：中州古籍出版社，2007年，頁8。

11　〔明〕陸樹聲：《陸學士雜著》卷1，《四庫全書存目叢書》，第163冊，頁183。

12　《岩棲幽事》，卷1，頁705。

13　〔明〕陳禹謨：《說儲二集》卷6，《四庫全書存目叢書》，第110冊，頁114。

14　《舌華錄》，頁8。

「不書人之過惡」。陳繼儒不僅以為歐陽公可學，還說：「著述家切弗批駁先賢。但當拈己之是，不必證人之非。」[15] 又如江東偉《芙蓉鏡寓言》：「著書最忌影射時事，臧否人物。」[16] 而談話更是如此：洪應明的《菜根譚》中就有「聽街談巷語，不如聞樵歌牧詠；談今人失德之舉，不如述古人嘉言懿行」的內容。林兆珂《宙合編》則引當時俗諺說：「白日無談人，談人則害生；昏夜無談鬼，談鬼則怪至。」[17] 亦是讓人勿道他人短長之意。而談人之是非對錯，也往往被視為損德消福之舉。屠隆即言：「揚隱微，談中篝，為德無乃太涼，積愆消福，吾黨戒之。」[18]

　　慎言還與古代隱士遠離紛爭、全身遠害的避世思想有很大關係。這一點在一些晚明山人身上表現的尤為突出。晚明文士馮夢龍曾編纂《古今譚概》一書，在書的序言裡他說：「吾無學無識，且膽銷且志冷矣。世何可深譚？譚其一二無害者是謂概。」[19] 屠隆《娑羅館清言》中則說：「口中不涉雌黃，眉端不掛煩惱，可稱煙火神仙；隨宜而栽花竹，適性以養禽魚，此是山林經濟。」[20] 陳繼儒先是引用古語「上士閉心，中士閉口，下士閉門」，又說自己所操乃中下之法，閉口閉門，以求免禍；在他所列舉的「山居八德」中，亦有「不問炎涼，不鬧曲直，不徵文逋，不談仕籍」四項，體現出作者忘情世外的歸隱情懷[21]。

（三）多言害道、空談誤國

　　古代儒家文化講求崇實，而對於空虛浮泛的「以言為言」，頗有貶低之意：《論語》有言：「巧言令色鮮矣仁。」《史記·太史公自序》中也引用孔子之語：「載之空言，不如見之於行事之深切著明也。」；宋儒則更加強調言對於道有害無益，如程頤之言：「言貴簡。言愈多，於道未必明。」[22] 李邦獻則曰：「多言則背道，多欲則傷生。」[23] 朱熹也曾因為「多言害道」而絕不作詩。「多言害道」這一觀念，從明人對魏晉清談的褒貶中也體現出來：馮時可認為，清談的興起是由於道統不興、節行不振：「經衰而節行振矣，節行摧而清談起矣。」[24] 田藝蘅更將清談詆為亡國之祟，而原因則在於其文勝於

15　《岩棲幽事》卷1，頁698。
16　〔明〕江東偉：《芙蓉鏡寓言》杭州：浙江古籍出版社，1986年，頁1。
17　〔明〕林兆珂：《宙合編》卷3，《四庫全書存目叢書》，第106冊，頁84。
18　〔明〕屠隆：《娑羅館清言·續娑羅館清言》北京：中華書局，2008年，頁49。
19　〔明〕馮夢龍編撰：《古今譚概》南京：江蘇古籍出版社，1993年，序言頁。
20　《娑羅館清言·續娑羅館清言》，頁12。
21　《岩棲幽事》卷1，頁696-697。
22　〔宋〕程顥、程頤：《二程遺書》上海：上海古籍出版社，2000年，頁272。
23　〔宋〕李邦獻：《省心雜言》，《叢書集成初編》北京：中華書局，1991年，第371冊，頁1。
24　〔明〕馮時可：《雨航雜錄》卷上，《景印文淵閣四庫全書》，第867冊，頁330。

質、華而不實：「文勝而周衰，清談而晉敗，道學盛而宋亡，國無實也。」[25]王元貞談及清談流弊時說它：「任放縱佚，率曠達不羈，只可益抵掌資耳，何足為要典？」[26]

　　雖然明人對於晉、宋清談頗有微詞，但中晚明的講學之風也頗為盛行，而心學末流的空疏比起晉、宋清談來，更可謂有過之而無不及。清人對由此而導致的晚明著述風氣詆之不遺餘力，以至於很長一段時間內，空疏浮泛甚至變成了晚明學術的一個代名詞。然而這一認識並不甚客觀，因為幾乎在心學盛行的同時，明代已經有另外一種聲音與之針鋒相對：一批有識之士由於意識到了空談心性的危害，開始對脫離實際的講學論道加以抨擊，並力圖將此風氣加以扭轉。嘉靖年間著名的思想家王廷相就曾從治國應變的角度發論：

> 近世好高迂腐之儒，不知國家養賢育才，將以輔治，乃倡為講求良知，體認天理之說，使後生小子澄心白坐，聚首虛談，終歲囂囂於心性之玄幽。求之興道致治之術，達權應變之機，則闇然而不知。以是學也，用是人也，以之當天下國家之任，卒遇非常變故之來，氣無素養，事未素練，心動色變，舉措倉皇，其不誤人家國之事者幾希矣[27]。

　　到了晚明，以顧憲成為代表的東林學派更加直接地提倡「經世致用」。顧憲成對於念頭不在君父百姓上的官員士夫頗為不齒，說他們「至於水間林下，三三兩兩，相與講求性命，切磨德義」，他以為：「念頭不在世道上，即有他美，君子不齒也。」[28]除了經世的角度，也有人從學術的角度對其加以力詆，如陸樹聲的《清暑筆談》：

> 近來一種講學者，高談玄論。究其歸宿，茫無據依，大都臆度之路熟，實地之理疏；只於知崇上尋求，而不知從禮卑處體究。徒令人淩躐高遠，長浮虛之習。是所謂履平地而說相輪，處井乾而譚海若者也[29]。

　　以程朱理學為正宗的吳炯也說：「邇來儒家聰明過而學不純，記問多而取裁少；高談性命者涉於玄虛，旁搜博覽者流於頗僻。輒欲駕軼前人，而不逮前人遠矣。」[30]近年來，部份學者已經開始著意於對晚明學術進行重新定位與評價，楊緒敏就曾經對晚明的學術特點做過一定地歸納，她認為當時學術界存在兩種主要傾向：一種是針對空疏浮泛的學風，學者在治學過程中倡導「博徵」與「求實」，由此拉開了明代考據之學的序

25　〔明〕田藝蘅：《玉笑零音》卷1，《叢書集成初編》，1985年，第374冊，頁12。

26　〔明〕焦竑：《焦氏類林》序言，《續修四庫全書》，第1189冊，頁177。

27　〔明〕王廷相：《雅述》下篇，《四庫全書存目叢書》，第84冊，頁37。

28　〔明〕顧憲成：《小心齋劄記》臺北：廣文書局，1975年，卷11，頁273。

29　〔明〕陸樹聲：《清暑筆談》，《叢書集成初編》北京：商務印書館，1936年，第2915冊，頁13。

30　《叢語》卷10，頁671。

幕；另一種是針對清談誤國，學者們積極倡導「經世致用」，將注意力從純粹的學術研究轉移到與現實事務密切相關的問題上來[31]。筆者以為，這一認知是比較符合當時的實際情況的。

通過對相關文獻地爬梳，不難歸納出萬曆時期言說背景的以下幾個主要特徵：首先，通過對言說經典性與真實性的消解，認為「言不可恃」；其次，對言說的內容與範圍加以一定限制，這種限制既有古代道德傳統的影響，也與言的某些特點、認知侷限有一定關聯；再次，對當時以心學末流為代表的空談之風加以批評、反撥，學術上講求崇實的聲音正逐漸加強。而這三者無一例外都指向了兩個字——「慎言」。那麼在這種言說背景之下，明萬曆筆記的作者又是如何開拓筆記的言說空間並進一步闡釋言說的功能的？下文將予以解答。

二　「言以達道」：作為一種儒家工具的言說

明萬曆筆記作者中，有相當一部分人具備著儒家強烈的入世精神，他們強調個人道德行為的不斷完善，並希望通過著述、講學對世道人心施加有益的影響。較為典型者，有吳炯、薛應旗、伍袁萃、丁元薦等人。而在吳炯的筆記《叢語》一書中，作者集中表達了儒家視角下的「言」與「道」之關係，這一關係，也成為理解同類作者言說態度的基石。

吳炯認為，言說本身並不具備作為一種目的而存在的合理性，如果以言為目的，最終不過是談天雕龍、錦心繡口，不可以入道。而「道」這一終極概念，亦不可以直接用言語來表達，甚至不能用任何一種直觀的形式來呈現，只有通過主觀的心領神會來加以體悟。如他說：「大道玄微，通徹天人，在天為道，在人為性……此何等道理，可以語言文字求之哉？在人心領神會耳。心領神會識以默，不識以語言文字也。」[32]又如：「天有五行統於一元，聖有五德統于一心……文章性道本屬一貫。外觀夫子之五，夫子之文章也；內觀夫子之一，夫子之性道也，此豈可以言傳，可以耳聞耶？」[33]雖然言本身不具備目的性意義，也不能對道進行直接地表述，但卻可以作為一種工具「誘人入道」。他以為，德性一方面有自己所具備的因素，另一方面，也有將這些因素具體應用、表現出來的時刻，在表現的過程中，聲雖非道，但卻更貼近於道：「耳目聰明，德性所有；見知聞知，德性之用。見以形，聞以聲，形可執，而聲不可執，聲猶近於神理也。」[34]正由於此，言語可以作為一種道的渡岸之筏，以一種具體的表現來引導他人走

31　楊緒敏：〈明代經世致用思潮的興起及對學術研究的影響〉，《江蘇社會科學》，2010年第1期。

32　《叢語》卷8，頁644。

33　《叢語》卷8，頁647。

34　《叢語》卷2，頁577。

向於道。如他言：「古先聖賢，千言萬語，粗則涉名相，精則入玄微，不過假託名言誘人入道，而道卒不可言，故曰：循循然善誘人。」[35]而一旦達到了道的目的，言這一工具就可以捨棄，所謂「悟後六經皆剩語」，得魚則可以忘筌，登岸則可以舍筏，最終達到「無言」的至高境界。

事實上吳炯所闡述的言與道之關係並非其一人的觀念，而是長久以來積澱形成的儒家工具主義文論的集中體現[36]。在這種觀念的影響下，學者文人的注意力不在言本身，而在言之外，言需憑藉儒家道德的力量才可以登大雅之堂。進一步講，言的意義不在「言說」，而在「達道」。這一觀念，也深刻地影響了萬曆筆記的創作與評價。

在萬曆筆記中，有大量作品集中記錄古今人物的嘉言懿行，其著述動機即在於，以一種道德化的言行來樹立一批德行的楷模，從而對個人、對社會達成一種興起、針砭的效果。這一行為在當時士大夫普遍感慨「世風日下、人心不古」的背景下，顯得尤為迫切與必要。如黃宗羲在為丁元薦《西山日記》所作題詞中說：「所記皆嘉言善行，雖其人下中，而一事合宜，亦必書之……《日記》故先生所立之表也。」[37]而「修德行」、「關世教」、「鏡後來」也自然而然成為其著書立說的主要目的。又如姚汝紹在評價焦竑的《焦氏類林》時，言其變世說之體為垂訓之書：「大都劉氏主在輔談，弱侯欲以為訓，意各自有攸存」，而姚自己的立場也更傾向於焦氏：「纂要在垂訓，言不足訓，雖新何關？」[38]江盈科在《雪濤小說》中則從養心的角度發掘言的記錄意義：「夫言有至微，然聽而繹之，可為養心之助者，即當審記。」[39]宋繡的《古今藥石》，主要紬繹春秋至明子史百家，「凡嘉言懿行，有益身心，堪為九經羽翼者」，錄成一帙，亦是出自於道的考慮[40]。除此而外，較為典型者還有淩迪知的《國朝名世類苑》、陳繼儒的《安得長者言》等作品。

儒家對於言的工具性認知也影響了萬曆筆記中對於言的處理態度與方式。首先，他們強調自然，反對模擬與雕飾。因為言語乃德性自然的反應與流露，故而模仿、藻繪與雕琢只會「諦文害義」，不利於德性的正常發展。如吳炯曾言：「太上有作，其次有述，其下流為擬。《太玄》擬《易》，《法言》擬《論語》，多見其不知量也。」[41]又如《甘露園短書》序：「首二卷壁觀語，司馬公無刪甚是，蓋皆修正實語。先生文多雅餝，余喜

35　《叢語》卷2，頁577。

36　關於「儒家工具主義文論」可以參考：李壯鷹、李春青：《中國古代文論教程》北京：高等教育出版社，2005年，頁35-67。

37　〔明〕丁元薦：《西山日記》序言，《續修四庫全書》，第1172冊，頁281。

38　《焦氏類林》序言，頁178-179。

39　〔明〕江盈科：《雪濤小說（外四種）》上海：上海古籍出版社，2000年，頁64。

40　〔明〕宋繡：《古今藥石》，《叢書集成初編》北京：中華書局，1985年，第375冊，頁1。

41　《叢語》卷6，頁629。

其雅，微恨其餝：壁觀語中有率處、有俚處，蓋真則自然，不暇為餝矣。」[42]從中皆可以看出此類著作立言時講求自然、反對模擬的傾向。這一原則有時甚至流於苛刻：如陳繼儒敘述《安得長者言》的寫作過程：「少從四方名賢遊，有聞輒掌錄之」，後將這些話語時弋一二，拈題紙屏上，「語不敢文。」[43]「語不敢文」四個字，正是強調自己未加雕飾，但仍因張昞的跋語引來了《四庫全書總目》的譏評：「聖賢以言立訓，本出自然，有意雕鐫，便非心得。張昞跋謂其於熱鬧中下一冷語，冷淡中下一熱語，宗尚如此，宜其於布帛菽粟之旨去之益遠也！」[44]

其次，嚴格區分「作」與「述」這兩種著述方式，認為作者難，述者易，並講求述而不作。對於師友的言語，盡力維護其本來面貌，而不妄加改動，甚至不混以己見。如薛應旂的《薛方山紀述》，主要是對師友之言的記錄，在自序中他說：「曰述者，明非己作，不敢冒立言之責也。」[45]又，程達《警語類鈔引》：「年來灌園稍暇，檢閱舊業，搜輯遺書，撮其膏髓錄之壁間，以備韋弦。久且成帙，不敢私附一見以溷作者。」[46]這種傾向固然與「述」這一著述方式較為強調傳承的特點有關，更重要的還是因為在語錄與訓誡的背後，暗含著一種言說的等級與文化權力：古代的語錄與訓誡，往往被視作「代聖人立言」，故而對於言語本身面貌的尊重，不僅是對於訓誡者立言權力的尊重，更是對於立言者背後儒家文化體系的尊重。

而因為其記錄寫作講求自然、反對雕飾，故形成的許多條目頗有質木無文之感，並有一定的口語化傾向。其追求的風格則是以平淡無奇的話語蘊含「修齊治平」的大道，從而形成所謂的「言外之旨」。這一點從向程為薛應旂《薛子庸語》所作的序中看的最為明白。薛應旂之所以為書取名「庸語」，乃取「平常之言，無高奇之論」意。但向程受而讀之，卻說：「乃知其所謂平常之語者，有至理存焉：內切于身心，外切於民物；近而家庭州裡，遠而邦國天下；前乎百世之既往，後乎百世之將來。」[47]從這些評論中，不僅可以發現記錄者對於語言的風格宗尚，也可以看出言在儒家體系中作為一種工具的目的指向。

三　「言以博識」：作為一種信息載體的言說

在中國古代，博聞多識一直有著深厚的文化根基：早在魏晉南北朝時期，士人階層

42　〔明〕陳汝錡：《甘露園短書》序言，《四庫全書存目叢書》，第87冊，頁5。
43　《安得長者言》卷1，頁467。
44　〔清〕紀昀等纂：《欽定四庫全書總目》北京：中華書局，1997年，頁1674。
45　〔明〕薛應旂：《薛方山記述》卷1，《四庫全書存目叢書》，第10冊，頁721。
46　〔明〕程達：《警語類鈔》引言，《四庫全書存目叢書》，第130冊，頁411。
47　〔明〕薛應旂：《薛子庸語》序言，《續修四庫全書》，第940冊，頁1。

中就流行著對於博學的強烈推崇：他們或「徵事」，或「策事」，博學者的流風餘韻常為後世文人所企羨與追想；唐宋時期「博學宏詞科」的設立更加深了這一傳統，為了備科舉之需，出現了以《白氏六帖》為代表的雜鈔性筆記與類書。明代的博識之風也可謂十分興盛，楊慎、王世貞、焦竑、胡應麟等人皆是以博洽見稱的學問大家。而許多明人正是從博識這一角度出發來肯定筆記言說的合理性的。

　　莫是龍嘗言：「經史子集之外，博聞多知，不可無諸雜記錄。今人讀書而全不觀小說家言，終是寡陋俗學。宇宙之變，名物之煩，多出於此。」[48]但對於志怪之書如《曖車志》、《幽怪錄》，通俗小說如《三國演義》、《水滸傳》等，他依然持摒棄態度。由此不難推知，莫是龍所肯定的小說並非今人眼中文學意義上的小說，而是指有較多知識與信息含量的雜鈔、雜記。而從林兆珂的一段話中來看，明人在志怪筆記與雜鈔類筆記之間仍有著較為明顯的分疆，志在學術的人往往更青睞於後者：「《齊諧》志怪，鵬徙僅存，而《廣記》則一部譸張，或供譚助。余所喜者：劉向《說苑》、劉義慶《世說》，它如伏暅《邇說》、孔衍、張太素《說林》，張齊賢同歸小說，各擅創獲，足以解頤。」[49]孫能正在為《剡溪漫筆》作序時也說「剽剟離跛之學」中，別有一種可觀者，「能令見者賞心悅目」，而《剡溪漫筆》正堪作此類代表：「雖屑越與訓故名物之變，搜授於耳目謦欬之餘，往往出入經史，錯綜古今。遺文舊說糾傳習之訛；奧義微辭補注疏之闕。進之博雅，未必不足以備塵研刪削之一助也。」[50]

　　晚明人從知識與信息的角度肯定的不僅有書面性質的言說，還有口頭性質的學術議論與談話。因為在他們看來，言語雖非人之根本，卻能反映一個人的學術修養與見識。謝肇淛在《五雜組》中就說：「《易》曰：吉人之詞寡……然言語者，心之華也，未有無學術、無識見而能言者。以孔門而獨宰予、子貢居言語之科，言亦何容易哉？」[51]沈一貫則云：「夫士欲矢口譚辭，譏稱往牒，動關樞機，夫何容易？昔人欲自見生平，每于尚論發之。」[52]王丹丘在所著的《建業風俗記》中甚至以言談之水準作為衡量世風高下的一個標準，他說：「嘉靖初年，文人墨士雖不逮先輩，亦少涉獵，聚會之間，言辭彬彬可聽；今或衣巾輩徒誦詩文，而言談之際，無異村巷。」[53]由此不難看出，談話的內容與水準事實上可以抬高人們原本對於談話的品格定位及評價。更有一些人認為，言談對於學術的功用甚至大於披覽。閔元衢所著《歐餘漫錄》中的「披覽不如接談」條，集

48　〔明〕莫是龍：《筆塵》，《叢書集成初編》北京：中華書局，1985年，第2923冊，頁14-15。

49　《宙合編》疊字集，頁60。

50　〔明〕孫能傳：《剡溪漫筆》序言，《續修四庫全書》，第1132冊，頁317。

51　〔明〕謝肇淛：《五雜組》卷14，《續修四庫全書》，第1130冊，頁627。

52　〔明〕沈一貫：《喙鳴文集》卷15，《四庫禁燬書叢刊》北京：北京出版社，2000年，集部第176冊，頁264。

53　〔明〕顧起元：《客座贅語》卷5，《北京圖書館古籍珍本叢刊》，第66冊，頁714。

中體現了這一觀念：

> 魏照謂郭泰：「經師易獲，人師難遭。」；司馬越《與阮瞻書》：「諷誦遺言，不若
> 親承音旨。」；考亭子亦言：「簡牘所載縱說得分明，那似當面議論，縱一言半句
> 便有通達處。所謂共君一夜話，勝讀十年書，若說到透徹處，何止十年之功旨
> 哉？」。三言深為有理，蓋人有可以學而通者，有不可以學而通者，而將通未通
> 之際，有人焉為之提醒，真可使吾恍然有獲；又書籍中本有可疑之事、可辨之
> 言，在我視為陳跡，苟促膝有人一為辨難轉撥，令我煥然解釋，勃然萌生。故披
> 覽雖勤，不如面命之為快也[54]。

　　可見，當面談議往往可以達成學者之間的直接交流與切磋，從而產生不同觀念的碰撞、舊有意義的更新。而相當一部份學術性質的談話又會轉化成書面性質的記錄——古人談學對問之後，常將談話的內容劄記、整理、刪削、潤飾，最終形成一部筆記，如吳炯的《叢語》、江應曉的《對問編》、陳第的《謬言》就是談學成書的典型例子。因此，不難理解：對於學術談話的肯定，事實上也是對於談學成書類筆記的變相肯定。除此以外，古人還常志疑以備問。葉秉敬在《類次書肆說鈴》中說自己：「遇有不得其辭及私有所臆決者，每會就有道而問之；而未得其人亦其遂以遺忘，而後日倘得其人將無所置問也。因隨疑而隨志之。」[55]支允堅《軟語考鏡》的成書與之頗為類似：「余覓鈍且拙，於書鮮所窺測，至一話一言，稍不解，不惜窮搜冥悉以赴之期，至乎得所解而止。積久成編，志吾疑也。」[56]事實上，古人早已有「以記問為居積，以前言為師友」的傳統，而此類言說與記錄的背後，都有著增進學術、擴展知識等方面的考慮。

　　正因為「言」在此類筆記中，充當著一種知識與信息的載體，故而筆記作者在記錄時一方面注重內容的廣度，另一方面對於內容的新穎度、精確度也有著較高的要求。講求所談、所筆，要「博而核、核而精」。而針對前文所言「口耳相傳易致誤」的問題，許多作者專門展開了對於口談之誤的考證與糾繆。周夢暘就曾言：「書誠有誤者，其誤少；獨常談之誤，其誤多。誤而不考，徒思無益矣，何適焉？」[57]於是就自己耳聞目睹，參伍群書作《常談考誤》一書；胡應麟也有著同類的著述，他在《少室山房筆叢·莊嶽委談》中先是肯定了街談巷議的正面價值，認為其中「粃糠瓦礫、至道之精，奚弗具焉？」，然而另一方面又指出其中有較多以訛傳訛之現象，他的《莊嶽委談》，正是要對這些道聽塗說的內容劃剃誣訛、泝溯本真。事實上，他們的「正俗訛」並不僅僅侷限於口頭，還對長期以來流傳在筆記內部的一些錯誤有一定訂正。可見，筆記雖然因為信

54　〔明〕閔元衢：《歐餘漫錄》卷2，《四庫全書存目叢書》，第110冊，頁565-566。

55　〔明〕葉秉敬撰，閔元衢類次：《類次書肆說鈴》序言，《四庫全書存目叢書》，第110冊，頁233。

56　〔明〕支允堅：《梅花渡異林》卷6，《四庫全書存目叢書》，第105冊，頁698。

57　〔明〕周夢暘：《常談考誤》序言，《四庫全書存目叢書》，第96冊，頁546。

息龐雜而有失實的可能，但卻因為言說空間的開放，而形成了一種內部的自我糾繆體系。學術考據類筆記中，大量條目的撰寫都是為了甄別前人筆記乃至學術著作中的不確資料，這一點正可以視作對前文「不實」質疑的最好回答。

而在將談話記錄成書的筆記中，談話場合對於談者的某些要求往往會對作品的語言風格造成一定影響。比如：古時的對問，作為一種博識與否的檢驗方式，往往要談者博聞強記、才思敏銳、能言善辯，因為只有這樣才能在對問時扣之如響、對答如流。《對問編》的作者江應曉形容自己對問時說：「間一扣之輒喋喋不自休……若荊卿飲屠狗擊築畢于燕都中，歌哭自若，目無市人。」[58] 從這些字裡行間，不難想像他與客談論時口若懸河、神情自若的樣子。由此形成的著作頗有戰國策士論辯之風，又有王充《論衡》「博綜古義，斷以己見」的特點。《四庫全書總目》在「雜說」類的案語中說：「雜說之源，出於《論衡》」，並將筆記看作是後人沿波的產物，大概正將這一因素考慮在內[59]。

四　「言以觀才」與「言以自娛」

將筆記的言說視作一種文學化的表達，用以觀才與自娛，在晚明也不乏其人。這種傾向主要表現在一些清言、諧謔、神怪類的著作裡。雖然許多作品受到儒家工具主義文論的影響，依然帶有較強的道德規勸意味，但不可否認：人們已開始逐漸將注意力由言之外的道德、事件，轉向言語本身，這也促進了筆記寫作過程中文學意識的進一步覺醒。

明代隆慶萬曆年間，由於《世說新語》的刊刻與流行，文壇中興起了一股「世說體」小說創作的熱潮。而文人對於《世說》及同類擬作的關注點不僅集中在「事」，更重要的還有「文」。賞其敘事者如謝肇淛《五雜組》：「晉之《世說》、唐之《酉陽》，卓然為諸家之冠，其敘事文采足見一代典刑，非徒備遺忘而已也。」[60] 又如陳繼儒《太平清話》：「臨川王義慶《世說》，全學《檀弓》，其妙妙在章法。」[61] 韓敬《蘭畹居清言》序：「蓋《世說》之奇，奇在敘事，有左氏之嚴整而雋，有《檀弓》之簡峭而緩。」[62] 陳繼儒還將清談視作晉代的代表性文學樣式與唐詩、宋詞等並列：「先秦兩漢詩文具備，晉人清談書法，六朝人四六，唐人詩、小說，宋人詩餘，元人畫與南北劇，皆是獨立一代。」[63] 而明人對於《世說新語》又不甘僅僅流於模擬，亦期望能在模擬中創新，

58　〔明〕江應曉：《對問編》序言，《四庫全書存目叢書》，第104冊，頁4。

59　〔清〕永瑢等撰：《四庫全書總目》北京：中華書局，1987年，卷123，頁1057。

60　《五雜組》卷13，頁607。

61　〔明〕陳繼儒：《太平清話》卷3，《四庫全書存目叢書》，第244冊，頁293。

62　〔明〕鄭仲夔：《蘭畹居清言》序言，《四庫全書存目叢書》，第244冊，頁325。

63　《太平清話》卷1，頁246。

以經典為標竿找到屬於自己的特色，正如沈懋孝所說：「有一世各有一世之風，當有一時則有一時之話。」[64] 從明人的相關評論中來看，他們除了注重《世說》的敘事，還十分欣賞其「語冷趣遙」、「韻味雋永」的語言風格與特色：如江東偉曰：「夫《世說》之妙，納須彌於芥子，機鋒似沉，滑稽又冷，寓言鏡也。」[65] 焦竑以晉宋之風評價吳從先《小窗自紀》：「或事瑣而意玄，或語冷而趣遠，風韻各殊，皆成興托。昔稱晉宋人語簡約玄淡、爾雅有韻，君之所著，仿佛近之。[66] 姚汝紹則對《世說》之言的雋永讚不絕口：「（《世說新語》）歷代珍之，在今尤盛。不但揮塵者資其談鋒，而操觚者亦掇為菁藻。信乎言之有味也已！」[67]

　　而對於《世說》的相關評價，又與晚明狂士風習與幽默傳統的形成有著某些內在的關聯：晚明人評價文人墨士，常以「語帶魏晉之風」、「性好謔」、「善謔」、「語冷趣遙」等語嘉許之，可見以一種微言冷語的方式進行談謔，並追求語言的興旨與趣味，已成為當時的一種士人類型與社會風尚。更有論者將《世說新語》的傳統推而衍之，認為宋代的蘇軾、米芾亦屬此類。閔於忱《枕函小史·譚史》：「東坡、南宮兩稱伯仲，故蘇趣米顛，古今文人騷士往往步之。其單辭片語便是千秋，而詼諧謔浪不減江左清譚。孝標而在，必補入《世說》。」[68] 在這一風氣的推動下，王思任甚至從文論的層面對諧謔的語言風格加以肯定，他說：「詩以窮工，書因愁著，定論乎？曰：非也。文章有歡喜一途，惟快士能取之：宋玉、蒙莊、司馬子長、陶元亮、子美、子瞻、吾家實甫，皆快士也。」而之所以稱這些人為「快士」，乃在於他們在困苦憂愁時仍能自我解嘲、調笑自若：「即甚涕苦，憤歎之中必有調諧鑻舞之意。」[69] 對於俳諧傳統的肯定與張揚使文人不再僅僅以「道」的眼光來觀察言，而是逐漸轉向了文士主體之藻思、才華。故以此種視角觀之，謔雖不至於見道、博識，卻可以見性、觀才。公安派文人江盈科即持此觀點，他在《雪濤小說》「善謔」條中說：「謔亦有一段自然出於天性者」，又說戲謔「雖無大用，要之矢口而出，令人解頤，亦是一段別才，非可襲取。」[70] 而在晚明時期的評價觀念中，諧謔也往往是和才高密切關聯的，如江盈科《諧史》：「余邑徐廣文二溪，性狂善謔，有敏才。」[71] 又如張岱評價王思任：「先生聰明絕世，出言靈巧，與人諧謔，矢口放言，略無憚忌。」[72] 這一方面是因為古人對於諧謔十分注重其臨場性：談謔者需

64　〔明〕李紹文：《皇明世說新語》序言，明萬曆刻本，頁4。

65　《芙蓉鏡寓言》，頁2。

66　〔明〕吳從先：《小窗自紀》序言，《四庫全書存目叢書》，第252冊，頁598-599。

67　《焦氏類林》，頁178。

68　〔明〕閔於忱：《枕函小史》卷1，《四庫全書存目叢書》，第149冊，頁252。

69　〔明〕王思任：《王季重十種》杭州：浙江古籍出版社，1987年，頁90。

70　《雪濤小說（外四種）》，頁76-77。

71　《雪濤小說（外四種）》，頁228。

72　〔明〕張岱：《張岱詩文集》上海：上海古籍出版社，1991年，頁287。

要根據當時的實際場景做出隨機應變的反應，故要思緒敏捷、談吐伶俐；另一方面，古代的幽默常帶有較強文字遊戲之色彩，為諧不僅要化用經史典故，還時常以囑對的形式而出現。李紹文的《皇明世說新語》中就記載了這樣一則有趣的笑話，可作例證：嘉靖年間，有一淩某認嚴嵩作父，當時人諷送外號「嚴子陵」；後有一縉紳王姓，抱他人子為孫，有人即作對為諧，名之曰「王孫賈」[73]。事實上，筆記中諸如此類的笑話非常之多，諧謔中都流露出一股文人巧思的色彩，巧思的目的固然是為了佐歡，但從另一方面而言，也逐漸擺脫了傳統儒家文化對於言說的種種束縛，開啟了文人對於語言形式、語意風格的多重關注與探求。

諧謔、神怪類的內容又常與古人的談話場合密切相關：談道、談學，則談者須莊、所談當確；如僅僅為博一笑，則莊言危論不及謔浪詼諧遠矣！「三臺山人」在為署名李贄的《山中一夕話》作序時即說：「竊思人生世間，與之莊言危論，則聽者寥寥；與之謔浪詼諧，則歡聲滿座。是笑，徵話之聖；而話，寔笑之君也。」[74]許多作者正是從這一角度出發開闊了筆記的言說空間，如屠隆《娑羅館清言》：「善謔浪，好詼諧，吐語傷於過綺，取快佐歡，亦無大害。」[75]又如馮夢龍《古今譚概》：「夫為詞而足以資人之諧戲，此詞便是天地間一種少不得語，故余喜而采之。」[76]又說：「鸚鵒學語不成，亦足以自娛。」[77]故言雖然不可以盡事，卻仍可以適意。晚明人從自娛角度立論，對諧謔言說合理性的肯定，正是一種把語言的目標指向從外在世界向主觀情志的轉移。

在將筆記之言視作一種文學表達方式的觀念影響下，許多作者開始了對於記錄語言詞采華美的追求。最典型的是吳從先，他在《小窗自紀》中說：「予則欲諸寶從筆端傾瀉，一言一字輝于黃金，潤於和璧，圓于隋珠，華於翡翠，利於文犀，皓於象齒，矯於豐狐秋兔，而後佹心斯愜。」[78]可見其對記錄的語言文字是多麼地苛求。而另一方面，對於記錄之事的真實性要求也開始逐漸鬆動：謝肇淛在《文海披沙》中即提出：「古今記載虛實相半，要當存而不論。」[79]王同軌《耳談類增》：「大抵諸說家好組織事故，以成其離合悲歡，而不必其實。」[80]梅鼎祚《才鬼記》則以文采、才華作為收錄標準，而盡量淡化事件的真實性：「其間或由好事，或互訛傳，若《剪燈》、《耳談》之屬，亡氏烏有，聊亦兼收。政猶蘇長公要人說鬼，豈必嚴實。且此特以文詞而已。」[81]在這樣的

73　〔明〕李紹文：《皇明世說新語》卷7，《四庫全書存目叢書》，第244冊，頁117。

74　〔明〕李贄：《山中一夕話》序言，《續修四庫全書》，第1272冊，頁443。

75　《娑羅館清言‧續娑羅館清言》，頁49。

76　《古今譚概》，頁133。

77　《古今譚概》，序言頁。

78　《小窗自紀》，頁608。

79　〔明〕謝肇淛：《文海披沙》卷2，《北京圖書館古籍珍本叢刊》，第65冊，頁396。

80　《耳談類增》卷39，頁243。

81　〔明〕梅鼎祚：《才鬼記》序言，《四庫全書存目叢書》，第249冊，頁387。

大背景下，陶冶提出了更具概括力的論點，在《耳談類增》序中，他從記錄傳統上對《耳談》與《春秋》加以區別，並說：「行父之談，出於稗官，其旨非在褒貶，厭常喜新者讀之欣然，膾炙適口而無所虞罪。故事不必盡核，理不必盡合，而文亦不必盡諱。」[82]《四庫全書總目》說後三句「亦小說家之定評也」。至此，有理由說，明萬曆年間，旨在娛樂與文辭的神怪諧謔之流，已經在經史大道的傳統之外找到了一個相對自由的記錄空間。

五　結語

　　總而言之，在晚明「慎言」的言說背景之下，明萬曆筆記的言說主要從以下三個方面進行：一、站在傳統儒家的角度與立場，從現實出發，強調言的道德意義與行為意義；二、以古代深厚的博識傳統作為依託，肯定言所具備的學術價值與知識價值；三、將目光由言之外轉向言本身，注重言的娛樂功能與文學特色。在言說過程中，作者不僅對於當時社會上流行的一些質疑聲音有一定的回應與規避，甚至在三者之間，也有著內部的互動與影響，這些都對理解筆記特定種類的形成、風格狀貌的呈現有著提綱挈領的作用。當代學者的筆記研究，似乎更多將注意力放在了「記什麼」這一問題上，而對於作者「為什麼記」、「怎麼樣記」的研究依然不夠充分。就筆記本體而言，後兩個問題的研究反而更為關鍵。為此，筆者僅將自己不甚成熟的思考略述於上，以期能達到拋磚引玉的效果。

82　《耳談類增》序言，頁3。

中國大陸三部《紅樓夢》電視劇之於文學經典

——《紅樓夢》的傳播學分析[*]

薛穎

天津財經大學中國語言文學系

迄今為止，中國大陸誕生了三部大型《紅樓夢》電視劇——八七版、二〇〇〇越劇版和二〇一〇版。八七版電視劇《紅樓夢》由周雷、劉耕路、周嶺編劇，王扶林導演，歐陽奮強、陳曉旭、鄧婕等主演；二〇〇〇年越劇版電視劇《紅樓夢》由徐進擔任總編劇，薛允璜、薛龍彪等參與編劇，梁永璋導演，錢惠麗、余彬等主演；二〇一〇年版電視劇《紅樓夢》由顧小白等編劇，李少紅導演，于小彤、蔣夢婕、姚笛等主演。三部電視劇分別誕生於中國大陸上世紀八〇年代、本世紀初和本世紀的第一個十年，期間大致相隔十年。三部電視劇承載著各自的時代特點、主創風格等，形成了對於文學經典《紅樓夢》的電視劇傳播史。三部電視劇在情節取捨、立意闡釋、藝術特質等方面表現出了極大的不同，其中的不同與電視劇主創團隊的文化認知及藝術追求的不同有關，也與電視劇媒介特質本身有關。本文遵循的邏輯體系是拉斯韋爾的「5w」模式，從傳播內容、傳播主體、傳播媒介等幾個方面，分析代表中國大陸三個不同時代對《紅樓夢》影像解讀的三部電視劇，尋找其中傳承與變異的原因。

一　三部電視劇情節取捨、立意闡釋與藝術特質的不同
——傳播內容分析（Says What）

（一）三部電視劇對原著內容情節取捨不同

八七版電視劇前三十集對應原著的前八十回，後六集保留了後四十回中「家宅亂誤竊通靈」、「宴海棠賈母賞花妖」、「林黛玉焚稿斷癡情」、「薛寶釵出閨成大禮」等少部分情節外，其餘大部分都是遵循脂硯齋評語等紅學探軼學的成果另起爐灶。

---

* 天津市文化藝術規畫項目《古典小說的影視劇傳播研究》（B12041）。

二○○○年版越劇電視劇《紅樓夢》是在六二年版越劇電影《紅樓夢》的基礎上加工成三十集越劇電視連續劇，以寶黛愛情及其悲劇為中心，穿插了眾多人物的愛情及悲劇故事，如張金哥和趙公子、賈薔和芳官、蔣玉菡和藥官、司棋和潘又安等，同時在日程生活的描繪中展現了諸多人物的不幸命運，如秦可卿被逼無奈的亂倫、探春遠嫁、迎春被虐致死、尤二吞金自逝、尤三拔劍自刎、晴雯被逐身亡、金釧跳井等。

二○一○版電視劇《紅樓夢》是將通行本百二十回壓縮成了五十集，完全忠實於原著。經典情節如黛玉進賈府、寶黛初會、黛玉含酸、靜日玉生香、共讀西廂記、葬花吟、金蘭語、秋窗風雨夕、惠紫鵑情辭試莽玉、黛玉魂歸等；次要情節也有表現，如下人拌嘴等；甚至一些迷信、色情的內容，如王熙鳳幾次見鬼、風月寶鑒裡王熙鳳勾引賈瑞等也進行了影像的渲染。

（二）三部電視劇立意闡釋不同

八七版電視連續《紅樓夢》，是一幕通過家庭生活反映重大社會問題的悲劇。裡面既有以賈府為中心的賈、史、王、薛等封建家族盛衰興亡的家庭社會大悲劇，也有以寶玉為中心的寶、黛、釵、湘等貴族兒女悲歡離合的愛情婚姻小悲劇，最終彙合成為歷史悲劇，刻意強調作品的現實主義。

二○○○年越劇電視劇《紅樓夢》通過講述以寶黛等眾多年輕人的愛情及其悲劇，擴大一些日常生活場面的描繪，歌頌他們的叛逆性格，揭露封建勢力對新生一代的束縛和摧殘。其主題是愛情悲劇和反封建的糅合，同時盡可能在日常生活的展示中，指出賈府衰敗的根源在於「錦衣玉食養頑疾，高粱大柱藏蛀蟲」、「大樹枯倒先枯根，梨子爛時先爛心。只有自家窩裡反，才可統統殺滅盡」的自毀行為，因而才有附著其上的各類人物的悲劇命運。全劇充滿了世態炎涼的生命體驗和悲金悼玉的傷悼情懷。

二○一○年版電視劇《紅樓夢》採用了亦步亦趨忠實於原著的方法，百二十回的小說的內容壓縮成五十集電視劇，平均每兩回或三回一集，在主題的設定上卻沒有明確的指向，形成一部無主題或多元主題的作品。

（三）三部電視劇藝術特質表現不同

八七版電視劇《紅樓夢》特別重視再現以賈府為中心的四大家族的由盛轉衰，表現出封建家族不可避免走向末世的淒涼境況，從家庭悲劇擴展到了封建末世的社會悲劇，表現出厚重寫實的一面。與此同時，捨棄了有關神話、夢境、僧道以及一些不宜於用境頭表現的家宴、詩社和某些具有消極作用或糟粕性的迷信色情內容。這樣處理的結果是，電視劇對小說空靈寫意內涵的表現不足，引起了當時評論家的注意。如「《紅》劇

沒有處理好原著真假虛實之間的關係，格守『寫實』、『再現』的藝術原則，使它失落了原著『寫意』、『表現』的詩意風格。」[1]

二〇〇〇版越劇電視劇《紅樓夢》在藝術上體現為：第一，人物形象鮮明，性格單一。電視劇將人物分成彼此對立的兩派，賈母、王夫人、王熙鳳、薛寶釵、賈政等是家族利益的維護者，寶玉、黛玉、紫鵑、鴛鴦、蔣玉菡等站在批評和叛逆的立場，雙方斬釘截鐵地站在了各自的隊伍中，形象鮮明卻單一刻板，失卻了原著中人物形象的豐富性和多樣性；第二，擅長表達婉轉悲怨的情感，契合了原著的精神內涵，是一部寫實和寫意俱佳的作品。

二〇一〇版電視劇《紅樓夢》帶有李少紅鮮明的個人風格，整體上顯得唯美寫意。具體而言，在藝術上有幾個表現：第一，基於以娛樂大眾眼球為目的的畫面唯美奢華。過億的投資加上影視制作技術的進步，為畫面制作的精益求精提供了條件；第二，基於大眾色情追求的色情情節的高度渲染。電視劇將小說原著中含蓄表達的情色內容傾注了最大程度的想象，如賈寶玉初試雲雨情、賈瑞淫喪風月寶鑒等；第三，基於大眾淺閱讀層次的經典代讀。大量照搬原著內容作為旁白，除了兩種藝術轉換的需要外，主創們這樣做還有一個目的就是讓沒有讀過《紅樓夢》的人看懂電視劇，並使電視劇能夠代替小說的閱讀，體現為經典代讀。

二　三部電視劇主創團隊的文化認知及藝術追求的不同 ——傳播主體分析（Who）

電視劇的主創們對小說進行改編，實質上是對小說的一種解讀。正如接受美學的創始人德國文藝理論家姚斯所說：「一部文學作品並不是一個自身獨立、向每一時代的每一位讀者均提供同樣的觀點的客體。它不是一尊紀念碑，形而上學地展示其超時代的本質。它更多地像一部管弦樂譜，在其演奏中不斷獲得讀者新的反響，使文本從詞的物質形態中解放出來，成為一種當代的存在。」[2]三部電視劇的主創團隊站在了自己所處時代的文化思潮、自身的文化認知和自身的藝術追求的立場上，分別對小說《紅樓夢》進行了自己的解讀，從不同的情節取捨中形成了對小說《紅樓夢》不同的立意闡釋，進而生成不同的藝術特質。

1　李彤：《文藝報》，1987年3月14日。

2　〔德〕姚斯著，周寧等譯：《接受美學與接受理論·走向接受美學》瀋陽：遼寧人民出版社，1987年，頁26。

（一）不同的時代文化思潮

八七版電視劇《紅樓夢》改編於八〇年代，正是「文化大革命」過後，中國大陸萬物復甦、思想解放的時期。當時的電視劇主要是按照主流文化和菁英文化確定的創作方向和各種規範運作和發展的，既受主流文化控制，又被菁英文化灌注。主流文化的操控表現在，八七版《紅樓夢》電視劇改編的動議是一九八一年十月初由中央領導同志提出的；菁英文化的灌注體現在，改編的具體操作主要由作為菁英知識分子的紅學家來完成的。在具體的改編實踐中，由紅學家擔任編劇和顧問的主創團隊拋棄了高鶚的續作，進行了另起爐灶的大膽改編。所依據的材料是第五回的十二釵判詞、圖畫和十四支〈紅樓夢曲〉、脂硯齋等人評語透露的有關後幾十回情節和人物結局的文字、曹雪芹同時代和稍後的一些人所著的詩文筆記以及近二百年來紅學研究中的探佚結果。八七版電視劇《紅樓夢》成為紅學研究成果轉化的試驗場。體現主流文化的國家主管單位與體現菁英文化的知識分子強烈地感覺到弘揚民族文化的責任感，因而「他們展現出對具有社會認識意義的『社會問題悲劇』的濃厚興趣，而有意無意淡化作品愛情、婚姻和眾女性不幸命運的悲劇色彩。」[3]以此立意出發，形成重寫實輕寫意的藝術特徵。也就是說在主流文化和菁英文化的聯袂中，誕生了八七版電視劇《紅樓夢》的思想內容和藝術特質的基本格調。

在八七版電視劇《紅樓夢》播出十三年之後，二〇〇〇越劇電視劇《紅樓夢》又與觀眾見面了，這是文學經典《紅樓夢》在中國大陸的第二次電視劇改編。越劇電視劇依然保留了六二年越劇電影的精髓，保留了愛情悲劇和反封建主題，但加入大量的日常生活場景的描寫，探討家族沒落的根由以及小兒女們悲劇的原因。也就是說，電視劇有意識的進行日常生活敘事，更接近普通人的生活，呼應了當時文藝回歸日常生活敘事的文化氛圍，同時又借寶黛的身世感懷，表達了人生短暫無常、日月永恆的生命慨歎，又昇華和擴張了日常生活敘事主題，使全劇牽縈著一股濃濃的、揮之不去的傷悼情懷。

時隔十年後，二〇一〇年電視劇《紅樓夢》播出，這是文學經典《紅樓夢》在中國大陸的第三次電視劇改編。這部電視劇是在吸取前輩改編成果的成敗得失和紅學家關於重拍的爭論中，順應商業資本運作模式而誕生的。二〇一〇電視劇《紅樓夢》首先必須要面對的就是八七版電視劇《紅樓夢》。在大約七百多次的重播過程中，八七版電視劇的經典地位已經奠定。然而，八七版電視劇存在的問題，隨著時間的推移已經是有目共睹，主要有：其一，拋棄高鶚續寫的後四十回依據紅學探軼研究成果另起爐灶；其二，過分注重現寫實，忽略寫意。在二〇〇二年五月，馮其庸、李希凡、蔡義江、羅立

3　張宗偉：《中外文學名著的影視改編》北京：中國廣播電視出版社，2002年，頁175。

平、張立國等眾多專家學者、導演以及傳媒人士歡聚一堂，就《紅樓夢》電視劇重拍的諸多問題展開討論。綜合諸多學者和網民的意見，大家比較一致地認為小說文本應該采用二百多年來被廣泛接受的一百二十回本。因而，二○一○版電視劇在版本上選擇了中國藝術研究院紅樓夢研究所校注、人民文學出版社一九八二年版為底本的百二十回通行本，同時在寫意上大做文章。加之。二○一○版電視劇《紅樓夢》的拍攝年代，中國社會的娛樂消費時代真正來臨，電視劇作為一種大眾文化樣式，具有娛樂性、消費性的本質特徵。投資方為了實現自己的商業目的，當然地會迎合大眾的這種訴求，但他們同時要接受現行政治制度的審查，也要聽聽代表菁英文化意識的紅學專家的建議，二○一○版電視劇《紅樓夢》是在前所未有的多重腳鐐和手銬的束縛下跳舞的。

（二）傳播者不同的文化認知和藝術追求

在社會文化思潮中，傳播者結合自身認識能力、審美情趣、生活閱歷、人生體驗形成了傳播者對小說《紅樓夢》的認知、批評與解讀。而這種包括認知、批評與解讀在內的闡釋活動必然要經歷從歷史到當代，從理解到轉化的問題。從歷史到當代涉及到了傳播者的文化認知問題，從理解到轉化涉及到了傳播者的藝術追求問題。具體到影視劇的集體創作流程中，編劇對一部作品的文化認知起關鍵作用，據定了拍什麼；而藝術追求主要是體現導演的作用。決定怎樣拍。

第一，從歷史到當代——傳播者的文化認知。

從歷史到當代是指任何文學文本都可以看做是一個歷史文本，用克羅齊的話說：「一切歷史都是當代史」，[4]將清代小說《紅樓夢》拍攝成讓當代大眾接受的電視劇，必然有一個歷史文本與當代精神對接的問題，這就需要作為傳播者的編劇有一定的文化認知。

八七版的編劇之一周雷認為：「《紅樓夢》是一幕通過家庭生活反映重大社會問題的悲劇，這裡邊既有以賈府為核心的賈、史、王、薛等封建家族盛衰興亡的家庭社會悲劇，也有以寶玉為中心的寶、黛、釵、湘等貴族兒女悲歡離合的愛情婚姻悲劇」，「四大家族的大悲劇和小兒女們的小悲劇交織在一起，彙合成為歷史悲劇」。[5]在大主題的牽引下，電視劇中的情節安排都是為這一有傾向性的主題服務的，如第三十二集探春遠嫁是歷來為人所稱道的改編。首先是將探春遠嫁的背景設定為：南安郡王在西海沿子打了敗仗，要與藩王和親，換取和平。而南安郡王或是沒有女兒亦或是有自己的女兒不捨得，認探春為義女，然後去和親。這就為探春遠嫁蒙上了一層與家國相連的悲哀之色，不再

4　〔德〕克羅齊著，傳任敢譯：《歷史學的理論和實際》北京：商務印書館，1982年，頁2。

5　周雷：〈《紅樓夢》改編芻言〉，《中國廣播影視》，1987年第3期。

是高鶚續作中父親做主安排了一檔門當戶對的婚姻，只是地方遠了一些。同時，安排探春臨行前單獨到趙姨娘處告別，喊了一聲「娘」，而在送別的人群中趙姨娘的眼淚是最多的，將母女情深做了超時空的、符合當代人文情懷的渲染，極有感染力。

二〇〇〇越劇版電視劇是在六二年越劇電影《紅樓夢》的基礎上擴充的，由徐進擔任總編劇。談到一九六二年越劇電影時，徐進說：「我終於確定以寶玉和黛玉的愛情悲劇為中心，而圍繞愛情事件，適當的擴大一些生活描寫場面，歌頌他們的叛逆性格，揭露封建勢力對新生一代的束縛和摧殘。也就是說把愛情悲劇和反封建精神揉合一起，編織成一條主線，從而選取小說某些典型情節，融會貫穿起來，去體現原著小說的精神面貌」[6]二〇〇〇越劇電視劇的主題依然是愛情悲劇和反封建精神的糅合，只是由於電視劇容量遠遠大於電影，除寶黛愛情悲劇外，又增加了馮淵和英蓮、張金哥和趙公子、司棋和潘又安、蔣玉菡和藥官、賈薔和齡官等的愛情悲劇，生活場面更大擴大。與六二年越劇電影相比，反封建的唱詞依然很多，但決絕態度有所緩和。

二〇〇〇版越劇電視劇《紅樓夢》依然保留六二年越劇電影《紅樓夢》中的反封建唱詞如：

（賈母遊園時的畫外音伴唱）看不盡滿眼春色富貴花，說不完滿嘴獻媚奉承話。
（第11集）

（賈寶玉）每日裡送往迎來把客陪，焚香叩頭祭祖先。垂首恭敬聽教誨，味同嚼蠟讀聖賢。這餌名釣祿的臭文章，讀得我頭昏目眩實可厭！（第6集）

（賈寶玉）好容易盼到洞房花燭夜，總以為美滿姻緣一線牽。想不到林妹妹變成寶姐姐，卻原來，你被逼死我被騙！（第27集）

電視劇對電影唱詞進行稍作做緩和調整的如：

（賈寶玉）林妹妹，自從你居住大觀園，幾年來，你是心頭愁結解不開。落花滿地傷春老，冷雨敲窗不成眠！你怕那，人世上風刀和霜劍。到如今，它果然逼你喪九泉！（第27集）

而在電影中還有下面兩句：

你已是質同冰雪離濁世，我豈能一股清流隨俗波！
（畫外音伴唱）拋卻了莫失莫忘靈通玉，掙脫了不離不棄黃金鎖，離開了蒼蠅競血肮髒地，撇開了黑蟻爭穴富貴巢。

唱完後，寶玉擲玉出家，一副決絕之態，電影中的反封建姿態更為強硬，電視劇做了緩

6　徐進：〈越劇《紅樓夢》重印後記〉上海：上海文藝出版社，1979年，頁158。

和。

又如電視劇在寶玉科考之前來到瀟湘館與紫鵑告別，電視劇將寶玉離開瀟湘館的伴唱改為：

> 話已多，情未了，夜靜唯聽更鼓敲。風搖細竹葉憔悴，別淚點滴臨清曉。（第30集）

這種處理體現二〇〇〇年的文化氛圍已與六〇年代階級鬥爭的氛圍不同。可見，作品中體現的文化認知是與時代緊密相關的。

二〇一〇版啟用的是八位八〇後編劇，他們只是這個流程中的打工者，沒有強烈的自主意識和文化認知，只是按照要求將百二十回本小說亦步亦趨的變成五十集的劇本而已。但在具體情節的改動中，依然能感受到解讀的當代性，如大量情色內容的影像渲染也是一種符合當代中國商業文化氛圍的理解和認知。

第二，從理解到轉化──傳播者的藝術追求。

導演和編劇進行深入的溝通，彼此之間取得最大限度的理解和認同後，導演用藝術的形式進行轉化。

八七版導演王扶林認為：「『煉石補天』和『太虛幻境』……均為無稽之談……所謂虛幻迷離不過是穿鑿附會而已，並無真意，而反映現實，揭露現實，才是作者匠心所在……我刻意強調的是作品的現實主義。」[7]二〇〇〇越劇電視劇《紅樓夢》是在一九六二年越劇電影《紅樓夢》基礎上的再創作，六二年越劇電影《紅樓夢》的導演岑范曾說：「既要充分體現原著精神，又要保留和發揚舞臺演出的精華；既要是電影，又要是越劇。」[8]這句話同樣可以做二〇〇〇越劇電視劇《紅樓夢》的藝術闡釋，既要是電視劇，又要是越劇。在具體的改編中謹遵「事在情中敘，理從情中出」、「唱詞情真、意切、字淺，才能一下子打動觀眾，引起共鳴。」[9]二〇一〇版電視劇《紅樓夢》導演李少紅曾經說過：「要我接拍的時候，投資方就這麼說，《紅樓夢》的內容沒有多大發揮空間，能發揮的地方就是拍得美拍得好看。我牢記住這句話，下的最大工夫就在影像語言和影像藝術的品質上，能夠立體表現出小說中的文學寓意和曹雪芹描寫的夢幻意境。」[10]

可以看出，導演們對於怎樣拍是心中有數的，八七版和二〇〇〇版是在主題提煉基礎上，根據對內容的文化認知然後決定轉化的藝術手段和技巧，而二〇一〇版則是拋開內容單純追求形式。

7　〈熒屏紅樓夢何以如此？〉，《文彙報》，1987年7月29日。

8　轉引自陶今：〈《紅樓夢》的影視劇改編〉，《上海師範大學學報》，2009年第7期。

9　薛允璜：〈新越劇的一支妙筆──徐進對越劇的貢獻〉，《上海戲劇》，2013年第1期。

10　楊瀅：〈李少紅：我們需要有品質的交鋒〉，2010年10月19日，中國共產黨新聞網 http://cpc.people.com.cn/GB/68742/179979/180304/12988601.html。

三　電視劇媒介特質與小說媒介特質的不同
──傳播媒介分析（In which channel）

　　喬治‧布魯斯東說：「小說與電影兩條相交叉的直線，在某一點上會合，然後向不同的方向延伸。在相交叉的那一點上，小說和電影劇本幾乎沒有什麼區別。可是當兩條線分開以後，它們就不僅不能彼此轉換，而且失去了一切相似之點。在這相距最遠的地方，最電影化的東西和最小說化的東西，除非各自遭到徹底的毀壞，否則是不可能彼此轉換的。普羅斯特和喬埃斯的作品如果變成電影，會和卓別林的影片如果變成小說一樣顯得荒謬可笑。」[11]小說和影視劇有相交點，因而存在改編的可能性；但兩者由於媒介特質的不同，也存在改編的障礙。喬治‧布魯斯東所說的小說與電影的關係，同樣可以適用於小說和電視劇的關係。兩種媒介屬性的不同直接影響到影視劇之於小說的傳播效果。

　　小說是語言的藝術，影視是具有聲音效果和畫面質感的活動影像藝術，其相交點在於兩者都是敘事的藝術，所謂敘事，「就是用話語虛構社會生活事件過程。」[12]也就是「講故事」。這是兩種藝術形式進行轉化的基礎和可能性。然而，小說和電視劇兩種藝術形式在媒介語言表現上有諸多不同，小說使用的是語言文字符號，電視劇使用的視聽影像符號。首先，語言文字表現心理感受、意識流、精神內蘊性等抽象認知方面具有豐富性，視聽影像再現形象、動作、場景等具象事物具有鮮明性；其次，小說常用的敘事手段是敘述、議論、描寫、抒情等，敘述是最常用的，小說的敘述以時間為線索展開；電視劇的敘事手段是視覺鏡頭的蒙太奇組接，以空間形象的邏輯關係為鏈條展開。小說特別善於交代時間關係，而電視劇特別擅長表現空間意味很濃的情節和場景；第三，在審美效果上，小說可以具備寫實和寫意的雙重美學風格，而電視劇一般更擅長寫實；在人物形象的塑造上，小說中的人物可以是多面立體複雜的圓形人物，而電視劇中的人物多體現為性格單一的扁平人物。

　　由於兩種媒介藝術屬性的不同，在將小說轉化成電視劇的過程中，電視劇就需要發揮自身優勢，利用影視制作技術的進步，最大限度的克服自身劣勢，以取得最佳的轉譯效果。

　　結合以上兩種藝術形式媒介特質的不同，通過三個版本電視劇的考察，八七版電視劇很好的利用了影視視聽藝術的優勢，揚長避短，重寫實，輕寫意。在八〇年代中國的影視制作技術還算不上先進的現實條件下，電視劇將小說反映現實的厚重的一面傳達的

11　〔美〕喬治‧布魯斯東：《從小說到電影》北京：中國電影出版社，1981年，頁69。

12　童慶炳主編：《文學理論教程》北京：高等教育出版社，2004年，頁240。

非常成功。正如美國電視劇作家巴蒂・查耶夫斯基說：「電視的獨特意境來自現實主義，這種現實主義是過去舞臺劇和電影中所沒有的，是以日常生活為基礎的自然主義的現實主義。」[13]

　　二〇〇〇版越劇電視劇《紅樓夢》，既能發揮影視媒介的寫實優勢，反映了以寶黛愛情悲劇為中心的眾多年輕男女之間的愛情悲劇，以此探尋家族沒落，人物命運悲劇等問題；同時很好的利用了越劇善寫愛情，婉轉清麗擅長表達悲怨情感的優勢，通過唱詞填補了電視劇不善於表達人物心理的缺陷，做到了辭、情、畫、意互補共融，越劇的寫意優勢正好可以彌補電視劇的寫意劣勢，很好的傳達了原著的精神氣質。

　　二〇一〇版電視劇《紅樓夢》，利用影視制作技術手段的成熟，將難以用鏡頭語言表現的東西都做了最大限度的展示，如夢境、幻境、結社、吟詩以及人物的心理活動等，但最終卻離原著越來越遠。造成該劇總體失敗的原因很多，但媒介屬性本身的侷限性無法超越應該是一個不可抗拒的原因。電視劇沒有進行事先的立主腦——主題提煉或立意闡釋，所有的情節都是散兵遊勇；而拍攝過程中還將大量精力投入到對最小說化的「散兵遊勇」進行影視視聽轉換，造成小說和影視彼此之間相互破壞。雖然，主創團隊建立在雄厚商業資本基礎上、影視制作技術成熟前提下的探索和嘗試是值得肯定的，但這個嘗試本身更加有力地證明兩種媒介藝術有著某種程度上的不可通約性——最影視化和最小說化的東西是難以彼此轉化的，揚長避短才是正道。

13　轉引自〔日〕大山勝美：〈開放型電視劇與封閉型電視劇〉，《當代電視》，1987年第3期。

清末紹興徐樹蘭家族研究

蔡彥

浙江省紹興市圖書館

　　士紳，主要是指在地方上具有有一定政治和經濟地位的知識群體，他們在政治上和政府有千絲萬縷的聯繫，經濟上比較富足，文化上又屬於知識份子。作為社會菁英，他們一方面幫助官員統治地方，一方面替人民向官方爭取權益，處於政府和人民之間的中間地位。浙江紹興一直就是文風鼎盛，人文薈萃之地，世代取得功名者多、為官者多，士紳階層的勢力較大。步入近代，由於處在經濟轉型的前沿陣地，士紳階層感覺更為靈敏，行動更為迅速。近代以後，這些家族不僅需要維持文化上的優勢，而且更要佔得在工商業上的先機。

一　徐樹蘭及棲鳧徐氏

　　徐樹蘭，字仲凡，號檢庵，山陰棲鳧人。光緒二年（1876）舉人，授兵部郎中，改知府。以母病，歸不出，旋以地方公益自任。光緒二十八年（1902）五月卒，年六十五。長子徐元釗，字吉蓀，晚號逷園。光緒戊子科副貢，司鐸臺州太平，推升「河南靈寶知縣」[1]。工詩，古文詞，「著有《逷園詩草》」。[2]次子徐爾谷主持家族事務，主要精力放在實業和地方自治上，發起並組織上海紹興同鄉會。季子嗣龍，一九一三年在紹興組織自由黨。四子維烈事蹟未詳。（表一）

　　徐樹蘭家族世居紹興城南棲鳧村，先世故清寒，以農儒繼業。據民國《紹興縣誌資料第一輯・民族》：「棲鳧徐氏，先世居淮上。有名處儀，字尚威者，宋崇甯初進士，官給諫。建炎間與兄處仁，扈蹕南渡，同居山陰之項裡。其裔名德明，字大宏，由項里遷居山陰之棲鳧村。選舉表中之徐樹蘭、徐維則，其裔也。」[3]大弘公徐德明為棲鳧第一世。徐樹蘭之父雲泉公徐慶湛系第二十四世，其人「敏練，善商戰，贏得過當」，家境逐漸殷實。[4]在咸豐八年（1858）舉家遷至府城大坊口，同治七年（1868），又於水澄巷

1　錫良，《奏請查銷靈寶縣令徐元釗參革案》，光緒二十七年十二月十五日，軍機處檔折件第146873號，臺北故宮博物院。

2　〈《越聲》姓氏考略〉，《紹興縣誌資料第二輯・文徵》紹興：紹興縣修志委員會，民國稿本〔出版時間不詳〕。

3　〈棲鳧徐氏〉，《紹興縣誌資料第一輯・民族》紹興：紹興縣修志委員會，1939年。

4　徐維則、徐滋霖、湯壽潛：《先考培子府君年譜》清刻本〔出版時間不詳〕。

購地建房。十一年（1872），徐樹蘭遵父命「築徐氏義塾于郡城古貢院，名曰『誦芬堂』，延師以教族之無力者」。[5]徐樹蘭講求畫學，胞弟徐友蘭（過繼給懷瑾公）喜吟詠，於是在其右「別構精舍」共讀，自謂「自戊辰以來同居三十年，門庭肅雍，長幼秩序，水澄之徐最所稱道」，為清末紹城徐、李、胡、田四大家之一。[6]光緒二十八年（1902）五月，樹蘭卒，其後友蘭乃命子維則偕弟滋霖別賃老虎橋，至此昆弟始分家。徐樹蘭是紹興「頭一個提倡維新」，「能夠對地方實施支配的人」。[7]據李慈銘《荀學齋日記》：「光緒十八年正月初七日，得徐仲凡臘七日裡中書。三月初四日，得徐仲凡二月九日書笲，寄惠醉月一瓶、南煙一匣、香糕一匣，皆越地之良，風味不淺。三月初六日，徐以孫維則來。與鶴卿、以孫、春農及楊孝廉、王解元談至晚歸」。[8]徐樹蘭除了與旅京、旅滬紹興籍官紳互有來往，他和湯壽潛、蔡元培、羅振玉、張謇等民國大家建立穩固的聯繫，為第二代創造了良好的家庭、事業環境。據〈蔡元培自寫年譜〉：

> 清光緒十三年丁亥。是年留徐氏。
>
> 清光緒十四年戊子。是年留徐氏。
>
> 清光緒十五年己丑。是年留徐氏。是年有恩科。秋，復往杭州應鄉試，與王君寄
> 廎、徐君以孫同中式，主試為李仲約（諱文田）、陳伯商（諱鼎）兩先生。
>
> 清光緒十六年庚寅。是年春，往北京應會試，偕徐君以孫（維則）行。
>
> 清光緒十七年辛卯。是年仍館徐氏。[9]

從一八八六年到一八九一年，蔡元培在徐家讀書、校書，應試一共五年。光緒十八年（1892）蔡元陪到北京參加複試，在保和殿應殿試被取為第二甲第三十四名進士，被學界權威翁同龢贊為年少通經，文極古藻，雋才也。「在紹興徐氏校刻各種書。」[10]接著，蔡元培被光緒帝授為翰林院編修，自此開始自己京官生涯。

光緒二十二年（1896），蔡元培回紹興仍與徐氏互有來往。十月十八日蔡元培準備回京，徐爾谷等同窗好友邀他游石佛寺，舉行餞別。他們在石佛寺的牆壁上題記，並由蔡元培記述這一經過：「以孫，顯民，何、薛二郎，鐘生，邀游下方橋石佛寺，在羊石山。並邀許翰伯、陳韻樓。勒題名於壁，曰：『光緒二十二年十月，余將北征，同人餞余於是。千年象教，印度忽焉。此子疲於津梁，此中惟宜飲酒。峴首佳客，有如叔子，

5　徐維則、徐滋霖、湯壽潛：《先考培子府君年譜》（清刻本〔出版時間不詳〕）。

6　徐維則、徐滋霖、湯壽潛：《先考培子府君年譜》（清刻本〔出版時間不詳〕）。

7　〈徐太夫人去世〉，《紹興白話報》紹興：紹興白話報社，光緒三十三年五月十五日，4版。

8　李慈銘：《越縵堂日記》揚州：廣陵書社，2004年，第18冊，頁13064、頁13177。

9　蔡元培：〈蔡元培自寫年譜〉，中國蔡元培研究會：《蔡元培全集》杭州：浙江教育出版社，1998年，第17卷，頁428-429。

10　黃世暉：〈蔡元培口述傳略上〉，蔡建國：《蔡元培先生紀念集》北京：中華書局，1984年，頁250。

新亭名士，誰為夷吾，息壤在茲，赤石鑒之』。山陰蔡元培識。會稽徐維則書。同集者：江甯許登瀛，山陰胡道南、何琪、薛炳、陳星衍，會稽徐爾谷」[11]。

再據〈年譜〉：「清光緒廿四年戊戌，攜眷回紹興。……那時候，紹興已經有一所中西學堂，是徐君以孫的伯父仲凡先生所主持的，我回里後，被聘為該學堂總理。」[12]據蔡元培《戊戌知服堂日記》：「光緒二十四年十月二十七日，徐丈函示上海育才書塾章程」，詢問有關學堂事宜。[13]「光緒二十四年十二月十二日，徐大先生來，囑撰〈平糶徵信錄序〉。十二月二十四日，脫稿，貽仲丈」。[14]足見其關切和信任。

光緒二十七年（1901）三月，蔡元培赴上海南洋公學執教。「三月十八日，黃昏到上海。」[15]「二十一日，叔佩年丈來。」晚仍然由「顯民招飲。」[16]光緒二十八年（1902），蔡元培在上海發起成立中國教育會，同年十月又創辦愛國學社任總理。第二年由於愛國學社組織義勇隊回應留日學生的抗俄行動，引起了清政府關注，學社領導均在預定逮捕之列。蔡的「長兄元汾與在滬親朋湯蟄仙（湯壽潛）、徐顯民（徐爾谷）等力勸蔡元培赴德留學以暫避」。[17]徐爾谷從陳敬如（陳季同〔1851-1907〕，福建侯官人。清末外交官，歷任駐法、德、意參贊。）處探聽：「是時啟行，將以夏季抵紅海，熱不可耐，蓋以秋季行，且蓋不失赴青島」。[18]

民國後，「徐顯民以貧謀食於北京」，[19]擔任北洋政府審計院核算官。其核算官一職，據王超《中國歷代中央官制史》一書：北洋政府設審計院。該院下設三廳二室一會，即第一廳、第二廳、第三廳、書記室、外債室和審計委員會。其中書記室設機要、會計、庶務、編譯四科，並得設核算官，掌辦核算業務。蔡元培多有照顧。一九一七年，蔡元培聘請徐維則任北京大學國史編纂處纂集員。據民國七年〈北京大學附設國史編纂處簡章〉：「本處設處長一人。纂集股及徵集股主任各一人。纂集員若干人，事務員若干人，書記若干人。處長總理本處事務，由北京大學校長兼任之」。[20]今存民國《紹興縣誌採訪稿》留有徐維則自「都門輯錄」字樣。一九二三年初，蔡元培辭去北大校長

11　蔡元培：〈游紹興石佛寺題名記〉，中國蔡元培研究會：《蔡元培全集》杭州：浙江教育出版社，1998年，第17卷，頁201。

12　蔡元培：〈蔡元培自寫年譜〉，中國蔡元培研究會：《蔡元培全集》第17卷，頁436。

13　蔡元培：《蔡元培日記》，中國蔡元培研究會：《蔡元培全集》第15卷，頁192。

14　蔡元培：《蔡元培日記》，中國蔡元培研究會：《蔡元培全集》第15卷，頁199。

15　蔡元培：《蔡元培日記》，中國蔡元培研究會：《蔡元培全集》第15卷，頁333。

16　蔡元培：《蔡元培日記》，中國蔡元培研究會：《蔡元培全集》第15卷，頁333。

17　高平叔：《蔡元培年譜》北京：中華書局，1980年，頁17。

18　蔡元培：〈蔡元培自寫年譜〉，中國蔡元培研究會：《蔡元培全集》，第17卷，頁447。

19　薛炳：〈徐仲凡先生傳〉，《紹興縣誌採訪稿・義行》紹興：紹興縣修志採訪處，民國稿本（出版時間不詳）。

20　蔡元培：〈北京大學附設國史編纂處簡章〉，中國蔡元培研究會：《蔡元培全集》，第18卷，頁263。

職務。七月二十日,「搭乘波楚斯輪離滬赴歐。」[21]。八月一日在船上寫就「致（紹興）田蘭洲、陳庚先、徐顯民、姚幼槎、朱閬仙、陳積先片」。[22]一九二九年八月二十四日他應許壽棠所托為徐世保寫了封推薦信:「致趙部長函,已簽名,奉上,請佑長兄一試之」。[23]（趙部長即趙戴文（1867-1943）,字次隴,山西代州人。時任國民政府委員,監察院院長）佑長即徐世保,徐樹蘭長孫。光緒二十九年（1903）二月,徐世保赴「日本預備入校」[24]。徐氏第三代大多進入新式學堂,有的還赴日本留學,同期有周樹人、許壽棠。這些人回到桑梓,介入地方政治、軍事、教育,推動了紹興的近代轉型。

<h3 style="text-align:center">表一　樓𡺚徐氏（二十一世至二十七世）簡表</h3>

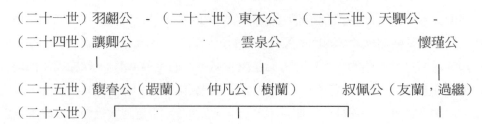

（二十一世）羽翽公　-　（二十二世）東木公　-（二十三世）天駟公　-

（二十四世）讓卿公　　　　　　　　雲泉公　　　　　　　　　懷瑾公

（二十五世）馥春公（煆蘭）　　仲凡公（樹蘭）　　叔佩公（友蘭,過繼）

（二十六世）

元釗（維康）嗣龍（維咸）維烈（武承）爾谷（維新、顯民）　以孫（維則）滋霖（碩君）

（二十七世）世保、世佐　　世南　世燕、世達、世溥、世聞、世麞　世度、世廉、世序、世龐

二　舉學校、圖書館

晚清,處在蛻變中的棄舊圖新的士紳逐漸向城市集中。他們首先致力於新式教育及地方自治,「馳譽鄉邦為士紳表率,負笈東西效力于鄉國,擠擠蹌蹌備一時之選」,成為邁向新時代的菁英力量。據地方誌記載,徐樹蘭與其次子徐爾谷「皆喜購舊書,書賈多集其門。」[25]胞弟徐友蘭亦性好收藏,凡舊鈔、精刻、石墨古今法帖、書畫,有所見輒購庋。適逢亂世,頗有建樹。侄徐維則在府城水澄橋南首創辦墨潤堂,銷售書籍,並自設木刻作坊。據光緒二十九年（1903）浙江潮第八期〈紹興府城書鋪一覽表〉:「墨潤

21　高平叔:《蔡元培年譜》北京:中華書局,1980年,頁72。

22　蔡元培:《蔡元培日記》,中國蔡元培研究會:《蔡元培全集》,第16卷,頁231。

23　蔡元培:〈復許壽棠函〉,中國蔡元培研究會:《蔡元培全集》杭州:浙江教育出版社,1998年,第12卷,頁56。

24　清國留學生會館幹事:〈清國留學生會館第三次報告〉東京:清國留學生會館刻本,光緒二十九年。

25　董金鑒:〈跋〉,《董生千古堂學庸大意》紹興:會稽董氏取斯家塾刻本,光緒三十二年。

堂，開設年月，二十年前；書籍新舊參半。」光緒十二年（1886），蔡元培因自己老師田春農的介紹，開始為以孫做伴讀，並為校勘所刻《紹興先正遺書》、《鑄史齋叢書》，署明「光緒十四年蔡元培校」。據〈蔡元培自寫年譜〉：「蔡元培到徐氏後，不但有讀書之樂，亦且有求友的方便。以孫之伯父仲凡先生搜羅碑版甚富。……那時候，年輩相同的朋友，如薛君朗軒、馬君湄蓴、何君閬仙等，都時來徐氏，看書談天。」[26]又據蔡元培《戊戌知服堂日記》：「光緒二十四年三月十八日，以孫貽我《劉子全書遺編》、《述史樓叢書》」。[27]按《劉子全書遺編》中鍾念祖序：「徐顯民秀才聞有斯役為，從董君竟吾假藏本交瓢翁，始籍付梓並據鏤補中間模糊蟲損。……而第一卷二十二頁獨缺。顯民從兄以孫孝廉知董氏尚藏殘缺有之，復為借來撿補，所失得完。」[28]它們均為徐氏刻本。今紹興圖書館藏一部《元代合參》，全書分「釋例、句股、測量」三部分，徐錫麟序，牌記題「光緒辛丑仲冬紹興墨潤堂印」，署明 「書經存案‧翻刻必究」。這表明新學在墨潤堂刻印的書中有一定比例。在濃厚的文化守藏情節基礎上，徐氏族人的思想轉變更為迅速，率先做出了興學、辦圖書館的舉動。

　　光緒二十一年（1895），朝命兼采中西實學，倡設學堂。徐樹蘭「查盛杏孫（盛宣懷）京卿在天津道任內稟請北洋大臣奏設之頭，二等學堂最為得要。紹郡經費未充，只能設立二等學堂，今擬仿其規制，假借豫倉，創辦紹郡中西學堂」，命「爾谷邀同學條議其事」。[29]光緒二十三年（1897），他「延訪中西教習，務以忠愛誠意為主；禮聘督課生徒，兼及譯學、算學、化學」[30]，自任監董，正式開學。光緒二十五年（1899）蔡元培攜眷回紹興，出任紹郡中西學堂的監督。一般而言，清末學校可分作三類：凡用國稅立者曰官立，用地方稅務立者曰公立，用人民私財立者曰私立。興辦學堂有二個關鍵人物，一是監董，由地方官或士紳擔任，作用不在於學堂內部管理，而是創立學校，擬定發展目標。時浙江巡撫任道熔在浙省士紳捐資興學的一份奏報中說：「惟事創始，籌款維艱，尚賴地方紳富集資捐辦，以輔官力之不足」。[31]二是監督，主持全校教學。紹郡中西學堂開紹興乃至浙江近代教育先河，促成了赴外留學制度的建立。畢業生不拘於所習，博采異己，極得體。一九一一年，胡愈之（胡愈之〔1896-1986〕，字子如，浙江上虞人。當代出版家，社會活動家）從上虞坐船，投考該校插班生。事後他回憶這段經歷

26　蔡元培：〈蔡元培自寫年譜〉，中國蔡元培研究會：《蔡元培全集》，第17卷，頁428。

27　蔡元培：《蔡元培日記》，中國蔡元培研究會：《蔡元培全集》，第15卷，頁177頁。

28　鍾念祖：〈序〉，劉宗周：《劉子全書遺編》紹興，光緒十八年。

29　徐樹蘭：〈浙江紹郡中西學堂章程〉，《紹興縣誌資料第二輯‧教育》紹興：紹興縣修志委員會，民國稿本〔出版時間不詳〕。

30　馬傳煦：光緒二十八年〈翰林院編修馬傳煦等呈文〉，馮一梅：《古越藏書樓書目》上海：崇實書局石印本，光緒三十年。

31　任道鎔：光緒二十八年〈浙江巡撫任道鎔奏陳職紳創立學堂請量予獎勵片〉，朱有瓛：《中國近代學制史料第一輯（下冊）》上海：華東師範大學出版社，1986年，頁789。

說：一則插班可以減少一年修業時間。二則我自信學力可以考入二年級。三則我對於數理化格外有興趣。可見該校辦學的靈活。此後校址數度遷移，一九五四年定名為紹興第一中學。學校創辦之初設立養新書藏圖書室，今存一部圖書上鈐有「光緒二十三年會稽徐維則捐」、「養新書藏圖籍」和「紹興府中學堂藏書‧閱後繳還，請勿遺失」三枚印章，說明至少在光緒二十三年（1897），學校已經開始「購儲」圖書。

　　光緒三十一年（1905），為培養革命軍事幹部，光復會領導人徐錫麟、陶成章擬在豫倉中西學堂舊址創辦大通師範學堂。正月，他們「赴府城，謁豫倉董事徐以孫，商借倉屋。」[32]徐世佐任器械體操教員兼學校庶務。這裡已經成為皖浙起義領導機關的所在地。從兩校走出了徐錫麟、秋瑾、陳伯平、王金發等辛亥革命的主將和許壽裳、夏丏尊、陳建功、胡愈之、孫伏園、潘家洵等在全國有影響的專家，另一方面創辦者自身也通過學堂這種形式實現了角色轉化。辛亥革命勝利後，紹興各界為紀念徐錫麟烈士事蹟，在城內下大路建起徐公祠，設「徐社」於祠內，有社員二百餘人。據〈徐社簡章〉：「本社因紀念徐公，由徐公之門弟子及親友組織之。凡徐公門弟子及與徐公有關係者，由社員介紹，社長許可，咸得入社，由本社給予證書。社員名錄記：徐世保，紹興煙酒公賣局。」[33]一九二八年，徐社社員又在「豫倉」大通學堂舊址創辦了「錫麟小學」。

　　光緒二十六年（1900），徐樹蘭在紹興府城創辦古越藏書樓，光緒二十八年（1902）建成開放。他在〈為捐建紹郡古越藏書樓懇請奏咨立案文〉中指出「泰西各國講求教育，輒以藏書樓與學堂相輔而行。學校既多，又必建樓藏書……英、法、俄、德諸國收藏書籍之館，均不下數百處，倫敦博物院之書樓，藏書之富，甲於環球」。[34]這裡提及的「藏書樓」實際上就是近代圖書館。據光緒二十八年（1902）九月二十五日浙江巡撫任道鎔〈為請獎捐資紹興府中學堂及藏書樓紳士事片〉，由於徐樹蘭開放古越藏書樓確「有益地方」，光緒皇帝朱批「著戶部核給獎敘」。[35]古越藏書樓是我國第一家公共圖書館。徐樹蘭病故後，徐爾谷繼承父志，「鍾繼前規，竭力經營，照常開放」。[36]一九三二年，海鹽圖書館收到他寄送的《古越藏書樓章程》八冊，鄭重蓋上「中華民國廿一年月收到」藍戳。光緒二十九年（1903），徐爾谷還發起建立紹興教育會，籌辦越郡公學。他把自己的女兒徐琯貞嫁給文字學家錢玄同。據〈錢德潛先生之年譜稿〉：「一

32　中國國民黨中央黨史史料編輯委員會：《徐錫麟傳》南京：中國國民黨中央黨史史料編輯委員會，1948年，頁37。

33　〈徐社簡章〉，徐社：《紹興徐社紀事》紹興：紹興印刷局，1917年。

34　徐樹蘭：光緒二十八年〈為捐建紹郡古越藏書樓懇請奏咨立案文〉，徐樹蘭：《古越藏書樓章程》紹興：古越藏書樓，光緒二十八年。

35　任道鎔：〈為請獎捐資紹興府中學堂及藏書樓紳士事片〉，光緒二十八年九月二十五日，軍機處檔折件第150882號，臺北故宮博物院。

36　馬傳煦：光緒二十八年〈翰林院編修馬傳煦等呈文〉，馮一梅：《古越藏書樓書目》上海：崇實書局，光緒三十年。

九零四年，十八歲。是年冬，阿兄為予定姻於會稽徐氏，徐顯民為先子龍山書院之門生也。」[37]他們的兒子就是「二彈一星元勳」錢三強。

三　抗災救荒的慈善活動

清末自然災害頻發，造成了人口死亡和財產的損失。徐樹蘭致力於地方慈善活動，以造福鄉里為己任。據〈紹郡義倉清目〉：紹郡義倉建於同治七年（1868）。義倉的經營方法是錢穀並存，錢存入錢莊生息，用於賑濟和損耗，積穀用於備荒。光緒五年（1879），徐樹蘭擔任義倉紳董。〈清目〉中「光緒五年分」目下首條即記：「新收徐紳捐租米六十九石九斗八升六，合計變價錢一百四十二千一百一文」[38]。徐樹蘭自捐租米錢一百四十餘千文，彌補前董虧欠，仍歸足原額一萬石。至「十三年共積存錢四千六百三十五，千二百六十九文。谷本項下存息錢一千四百五十，六千文，約可購穀四千九百余石。因由樹蘭籌墊錢八十一千五百十二文，合成錢六千一百七十二千，七百八十一文購買晚谷五千石。共有晚谷一萬五千石錢」。[39]光緒九年（1883）經理義倉紳董徐樹蘭、馬傳熙、許在衡、鮑謙呈文紹興知府添修義倉，將原有倉屋整理修一新：頭進一門八間，儀門一座，東西遊廊兩帶，左右廠房十六間；中進正屋三間，後面簷廊三間，左右耳屋各半間；後進朝南正屋三間，左右朝南廠屋二間，東西廠屋六間。又據光緒二十三年（1897）九月十七日〈鹽運使銜補用道候選知府徐樹蘭呈文〉：「竊上年十二月初三日核準十一月三十日照會。紹郡公款以義倉穀本與存典募捐為大宗。向系貴紳董經管多年，年有起色，可謂煞費苦心。本年三月間，貴紳董因精力難支決意告退。將經手倉穀畝捐、本息錢文、各行典領狀、保結憑折、租簿分開冊單呈請另邀賢紳接辦。……茲準馬紳等復稱以義倉穀本一款責成徐紳蝦蘭接管，至畝捐（同治四年，山會蕭縣東西兩塘同時決口，倒坍八九百丈，浙撫馬端民公撥借釐金十二萬串，興工修築。奏明由三縣於得沾水利田內，按畝攤捐，分年歸款，稱畝捐）、塘閘經費交郡中同善局紳董接管，應準照辦」。[40]徐樹蘭在發起賑濟、平糶、畝捐等抗災救荒的慈善活動中助資出力最多。近自本省，遠至燕豫秦晉，前後三十年，至數十萬金。（表二）

37　錢玄同：《錢玄同日記》福州：福建教育出版社，2002年，第12冊，頁7554。

38　〈紹郡義倉清目〉，徐樹蘭：《紹郡義倉徵信錄》紹興：山陰徐氏刻本，光緒二十五年

39　〈文案〉，徐樹蘭：《紹郡義倉徵信錄》。

40　〈文案〉，徐樹蘭：《紹郡義倉徵信錄》。

表二　徐樹蘭捐辦救災和慈善活動表

	地點	時間	作用	經費	人員	其他
義倉	倉橋	同治七年建，儲谷一萬石。光緒五年五月，徐樹蘭接管義倉董事。光緒九年，修理添造倉敖。光緒十八年，加增儲谷二萬石。光緒二十三年三月，移交徐瑕蘭。光緒三十一年，移交徐以孫。	積穀生息，賑災濟貧。光緒九年，風潮肆虐，塘外沙地盡遭淹沒，將義倉穀本借給賑濟。光緒十五年，息款錢文散放嵊新二縣災民。光緒十八年，以義倉贏餘辦開元寺粥廠。	官辦商助。山會嵊有田畝官產，一百三十九畝三分八裡。光緒二十三年，除還藩庫借款及支付海塘及三江閘歲修經費外，積成足錢七萬串。	董事一人。	宣統三年，歸併山會城區自治會。
同善局	開元寺東	乾隆五十七年建。光緒四年，沈元泰，徐樹蘭重建。	儲材施藥。左為積字所、施棺所	田，二百七十二畝九分。房屋若干。	紳董一人，司事若干。	民國十八年，移交救濟院。
豫倉	古貢院西	光緒二十年，徐樹蘭就賑捐盈餘積息二項購地建立。	備荒兼辦平糶、施粥。	民捐商辦，有關興廢利病之端務當稟請府縣維持整頓。擬有〈山會二邑初辦備荒經費章程〉。宣統三年，發借山陰縣申解積穀塘閘經費二成給施粥。	倉董四人，不開薪水。司事一人，住倉辦事。	宣統三年，歸併山會城區自治會。
清節堂	錦鱗橋下	同治十二年建。光緒二十六年，徐樹蘭、沈元泰再建。	維風厲節。光緒三十二年，設山後小學堂。	商捐助，酌提善舉公款濟用。光緒二十八年，收捐錢一千五百串有奇，存典生息。擬有〈浙紹清節堂恤孤條款〉。	二、三同志。	民國十八年，徐維椿孫徐家驥移交救濟院。

	地點	時間	作用	經費	人員	其他
育嬰堂	迎恩門外	道光七年建，二十六年移建。徐樹蘭捐助。	收養棄嬰。	官紳捐助。官款發棄置田一千畝有奇。以運庫歲發銀三千兩，官紳捐錢千餘，養嬰定額二百名。擬有《紹郡育嬰堂規條》。	堂董若干。司總、副司總一人，司捐二人，司醫、司書、司號十一人。雇工七人。	民國十八年，移交救濟院。

又據馬賡良《鷗堂遺稿》中〈嵊縣保嬰局募捐啟〉：「志乘乾隆間，邑有育嬰堂。數十年來廢而不舉，基址已湮。某等不揣固陋，糾合同志，思紹先民之型，請于邑主於某年某月立育嬰局於城北。會稽徐氏，旌節孝者五，襃樂善好施者四，為一時冠蓋。仲凡太守樹蘭嘗以事往來嵊境，咨其故，乃請于母馬太夫人、叔母節孝章太夫人，而偕其弟叔佩農部友蘭從事焉。舊有別業在縣治後，乃析其東院為保嬰局基址，而以西院為清節堂。買田二百八十六畝有奇，儲錢五千八百餘緡，以其租息為永久之賴」。民國以後，嵊縣神州醫藥分會在此設立施醫所。[41]

受傳統身份觀念影響，徐樹蘭多從事一些公共工程、公共福利。這些活動一般都會呈請地方官批准或「督勸」，地方官往往樂意「從之」並允許他們發揮實際的組織、領導作用，因為這解決了政府財政不足和不便的問題。對於士紳而言，他們利用道德聲望肩負起裨益於地方的公共工程的領導責任，能夠進一步強化自己的社會地位。與政府的正式權力相比，士紳對地方上的情況熟悉，其主張更具操作性。徐樹蘭和徐爾谷都非常關注紹興水情，「三江閘內之水，自山陰、會稽、蕭山彙錢清陡塘，出閘者為西江。閘外之水，自新昌、嵊縣入曹娥江以繞閘者為東江」。[42]二江之間，沙地漫衍，易淤塞，遂建西湖底閘、新堤。光緒十五年（1889），紹興大水成災，知府霍順武採納徐樹蘭的提議，「傭饑民修八縣水利以代賑贍，事易舉而功易成」。[43]在民國紹興縣修志委員會的底稿中存有一卷《修志故實》，內錄徐樹蘭致潘伯循函二件。第一件：「修志亦屬要事，近為修建義倉，工程正在經始，只得將志事暫擱。」第二件：「吾越郡志及山會邑志，兄倡議籌修。今得陳畫卿先生翕助，業已通稟準行。惟經費尚無就緒，故難開局。」總

---

41 張松耕：〈嵊縣醫藥遺蹤探〉，政協嵊縣委員會：《嵊縣文史資料第六輯》嵊縣：政協嵊縣委員會，1989年。

42 薛炳：〈徐仲凡先生傳〉，《紹興縣誌採訪稿‧義行》紹興：紹興縣修志採訪處，民國稿本〔出版時間不詳〕。

43 徐樹蘭：〈西湖開閘欄碑記〉，《紹興縣誌資料第一輯‧塘閘彙記》紹興：紹興縣修志委員會，1939年。

的來說，這些活動與士紳們的經濟實力有關。

四　百年實業之路

　　二十世紀初，在庚子事變所造成的巨大民族危機下，中國社會出現了一股興辦實業的熱潮，「富國之道，首推實業，而實業之根本，農事尤其重要。必使地無遺利，斯無氣可以恢復，而國勢日趨富強」。[44]徐樹蘭的好友羅振玉認為富國就要發展農業，「中國患貧久矣，謀富者頗不乏人，要不出開礦、製造、經商等事，此固當務之急，然循流溯源，則農尤先務。論其效，即以墾荒一例為言，已足驚人」[45]。在政府的推動下，以引進和推廣先進的農業種植技術以及經營管理方法為核心的農學活動率先被士紳階層付諸實踐。光緒二十二年（1896），徐樹蘭和羅振玉等人聯合在上海組織「農學會」，並在當時的維新報刊《時務報》和《農學報》上刊登徵求會友的〈公啟〉十條和〈試辦章程〉十二條。「學會」的含義，梁啟超解釋說「士群曰學會」[46]，意思即士紳階層所組織的團體。〈試辦章程〉中規定「本會應辦之事：曰立農報、譯農書，曰延農師、開學堂，曰儲售嘉種，曰試種，自製肥料及防蟲藥，制農具，曰賽會，曰墾荒」。[47]光緒二十四年（1898）正月十四日，蔡元培收到徐樹蘭寄來的《農學報》，當日日記有：「得農學會片並第十九期報八十七冊」[48]等語。這是我國學者創辦最早的科技期刊之一。光緒二十四年（1898）徐樹蘭還和胞弟徐友蘭在上海昆山黃浦之濱置地百畝，採購多國農作物良種，開闢種植試驗場，作為試驗農學新法之地。

　　清末國內各處種植煙葉，講求參用西法以備仿製紙煙、雪茄之用。新昌煙葉「與廣豐相等，廣豐葉不善灼，和以新昌葉，則易灼而氣愈香，故煙商爭購之」。[49]光緒二十六年（1900年），徐樹蘭印行《種煙葉法》一書。在書中，徐樹蘭分析新昌一帶多山坡地，適宜種耐寒植物，「揀選佳葉，參酌紙煙、呂宋煙之法，制為洋煙，其銷用當不減葡萄酒、咖啡茶之屬，亦中國一利也」。[50]一九一九年統計，新昌煙葉「每歲產額達百萬元」。[51]臨近的嵊縣年產約計二萬擔。一九一三年，紹興士紳發起在會稽城隍廟組織

44　〈上虞縣詳文〉，《浙江官報》杭州，宣統三年，8期。

45　羅振玉：〈務農會略章〉，《農學報》上海：農學報社，光緒二十三年四月，1期。

46　梁啟超：《論學會》，梁啟超全集編委會：《梁啟超全集》北京：北京出版社，1999年，第1冊，頁33-34。

47　〈務農會試辦章程〉，《農學報》，15期。

48　蔡元培：《蔡元培日記》，中國蔡元培研究會：《蔡元培全集》杭州：浙江教育出版社，1998年，第15卷，頁171。

49　徐樹蘭：《種煙葉法》北京：北洋官報局，光緒二十六年。

50　徐樹蘭：《種煙葉法》北京：北洋官報局，光緒二十六年。

51　金城：〈煙〉，《新昌農事調查》民國八年〔出版地不詳〕。

農會，舉徐維則為會長，後遷至倉橋。農會職責之一便是推廣新法種煙。它是紹興本地建立最早的科技團體。

紹興地處我國東南沿海，在唐代已是全國重要的產糧區，杜牧贊為「繭稅魚鹽，衣食半天下」。據明初統計，「山會二邑有田地二萬一千八百四十二頃七十九畝四分」，這一數字大致保持到清末。又據宣統三年（1911）統計：「山會二邑合計戶一十七萬四千一十九，口一百十六萬六千三百八十四」[52]。由於人口膨脹，加劇了整個地區的生存鬥爭。據宣統三年《會稽勸業所報告冊》：「紹興人稠地狹，向無荒地，水岸田畔，凡可藉資種植者，幾無一隙之存。重以腴田美壞，塋墓歲增，海邊沙地，北漲南坍，業農者大有無田可耕之難。雖本省之嘉、湖、抗，蘇省昆山等處，堪為紹屬殖民地、遷移往，轉瞬亦患人滿」。[53]

上海，古稱華亭或松江。鴉片戰爭後，西方列強在這裡設立租界。咸豐十一年（1861）太平軍進兵浙江，大量人口為躲避戰亂前往上海。據羅爾綱編《李秀成自述》一書，咸豐十一年九月，李秀成率七十萬大軍進攻紹興、杭州及浙北地區。九月二十九日，陸順德部進入紹興，城內秩序一片混亂。富紳大賈，爭趨赴滬，以外僑居留為安樂土。待東南底定，上海商埠日盛。此後，徐樹蘭家族逐步將事業中心轉至上海。徐爾谷之子徐世燕與蔡元培的女兒蔡晬盎同期畢業於上海交通大學。據民國〈紹興經濟紀略〉統計：「紹境有戶二十三萬九千六百九十三，丁六十三萬七千七百十六人，口五十二萬六千五百二十人。內業農者居十分之四，業工者居十分之三，業商者居十分之二，其餘十分之一」。業工商者多半「趨赴滬」。[54]

明清二代，紹興農產物大宗有米、棉、茶。茶葉由山戶采下，略加焙炒，即由茶行收購，轉售於滬上茶商。光緒十六年（1890）庚寅，蔡元培往北京應會試，偕徐君以孫行。到上海後，「寓北京路某茶棧，徐氏有股份的」。[55]清末茶棧有「大棧」和「小棧」之分。「大棧」又稱「洋莊」，往往由幾個實力較強的士紳合股，分別在平水和上海設點，通常一個茶季能出精製茶葉五六百擔。徐氏茶棧屬於「大棧」，倘若經營得當，收益至為客觀。一九三七年，著名農學家、當代茶聖吳覺民就選址臨近的嵊州三界創辦了浙江茶葉改良場。

光緒二十九年（1903），由徐爾谷和羅振玉發起，集股銀十萬兩，分二十股，購買呂四桓商李通源產權，成立我國第一家近代鹽業企業「同仁泰鹽業公司」。以後推舉張

52　〈戶口〉，民國《紹興縣誌資料第二輯・民族》紹興：紹興縣修志委員會，民國稿本〔出版時間不詳〕。

53　會稽勸業所勸業員：〈農田屯墾事項〉，《會稽勸業所報告冊》紹興：會稽勸業所，宣統三年〔出版地不詳〕。

54　《紹興經濟紀略》，《紹興縣誌資料第二輯・食貨》。

55　蔡元培：〈蔡元培自寫年譜〉：《蔡元培全集》杭州：浙江教育出版社，1998年，第17卷，頁429。

謇為經理。據《張謇日記》:「光緒二十九年六月七日，唔叔韞、蟄光、顯民諸君。」「七月二十一日，擬整頓鹽業章程」。「七月二十二日，與蟄先、顯民、時薰、癸山訂立鹽業公司章程」。[56]「此從墾牧生出，與大生為間接關係」。[57]它通過集股方式籌集資金，採用了近代企業的管理模式:公司制，具有一定規模;使用新技術和新農具，選育良種進行土壤分析並「教農試用，以開風氣」，一直經營至解放後。此後，徐爾谷又出資開辦棉紡廠、食品公司。

　　徐樹蘭和徐爾谷雖然都把自己的投資集中到鹽業、棉紡等風險較小，收益相對穩定的行業，採取了一種比較謹慎的策略。但是唯有對生產和經營方式進行徹底改革，才能建立起真正意義上近代企業。據光緒三十三年（1907）〈致同仁泰鹽業公司各股東公啟〉:

> 癸卯春，湯羅徐劉君集股本規銀十萬兩，購呂四李通源鹽桓，建立同仁泰鹽業公司。含鹽法之弊在漏私，而私之原在丁無以資生，漏之便在地散。於是求所以苦丁者去之……;求所以便丁者與之……。此為整頓舊法，舊法依天時，天時不可知，產數即難預計。乃求盡人事以受天時，延日人仿東法造鹽田，租地規化。此以新法改良者。……原集股本，用於購產者五萬，用於二年正息二萬，用於粗鹽虧折及整頓二萬餘，股本十萬罄矣。然勢不可以中止，議再添集十二萬，報告股東，股東之體諒辦事人員為難而應者止四萬，所缺八萬，由謇籌調。……然板鹽聚煎二項，固有積鹽，徒以成本較重，不能賠本配解正額，一再設法銷疏，驟為運司所詰。……萬不得已乃控於農工商部度支部鹽政部……允援泰興食岸例，開通如海食岸，疏通呂鹽。……惟是前請添股所請八萬，至今未足。所持以營運規畫者，悉由籌調而來。計所借各款十二萬五千餘兩中，唯官款四萬息重，期在四月，最須首先歸還。公司總經理張謇謹啟。[58]

　　除了先進的技術，還需打通各方面關係。那麼四萬的官息有多少呢?據〈同仁泰鹽業公司丙午年說略帳略〉:「官款之數約止四萬，而息借之五萬，及期當還」，年息二十五釐。[59]從中可以看企業生存的艱難。清末，政府從傳統的「抑末」轉向「通商惠工」，保護工商業發展，浙江出現了一次興辦企業的高潮。但士紳的熱情，在殘酷的現實面前往往被撞得頭破血流。從行業結構看，這一時期開辦的企業，大部分都屬於生產日用品和糧鹽食品的輕工業。傳統與創新兼顧是擺在徐樹蘭家族面前的一道難題。實業的成敗決定了士紳們對教育和公共事務的投入。

56 張謇研究中心、南通市圖書館:《張謇全集·日記》南京:江蘇古籍出版社，1994年，頁517。
57 張謇:〈光緒三十四年在實業公司公東會議上報告〉，《張謇全集·實業》，頁782。
58 張謇:〈致同仁泰鹽業公司各股東公啟〉，《張謇全集·實業》，頁593-594。
59 張謇:〈同仁泰鹽業公司丙午年說略帳略〉，《張謇全集·實業》，頁549。

五　公共事務

　　從職業來看，清政府獎勵工商的政策及企業熱的興起，把相當一部分的士紳捲入其中。同時為了應對日益增多的新生事物，在既有行政體制外建立起大量臨時機構。光緒朝以後增加的局所、各地方自治機構，地方官往往委託士紳辦理。徐樹蘭先後擔任紹興酒捐局和電報局董事。據宣統元年（1909）四月〈紹興公邢延慶整頓酒捐情形稟〉：「紹屬酒捐，光緒二十八年開辦以來，最旺之年收捐至二十四五萬，其職責為按月分派員司巡勇周歷城鄉名鋪查驗」。[60]紹興電報局成立於「光緒九年（1883）八月十五日，所在地惠蘭橋（今清道橋東），報房二等甲級」。[61]光緒三十二年（1906），清政府諭令禁煙：「禁煙一事，乃今日自強實政，教養大端」，禁煙運動自上而下地在全國展開。據宣統元年二月〈徐維則啟〉：「山會禁煙局自光緒三十三年七月十一日成立以來，承公舉維則與朱理生君擔任局務，復當場邀請胡鐘生君、孔康甫君襄同辦理。……去歲，由省會禁煙公所頒到分所章程，即應改為禁煙分所」。[62]辛亥（1911）十月，紹興禁煙分所改為禁煙局。所有吃戶牌照應歸經濟部刊刷，按戶換給並督飭科員隨時偵察，以杜無照買賣之弊。當年十二月，徐世保充補「東關禁煙分局分董」。

　　清末的民團是一個守望相助的準軍事組織。武昌起義爆發並波及全國，由紳商組織團防，為紹城民團之始。分籌團餉，募勇二百名。紳辦者一百名，徐爾谷主其事。商辦者一百名，山會商務分會主之。自九月初一日至十五日光復而止。款皆地方自籌。嗣後遇時局變化，時時有組織，「當變故迭乘之，而城市無變亂之驚者，實民團之力也」。一九一三年改防營。據宣統三年（1911）九月十六日〈紹興分府通告〉：「十六日四點三十分接浙軍都督府來電，內開：省垣于十五日光復。……速轉各縣趕辦民團自衛。又，四點五十分接來電，內開：舉程公極表同情。……現在民團兵力已厚，並已派專員赴省接洽一切。」這兩份電報反映了杭州光復和成立紹興臨時軍政分府的史實。據陳燮樞〈紹興光復見聞〉一文回憶：「……開會時民團局長徐顯民宣佈：浙省已獨立，吾紹宜亦回應，宣告獨立。」[63]徐爾谷任紹興臨時軍政分府民政長、民團局局長。（表三）今紹興縣檔案館保存的「辛亥年十月初七日民團總局為邀集各商菰局照常認捐事商務分會照會」，清楚鈐有「徐」字印戳。[64]

60　〈酒捐局〉，《紹興縣誌資料第二輯・職官》紹興：紹興縣修志委員會，民國稿本〔出版時間不詳〕。

61　〈電報〉，《紹興縣誌資料第二輯・交通》。

62　〈徐維則啟〉，《紹興縣誌資料第二輯・軍警》。

63　陳燮樞：〈紹興光復時見聞〉，中國社會科學院近代史研究所：《近代史資料》北京：中國社會科學院近代史研究所，1958年，頁119。

64　民團總局：〈民團總局為邀集各商菰局照常認捐事商務分會照會〉，祝安鈞 汪林茂：《紹興軍政分府檔輯存》杭州：浙江古籍出版社，2011年，頁8。

表三　一九一一年紹興臨時軍政分府徐氏職員一覽表

職務	姓名
民事部長	徐爾谷
民事部文牘科科員	徐元釗
民事部交通科科員	徐世佐
軍事部軍械科科員	徐維瀚

據《紹興臨時軍政分府收支徵信錄》（紹興：浙東印書局，〔出版時間不詳〕）。

　　晚清中國社會的變遷是激烈和深刻的，但對於浙東而言，這種轉變恐怕是更始於一些微小的變化。一八九五年甲午之戰的失敗，帶給士紳階層以巨大震動與衝擊。他們開始學習和引進西方現代思想和社會制度，主動告別舊學轉而去追求新知，創設學校、圖書館、報刊，或走出國門。他們擺脫舊有的士紳軌道，舉辦實業和新興的公共事業，開始向不同的方向發展，進而取得較以前更大的活動空間和地方上話語權。從職業的分類來看，他們一些人進入了工商業者的陣營，一些人變成了新的自由職業者（教育、新聞出版、工程等）。他們所要求的近代化和資本主義的近代化頗為相似。他們多半來自士紳階層，但已經不是傳統的士紳了。民國建立後，浙江的發展，他們作為開拓者居功甚偉。

錢端升的治學方法及思想特色

潘惠祥

北京大學歷史學系

　　沈宗靈先生在〈再看《比較憲法》一書——為紀念錢端升先生百歲冥壽而作〉一文中說，若干年前，曾見過兩位學者寫過一篇短文，述及中國憲法學界對比較憲法研究的內容，體例和方法並未達成共識，究其原因有二：一是比較方法把握不準；二是比較憲法學研究未作細緻探討。[1]本文無意於苛責前賢，但可指出的是，民國時期比較政治學，不僅顯赫一時、著作之多，尤如過江之鯽，且人材輩出，其中以比較憲法居多，如王世傑、錢端升、張慰慈、沈乃正、劉迺誠、費鞏、薩孟武、陳之邁等。錢端升作為其中佼佼者之一，他在一九三一年應王雲五等人邀約，為上海商務印書館社會科學名著選讀叢書選編的四本經典英文政治學著作，及撰寫的四篇〈編者導言〉，體現了民國時期比較政治學研究方法的一些特徵，值得借鑒。本文還以為，錢端升的治學方法與當代劍橋學派有不少暗合之處。[2]

　　值得注意的是，上述四篇〈導言〉除顯示錢端升的治學方法外，也顯露了他思想中的幾大特質，是理解他學術與政治思想的鑰匙。這些特質包括：一、理想主義；二、中庸主義；三、現實主義、四、法治主義、五、憲政民主思想。

　　該四本著作均冠有中英文「社會科學名著選讀叢書，主編者為王雲五、何炳松、劉炳麟」。為省篇幅，英文版權不贅。據年份排列如下：

一、《政治學》，原著者希臘亞里士多德，英譯者英國昭厄特，選注者錢端升，一九三一年四月。

二、《霸術》，原著者意國馬基亞弗利，英譯者英國利雲，選注者錢端升，一九三一年五月。

三、《近代平民政治》，原著者勃賚斯，選注者錢端升，一九三一年六月。

四、《法意》，原著者孟德斯鳩，英譯者紐真特，改訂者普立拆德，選注者錢端升，

1　趙寶煦、夏吉生、周忠海編：《錢端升先生紀念文集》北京：中國政法大學出版社，2000年2月，頁73-74。莫紀宏、李岩：〈比較憲法學研究方向舉隅〉，《社科參考報》，1991年8月26日。

2　或者甚至可以倒過來說，劍橋學派重拾了過去的歷史研究法。斯金納指出，「從二十世紀六〇年代後期開始，另外有些學者也以相同的方式繼續從事研究，使劍橋大學成為更重視歷史方法來研究道德和政治思想史的重要中心。當這一方法得到人們認可時，一個有益的結果就是原先把政治理論史與政治史分隔開的那堵高牆現已經倒塌了」。〔英〕昆廷·斯金納著，李宏圖譯：《自由主義之前的自由》上海：三聯書店，2003年10月，頁72-73。

一九三一年九月。

此四篇〈編者導言〉最大的特色，是在體例上均採用了歷史比較法。每一篇〈編者導言〉，首先介紹作者生平和時代背景，然後考察著作的版本，與其他作品之間關係，後評介其學說之特色及優劣長短，並在最後附一相關之版本或研究參考書目。此四篇書評，不僅透露了錢端升的治學方法，同時亦展現了他思想中一些十分重要的特質，是理解其一生學術和政治思想的鑰匙。為方便行文，頁碼置於文中，不再加註。

一　歷史比較研究法簡介

所謂歷史比較法（Historical-Comparative Method），主要從二種方法合成而來，即歷史法和比較法。據清華政治學會一九三二年〈政治學最近之趨勢〉一文介紹：「這兩種方法的貢獻，是收集歷史上的各種材料，加以選擇，比較，與去捨，以求得政治制度的（歷）史的發展」。對於現代各國制度的研究，「以比較方法為主，歷史方法為副，以免去主觀的錯誤。這種研究可以發現各國政治現象中的共同趨向」。[3]

在評價布賴斯《近代平民政治》時，王世傑說：「比較法，系對於事實，求得普遍的觀察；歷史法，系對於所觀察之事實，考其因果關係，求得精密的分解」。[4] 樸洛克（F. Pollock）亦指出，歷史比較法「不單在求解釋制度的現實情形，及其將來的趨勢，而尤在說明它們的已往情形，及其如何會變到現在的情形，不盡在瑣瑣碎碎的分析現情而已」。歷史比較法，若用一句話概括，就是它相信「憲法是自由生長而非人造」。[5]

就民國政治學而言，歷史比較法實為當時主要的研究方法之一。一九二六年，錢端升在清華政治學會發表〈政治學〉演講時指出，「比較方法，用之者日多一日」。[6] 一九三二年六月，清華政治學會亦指出，「歷史與比較方法的並用，已成普遍的現象」。[7] 在民國政治學當中，比較憲法是比較政治學中最為熱門的學科，其冠有「比較憲法」的譯著遠較其他著作為多。

3　清華大學政治學會：〈政治學最近之趨勢〉，《政治學報》，1932年6月，頁4-5。

4　王世傑：〈James Bryce: Modern Democracies（書評）〉，《北大社科季刊》，創刊號，1922年11月，頁143-144。

5　〔美〕高納原著，顧敦鍒譯：《政治學大綱（上）》上海：世界書局，1946年9月，頁22。此一名句亦見《政治學說史概論》：「制度並不是人造的，而是生長的（Institution are not made，but grow）」。
　　〔美〕波拉克著，張景琨譯：《政治學史概論》上海：商務印書館，1936年9月，頁140。

6　錢端升：〈政治學〉，《清華週刊》，第24卷第17期總366期，1926年1月1日，頁6。

7　清華大學政治學會：〈政治學最近之趨勢〉，《政治學報》，1932年6月，頁4-5。

二　歷史比較研究法的演繹

比較政治學之所以在民國時期成為一枝獨秀，除美國庚子賠款外，亦與美、中兩國創立政治學目標接近有關。一八八〇年，美國哥倫比亞研究院成立時，其目標有二：一、「政治諸學科的全部分野的發展」；二、「為了青年得以從事全部政治部門的公職加以準備」。[8] 一九三二年，中國政治學會成立時，其宗旨為：（一）促進政治科學之發展；（二）謀貢獻於現實政治；（三）幫助後學示以研究方法。[9] 一九三五年召開第一屆年會時，其中大學政治學課程，目標在於造就下列兩種人才：「一、實際行政人才；二、學術研究人才」。[10] 目標與美國政治學相當一致。在上述目標中，值得注意的是「幫助後學示以研究方法」，錢端升所選注的四本經典著作和四篇〈編者導言〉，其突出地方在於歷史比較法的示範和介紹。

亞里士多德與《政治學》　從錢端升的介紹可知，亞里士多德跟隨柏拉圖二十年，當亞歷山大大帝的老師只有或不足二年，其在雅典講學則約有十三年之多。除生平外，錢端升在介紹著作時，十分關注著作的原本面目。他指出，亞里士多德著作等身，「不幸全部著作都經過長時間的埋藏，出世後復經亞歷山大里亞的學者、阿剌伯學者，及中古學者的輾轉傳抄，往復翻譯，穿插竄改，……雖經近代學者嚴格且科學的整理，然而殘缺者仍無法彌補，矛盾者仍無法融通。《政治學》之形式不但不是例外，它的章句凌亂或且甚於其他著作：各卷間無論如何排列總有不能銜接之苦，衝突重複之處更不一而足。著者在某處明說將在下文引申某事，而始終不見有何引申之例亦極多」。（頁4-5）

在版本方面，錢端升亦十分關注它的權威性：「照最通行本，《政治學》共分八卷都百零三章（按：原文如此）。第一卷首述國家的意義及組成的基礎；……第八卷續論理想國的教育，……。上述的次序為通行的柏剋（Bekker）版的次序，亦為昭厄特（Jowett）英譯版的次序，然而上下不一貫之處仍所在皆是。我們所可自慰者，即據近代人知識之所及，柏剋版中之《政治學》的大體必是亞里斯多德的原意而已」。（頁5）可見他對《政治學》這一巨著版本的來龍去脈甚為了解。

除版本外，錢端升也十分強調著作與其他作品之間的關係。在他看來，若要了解一個歷史人物的思想，則必須梳理人物與各種著作之間的脈絡關係。他指出，「與《政治學》相關最密者有三書，即《倫理學》，《經濟學》，及《憲法》。……三者中，《經濟學》最不重要。《倫理學》及《政治學》為前後相接之書，承上啟下，關連極密。凡想

8　〔日〕內田滿著，唐亦農譯：《早稻田與現代美國政治學》上海：復旦大學出版社，2003年10月，頁214。

9　〈中國政治學會，昨在京開成立會〉，《中央日報》，1932年9月7日，第7版。

10　漢勳：〈中國政治學會十年簡史的敘述〉，《中央日報》，1942年11月6日，第5版。

貫通亞里斯多德的政治思想者，不能不兼讀相關的諸書」。（頁6）

至於時代背景，錢端升更是珍而重之。他認為，要理解亞里士多德的思想和著作，還須了解當時希臘的政治狀況。他指出，除斯巴達外，所有希臘公民均「一視同仁，都可參加政治……公民對於國家則關係異常密切，有如信教者之崇奉宗教，念茲在茲……幾無一不可說是政客」。（頁6-7）除奴隸外，「幾無一不可說是政客」！一語道破「人是天生的政治動物」這一名句的來龍去脈，任何人處在上述環境裡，不免產生亞里士多德的感歎！

《政治學》為西方政治學經典之作，西方學者對它高度評價和推崇，錢端升自不例外。然他並非一味盲目推崇，而是既帶有批評性、又有了解之同情來審視這一巨著。對於亞里士多德的「歷史比較法」，他的批評火力是頗為猛烈的。

在比較研究法上，錢端升認為亞里士多德的方法是既非科學又非歷史的，其歸納法甚至與近代相反。他說：「在上古時，用比較及解析的方法以研究政治者，亞里斯多德固為第一人，新方法之有裨於後世者厥功固亦極偉，然我們也不能張大其詞，而承認亞里斯多德的方法為科學的或歷史的。他的歸納方法往往適和近代的相反」。（頁8）

至於歷史研究法，情況也好不到哪裡。亞里士多德「不能根據歷史以觀察政治。他雖有百五十餘個憲法可供比較，但對於各個國家歷史上的過程或人類政治組織的演進則他並不注意」。除批評亞里士多德擁護奴隸制外，錢端升還指出，「第四世紀之城市國家雖成強弩之末，但亞里斯多德咬定了城市國為唯一適宜與人類政治生活的組織；亞歷山大儘管雄並天下，建立帝國，而他可熟視無睹，一若比城市國更大的政治結合終不能成立者」。（頁8）

儘管批評火力甚猛，但錢端升隨即話鋒一轉，以了解之同情態度說：「亞里斯多德的所以不能進而用歷史的方法，我們要歸罪——或者我們可說歸功——於希臘的文化」。這是因為，他解釋說，希臘文化實在當時其他文明之上，「在希臘人之宇宙中，只有希臘人是有文化的，而其他種族盡是鄙野的，……凡希臘人所視為當然之事，即亞里斯多德亦難獨異」。（頁9）一言蔽之，亞里士多德是他自己文化的俘虜。[11]

錢端升認為，亞里士多德的《政治學》根本貢獻有二：第一、政治學作為一門相對獨立的學科出現，開始擺脫倫理學的糾纏。

亞里斯多德的長處，本不在一言一事所見的獨到，而在根本的貢獻。第一，他是政治學的始祖。……《政治學》……不但不是倫理學的附庸，而且隱隱然為討論到人類活動最基本的學問或智識倫理學中之政治學必注重何者為最善的政治生活。……此層實非《共和國》之所能比擬。（頁11）

---

11 借用柯文話，是他自己環境的囚徒。〔美〕柯文著，林同奇譯：《在中國發現歷史：中國中心觀在美國的興起》北京：中華書局，1997年，頁175。

第二、亞里士多德「尚有兩種教訓絕不受時代及政制（治）的影響」：

> 一為他的理想主義，二為他的中庸主義。亞里斯多德對於政治動物的人類是樂觀
> 的，所以他把政治也看作人類實踐最高理想的場所。……不以理想為最後目標，
> 則政治終無向上的途徑。……他的中庸主義與他的理想主義相附而行。理想是亞
> 里斯多德政治的目的，而中庸是亞里斯多德政治的方法，一則由於內心的信仰，
> 一則由於實際的觀察。他主張階級間貧富不相差太遠，平民政治（窮民的）及寡
> 頭政治（財閥的）應調和，自由及服從應兩不相悖；凡此種種皆為萬世不泯的真
> 理，並可為近今推行極端政治者之當頭一棒。（按：所有重點為本文所加。頁12）

馬基雅維利與《霸術》　　錢端升指出，馬基雅維利是一個很有才華的作家，若非因
《霸術》一書，很可能以文藝復興時代著名戲劇家，聞名於後世。但正如眾所周知，他
之所以成名，「全賴於政治性質的著作」，其中以《霸術》，《書後》（即《李維史論》），
及《菲稜徹史》（即《佛羅倫薩史》）最為有名。錢端升認為，後二書對了解馬基雅維利
思想有不可分割的作用。「欲徹底明瞭馬基亞弗利的政治思想，除《霸術》外實非兼讀
《書後》不可」。（頁6）

至於馬基雅維利的思想和治學方法，錢端升將之與同時期之人比較。「要明瞭這兩
點，我們先得知道文藝復興時期思想家及學者們對於中古耶教社會的反動」。（頁6）原
來「中古時，耶教的勢力絕大，舉凡制度，思想以及文藝……總逃不了神道設教的範
圍，及拘泥引徵的刻板方法」。自從文藝復興以來，這種局面有了很大的改變。錢端升
認為，馬基雅維利實「深得文藝復興的精神；他雖私人道德甚佳，而他的思想則絕不受
中古虛偽教會的拘束，而已回復古希臘，古羅馬的自由及非教的精神」。（頁7）

從馬基雅維利頻繁出訪外國可知，儘管佛羅倫薩的文藝處於巔峰，但軍事力量卻不
足以抵抗鄰國侵擾。因此，《霸術》的「目標是統一的義大利，而統一的工具則為強有
力的義大利君主」，作為馬基雅維利思想的結晶，「他的思想完全是實際主義的」。（頁
8）這是他作品最值得推崇的地方。與過去阿奎那斯和丹第主張「完全是中古式」不同
的是，錢端升指出，前者主張教皇統一義大利，後者主張神聖羅馬帝國黏合破碎的義大
利，馬基雅維利則破除一切成見，將責任歸諸未來的義大利君主：

> 要統一成功，則必須強而有力。為成功起見，為取得及保持強有力起見，則舉凡
> 一切合眾連橫的雄略，欺世盜名的技術，皆為必須的，無所謂善，亦無所謂惡；
> 而道德及宗教上的考慮則可以置之度外。只消目的是正當，則手段可以不擇：這
> 就是馬基亞弗利的教訓，而為後世所詬病者。（按：重點為本文所加。頁9）

在內容上，錢端升認為，《霸術》只為統治者著想，不但偏狹，且其學說並無系統
的條理可言。不過批評過後，他又以了解之同情為其解脫關係：「就內容論，《霸術》只

論及為政之術，專為治人者設想，而從不為被治者設想，範圍的狹小亦於此可見。但這是不足為奇異的。馬基亞弗利本是政治家，而不是政治學家。他寫《霸術》的原因，乃欲以經驗及觀察之所得，貢獻於有志統一義大利的雄主，他並不求於政治原理有所立說」。（頁8）

　　錢端升還認為，上述評價不但不足取，且對馬基雅維利有失公允。他指出，必須從當時歷史處境中去認識他的作品。當時的「義大利實為地名而非國名」，而其他國家已初步具備近代國家的形態。「當時的歐洲則近代國家已逐一代封建而興。英經亨利七世，法經路易十一世，十二及查理八世，西班牙經斐迪南，而俱成統一的強國」。（頁9）

　　更重要的是，這些國家的強盛與其君主所採用的手段是分不開的。「這些國家之所以興，和雄主之所以成功，俱逃不了詭譎的手段，此固馬基亞弗利之所熟知而無疑者。路易十二及馬克西米連，他且親自見過。還觀義大利則四分五裂，而為列強角逐之地」。（頁9）在錢端升看來，面對內部四分五裂，外部爾虞我詐無政府狀態之下的歐洲，弱小的佛羅倫薩只能靠一強有力的君主實行獨裁，才能挽救於頹勢於萬一。

　　因此，錢端升不但持同情的態度，還為馬基雅維利叫屈。他說：

> 馬基亞弗利以觀察所得而發為言論，希冀憂國（義大利）之君起而實行，以收統一之功；他之不能忘情於上述的手段，自亦當然之事。我們如果以近世的標準衡量馬基亞弗利的立說，又那會對著者有公道？且近代國際的關係尚為強凌弱，無公理，無信義的關係，此正和馬基亞弗利所說的一致。然而後人棄實際的狀態不管，而專以理想的，不實在的標準來攻擊古人，更那是公道？（頁9）

聯繫到近代中國積弱，與錢端升一再強調「強有力政府」之重要，不難理解其國家自由主義立場與馬基雅維利之間所產生的同理心。上述評價似亦可用錢端升身上。他在三〇年代提倡的獨裁極權的理由，基本如同馬基雅維利。

　　錢端升引用金嶽霖甚為佩服的哥倫比亞大學政治學教授兼導師鄧甯的話，認為是最中肯之言，可見其對馬基雅維利不僅持同情態度，還產生了共鳴。「謄甯（Dunning）說：馬基亞弗利只是不管道德而沒有不道德，只是不問宗教而沒有反宗教；這最為中肯之言。《霸術》本是專論治術之書，與宗教及倫理俱無關係，馬基亞弗利又何必狃於宗教及倫理的觀念而忽視實際的狀況？」換言之，在一個無政府狀態下之世界，像春秋時期的宋襄公，狃於倫理觀念打仗，焉能不覆？錢端升說：「馬基亞弗利的私德是很好的，然而於政治中，他盡可只成功不成功，而不管道德不道德」。（頁10）

　　錢端升持同情態度，並非就此結束，他還為我們提供了另一個馬基雅維利：

有人以《霸術》提倡專制而謂馬基亞弗利亦信仰專制。此亦莫須有之事。《霸術》論人君治國之法，以君為主，故他主專制；但於論古羅馬共和國之《書後》，則他又顯然左祖共和及自由。於此可見他〔不〕是專以強有力為重，而不問專制或自由的。亦有

人謂《霸術》乃迎合美地奇家心理之作，而藉以自顯者。此亦膚淺之言。（按：重點為本所所加。頁10）

這點正如孫中山提出憲政三階段論，並非期望國民黨永久訓政那樣，三○年代錢端升提倡獨裁，亦是如此。錢端升指出，若馬基雅維利像許多人所言，著《霸術》的目的在乞憐於美地奇家族，則他在《佛羅倫薩史》中「絕不應有同情於自由及共和政治之表示」。他說，須知馬基雅維利的主旨：

> 在義大利的統一，而統一則非有強有力的意君不行。所以他於《書後》及《菲稜徹史》中隨處流露對於共和及自由政治的同情，而為十六世紀有志統一義大利的人君方面著想，則仍不取專制途徑不可。我們如謂《霸術》中所示的方式是專制的則可；如謂馬基亞弗利根本就篤信專制則不可。我們尤須認清在事實上，《霸術》雖獻給於美地奇羅稜操彼得，而推著者之意，則在獻給於一個不定的君主，一個能以統一義大利為職志的意君。（按：重點為本文所加。頁10-11）

相同的評價也可用在三○年代的錢端升身上。我們若將評述中的馬基雅維利轉換一下，無一不可用在三○年代提倡獨裁的錢端升或丁文江身上。像馬基雅維利一樣，他們也旨在為國家民族謀求一線之生機，而非欲邀約於當局。以錢端升為例，他在美國所侵染的、回國後所教授的，無一不和憲政民主相關。錢端升雖在戰時推崇蔣介石，但他推崇的是一個抗戰建國、戰後將實行憲政民主的蔣介石。因此，我們如謂錢端升主張獨裁極權則可，如謂他從根本上篤信則萬萬不可。若說因提倡而信仰獨裁極權，則不免犯了不察究竟的毛病。

錢端升還有一個與本文相近的看法。本文以為，獨裁這東西無須向誰學習，任何一個專制政府，只要它願意均能做得到，問題可能只是誰做得「更好些」罷了。錢端升亦認為，後世君主的不擇手段，未必與《霸術》有關：

> 《霸術》對於後世的影響固然極壞，梟雄的教皇，君主，以及大臣……無不奉《霸術》為圭臬，而施其譎詐的權術。我們固無取於這種權術，我們也絕不能縱容《霸術》中的立說，然我們又烏能以後世的譎詐盡歸罪於馬基亞弗利？普魯士的大腓特烈於未即位前亦嘗著《反馬基亞弗利》一書以痛斥《霸術》，然他即位後的施設又無一不與《霸術》若合符節。於此亦可見政治上的惡濁正時勢使然，未可集眾矢于馬基亞弗利。（按：重點為本文所加。頁11）

此言雖不能說石破驚天，卻不禁讓人擊節讚賞之感。更重要的是，從上我們可知，在「九·一八」事變前，錢端升並沒有否認馬基雅維利在「傳授邪惡」，且甚為反對之。

錢端升還認為，「在政治思想史中，以人而論，盧梭為最被攻擊及最被誤解之人；以書而論，則要推《霸術》。我們如果明瞭十六世紀的政治狀態，尤其是義大利的，更

認準了馬基亞弗利的主旨，則著者提倡的詐術殊不能使《霸術》減色。而著者愛義大利的熱誠及所指示的統一義大利的方法，則是不能不令人佩服其識見的遠大。他更有助長政治學成獨立學問的功績；此層我們更不能不感激《霸術》的著者。有人謂馬基亞弗利結束中古，而開啟近代，亦良以《霸術》能脫離中古的舊習，而與近代的崇實精神相貫通」。（按：所有重點為本文所加。頁11）[12]

可以說，在近現代中國以至當代學界中，從來沒有一個學者像錢端升那樣，如此出色地為馬基雅維利辯護過。從他對馬基雅維利的高度讚賞和維護，可以想見，馬基雅維利的這種「崇實精神」影響了三〇年代的錢端升思想，成為他思想中的一大特色。

孟德斯鳩與《法意》　像馬基雅維利一樣，錢端升指出，若非《法意》一書，孟德斯鳩也將會以文學家的形象流芳百世。《波斯人手劄》為孟德斯鳩成名作，一八二一年出版時未署名，然「著者之名仍不脛而走，文豪的地位亦即確立而不移」。（頁3）限於篇幅，《法意》內容介紹略去。在方法論上，錢端升將孟德斯鳩與亞里士多德、馬基雅維利三者作了縱橫比較，「三人都重事實的觀察，而不尚理想的空論；都偏向於比較的及歷史的方法，而都不能完全脫離主觀的成見。三人都和當代的政治思想家不同其法」。（頁6）錢端升所言的「當代的政治思想家」指的是他最推崇的布賴斯（詳見後）。下為錢端升論述三人歧異之處，因其評述頗為精彩，故引用之：

> 孟德斯鳩本為博聞強見之績學士，但並非意想超群的理論家，所以他論《法意》重實驗而不尚理智。……孟德斯鳩獨能另闢途徑，而以實驗為依歸，異軍突起正不亞於亞里斯多德及馬基亞弗利。論政而恆憑一己的理智，則總是主觀的，客觀的方法自必循實例之所指引；故以實驗為重者不能不採用歷史的，比較的，及歸納的方法。不追溯故去的事蹟，且徵引外邦的成法則事例有限，而無實驗之可言；不將已有的事例歸納起來，則真義隱而不見，有失探求之目的。孟德斯鳩之旁徵博引，溯古追今，誠深合科學的精神。但孟德斯鳩亦未能完全脫離主觀的見解。即以氣候和社會之關係而論，他本有自由宜於寒地，熱地易產專制之論，然此論與亞洲盡專制之說顯然不能相容，因亞洲亦有寒帶；於是他不惜強詞奪理，免以亞洲的河流（十六卷）及中部的高山（十七卷三章）為解釋。此正不啻先有結論，再找理由，與歸納方法相逕庭，而與實驗主義亦不合。所以致此之故，則先入為主之成見作祟而已。且孟德斯鳩的方法，亦尚不能算為真正的歷史的或比較的方法。關於古事方面他重視羅馬的歷史，關於近事方面，他側重英國的制度……因羅馬共和國及英吉利君主國之制度最足以證實他的得意學說……此層亦誠如馬基亞弗利因狃於欲統一義大利非有強有力之君主不可之說，故一再從古羅

12　錢端升的看法與當代英國學者懷特立場相近。詳參〔英〕邁客爾・懷特著，周春生譯：《馬基雅維里──一個被誤解的人》長春：東北師範大學出版社，2008年12月。

馬及波爾查徹薩來（Cesare Borgia）的經驗中尋找物證以自圓其說一樣。即亞里斯多德亦往往為成見所狃，而不能給各個事證以同樣的輕重，同樣的價值。不過三人雖同蹈不離主觀之弊，而程度之不同則已不可以同日語。以馬基亞弗利和孟德斯鳩比，則不特立說的道德觀念完全不同，即著作的精神亦相差相〔甚〕遠。兩人的立說雖同根據經驗，但馬基亞弗利的主旨在代某種行動找出相當的前例，而孟德斯鳩的主旨則在尋覓事物的公律及理由。……因此種種，孟德斯鳩等三人的方法雖大致相同，雖俱有不足，而孟德斯鳩的則已比較的最合科學的精神。

（按：所有重點為本文所加。頁12-14）

限於學力，對於錢端升上述評析，只能作有限度分析。可以說，上述評述，在不同的程度上，顛覆了我們現有的認知。錢端升運用歷史比較法，或褒或貶、或抑或揚，或追本溯源，或縱或橫，與不同時代或同時代人比較，在研究方法上，可說已到了揮灑自如的地步。就內容而言，錢端升對三者的評述，不為權威所阻，率直指出其作品中不是之處，但同時又指出時代的限制。這種瑕瑜互見書評，更見他學術思想的獨立性。儘管其評述恰當與否，或有商榷餘地。就其上述所言，思想不僅自樹一格，沒有人云亦云之弊，且有發前人未發之言，敢前人不敢之言，具有高度原創性。這些述評不但顯露了錢端升精湛的學術修養，還向後學示範了政治學研究方法。不論歷史法，還是比較法，均運用嫻熟，令人眼界大開。應當說，這均與錢端升在哈佛所受學術訓練和努力鑽研，以及慎思明辨是分不開的。

值得注意的是，亞里士多德「亦往往為成見所狃，而不能給各個事證以同樣的輕重，同樣的價值」。這是歷史比較法注重的「價值中立」，亦即將所有材料一視同仁。就上述三者而言，錢端升認為他們的研究方法均未達「科學方法」，不同之處在於程度各異而已。

布賴斯與《近代平民政治》　　在四人當中，錢端升不但對布賴斯的著作，且對其人的評價也是最高的。錢端升指出，在布賴斯著作中，要推《神聖羅馬帝國史》（1864年），《美國平民政治》（1888年），《歷史及法理論叢》（1901年），及《近代平民政治》（1921年）四書最為著名，其中後二者「相像之處極多」，「實為勃賚斯之代表作品，它們可以表示他的人格，可以顯出他的治學方法，更可以看到他的精神所在」。（頁6-7）下面評述，可見錢端升對其評價之高：

以六七十萬言之大書，而所采材料能以個人直接得來者為主，自希羅多塔斯著《歷史》（亦賴遊歷觀察得來的直接材料）以來蓋尚未有過。勃賚斯又為極忠實，極忍耐的學者，《美國平民政治》之公平準確遂冠絕一時，誠可當一八八八年北美民治之一幅攝影而無愧。且公平正直，本著者之特長。論政治本不易摒除私見；常人即欲無私亦須努力而後克成，而勃賚斯則可毫不費力而維持其不偏不倚的態度。（頁7）

　　自希羅多塔斯「以來未有過」及用「攝影」來形容布氏史筆逼真程度，可見推崇之高。錢端升如此激賞布賴斯，拜近代以降科學主義所賜。他解釋說：

> 這並不是因為勃賚斯對於政治制度缺乏善惡的主觀，而實由於他根本不主張以己意罩在讀者的頭上……他的方法是客觀的……因此，他立意祇敘事實而不創理論，只給讀者以問題而不代為答覆。他曾說：「歷史學家之責任在將真正的事實和盤托出，並加以說明；如在寫史時先有一種理論存在，則他勢必於不知不覺之間偏重利於那種理論的事實」。……他所采的事實則務求詳盡而公正，知之為知之，不知為不知，……因求公正之故，《大不列顛》雖為最重要平民政治之一，而勃賚斯則避而不論。他以為以不列顛人而論不列顛的政治易流於主觀；于此更可見著者律己之嚴。（頁7-8）[13]

在方法論上，錢端升也認為布賴斯是非常優秀的：

> 《近代平民政治》的方法又是比較的（一卷一七頁）。比較方法的長處在能從許多同樣的原因中測知同樣的結果。如用之得其道，而又無一種先入之理論以破壞客觀的比較，則此方法實為社會科學中最近似科學方法者。（頁8）

　　錢端升認為，治政治學之方法眾多，但大別有兩類，一為柏拉圖的「玄哲的方法」，一為亞里士多德的「科學的方法」，若就上述「四人彼此互比，則勃賚斯的方法尤為近似科學的方法」。（頁9）

　　對於布賴斯，王世傑和周鯁生的評價也相當高。周氏說：「蒲萊思在現代政學界真正占了一個獨一無二的地位……他的學說，必將於今後長時期間，影響學界後進之研究；他的大名，必將和亞里士多德、孟德斯鳩，在歷史上長放光輝的」。[14] 王氏亦推崇說：「亞氏而後，純用歸納法來研究政治問題的人，我以為自孟德斯鳩而外，或當對於〔數〕蒲徠士首屈一指。孟氏與蒲氏的方法，都是比較法與歷史法；……蒲氏諸書，對於政治思想史上之貢獻，雖或不逮孟氏，然蒲萊士之觀察與分解，蓋較孟德斯鳩，尤為周詳而嚴密，以故布賴斯諸書之方法，對於今後政治學者之影響，應不在孟氏之次」。[15]

　　總結上述所言，錢端升治學的特色，可說是直接繼承了上述四本經典著作的血統，這些經典著作的特點和研究方法，其中以布賴斯的著作影響最大。這些共通點包括：一、客觀的敘述；二、歷史比較法；三、持平的態度（即對材料的一視同仁）；四、實證主義等，這些均可在錢端升的著作中找到。

13　該段引文中有三個括號說明，為方便閱讀和省略篇幅，已刪除，特此說明。

14　松子（周鯁生）：〈英國兩大政學家〉，《太平洋》第3卷第6號，1922年6月5日，頁5。

15　王世傑：《James Bryce: Modern Democracies（書評）》，《北大社科季刊》，創刊號，1922年11月，頁143-144。按：「或當對於」，原文如此。

　　錢端升四篇述評雖各有特色，然均持一客觀和了解之同情的態度，運用歷史比較法，對四大名著或敘述，或批評，或夾敘夾議的點評，不但顯示了他學術性格獨立慎思的一面，也顯露了他精湛的學養和淵博的學識。就此四篇〈編者導言〉而言，可能因筆者孤陋寡聞，任何一篇述評均一改以往之觀感。他對《政治學》和《法意》的批評，是其是，非其非，不為權威光環所阻。對《霸術》的述評，不為世俗成見所拘，提出論點不但有理有據，且有令人耳目一新之感。對馬基雅維利之辯護，不禁令人拍案叫絕！對亞里士多德是希臘文化的俘虜分析深入淺出，令人印象深刻。對《法意》三權分立貢獻之辨識，對《政治學》之得失評價，對《近代平民政治》運用之科學方法等，均持歷史主義之態度，力摒先入為主之觀念，還其本來面目。總之，四篇〈導言〉立論宏大，意旨幽遠。若非對政治學有精深鑽研之人，不能做出如此精湛的述評。不言而喻，他向後學展示的治學方法和態度，是其對現代中國政治學最大貢獻之一。本文以為，即此四篇〈導言〉，已足以使錢端升傲視同儕，在中國現代政治學史上占一舉足輕重之席位。

三　思想特色：理想主義、中庸主義和現實主義

　　縱觀上述四篇書評，除研究方法外，也呈現了錢端升思想中的一些十分重要的特質。四篇書評是了解錢端升政治和學術思想的鑰匙。尤其是他特別推崇亞里士多德的中庸主義和理想主義——「一則由於內心的信仰，一則由於實際的觀察」。

　　關於亞里士多德的理想主義和中庸主義，一九四六年吳恩裕在《客觀》上也提出類似看法。他引用林賽（A. D. Lindsay）在《近代民治國家》（1942年）提出的兩個概念：一、「政治的空想（Political Utopia）」；二、「可以實施的理想（Operative Ideals）」後指出，林賽這種思想早在亞里士多德的《政治學》中就已存在。[16]

　　林賽所言的「可以實施的理想」與錢端升的表述「不以理想為最後目標，則政治終無向上的途徑」及「一則由於內心的信仰，一則由於實際的觀察」是一致的，這是錢端升思想和治學中須留意的特色。他在一九四九年前的政論明顯且強烈帶有上述色彩。在〈中央政制的改善〉中，錢端升表示：

　　　　討論政制改善這個問題，我們不能太偏於理想，但亦不能太遷就事實。太偏於理想則很少實現的可能，太遷就事實則不易有所改善。[17]

理想、現實和中庸主義三種思想一覽無遺。在國際政治方面，儘管錢端升亦十分關注現實政治，但在整體上，強調更多的是理想主義。在國內政治方面，則相對偏向現實主

16 吳恩裕：〈現代政治思潮趨勢〉，收入孫本文編：《現代社會科學趨勢》上海：商務印書館，1948年，頁147-148。原載《客觀》，第12期，1946年1月26日。
17 錢端升：〈中央政制的改善〉，《華年》，第4卷第41期，1935年10月19日，頁804。

義。儘管如此，其理想主義色彩亦十分濃厚。他在二〇年代主張理想的一黨專政，作為實現憲政之手段；三〇年代提倡獨裁極權。從「理想的」一黨專政，到「理想的」獨裁極權，可說兼有理想和現實兩種因子。

除受亞里士多德影響外，在現實政治方面，錢端升亦受馬基雅維利影響甚巨，這點結合他的〈民主政治乎？極權國家乎？〉一文不難得到結論。儘管錢端升在一九三一年表示，「我們固無取於這種權術，我們也絕不能縱容《霸術》中的立說」，但在迫不得已情況下，他只能權衡輕重，這點應當說受益於《霸術》匪淺。從錢端升反對馬基雅維利「傳播邪惡」來看，他提倡獨裁極權，並非是一種常態的應用手段，而是在國難情勢下，一種臨時的應變舉措而已。

錢端升選編英文政治學經典著作，雖為方便教學需要，然在選注時則免不了受時局影響。除中庸主義為「推行極端政治者之當頭一棒」外，他也反對當時有人認為有憲法一切問題就解決的看法。他在評述《政治學》時說（按：重點為本文所加）：

> 我們所知的憲法是逐漸演進的，而不是一旦可以創造的，所以凡主張憲法可以一手擬制者每不易得我們的同情。但希臘人對於憲法的觀念和近代不同。希臘的所謂立法者實即醫治國家的醫生，他們可以將國家的憲法一手製成或變更，好像來喀古斯（Lycurgus）之于斯巴達或梭倫（Solon）之於雅典。亞里斯多德著《政治學》的目的本在供給立法者以一本完美的參考書。我們如認識了此層，我們也可少生許多誤會，或不應有的奢望。（頁10）

在錢端升看來，希臘憲法之所以可隨時更換，原因是希臘人有守法習慣，更換憲法，在某種程度上就像禮服換晚裝一樣。但在此之前，憲法是有一漸變演進過程，這是歷史比較法所強調的。這既是他反對驟然行憲，也是主張一黨專政的原因，利用訓政加速實現民治。

上述四篇〈導言〉，除《法意》選注本在一九三一年九月出版外，餘均在此前發行，為我們提供了一個提倡獨裁極權前的錢端升。「九‧一八」事後，國內外形勢的發展，扭轉了錢端升原存思想中的「中庸主義」，上述反對「極端政治」就是明證。在很大程度上，「九‧一八」事變影響了中國思想界原來的版圖，不少學者思想出現不同程度的裂變，甚至斷層。

從四篇述評可看出，「九‧一八」事變前的錢端升思想輪廓大致如下：第一、反對推行「極端政治」，贊成中庸主義。第二、憲政是一緩進的過程，反對制憲就能解決一切。第三、主張法治，這點不僅從對《法意》的推崇可推論之，也可從錢端升在《現代評論》上的主張可以看出。第四、欣賞馬基雅維利的「崇實精神」，反對他的「邪惡」觀點。第五、對民主政治仍抱信仰。總之，四篇書評透露了錢端升思想的底色，是了解錢端升思想的關鍵。

錢穆先生之香港緣（1949-1967）

孫廣海

香港公開大學教育及語文學院

一　前言

　　錢穆先生（1895-1990），字賓四，江蘇無錫人，乃上世紀中國史學界之巨擘。錢穆先生終身自學成材，以一鄉村小學教師，及後登上大學講席，著作等身，遍及經史子集四部，成就非凡。[1]在那個已消隱之年代，他既是老師、文人、儒生、學者，又是一位著作擲地有聲之教育家、歷史家、思想史家和文化史學家。

　　錢穆先生來港前，曾經涉足大陸蘇州、北平、南京、重慶、廣州等地，其《先秦諸子繫年》、〈劉向歆父子年譜〉、《中國近三百年學術史》、《國史大綱》、等一系列撰著，早已飲譽士林。錢穆先生撰寫之學術論文，亦早已發佈在國內著名期刊之上。[2]

1　錢穆：〈歷史與人生〉結語：「故中國人之學，貴能由史以通經。史事其變，而經道則常。又貴由史以成子，則即由事變中先知先覺，以成其一家之言。至於集部，則捨卻經、史、子三部以外，當更無所有。此則中國學問皆由人生與歷史來，其道自可知。更無捨卻歷史與人生而別有所謂學問，中國人之大道即在此，其他又復何言。」《大成》，第153期，1986年8月，頁3。

　　另參見：錢賓四先生全集編輯委員會編《總目》（錢賓四先生全集54），〈錢賓四先生全集編後語〉臺北：聯經出版公司，1997年12月。

2　參見：錢穆：〈評夏曾佑《中國古代史》〉，《圖書季刊》，第1卷第2期，1934年6月。

　　錢穆：〈論清儒〉，《中央週刊》，9卷3期，1947年1月。

　　錢穆、張其昀：《張蔭麟先生紀念專刊》附錄四〈思想與時代〉月刊第一期至四十期目錄香港：龍門書店，1967年2月。

　　顧頡剛、馮家昇合編：《禹貢》：第一卷第八期，錢穆：〈提議編纂古代史地索引〉；第二卷第四期，錢穆：〈西周戎禍考（上）〉；第二卷第十二期〈西周戎禍考（下）〉；第三卷第一期，錢穆：〈黃帝故事地望考〉；第三卷第二期，錢穆：〈子夏居西河考〉；第三卷第三期，錢穆：〈戰國時宋都彭城考〉；第三卷第四期，錢穆：〈中國史上之南北強弱觀〉；第四卷第一期，錢穆：〈水利與水害〉；第四卷第三期，錢穆：〈跋康熙丙午刊本方輿紀要〉；第四卷第四期，錢穆：〈水利與水害（下篇・論南方江域）〉；第四卷第九期〈夏定域讀錢賓四先生『康熙丙午本方輿紀要』跋〉錢穆附跋；第七卷第一，二，三合期，錢穆：〈再論楚辭地名答方君〉；第七卷第六，七合期，錢穆：〈饒宗頤魏策吳起論三苗之居辨誤〉附跋；錢穆：〈秦三十六郡考補〉；錢穆：〈附秦三十六郡考〉。

　　學原社編輯，商務印書館總經售，徐復觀編：《學原》，第一卷第八期，錢穆：〈陽明良知學述評〉；第二卷第二期，錢穆：〈周程朱子學脈論〉；第二卷第五期，錢穆：〈郭象莊子注中之自然論〉；第二卷第六期，錢穆：〈朱子心學略〉。

　　錢穆先生因緣際會，在香港創辦新亞書院，蓽路藍縷，在「手空空，無一物。路遙遙，無止境。」之惡劣環境，誠可謂「艱險我奮進，困乏我多情」，此即是錢穆先生提示諸生之「新亞精神」也。[3] 錢穆先生居港十餘年，對教育界貢獻尤大；因新亞書院之成立，數十年來，為香港以及海外華人社區培養了大量人材。另一方面，錢穆先生寓港期間，撰寫了不少文章、論文；其及門弟子亦傳承了先生之學問與精神，對香港學術界之影響，極為深遠。當新亞書院、崇基書院、聯合書院合併成香港中文大學時（1963），錢穆先生即辭任新亞院長，歸隱著述，其亮節高風，令人蕭然起敬。

　　錢穆先生一九六七年遷居臺北，翌年移居外雙溪素書樓，晚年雙目失明，惟撰著不絕，[4] 直至九十六歲終老止。錢穆晚年寓居臺灣期（1967-1990），讀書寫作，迭有出版。孫國棟（1922-2013）為錢穆先生之學術生命，做了恰當之總結：「他致力於學術八十年，無一日間斷，其精勤堅毅，當代無人能及。現在他著作的全集已刊行，計專書八十一種，論文雜文凡九百五十三篇，共一千七百萬字，無論質與量，都是空前的。」[5]

　　錢穆先生之香港緣，各條資料爱分：來港原因、港九居處、平居生活、辦公地點、朋友門生、居港著述、居港年表等項，分類列出，雖卑之無甚高論，惟仍可供讀者參考。至於錢穆先生前半生於中國大陸（1895-1948），後半生於臺灣（1968-1990）種種，限於篇幅，本文不作探討。[6] 先生晚年自述平生亦云：「余前半生所言可謂屬於歷史性方面，皆有歷史可證。此下屬於文化性方面諸論文，則證明當在後世。」[7]

　　當吾人在追憶錢穆和香港這一彈丸之地曾經結下一段深厚情緣時，亦當永遠記取先生提示國民對待自己本國已往歷史，心中應有一種「溫情與敬意」。[8]

　　六十五年過去了，筆者在香港大學馮平山圖書館、香港中文大學新亞書院錢穆圖書館，摩挲發霉之雜誌，以便追踪和檢尋錢穆先生在港生活之一切，因草成本文，藉此紀念這位「一生為故國招魂」[9] 之國學大師，兼且就教方家。

3　錢穆《新亞遺鐸》，「新亞校歌」臺北：東大圖書公司，1989年9月，頁7-8。

4　例如《八十憶雙親師友雜憶合刊》臺北：東大圖書公司，1983年1月；《晚學盲言》上下冊臺北：東大圖書公司，1987年8月；《新亞遺鐸》臺北：東大圖書公司，1989年9月。

　　參考汪學群：《錢穆學術思想評傳》北京：北京圖書館出版社，1998年8月。

5　孫國棟：〈為中國招魂——追懷錢穆（賓四）師〉，載氏：《慕稼軒文存》香港：科華圖書出版公司，2007年5月，頁123-124。

6　參考秦賢次：〈錢穆先生的生平與著述〉，《大成》第203期，1990年10月，頁5-7。

7　錢穆：〈悼念老友張其昀〉，《大成》第145期，1985年12月，頁19-21。

8　錢穆：〈國史大綱·引論〉，《國史大綱》北京：商務印書館（修訂本），上下冊，2011年2月。

9　參考余英時：《猶記風吹水上麟：錢穆與現代中國學術》臺北：三民書局，1991年10月。

二　錢穆先生來港原因

錢穆：「余避赤禍，初到香港。」（香港・《大成》第111期，1983年2月。）

錢穆：「三十八年（1949），再度奔亡來香港。」（〈秦漢史序〉）

錢穆：「避赤禍居香港」（《中國學術思想史論叢》（五）序）

錢穆：「及三十八年避赤氛到香港，此書（《文化與教育》）遂未攜帶。」（《文化與教育》跋。）

錢穆：「余避赤禍至香港，曾遊新加坡馬來亞。」（錢穆《八十憶雙親師友雜憶（合刊）頁249》）

內陸政局動盪，為追求理想生活，是錢穆先生南下香港之根本原因。

錢穆：「民國三十八年春假，余與江南大學同事唐君毅，應廣州私立華僑大學聘，由上海同赴廣州。僑大創辦人王淑陶，與君毅舊識。此校創於香港，遷來廣州。其時共軍已南侵至徐州。余念於人事素疏，上下無交際，一旦戰氛渡江，脫身非易，不如借此暫避，以免臨時惶迫。」（《八十憶雙親師友雜憶合刊》頁254）

錢穆：「人皆謂余創辦此校，實則幕後真創此校者乃曉峯（張其昀1901-1985），而非余。」（錢穆〈悼念老友張其昀〉，香港・《大成》第145期，1985年12月。）

錢穆先生南下香港，創辦新亞書院，還有一背後之原因，正如他說：「自一九四九年，在中國大陸邊緣的香港，也發生了本質上的重要變化，香港已不復是單純的國際商埠，而變成了兩個世界的前哨，兩個陣營的觸角，同時香港社會本身也因為陡然增加了二三倍的新人口，帶來了新的文化血液。這個地方有多重要的作用：它是鐵幕的裂隙，也是鐵幕內被壓迫者唯一吸取自由空氣的鼻孔。它是東西新舊文化的橋樑，也是東方未來新文化的搖籃。它是太平洋上最重要的自由基地。而這裡的中國人，尤其中國青年，則特別需要一個為他們所必須有的教育環境。」（一士〈錢穆先生與新亞書院〉，《人生》第2卷第2期，1951年8月。）

「新亞」得名之由來，因和香港身處亞洲有關。錢穆說：「民國三十八年，我避禍來到香港，香港是英國的殖民地。回想四十年前的香港，中國人的地位是很低的。那一種殖民地的氣氛，深深壓迫著中國人，特別是對知識份子們。當年的感受，不是今天的香港青年所能了解。我不能安身國內，隻身流亡到香港，這近百年來既屬中國而又不算中國的土地。一個流浪者的心情，是很難描述的。我不敢暴露中國人身份的心情來要求有一個「新香港」，遂轉而提出「新亞洲」。我當時只能希望英國人對亞洲殖民地採取較開放的新姿態，使流亡在香港的中國人能獲較多自由，所以為我們的書院取「新亞」為名，寄望我們將有一個稍為光明的未來。」（錢穆〈新亞四十週年紀念祝辭〉，載《新亞遺鐸》，頁948。）

　　創辦新亞書院原意，錢穆〈致楊聯陞書〉（1959年5月19日）云：「穆向來懶於為自己打算，流行坎止，一任自然。初來香港，目擊流亡青年種種痛苦，發心辦此學校。」

　　關於新亞精神，新亞書院經濟學教授張丕介（1905-1970）有詳細之詮釋：「新亞的教育理想，最先見於錢先生著的『理想的大學教育』（《民主評論》第1卷第15期），那是一篇理論與事實兼顧的論文，可視為新亞教育理想的大輪廓。最具體的見於『新亞學規』二十四點，此外亦常表現於新亞校歌，招生簡章，和許多講演文章等。但新亞師生最常用以代表這一理想的名詞卻是『人文主義』或『新亞精神』」。

　　依我個人了解，捨開理論原則不談，這個理想的具體內容，從它六年來已經在實際上所表現的方面去看，應包括以下幾點：

一、這是一所流亡大學，所以必須從亡國之痛心深處培養起每一青年的民族意識。

二、這是一所流亡學者和流亡學生所共同創立的教育事業，所以必須「艱險我奮進，困乏我多情」，以表現其共患難的精神。

三、這是寄託於中國傳統文化基礎之上的學校，所以必須尊重我們的文化遺產，發揚我們的文化精神。

四、這是誕生並長成於自由環境的學校，所以必須是自由學術自由思想的王國。[10]新亞學子亦宜謹記。

　　錢穆初到香港，經濟生活拮据，〈致楊聯陞書〉（1965年2月15日）說：「即弟初到港，生活之艱，殆難描述。」即使已上任新亞書院院長，情況亦不見得好轉。錢穆說：「（新亞）學生百分之八十以上皆免費。教師薪水，從我起，一律以任課鐘點計算，一小時港幣二十元，我一人任課最多，得最高薪亦不超過港幣兩百元。全校只一職員，無工役，一切打掃雜務全由學生分任。惟薪水及其他雜費，如水電、紙筆、郵費等，最低非港幣三千元不足維持。偶商得捐助，支票皆不肯開收付雙方名字，以此備極困難。」（印永清《百年家族——錢穆，百年來中國史學界第一人》，頁250。）

　　新亞早期運作之艱困，錢穆先生概言之云：「新亞書院，沒有自己的校舍，這是六年來最大的困難問題。自得美國耶魯大學之『中國雅禮協會』之協助，自下學期起，才能開始建築自己的新校舍。新亞書院亦沒有圖書與一切物質設備，直到最近兩年內，才得絡續購置圖書，至今尚僅有中外書籍不到二萬冊。新亞書院因於歷年來經濟之極端困乏，而不能有它理想上應有之成績與進展，但亦因其經濟之極端困乏，而漸獲社會各界之注意與同情。

---

10 張丕介：〈粉筆生涯二十年〉，載《新亞書院學術年刊》，第12期，1970年9月，頁241-301。

　　另可參唐君毅：〈我所了解之新亞精神〉，《新亞校刊》，創刊號，1952年6月，頁2。

　　張丕介〈武訓精神〉，《新亞校刊》，創刊號，1952年6月，頁3-4。

　　錢穆：〈新亞精神〉，《新亞校刊》，第4期，1954年2月，頁1。

　　趙冰：〈勿忘新亞精神〉，《新亞生活雙周刊》，第3卷第4期，1960年7月，頁1。

　　新亞又是一所流亡性的學校，這幾年來，學生的流動性甚大，教授的流動性亦大。在學校裡，能維持四年畢業，直到畢業而去的學生，在全部學生中所佔比率實甚小，教師能繼續在校授課到三四年以上的也不多。這種師生的流動性，亦妨害了學校理想上應有之成績與進展。[11]

　　總言之，錢賓四先生總希望新亞學子要懷抱有「新亞心」，煥發「新亞生活」，活出「新亞精神」。[12]

三　錢穆先生港九居處

　　一、鑽石山（1956-1960）：錢穆云：「（胡）美琦（1929-2012）以余胃病時發，久不癒，學校事煩，一人住校飲食不宜，乃概允余締婚之請。於九龍鑽石山貧民窟租一小樓，兩房一廳，面積皆甚小。廳為客室兼書室，一房為臥室，一房貯雜物，置一小桌，兼為餐室。」（《八十憶雙親師友雜憶合刊》，頁286。）

　　錢穆〈致余英時書〉1956年2月22日：「最近僕居鑽石山，僻在郊野，聊可矚眺海光山色，並可散步逍遙，或於精力心情，稍有所益。」

　　二、沙田和風臺五號（1961-1969）：錢穆云：「余不喜城市煩囂，託人訪之（新居）鄉間，乃得沙田西林寺上層山腰一樓。更上即山頂，屋主人闢一大園為別墅。余夫婦親赴踏看，深愛其境。或言火車站離此遠，登山石級一百七十餘，每日往返恐勞累。屋主管家陪去，謂我年七十餘，每日上午，體況轉健。先生來此居住，必可腰腳強勁，心神寬適，余遂定租。」（《八十憶雙親師友雜憶合刊》，頁323-324。）

　　香港大學中文系羅忼烈教授（1918-2013）與錢穆先生深交，先生移居臺灣後，兩人時有書信往來，共計八十多封。根據羅忼烈之回憶：「錢先生住在沙田西林寺山上的和風臺五號，背山面海，水木清華，房子相當寬敞，走廊的欄杆上種滿了一盆盆的熱帶蘭花，氣氛非常雅靜，他謝事後便在這裡過著隱居似的生活。寓所沒有馬路可通，要將車子停在山下，步行登山穿過西林寺才可以到達，因此訪客不多，樂得清靜。作為大學者，學術思維是不會靜止的。——他們伉儷很喜歡和風臺那棟房子——錢先生非常懷念那舊居，每次來港如果見到我，一定問起，可惜陵谷變遷，西林寺也失蹤了，和風臺焉能獨存？」[13]

　　三、青山灣（1964年7月-9月）：錢穆云：「民國五十三年（1964）七月，余先租得

11　《新亞書院概況》，1955年7月，頁1。

12　李學銘：〈錢賓四先生對《新亞生活》和新亞人的期望〉，載氏著：《讀史懷人存稿》臺北：萬卷樓圖書公司，2014年8月，頁230-231。

13　羅忼烈：〈緬懷錢穆先生——雜事瑣記〉，《明報月刊》，1990年10月號，頁52-55。

青山灣一避暑小樓，臨海面山，環境幽靜，尤勝沙田。獲得新亞董事會開會同意余辭職之當晚，即逕去青山灣。夜半枕上聞海濤洶湧，滿身輕鬆，有凌空仙去之想。翌晨，坐樓廊上，遂預定此下閒居生活之計畫，首為撰寫《朱子新學案》一書。每日面對近海，眺望遠山，開卷讀《朱子大全集》。居兩月，返沙田。」（《八十憶雙親師友雜憶合刊》，頁326。）

　　有關錢穆先生在港居處，先生夫人胡美琦有一段頗詳細之回憶：「成婚後，我們最初住在九龍鑽石山難民區一小樓上。樓有小廊，可以望月，可以遠眺一線的海景。下樓走出住宅區，可以繞上一長堤，兩旁都是農田，幾間村舍，疏疏落落，點綴其間，景色幽靜。我們在鑽石山住了四年，幾乎每天晚飯前後，必然在此堤上散步閒談，比較在樓廊上閒談時更多。以後我們遷居九龍郊外沙田半山上一樓，地勢很陡，出大門就是石級長坡，四周沒有適合散步的地方。但樓居有廊，長五丈餘，寬六尺。面前一排四丈寬，高踰八尺的玻璃長窗，對著寬大的海灣。海灣中有一排如屏風般的遠山。從樓廊遠望，海山宛然，真是令人心曠神怡。我們在此居住八年，每得閒暇常在此廊上閒話。」[14]

四　錢穆先生平居生活

　　錢穆先生平時給人之印象，不只限於一位書生。據嚴耕望（1916-1996）之回憶：「嚴先生記憶中的老師是一個非常聰明的人，腦子轉得很快，所以他可以寫通史，處理很大的研究題目。錢先生除了專注研究之外，最喜歡遊覽，對於戲劇，奕棋等也十分有興趣，還懂得吹蕭，但嚴先生也只聽過錢先生吹過一次。」[15]

　　唐端正（1930- ）也認同「錢先生是一個最懂得生活的人，所謂懂得生活，並不是喜歡享樂，而是在簡樸平實的生活中，安排調節得很合度。在嚴肅的生活中，不見其緊張，在艱苦的教學生活中，不見其枯燥，他永遠是那麼平正而富有人生的情味，這充分反映了他論文化的許多基本觀點。」[16]

　　如何認識這一位學術界異人之平居生活？茲排比各條資料如下：

一、平居生活：「錢先生平日專心教育事業，埋首研究工作，和人談話，也不離教育和學術。──他時刻在謀新亞書院的發展，天天在埋頭著作，一年之中，寫稿將近一百萬字。」（麋文開〈賓四先生奮鬥史〉，《人生》8卷6期，第90號，1954年8月。）

14　錢胡美琦：〈樓廊閒話序〉，《樓廊閒話》北京：九州出版社，2012年1月，頁1。

15　王偉文：〈懷念一代史學宗師錢穆先生──訪牟宗三、嚴耕望先生〉，《九十年代》，1990年10月號，頁109。

16　唐端正：〈預祝錢先生六十壽辰〉，《新亞校刊》第5期，1954年7月，頁25。

二、身體健康：茲按年排比錢穆自述健康情況如次：

一九五二年（五十八歲）四月十六日：「余之頭部常覺有病，閱一年而後始全癒。」（《師友雜憶》，頁273。）

一九五三年（五十九歲）秋：「是年初秋，余胃病又發。」（《師友雜憶》，頁277）

一九五七年（六十三歲）〈致徐復觀書〉（1957年8月1日）：「連日足疾，得暇便偎冰。」

一九六一年（六十七歲）〈致余英時書〉（1961年3月20日）：「穆最近忽患血壓高。」

一九六五年（七十一歲）〈致余英時書〉（1965年8月6日）：「賓四患目疾。」

一九六六年（七十二歲）〈致楊聯陞書〉（1966年4月28日）：「惟最近又擬去治牙，據醫生言，當拔去舊牙九枚，所存無幾矣。年歲日邁，滿身是病，眼病依然無大進步，惟求不再有變壞，則亦已心滿意足矣。」

〈致楊聯陞書〉（1966年12月19日）：「惟幸目力始終保持，內障雖依然未能消退，卻亦未見增厚。」

三、閒居作息：

（一）「錢先生的興趣是多方面的，因此他博覽群書，獲得豐富的學識。」（葉龍：〈我們的家長〉，《人生》8卷6期，1954年8月。）

（二）讀報、讀雜誌：如《民主評論》、《祖國週刊》、《人生雜誌》。

錢穆〈致徐復觀書〉（1953年7月19日）：「病中讀《民評》百期特大號，剛伯（筆者按：沈剛伯）論西方政制，確有見地，惜其行文遣辭，未脫時下惡習。」

（三）寫稿：唐端正〈錢賓四先生雜憶〉：「在太子道辦研究所時，先生在《人生雜誌》與《民主評論》寫稿，稿費特高，同學頗表欣羨，先生謔稱我們寫稿可以用他的名義發表，他取其名，我們取其利。」[17]

（四）寫日記：「余夫婦在耶魯之一段生活，實是一片熱鬧，為在國內所未有，臨離去，不勝惆悵。余有日記，至今繙閱，真如一場好夢，今則夢雖醒，而夢中情境則仍留心目間。惜不能一一寫入筆墨中為恨。」（《八十憶雙親師友雜憶合刊》，頁308。）

（五）寫信：參見《素書樓餘瀋》[18]。如〈錢校長庚子致筆者（孫鼎宸）書〉（1960年6月4日於新港，載孫鼎宸編《新亞文化講座錄》附錄三。）

（六）看電影：錢穆自述來港後常看電影云：「論到電影，在香港這些年來，也不

17　唐端正：《雪坭鴻爪》香港：法住出版社，1997年1月，頁101-102。

18　錢穆：《素書樓餘瀋》，《錢賓四先生全集》（53）臺北：聯經出版公司，1997年12月。

知看了多少。我從默片開始直看到最近，由電影中所反映出來的西方人生，在我也有了四十多年的閱歷。」（《新亞遺鐸》，頁895）

（七）看京劇：錢穆云：「我對京劇是門外漢、但我很喜歡京劇。——京劇在有規律的嚴肅的表演中寓有深厚的感情，但看來又覺輕鬆，因為它載歌載舞，亦莊亦諧，這種藝術運用，同時也即是中國人的人生哲學了。」（錢穆〈中國京劇之文學意味〉，香港·《大成》，第31期，1976年6月，頁2-3。）

（八）書齋：「賓四先生對於先秦諸子、宋明理學，固然都有特別的研究，但他最敬仰的人物還是孔子，他的思想是以儒家為中心的，他對《論語》一書，愈鑽研愈覺有橄欖般的滋味，他的書室「未學齋」就是取名於《論語》的。」（糜文開〈賓四先生奮鬥史〉，《人生》8卷6期，第90號，1954年8月。）

四、生活習慣：

（一）每天散步：根據錢穆先生學生之回憶：「有一次記得是講曾滌生的學術淵源，他附帶提到他本人受曾氏『有恆心』的影響，一生養成了看完一部書再看第二部的習慣，並且不管晴雨風雪，每天晨起必須散散步。」（詹耳〈賓四先生二三事〉，《人生》第90號，慶祝錢賓四先生六十壽辰專刊，頁19。）

（二）愛看圍棋：錢穆〈致楊聯陞書〉（1965年8月25日）：「穆為養目力，未帶棋譜、棋子來。」

〈致楊聯陞書〉（1968年6月25日）：「林海峯本因坊賽第六局，此間事先均已預辦好了爆竹，待到深夜啞然而止，遇見熟人雖不諳手談者，亦能談林海峯之棋賽，愛國家愛民族文化只能在此等處求發洩，而終於臨時發洩不出，亦可悲也。穆每逢賽期，亦必守候電視新聞夜深不睡，誤了明日之寫作課程。」

（三）吸煙：錢穆：「余自後宅小學戒吸紙煙，相距已三十年，在昆明尤愛其長筒水煙管，但卒未破戒。至是乃情不自禁，向之索一煙卷相偕同吸。由此夕始，煙戒遂破，至今又已三十年矣。」（《八十憶雙親師友雜憶合刊》，頁252）

（四）衣服口音：「錢先生經常穿著一件藍色的長袍；除了有什麼聚會或講學以外，很少穿西裝，他今年才五十八歲，中等身材，在不算胖也不算瘦的面頰上，常架著一副近視鏡，說起話來還脫不出他那家鄉——無錫音調，他那謙遜和藹的態度，使人不敢相信他就是一位鼎鼎大名的學者。」（楊遠〈中國文化的舵手：錢穆先生〉，《人生》第3卷第4期，1952年4月。）

「錢穆到香港以後，所穿的衣服都是大陸帶去的舊衣，有一件咖啡色厚布長袍，是當年在大陸時經常穿的，帶到香港以後，因無力買新衣，只得在內衣襟上取下一條換作新領。一直穿了好多年，捨不得丟掉。即使在結婚以後，

經濟稍有好轉的情況下，錢先生的衣服仍有許多是夫人親手縫紉的。——錢
先生還有一套逢慶典才穿的藍色絲綢夾袍，非愛珍愛，平時極少穿，幾十年
來，看起來還像新的一樣。」（印永清《百年家族——錢穆，百年來中國史學
界第一人》，頁256。）

(五) 飲食居處：錢穆在耶魯大學授課，居紐海文，「美籍主人邀宴，必備中國
茶。飯後問，喜茶抑喜咖啡。余必答咖啡。主人每詫問，先生亦愛咖啡乎。
余答，君等去中國宜飲茶，余來此則宜習飲咖啡。實則飲茶必宜多有閒暇工
夫，與飲咖啡不同。」（《八十憶雙親師友雜憶合刊》，頁301。）錢穆云：「余
夫婦遍飲各地咖啡，意居首，法英次之，美最末，而今午所飲尤為上選。即
咖啡一味，亦與人生之閒逸忙碌成正比。」（《八十憶雙親師友雜憶合刊》，
頁323。）

錢穆又云：「余坐講臺上，有煙可抽，有茶可喝，亦為在國內講堂上所未有
之樂趣。外國教授在研究院課程中，常在講堂抽煙，然亦絕少兼喝咖啡，則
尤為特例矣。」（《八十憶雙親師友雜憶合刊》頁308。）

「居恆恆然，其窗前盆栽映綠，生趣盈室。」（章群〈略述賓四先生之生
平〉，《人生》第115號。）

據錢穆先生弟子葉龍之回憶云：「先生能獲致高壽，九十六歲，世所罕有。
師母在日常生活上悉心照料固然是重要之原因。同時先生平常飲食起居有規
律，並注意運動，這可從數方面證明之。先生家居，亦不離運動，某次去沙
田和風臺，見先生在長廊打太極拳。——其次，中藥可以長生。——先生喜
吃活魚，不活的寧可不吃。至於水果，想必是常吃木瓜。其次先生談及，一
隻香蕉可抵得上一碗飯。先生吃香蕉必先盡剝其皮，以手橫持蕉肉啖之。」[19]

(六) 娛樂消遣：

1 喜談天說地：「他是一個最富人生情趣的人，常常和同學們在一塊談天，
即使是青年愛情問題，他也可以和我們談出勁兒來。——在登山旅行中，
錢先生是健步如飛的走在前頭的。有一次，他還換上游泳褲和我們一同下
水呢！」

（葉龍：〈我們的家長〉，《人生》第8卷第6期，1954年8月。）

2 愛打太極拳：錢穆自述：「惟此兩年來，得小閒專心打太極拳，卻自謂極
有心得，賤軀賴以支持，不知足下亦曾習此否？」

（錢穆：〈致楊聯陞書〉，1959年10月27日）

「錢先生是個很注意身體健康的人，他曾看過許多如何養生長壽的書，他

---

19 葉龍：〈錢穆先生軼事：紀念錢賓四先生逝世一周年〉，《大成》，第215期，1991年10月，頁6-10。

認為一個人能夠活到很高的年壽，一定是個了不起的人。——他的生活很有規律，晨起飯後常作散步，並且每天還操練太極拳呢！他今年六十歲了，還是精神奕奕。」

（葉龍：〈我們的家長〉，《人生》第8卷第6期，1954年8月。）

〈致楊聯陞書〉（1966年5月17日）「最好能先習太極拳，動中求靜，有利無弊。——學太極一兩年，再繼之以靜坐，此最穩妥。——穆最近又重溫坐功，歸來沙田習之益勤，分晨、午、晡、夜四坐，略依子、午、卯、酉四節而變通之。最少每日必坐一次，太極拳轉不能按日操練。」

3　靜坐打坐：錢穆〈致楊聯陞書〉（1966年5月17日）：「穆早年好陽明學，亦習靜坐，則從天臺止觀法門而入。」

〈致余英時書〉（1966年11月17日）：「穆除每日限文千字以外，即懶作書。目光幸能保住，而工作則輕減已多。如寫此緘，中間即靜坐及散步兩小時，午後小睡起，始續寫。此書寫竟，一日課程即此交代，除寫《學案》外，亦更不看書。若有人能來此討論，則可半日不倦，惜乃無好學者肯上門來，良可憾恨。有人送來一錄音機，囑其口說錄音，由人鈔寫，然又無此興趣。每日上下午打坐，精神卻極充足耳。」

〈致楊聯陞書〉（1966年9月9日）：「若能買一矮圓櫈，得閒靜坐，可不必在牀上，亦不必用墊，亦不必盤腿，較近自然。」

4　彈奏樂器：錢穆〈致余英時書〉（1965年8月6日）：「賓四日間打太極拳一次，靜坐兩次，兼服中藥，夜間即不親書冊，僅以簫笛自娛，甚覺優閒。」

懷瑩〈沙田之遊〉：「（錢穆）換過一襲湖水色長衫，坐在椅子上，拿起長簫來吹奏。——錢校長吹來音韻悠揚，儀態傳神，在座者無不暗裡欽佩。」

（《新亞生活雙周刊》第3卷第11期。）

（七）養生方法：

錢穆〈致楊聯陞書〉（1967年1月26日）：「鄙意每日能靜坐片刻，只須在坐椅上略為閉目調息養神，一次五分鐘十分鐘皆可，一日兩三次四五次皆可，不當作一件事，只此兀坐，久之自可息思慮寧神智也。遇天氣晴朗和煦之日，能到湖邊草地散步、靜坐兼而為之，常看湖光水色，必可寧神息慮。」

〈致楊聯陞書〉（1967年8月25日）：「按日能得半小時以上之散步，極為有益。遇風日晴朗，能常去湖濱盤桓一兩小時，身心兩得其益，更為佳事。」

〈致楊聯陞書〉（1967年10月16日）：「始知坐在書桌前安定下來，亦一養身保健之要道也。」

（八）教學研究：錢穆於教學與研究並重，不主偏廢。

　　錢穆〈致徐復觀書〉（1956年7月12日）云：「教課實須精神，弟任教數十年，上堂總是用全力，課前亦必有準備。竊謂盡心教課，於自己學問實是大有進益，因有一客觀程範，積久得益始深。——盼勿太專心研究問題而忽略了教課，此乃弟之自身經驗也。」錢穆除了在學術上努力外，在教育培養人才方面也是非常用心。錢穆對學生說：「我們讀書人，立志總要遠大，要成為領導社會、移風易俗的大師，這才是第一流的學者。」[20]

　　新亞學子對錢穆先生之教學，留下頗為深刻之印象。李素云：「提起賓四先生，我首先會想到他藹然的目光，經常透露著深邃的智慧與熱誠；和講書講得起勁時，那張漲得通紅的日字臉，煥發著『自得其樂』的光輝；就單是這一副無言的外表，也已經啟示我以治學、做人、處事的大道理了。」

　　（李素〈由祝壽想起〉，《人生》第90號，頁29。）

（九）讀書著述：錢穆先生居港十餘年間，無論是於辦公地點，抑或家庭居處，讀書與撰述，也可以說是他生活之全部。錢穆先生苦學出身，惟自信心十足：「我自己是一個苦學出身的人，我自問，我能深切同情於凡屬苦學生的一切生活與心情上之種種苦痛與不安。但我不信，外面的生活艱苦，能限制我們的學業造就，至少不能限制我們向學業求深造的一番熱忱與毅力之表現。」

　　（《新亞遺鐸》，頁57。）

　　錢穆先生治學心得，據胡美琦之回憶云：「賓四常對我說：做學問的人，最重要的須能專心一志，心中不能有一絲雜念。他說：息念是一門很大功夫，靜坐當然是幫助人息念的好辦法，只是靜坐很花時間，又要有個安靜的環境。他自從到香港，時間環境都不許可，無法靜坐，自己只好變通改為靜臥，五分十分鐘全身放鬆，腦中無雜念就是最好休息。他又利用打拳、散步、乘巴士、走路，隨時隨處訓練自己去雜念，所以每一坐下，就可以立刻用功。這種專心一致的功夫，對他的誦讀寫作幫助很大。他又盡量避免同時把心作兩用。如果他正在寫一本書，而另要寫一篇短文，他也一定要把書中一節寫成一段落，才另寫短文。他又說：讀書比寫文章更是重要多了，讀書是主，寫作是餘事。不能從讀書中產生問題，準就是死讀書，但問題產生了，還要找解答，那更不是易事。」[21]

　　錢穆〈致余英時書〉（1960年5月28日）：「拙著《近三百年學術史》盼細看，又《學籥》諸篇，雖篇幅不多，亦須精讀。為學門徑與讀書方法，穆之所知，已盡此兩書中。」

　　錢胡美琦又說：「以我個人數十年來對賓四日常生活的觀察，從飲食起居到坐立行

---

20 任士英主編：《學苑春秋：二十世紀國學大師檔案》鄭州：河南人民出版社，2006年11月，頁479。

21 胡美琦：〈錢穆夫人談錢穆先生（我所了解的學人生活）〉，《大成》，第38期，1977年1月，頁24。

臥，從不見他放縱自己。遇到事情，他的考慮總是先公後私，先人後己。然而他也講過很欣賞『狂者氣象』。賓四多次提到韓愈〈伯夷頌〉一文，曾說：『對此文深有體會，受益匪淺。』又說：『對該文中「特立獨行」、「豪傑之士」兩言，最有會心。』——我認為賓四也是一位自視很高的人。然而他崇拜孔子，但常舉孔子『述而不作』一語以告來學；他欣賞孟子，又喜舉孟子言『乃我所願，則學孔子』一語以告來學。在他感時傷懷百般無奈時，又常舉『焉知來者之不如今』一語，以自慰慰人。」（錢胡美琦〈也談現代新儒家〉，載香港中文大學新亞書院編：《錢賓四先生百齡紀念會學術論文集》（《新亞學術集刊》，第十四期，2003年。）

五　錢穆先生辦公地點

一、九龍佐敦道偉晴街華南中學三樓：「亞洲文商學院之開學，實際乃由余與（崔）書琴兩人籌畫。有時書琴夫人亦在旁預聞鼓勵。余即邀在廣州新識之張丕介，時在港主編《民主評論》，懇其來兼經濟方面之課務。又商得（唐）君毅同意，彼隨僑大來港，懇其兼任（謝）幼偉所遺哲學方面之課務。書琴則任教務長一職。於民國三十八年（1949）之秋季十月正式開學。時並無固定之校址，只租九龍偉晴街華南中學之課室三間，在夜間上課，故定名為亞洲文商夜校。又在附近砲台街租得一空屋，為學生宿舍。」

「余在港又新識一上海商人王岳峰，彼對余艱苦辦學事甚為欣賞，願盡力相助。遂在香港英皇道海角公寓租賃數室，作為講堂及宿舍之用，安插自臺來港之新生。而余等則在日間赴香港上課，夜間則仍在九龍上課。時為民國三十九年之春，即亞洲文商學院開辦之第二學期。余與君毅暫住九龍新界沙田僑大宿舍，兩人輪番住砲台街宿舍中，與諸生同屋。」[22]

（《八十憶雙親師友雜憶合刊》，頁257-258。）

二、九龍深水埗桂林街六十一至六十五號：「民三十九年（1950）之秋，（王）岳峰斥資在九龍桂林街頂得新樓三楹，供學校作新校舍。——學校自遷桂林街，始改名「新亞書院」。桂林街乃在九龍貧民區中新闢，一排皆四層樓，學校佔其三單位中之三四兩層，每單位每層約三百尺左右。三樓三單位中，一單位是學生宿舍，另兩單位各間隔成前後兩間，得屋四間。前屋兩間向南，各附有一陽臺，由丕介、君毅夫婦分居。丕介後

22　逯耀東云：「當年賓四先生南來，在流離中創辦新亞書院。最初在佐敦道碼頭附近的炮臺街創校，時間是一九四九年的十月。然後歷經桂林街、嘉林邊道、農圃道，最後在沙田的不同發展階段。」筆者按：新亞創校地址，原在偉晴街，不在炮臺街，二者皆在九龍佐敦道區，只是一街（廣東道）之隔。逯耀東行文一時之間，記憶有誤而已。逯耀東：〈夫子百年：錢穆與香港的中國文化傳承〉，載李振聲編：《錢穆印象》上海：學林出版社，1997年12月，頁120。

屋一間，余居之，君毅後屋一間，為辦公室兼余及張、唐兩家之膳堂。四樓三單位共間隔成四間教室，兩大兩小。（羅）夢冊夫婦由岳峰另賃屋居之。」（《八十憶雙親師友雜憶合刊》，頁258。）

　　三、九龍太子道：「新亞創辦乃因大陸遭劇變促成。余意不僅在辦一學校，實欲提倡新學術，培養新人才，以供他日還大陸之用。故今學校雖僅具雛形，余心極欲再辦一研究所。此非好高騖遠，實感迫切所需。僅亞洲協會肯對此相助，規模儘不妨簡陋，培養得一人才，他日即得一人才之用，不當專重外面一般條例言。——乃租九龍太子道一樓，供新亞及校外大學畢業後有志續求進修者數人之用。新亞諸教授則隨宜作指導，是為新亞研究所最先之籌辦。時為民國四十二年之秋。」

（《八十憶雙親師友雜憶合刊》，頁277。）

　　四、九龍九龍城嘉林邊道廿八號 A,B（新亞研究所、新亞書院第二院）：「民國四十三年秋季，新亞自得雅禮協款，即在嘉林邊道租一新校舍，較桂林街舊校舍為大，學生分於嘉林邊道及桂林街兩處上課。」

（《八十憶雙親師友雜憶合刊》，頁280。）

　　五、九龍九龍城農圃道六號：「余自正式獲辭新亞職，絕未去過農圃道。惟於民國五十六年新亞學生曾來請余為五四運動作一講演。」

（《八十憶雙親師友雜憶合刊》，頁332。）

六　錢穆先生朋友門生

　　錢胡美琦說：「他（錢穆）寫回憶錄不肯以『自傳』名，而定名為《師友雜憶》。寫此書時，他已雙目不見字。他的草稿由我抄、我唸、他說我改。這本書，我們夫婦曾先後共同工作了五年。五年之中，不下數十次，遇到他動情時，不得不停下工作，他不自禁地要對我述說往事。最後總是嘆氣說：『沒有這些師友，也不能成就今日之我。』幾乎每次都用這相同的兩句話作結尾。這下一句話，其實也是極為自負之言。但他說時，總是把『師、友』擺在『己』前。我又常聽他教導學生，做學問『貴在謙』『戒在驕』」。（錢胡美琦〈也談現代新儒家〉，載香港中文大學新亞書院編《錢賓四先生百齡紀念會學術論文集》，2003年。）

　　茲把錢穆先生居港朋友門生，歸類羅列如次：[23]

23　可參考：《新亞生活雙周刊》第2卷第7期，現任教員名錄。1959年10月。

　　《新亞研究所概況》教職員名錄、畢業生名錄，1975年，1978年。

　　孫鼎宸編：《新亞書院文化講座錄》，九龍新亞書院，1962年7月。

　　孫鼎宸編：《新亞研究所研究文獻類目》，九龍農圃道新亞研究所，1965年1月。

一、新亞同事：

唐君毅、牟潤孫、張丕介、黃華表、趙冰、陳靜民、陳士文、沈燕謀、曾克耑、丁衍鏞、牟宗三、鄭騫、王季遷、孫述宇等。

二、學者知己：

羅慷烈、金耀基、徐復觀等。

三、舊雨新知：

王岳峰、高詩雅、賀光中、蘇明璇、張君勱、艾維、盧定、瓦克爾、郎家恆、羅維德、蕭約、林仰山、（日）吉川幸次郎、沈亦珍等。

四、及門弟子：

嚴耕望、余英時、唐端正、楊勇、章群、何佑森、余秉權、蕭世言、羅球慶、孫國棟、孫鼎宸、蘇慶彬、陳啟雲、李杜、葉龍、金中樞、羅炳綿、楊啟樵等。

七　錢穆先生居港著述

一、著作：錢穆先生居港期間撰著有：《國史新論》（1950年10月）、《莊子纂箋》（1951年12月）、《中國思想史》（1952年11月）、《中國歷代政治得失》（1952年11月）、《宋明理學概述》（1953年2月）、《陽明學述要》（1954年10月）、《中國思想通俗講話》（1955年3月）、《人生十論》（1955年5月）、《國學概論新版》（1956年）、《秦漢史》（1957年3月）、《莊老通辨》（1957年8月）、《學籥》（1958年6月）、《兩漢經學今古文平議》（1958年8月）、《湖上閒思錄》（1958年）、《民族與文化》（1959年11月）、《論語新解》（1963年10月）、《中國文學論叢》（1963年）、《史記地名考》（1966年4月）等，一共十八本。

二、論文：三十八篇，分見於《東方文化》、《新亞學報》、《新亞書院學術年刊》、《香港大學五十週年紀念論文集》、《新亞中文系年刊》等刊物。

三、文章：

（一）《人生》（半月刊）一九五一年七月一日（第1卷第1期）至一九七一年六月一日（第34卷第5期）共一百一十三篇。

（二）《民主評論》（半月刊）：一九四九年六月十六日（第1卷第1期）至一九六六年八月（第17卷第8期）共四十六篇。

（三）《大成》雜誌：第十一期（1974年10月）至第二〇四期（1990年11月）共十三篇。

（四）《新亞生活》（雙週刊）一九五八年五月五日（第1卷第1期）至一九六五年三月（第7卷第17期）共一百一十三篇。

（五）《新亞文化講座錄》錢穆主講十九次，題目及時間總目見：

　　　　　孫鼎宸編《新亞文化講座錄》附錄二，九龍‧新亞書院，一九六二年七月。
　　（六）其他文章，散見於香港、臺灣之報刊、雜誌文章七十五篇，參見：
　　　　　韓復智《錢穆先生學術年譜》第四冊、第五冊，臺北：五南圖書公司、國立
　　　　　編譯館出版，二〇〇五年一月。

　四、詩歌：

　　錢穆云：「余愛吟詩，但不能詩。吟他人詩，如出自己肺腑，此亦人生一大樂也。」
（《八十憶雙親師友雜憶合刊》，頁331。）

　　錢穆吟詠香港之詩歌，包括以下各首：

　　（一）〈海濱閒居漫成絕句四首〉民國五十三年（1964），編者按：民國五十三年
　　　　　九月，先生辭卸新亞書院長職，屏居青山灣海濱，偶成四絕句，曾發表於
　　　　　《人生雜誌》。
　　（二）〈沙田偶詠十首〉民國五十三至五十五年（1964-1966），編者按：民國五十
　　　　　三年至五十五年，先生多病心煩，偶以詩遣懷，留此十首。
　　（三）〈難民潮來港有感二首〉民國五十五年（1966）。

　五、對聯：歷年春聯輯存，參見：錢穆《素書樓餘瀋》，《錢賓四先生全集》（53），臺
　　　　北：聯經出版公司，一九九七年十二月。

　六、銘文：一九五六年一月九龍農圃道新校舍奠基銘文：「四五孟春旬又七，新亞奠
　　　　基埋置此。後有發者考往跡，所南心史等例觀。」[24]

八　錢穆先生居港年表

年	年歲	生平大事
1949	55歲	4月1日，先到上海，然後去廣州，任教於華僑大學。 10月，在香港創辦亞洲文商學院（夜校），任院長。
1950	56歲	新亞書院成立，錢穆任常務董事、院長。 冬，赴臺北為新亞籌措經費。在臺灣為師範學院四次講授「文化學大義」；為國防部總政治部連續七次演講，題為「中國歷史精神」。
1951	57歲	赴臺北，在總統府戰略顧問委員會做連續五次演講，題為「中國歷代政治得失」。 著作《莊子纂箋》在香港出版。
1952	58歲	4月16日，在淡江文理學院驚聲堂演講時受傷，住醫院治療。
1953	59歲	美國雅禮協會等單位與新亞建立合作關係，提供經濟協助，但不過問校政。新亞研究所成立，任所長。

---

24 葉龍：《錢穆講學粹語錄》香港：商務印書館，2013年6月，頁155。

年	年歲	生平大事
1954	60歲	暑假中應蔣經國之邀赴臺訪問，在「救國團」四次講演「中國思想通俗講話」。
1955	61歲	5月，人生雜誌社為錢穆彙印《人生十論》。 港督葛量洪爵士在香港大學畢業典禮上，頒贈名譽法學博士學位予錢穆。 9月，新亞研究所正式成立，錢穆兼任所長。 10月，訪問日本，在京都大學、東京大學演講。
1956	62歲	1月30日，與胡美琦女士於九龍亞皆老街更生俱樂部舉行婚禮。暑期後，新亞書院在九龍農圃道校舍落成，為自有校舍之始。
1957	63歲	新亞書院增設藝術專修科。先生續任院長。 著作《秦漢史》、《莊老通辨》在香港出版。
1958	64歲	9月，在臺北講授「民族與文化」。 著作《兩漢經學今古文平議》等書在香港出版。 先生續任教新亞書院，並負責院務和所務。
1959	65歲	夏，來臺灣，讀蔣介石著《科學的學庸》。 先生應國防研究院邀請，來臺講授《民族與文化》課程。
1960	66歲	到美國耶魯大學任訪問教授，6月13日，獲耶魯大學名譽人文博士學位。 在美期間，參觀哈佛大學、史丹福大學，在芝加哥大學、哥倫比亞大學演講。著作《湖上閒思錄》、《民族與文化》分別在香港、臺北出版。
1961	67歲	著作《中國歷史研究法》在香港出版。 先生於本年仍任新亞書院院長職。
1962	68歲	12月，岳丈胡家鳳病逝臺北，年七十七歲。錢穆後為其撰寫「墓碑記」。 著作《史記地名考》在香港出版。 先生在本年仍任新亞書院院長職。7月，富爾敦至香港，討論新建中文大學事宜，先生認為當逕取已用之英文名直譯為中文大學，同時堅持校長須由中國人出任。
1963	69歲	香港中文大學成立。錢穆辭職。 著作《中國文學講演集》、《論語新解》在香港出版。
1964	70歲	7月，錢穆辭任新亞書院院長獲準。董事會允休假一年。 開始撰寫《朱子新學案》。此時已患青光眼。
1965	71歲	先生本年正式卸任新亞書院院長，旅居香港之辦學生涯遂告終結。 南洋大學商請先生擔任校長，先生卻之。 赴吉隆坡馬來亞大學講授「中國思想史」。

年	年歲	生平大事
1966	72歲	先生於本年二月，因不勝馬來亞之濕氣，胃病劇發，提前返港，住馬來亞共八月。 在吉隆坡歡度春節，撰春聯云：「晚學得新知，彙百川以歸海；忘年為述古，綜六藝以尊朱。」，二月返臺。 10月，任張其昀創辦的民間學術機構「中華學術院」哲士。
1967	73歲	5月，在香港中文大學新亞書院講「五四」運動。 錢穆、胡美琦於本年9月28日離港，來臺定居。[25]

九　結語

　　一九四九年，錢穆以春假旅行為名，與唐君毅應廣州華僑大學之聘，離無錫經上海前往廣州。適遇張其昀等，邀辦新亞文商學院。後議成，任院長。旋另創新亞書院，仍任院長。此後常往返香港與臺灣，作學術講演。（張豈之主編〈錢穆學案〉，《民國學案》第二卷，湖南教育出版社，2005年8月。）

　　為新亞書院籌謀擘畫十多年，門生戴景賢（1951- ）說：「先生除校務、課業外，仍須四處奔走，以求紓解學校財務之窘迫。其始，則幸賴當時來臺主政之蔣氏私人協助，暫得維繫；繼則又喜有美國雅禮協會、亞洲協會與哈佛燕京社等組織之支持，新亞遂得逐步奠定規模。而新亞之研究所，亦獲如願成立。先生為此盡心者，凡十餘年。而新亞之校譽，亦在先生與同仁之共同努力下，蒸蒸日上。」[26]

　　本文於錢穆先生來港後日常生活之方方面面，稍作歸納。可知先生衣食住行之簡樸無華，而於讀書著述、教學研究諸端之成績，尤見突出。

　　錢穆先生居港十多年，對於他來說，有三件事最為難忘，先生說：「群傳余在短短數年內，一得雅禮（協會）哈佛（燕京學社）協款，一得港大學位（名譽博士），一新婚，三大喜慶，接踵而至，為當時大批避難來港人士中所未有。」（《八十憶雙親師友雜憶合刊》頁285。）

　　香港、臺灣學術環境孰優孰劣，錢穆曾經作過比較：〈致蕭政之書〉（1964年7月31日）：「至於在臺久居，在穆豈無此心，然臺灣學術界情形，吾　弟寧豈不知？門戶深固，投身匪易，而輓近風氣尤堪痛心，穆縱遠避，而謾罵輕譏之辭尚時時流布，穆惟有

---

25 可參考：印永清：《百年家族──錢穆：百年來中國史學界第一人》臺北：立緒文化出版公司，2002年10月，頁424-426。韓復智：《錢穆先生學術年譜》第五冊，臺北：五南圖書公司，國立編譯館出版，2005年1月。李木妙編撰〈國史大師錢穆教授生平及其著述〉香港：新亞研究所，1994年8月，頁26-45。

26 戴景賢：《錢賓四先生與現代中國學術》香港：中文大學出版社，2014年，頁392。

置之不問不聞而止。若果來臺，豈能長此裝聾作啞，然試問又將如何作對付乎！誰為為之，孰令致之？香港雖是殖民地，雖稱為文化沙漠，然使穆難堪之處亦尚不多。」錢穆先生對香港之深情，隱約形諸筆墨。

香港蕞爾小島，既是錢穆先生創辦書院之地，也是他和胡美琦結緣之地，在錢穆內心之深處，相信其對香港之感情，亦非三言數語足以概之。

錢胡美琦女士曾經說過：「回想到錢先生生前，曾對我講到他當年在香港創辦新亞書院的辛酸。他說：『他既不會講英語，又不會講廣東話，也沒有一個在香港當地的朋友，並且又真是「手空空，無一物。」當時全憑《中庸》書中的一個「誠」字，來努力解決一切問題，克服重重困難。不論是對外國人、對中國人、對同事朋友、對學生，全憑這一「誠」字，而終於創辦了新亞書院。所以當年他把新亞的校訓定為「誠明」二字，「誠」以待人，「明」以律己。」」（〈錢胡美琦女士致辭〉，國立臺灣大學中國文學系編印《紀念錢穆先生逝世十週年國際學術研討會論文集》，2001年。）

欲教育青年思考人生大義、文化價值、教育宗趣，喜讀文史著作，又上溯宋明書院講學精神，錢穆先生創辦了新亞書院。其目的就是希望國民對本國之學術思想、歷史文化，有一更確切之認識和了解。惟當筆者翻檢文獻、爬疏資料時發現，錢穆先生投稿《人生》、《民主評論》，《大成》，以至香港、臺灣某些期刊、學報或雜誌，其撰著之對象，又何止於新亞書院之莘莘學子？其撰著所寄，目的唯教育國民，推廣學術文化。吾人繼而可知錢先生平居涉獵廣泛，廣涉四部，思想活躍而澎湃，宛如一「歷史文化巨人」。[27]

錢穆《師友雜憶》結語：「余稿止此乃為民國七十一年之雙十國慶，余年八十八，是為余隻身避居香港以來之第三十四年，亦為余定居臺北之第十六年，回首前塵豈勝悵惘。」此語亦為先生身不在港，但心仍在港之明證。

文末，茲引錄錢穆先生一言作結。「先生在《宋明理學概述》自序中說：『數十年孤陋窮餓，於古今學術略有所窺，其得力最深者莫如宋明儒。雖居鄉僻，未嘗敢一日廢學，雖經亂離困阨，未嘗敢一日頹其志，雖或名利當前，未嘗敢動其心，雖或毀譽橫生，未嘗敢餒其氣。雖其學不足以自立，未嘗或忘先儒之榘矱，時切其嚮慕。雖垂老無以自靖獻，未嘗不於國家民族世道人心以匹夫之有其責。』我們必須從先生博大精深的學問背後，透視到他所講的道德精神，才能對他的精神意氣與人格風範有所了解，因而對他的學問，才有較真切的了解。」[28]三復唐端正斯言，吾人對錢穆先生之情懷、志業和精神，容或得到不同程度之啟發。

---

27 引自孫國棟：〈哲人其萎——悼錢師賓四〉，《明報月刊》，1990年10月號，頁56。

28 唐端正：〈中華民族不亡，先生精神不死：敬悼錢師賓四〉，《法言》，第2卷第5期，1990年10月號，頁6-8。

熊十力翕闢成變的本體論初探

鄭祖基

澳門大學教育學院

　　本文旨在闡述在熊十力本體論的架構中，翕闢成變乃本體開顯為大用流行的最重要概念。他以本體全顯為大用，所以於大用之外是無所謂本體的。本體之所以顯為大用不是由於有任何外於本體的力量在推動，而是本體自身的性質使然，故熊氏亦稱本體為恆轉，[1] 他認為變化的根源就是本體自身，但「如何才成功這個變呢？」就是說，究竟變化是通過什麼方式實現的呢？對於此問題，熊氏提出其「翕闢成變」的理論回應之。

　　首先，熊氏以本體是含複雜性的。所謂複雜性，就是精神與物質兩種性質。他把此兩種性質假名為翕闢。他說：

> 恆轉現為動的勢用，是一翕一闢，並不是單純的。翕的勢用，是凝聚的，是有成為形質的趨勢的。即依翕故，假說為物，亦云物行。闢的勢用，是剛健的，是運行於翕之中，而能轉翕從己的。即依闢故，假說為心，亦云心行。[2]

其實翕闢這兩個概念古已有之。翕的原意是收斂或和諧的意思，而闢是開闢的意思。其後，在《易傳》與《老子》兩書中亦先後把這兩個概念作哲學的運用。如《易傳‧繫辭》中曰：

> 夫坤，其靜也翕，其動也闢，是以廣生焉。

又曰：

> 是故闔戶謂之神，闢戶謂之乾，一闔一闢謂之變。

在《老子》第三十六章亦提及：

> 將欲歙之，必固張之。

第十章曰：

> 天門開闔，能無雌乎？

1　熊十力：〈轉變章〉，《新唯識論》臺北：廣文書局，1970年，頁56。

2　同上註，頁60。

《老子》書中雖無翕闢兩字，但亦表現出相反相成變化的思想。直到宋明理學之世，翕闢概念更發展成為一種哲學本體論和宇宙論的範疇，尤其王船山在《周易外傳》中對翕闢的論述，在在都對熊氏的翕闢變化觀念有很大的啟示。[3]

基本上，熊氏以翕闢為本體化成大用流行的兩種勢用。此兩種勢用絕不意味著是兩個實體，而是兩種統一於本體裡的性質；當本體發用全顯為大化流行時，此兩種性質亦同樣開顯出來。換言之，翕闢同是本體的顯現，兩者的顯現亦沒有先後次序之分，意即它們是同時呈現的。

當本體顯現為萬殊之功用時，翕勢便現起，由於翕勢是有收攝凝聚之性質，以致翕便有成為形質的趨勢，此形質可假名為物。當翕勢起時，闢勢亦同時與其俱起，闢勢是具清淨、剛健和升進的性質，可假名為心。闢勢能運行於翕勢中，而自為主宰。他解釋說：

> 故翕闢恆轉，無有一先一後之次第也。翕即凝斂而成物，故於翕，直名為物。闢恆開發，而不失其本體之健，故於闢，直名為心。夫心，辨物而不蔽，通物而無礙，宰物而其功不息，正是健以開發之勢，故名心即闢也。心物同體，無先後可分。[4]

熊氏認為闢要導引翕入正軌，翕要順從闢的引領，才是此兩勢發展的理想境地。因為心的呈顯必要藉著物為資具才能朗現，而物要能反映心的大用才是它的最大價值。可惜當翕勢凝聚為物時，它便有可能不守自性，把心的力用遮蔽，使之成為一個純物質而沒有心靈精神的世界，亦即是一個物化的世界。這世界是不合大用流行之原旨的，因為翕勢必需要有闢勢的導領才能完全。他說：

> 因為本體流行不能不有所翕。而翕則不守自性，誠以翕便成物，故是本體不守自性也。易言之，即自為矛盾也。然而與翕同時，有一種剛健與升進的勢用，運乎翕之中、包乎翕之外、無定在而無所不在，是能使翕，和同順化，而消其滯礙者，這個勢用，名之為闢。[5]

所以，本體的變化是以翕闢兩種勢用的交互運作才能成功，而此交互運作是以「相反相成」為其最大的原則。熊氏指出：

> 恆轉動而成翕。才有翕，便有闢。唯其有對，所以成變。恆轉是一，其顯為翕也，幾於不守自性，此便是二，所謂一生二是也。然而恆轉畢竟常如其性，決不

3　景海峰：《熊十力》臺北：東大圖書公司，1991年，頁197-199。

4　熊十力：《體用論》臺北：學生書局，1987年，頁20-21。

5　熊十力：〈成物〉，《新唯識論》臺北：廣文書局，1970年，頁38。

會物化，故翕勢方起，即有闢勢同時俱起，此闢便是三，所謂二生三是也。上來
已說變化祇是率循相反相成的一大法則，於此已可見。[6]

從上可見，熊氏已清楚說明「相反相成」就是本體自身變化的最大法則，此法則是內具
於本體裡的。可見熊氏不以本體是單純性的，因本體若只是單純性，便不能有變，這
樣，「相反相成」的法則也就不需設定了。

　　在翕闢兩勢中，熊氏以闢勢為主，翕勢為從。但所謂「翕為從」絕不意味翕勢是具
負面價值，因為若翕勢具負面價值，則本體亦同樣具此負面價值，此處與熊氏一貫主張
本體所具的清淨性質並不相同。他說：

> 說闢具向上性，不失吾意；說翕是向下，卻於理有未盡。當知翕只是攝聚的勢
> 用，而不定向下。但從翕勢的跡象言，頗似向下，物則有沉墜之勢故；然翕畢竟
> 從闢，即與闢俱向上，非可妄計翕闢恆以一上一下相反對也。……翕雖成物，亦
> 無固定的物。世所見為質礙物，是乃翕勢之跡象，所謂化跡是也。[7]

事實上，翕闢的功用在於成就本體的變化，因無對立便沒有變化，而本體之顯為大用亦
要藉此兩勢才可完成。問題在於翕勢於大化流行時，會出現一沉墜成物之可能，使其化
跡之象被人執為有質礙之物，更且被習心染執為有實自體的物，遂遮蔽了本體大用流行
的跡象。換句話說，習心把本是翕勢化跡的相狀，妄執為不變和不動的實有，而不能於
此跡象中透視本體是流行於其中，這便造成「本體的遺忘」。他說：

> 新論依本體流行，假說翕闢；復依翕闢，假名心物。隨俗論，則不壞世間相，心
> 物皆許有故；入真諦，則於世間相，而蕩然離相，乃見一切皆真。[8]

可見熊氏為了成就現象世界，是沒有否定物的價值。雖然翕勢化跡為物時有「沉墜」之
勢，但這不是熊氏所要排斥的，因若沒有此沉墜之勢，則成物的跡象便沒有了；所以吾
人要是「如實的」看待物或現象世界，便能於其中看見本體的大用流行。這樣說來，現
象世界的施設是無可厚非的，吾人只要能不把物「物化」以遮蔽本體便可以了。

　　熊氏的「翕闢成變說」清楚地把本體生生不息、化化無盡的流變本質，以其相反相
成的法則辯證地歸納出來，指出變化就是本體的本質，離開本體沒有變化，離開變化亦
沒有本體，翕闢成變的永恆過程就是本體自身豐盛的流溢過程，本體就是大用的本體，
大用就是本體的大用。

　　跟著，我們進一步詳細討論熊氏對「變」的看法。究竟在熊氏眼中「變」意味著什

6　熊十力：《體用論》臺北：學生書局，1987年，頁16。

7　同上註，頁17-19。

8　熊十力：〈附錄〉，《新唯識論》臺北：廣文書局，1970年，頁66。

麼呢？總括來說，他把「變」分為三個意思來看。第一：

> 變者，非動義。[9]

熊氏認為當吾人談本體的變化時，必要先去除在意識中由日常生活世界所構造出來的概念。這些概念以為「變」就是意謂著物由一狀態轉化為另一狀態的過程，而此過程是在時空的形式下進行。依熊氏之見，這些狀態不是「變」，而只是「動」，因為「變」是沒有時空性的，吾人必要向「無物之先去理會他」。[10]就是說，吾人不能由現象世界中物的變動而聯想本體的變化也是如此，因現象世界裡物的變動是經過人的意識構作而成，透過這種認識是無法體認本體之變化。他說：

> 只是見為有物移轉，只是俗所謂動，而實不當謂之變。縱許他們的說法，不是全無科學上的根據，但是科學卻不能直接體認流行無住的變，而只是抓住著那無住的變所詐現之跡象，當作存在的東西來理解他。[11]

所以吾人若以現象世界存在物的變動來理解本體的變化是錯誤的。

　　第二：變者，活義。

　　所謂「活」有六點意思：一、無作者義──就是說本體的變化是自身的本質使然，並沒有另一力量或創造者在本體之外推動其變化；二、幻有義──變化的勢用本身是沒有實自體的。變勢是本體的大用流行，本體是藉翕闢兩勢化為大用的，所以吾人不能誤以變化的勢用自身為實有，變勢是以本體為其根基的；三、真實義──本體的本質就是變，所以變是永恆不息、至真至實的；四、圓滿義──萬變皆是本體的呈現，吾人能於每個意念間體認渾全的本體；五、交遍義──本體全顯為大用，所以整個宇宙都是有機的交織在一起和互不相礙，本體與現象是多不礙一，一不礙多的；六、無盡義──本體的流行是生生不息和無有竭盡的。[12]

　　從上述，熊氏以「活」釋「變」義，從不同的側面來描述本體變化的意思。綜合而言，本體全化為大用，大用的自身就是本體，所以本體與大用的關係絕不是創造者與被造物的關係（即一）。吾人亦不能執取現象世界的詐現跡象為有實自體（即二），因為只有本體才是實自體，才是至真至實的（即三）。吾人要能打破對現象世界的染執，便可於每一現象中體證本體（即四、五）。本體是恆久不息地化為大用的（即六）。

9　同上註，〈轉變章〉，頁84。

10　同註8，頁85。

11　同註8，頁85。

12　同註8，頁85。

第三：不可思議義。

在熊氏眼中終極來說，本體的變化是超越了一切名言概念和理智思維之描述，因為這些言說和思議基本上只能應用於現象的相對世界，若以這些概念來描繪本體絕對的變是不能奏效的。他表示：

> 至於變的實際，並非思議可以與之相應。尤復須知，我們研窮道理，到極至的地方，是絕無道理可說的。可是，我們的量智作用，一向熏習於實用方面而發展出來。恆是持著向外找東西、或種種構畫的態度，他總是不安於無道理可說，卻要從多方面來尋找道理，思議就是如此的詭怪。[13]

熊氏確認唯有透過實踐與體驗之路才能透悉本體的變化，單用理智思辯是不能「真知道」本體之大用的。

最後，我們探討熊氏的「剎那生滅」理論。他以為單從翕闢來解釋變化的內容是不夠的，必須再從剎那生滅的角度來研探，才算深於知變。

熊氏認為變化是方生方滅、方滅方生的，一切都是才起即滅、才滅即起的。舊的勢用不會保存著，新的勢用亦不能暫住一刻；滅時即是生時，生時即是滅時，生滅之間是沒有任何間隔或連續性。對這種生滅的變化狀態，他以「剎那」形容之，並強調「剎那」不是意謂著一種極短暫的時間，因為無論時間是多麼短暫和快速，由過去到現在，其間必存有間隔，如此便不符合方生方滅之旨。生滅之間若有任何間隙，則生滅便不能在同一剎那完成，所以他不從時間義上來說剎那，而是從心中的「一閃念」來形容之，他指出：

> 我們若依世俗時間的觀念來說剎那，那麼，由前一剎那到後一剎那，中間總是有間隔的。如此而談剎那，便成了一套呆板的架格，更有什麼法子可以窺見變化呢？……即以自心一念才起，說為剎那。[14]

熊氏以吾人心中念頭的隨生即滅來比喻本體的變化，這也象徵著本體的變化只能透過吾人本心的體會才能知道。吾人必要超越現象經驗世界中一切對物之變動的聯想，才能契入本體變化的真義，因為經驗世界的變動都是以「物質」為背景所形成的。依熊氏之見，經驗世界的變動只是「動」，而不是本體的「變」，世上一切的事物終極地說只是大用流行的詐現跡象而已。他說：

> 一切物才生即滅。剎那剎那，故故滅盡，說一切物無有常；剎那剎那，新新突

13　同註8，頁86。
14　同註8，頁71。

起，說一切物無有斷。一剎那頃，大地平沈；即此剎那，山河盡異。這並不是希奇事。[15]

　　跟著，熊氏再從生滅的角度來論證其「剎那生滅論」。他先批評世人皆以為事物生後必要經一段時間才滅，致誤以生滅之間必有間隔；並慨嘆世人不從大化流行的跡象上著眼去透悉本體，卻相反地把這些跡象染執為有實自體的物，以致只從物質變動的觀念來看生滅，把生滅分為兩截，不悟生時即是滅時的變化道理。

　　其次，他認為事物若非才生即滅，則宇宙萬象便是常住不變的；但現象世界根本沒有常住不變的東西，所以事物應是剎那生滅的。

　　再者，熊氏亦解釋到關於前一剎那滅之物與後一剎那生之物在形狀上「極相似」的原因。對於問難者所提出：若事物是剎那生滅，則前一剎那之物不一定會「極相似」於後一剎那生之物，但為何在現象世界中一物在一定的時間內是極其相似呢？[16]對此，熊氏認為這是由於「相似隨轉」的作用使然，基於前一剎那之物雖亦剎那即滅，但其仍似有某種幻跡餘下，在後剎那生之物現起時，此餘下的幻跡仍在。他解釋說：

> 尅約一剎言，恍惚不可捉，通多剎言。前剎才滅，若有跡象，似未全消。（跡象者，譬如音樂才止，尚有餘音繞樑。若有之言，顯不可執為實物故；似未之言，顯非消滅，但幻跡耳。）後剎新生，與前俱有。（後剎那生時，值前跡象未即滅時，是俱有也。[17]

所以在吾人的感官中難於察覺萬象的剎那生滅間是沒有間際的，遂誤以為物或多或少可有暫時不變的一刻；這就正如吾人身體的新陳代謝作用一般，雖是刻刻在變，但自己卻不一定知曉。

　　此外，他也認為事物若有定形，則便會成為一成不變的東西，但事實上事物都在變化當中，因此事物皆是無有定形的。他舉出乳酪為喻，來反對一些人所提出若沒有其他原因來刺激乳，則乳便能任持其定形而不變的說法。誠如他一向所主張，乳的自身是剎那生、剎那滅，沒有絲毫暫住的片刻，所以縱使沒有其他原因來刺激，乳的自身也在變易中，其他的原因只能促使乳變成另一的狀態。就是說，乳自身的剎那生滅才是其變化的主因，其他的原因只是一種助緣，使其由一狀態變成另一特定的狀態；若不是乳自身的剎那變化，則縱有助緣也不能使它發生變化，所以其他助緣之可以促成變化，是基於剎那生滅的自然變化為基礎才能成功的。他說：

15　同註8，頁80。

16　同註8，頁70-74。

17　同註8，〈成物章〉，頁19。

易言之，即剎那剎那變易，根本沒有定形可任持，根本不是一成不變的。所以，
此乳遇著異緣，便可轉為另一狀態，即是可以成酪的。[18]

最後，熊氏認為頓變是漸變的基礎，因為萬象皆是剎那生滅、無有暫住的，這都是
以頓變的形式來進行，至於漸變只是基於事物剎那生滅之餘勢積漸而有。換言之，漸變
是由無數剎那的頓變聚積而成的跡象而生，此跡象呈現於吾人的感官中，可惜吾人卻常
把這些跡象執為不變的實有，誤以為物的漸變才是頓變的基礎。他說：

因為前剎那的物，才起即滅，後剎那的物，緊接著前滅的物而續起，必較為增進
些。譬如河流，前流之滅，後流續前而起者益見浩大。……由此，應知所謂一切
物的漸變，確是基於剎那剎那的頓變，而後形見出來的。[19]

於此，我們可說熊氏所謂萬象的剎那生滅是沒有間際的。吾人不要被感官的印象所
誤導，以為漸變才是事物變化的基礎。

平情而論，若單從邏輯的角度來看，熊氏對於生滅的一些論證，其說服力似不大。
例如當他論證凡物之滅是不待因時，他只以在大化流行中一切物的自身是剎那生滅的，
所以不待因來解答；但是問難者正是認為生滅之間是有間隔的，且物也不是剎那生滅
的，若未遇壞因，則物是可暫住的觀點來駁難熊氏。熊氏在此應該對物之滅是不待有壞
因而滅和對物是剎那生滅的道理提出證明，可惜他卻只以人家懷疑而尚待證實的命題為
其答覆問難者的答案。就是說，人家正是不同意大化流行的萬象是剎那生滅的，此「大
化流行的萬象是剎那生滅的」就是要待證實的命題，但熊氏卻以此未證實的命題，作為
答案來解答人家的問難，[20]所以筆者認為熊氏是犯了「乞題謬誤」（Begging the
question）。也許嚴格的邏輯論證部分，可能要到《量論》一書的出版才能一窺全豹矣。

總括而言，一元本體含涵複雜性，由於其複雜性才有變化的契機，此變化是在翕闢
兩勢相互摩蕩下發展。它們的變化不是採取二元對立的狀態，而是以相反相成為其法
則。所謂相反乃指闢勢恆是剛健向上，但翕勢則是有可能凝聚向下的物化趨勢，因此翕
闢兩勢在這種成形物化的可能上是相反的。不過，縱使翕勢真的下墜物化，闢勢亦不致
被其全遮蔽，因為闢勢始終是通貫於翕勢之內，亦運行於翕勢之中。闢勢定必能轉翕從
己，使向下的翕勢轉為向上，此時在闢勢的主導下，翕勢順承著闢勢的作用，相反相成
地邁向大化宇宙的升進歷程。

翕闢兩勢雖有某種主從關係，但這主從關係絕不是一種「相仇」的關係，卻是兩勢
各安其位的配合，沒有一勢用可不需另一勢用的支持；心不能沒有物作為其呈現的場

18　同註8，〈轉變章〉，頁77。

19　同註8，頁79。

20　同註8，頁70-74。

所，物亦不能沒有心作為其導引的原則。所以筆者反對某些學者以為闢勢必要絕對壓倒
翕勢、兩勢不能互相依持的論調，如學者宋志明所說：

> 在翕闢說中，闢始終處於矛盾的主導方面，翕始終處於矛盾的從屬方面。蓋翕的
> 方面，唯主受；闢的方面，唯主施。矛盾雙方的地位不是互通轉化的，而是一方
> 絕對壓倒另一方。[21]

實在翕闢兩勢是源於本體的，所以它們絕不會彼此相仇，這是一個永恆不息的生化再生
化的歷程，歷程的本身就是本體自己的彰顯。換言之，翕闢展現了本體大化流行的本質，
沒有翕闢就沒有變化，以致若謂一方必要絕對壓倒另一方，則變化亦會隨之斷滅，可見
吾人不能把翕闢的「相反相成」原則誤解為「相仇相對」的原則。我們也不宜把它們割
裂開來成上下南北的兩極來看，實則本體唯在翕闢兩勢的相互摩盪下，才能顯現自己。

21　宋志明：《現代新儒家研究》北京：人民大學出版社，1991年，頁179。

紐約客與臺北人

──論白先勇「紐約客」小說系列的「臺北人」家族敘事

尤作勇

貴州師範學院文學院

一

　　〈香港──一九六〇〉在白先勇的「紐約客」小說系列中無疑是一篇顯得另類的作品。與「紐約客」小說系列的其它作品在題材上對於海外華人生活的集體式書寫不同，〈香港──一九六〇〉選取了香港作為小說故事的發生之地，小說女主人公余麗卿昔日師長夫人的身份也迥異於「紐約客」中的其它人物形象，卻與小說家所塑造的「臺北人」群像血脈相連。

　　在《臺北人》系列小說中，白先勇寫了一群流落到臺灣的大陸人的故事，〈香港──一九六〇〉則可稱為這些故事的「香港版」。《臺北人》雖以「臺北人」命名，小說中的「臺北」卻在小說家的敘述中消隱了幾乎所有的地域特徵，這自然源於小說家在《臺北人》中著力敘寫的不過是一種超越時空的生命意識，一種流貫於中國千年文學史的存在感歎，大陸與臺北、昔日與現在之間的落差所造成的勢能構成了《臺北人》進行文本敘述的最大動力，所以《臺北人》既無法給人們提供大陸經驗，也無法給人們提供臺北經驗，而《臺北人》中的「臺北」也最終只能淪為一個空洞的符號性存在。〈香港──一九六〇〉則是書寫的另外一種類型的故事，雖然曾經貴為師長夫人，余麗卿所注重的卻是活在現在的感覺，而不是像《臺北人》中的「臺北人」那樣活在對於昔日榮光的追憶之中：「你是說明天？可是妹子，你們這些教書的人總是要講將來。但是我可沒有為明天打算，我沒有將來，我甚至於沒有去想下一分鐘。明天──太遠了，我累得很，我想不了那麼些。……明天─明天─明天。我只有眼前這一刻，我只有這一刻，這一刻，懂嗎？」[1]《臺北人》中的「臺北人」因為拒絕「臺北人」的身份限定而漠視了「臺北」作為一個現代都市的存在身份，淪落香港的余麗卿卻以對於香港的生命自覺投放徵顯了香港的所有都市特徵，余麗卿與香港之間表現出的是一種近乎生死與共的關

---

[1] 白先勇：《寂寞的十七歲》廣州：花城出版社，2000年，頁228。

聯，小說開頭所展現的正是一個在大旱面前慢慢枯萎的香港形象：「三十年來，首次大旱，報紙登說，山頂蓄水池降低至五億加侖。三個月沒有半滴雨水，天天毒辣的日頭，天天乾燥的海風，吹得人的嘴唇都乾裂了。」[2]「嗯，香港快要乾掉了。天藍得那麼好看，到處都是滿盈盈的大海，清冽得像屈臣氏的檸檬汽水，直冒泡兒。可是香港卻在碧綠的太平洋中慢慢地枯萎下去。」[3]這是典型的末世意象書寫。《臺北人》同樣也是寫一個時代的沒落，是以一代人對繁華舊夢追憶的方式展現的，以一場近乎毀滅性的罕見大旱的末世意象開場的〈香港——一九六〇〉卻在其整體的文本敘述中呈現了一個淫蕩墮落病態曖昧的末世香港形象：「她生過麻瘋，他們說。她已經梅毒攻心了，他們說。她是中、西、葡、英的混雜種。她是灣仔五塊錢一夜的鹹水妹。」[4]「香港女人，香港女人！有一天，香港女人都快變成賣淫婦了。兩百塊的，廿塊的，五塊錢一夜的。大使旅館的應招女郎，六國酒店的婊子，灣仔碼頭邊的鹹水妹。」[5]毀滅性的災難意象與集體墮落的俗世景象都顯露出了與《聖經》之間所具有的血脈關聯，也恰與《臺北人》中國古典文學式的書寫方式和主題意旨形成了鮮明的對照。

具有相同身世的人物卻因為流落地點的不同而在其後半生展現出了截然相反的價值取向與生存之道，白先勇《臺北人》與〈香港——一九六〇〉的「雙城記」無疑為我們呈現了一種極具意味的敘述現象。如果以經典的現實主義批評方法去讀解，問題或許會顯得十分簡單，我們可以說，小說中的人物深刻地受制於其所處的環境，因為六〇年代的臺北與香港極為不同，所以在前半生具有相同身世的人在分別流落到了臺北與香港以後而使得其後半生具有了截然不同的價值取向與生存之道。只是問題在於，不管是《臺北人》還是〈香港——一九六〇〉都可以說與經典的現實主義創作方法毫無無涉，《臺北人》是以西方現代的敘述之道參悟中國古典的文學主題，作為小說故事發生地點的「臺北」在其文本敘述中更是幾乎隱藏了其全部的個性印記，〈香港——一九六〇〉則是以《聖經》的意象模式喻寫現代都市的生存境況，作為小說故事發生地點的「香港」也只是被當作了末世景觀的一個喻象，我們在兩者中都根本無法讀出地域環境對人物的影響與改變。這種現實主義的讀解方式也在最大程度上破壞了我們在對兩篇小說進行佐讀時能夠有新的意義發現的可能性。

其實，小說家對於這兩類作品截然不同的敘述之道根源於其對於「臺北」與「香港」這兩座城市截然不同的想像方式。「臺北」是國民黨政府兵敗大陸後的殘喘苟延之地，因此在深具「民國」情結的小說家眼中也就成了意義渙散之地，《臺北人》中的那些「臺北人」們自然在「臺北」找不到生存依託與生命快樂，只有依靠追憶自己在大陸

2　白先勇：《寂寞的十七歲》，頁224-225。

3　白先勇：《寂寞的十七歲》，頁225。

4　白先勇：《寂寞的十七歲》，頁227。

5　白先勇：《寂寞的十七歲》，頁227。

的美好時光打發自己的後半生歲月，這樣的「臺北」想像也使得「臺北」在《臺北人》的文本敘述中被有意地符號化了，僅僅成為了一個空洞空間。「香港」卻因為它的「半殖民」身份而使得它在小說家的想像中成功地掙脫了政治束縛，成為了一個純粹的現代都市。現代都市生存的一個重要維度就是時間感的消失，余麗卿拒絕追憶過去和規畫未來，只注重現在這一刻的生存之道正是對此的忠實踐履。而小說家對香港的生存景觀所採取的末世喻寫方式無疑亦是秉承了西方現代文學的書寫傳統，西方現代文學最具代表性的作品如喬伊絲的《尤利西斯》、艾略特的《荒原》等都表現出了與基督教精神和《聖經》敘述傳統的深刻關聯。

二

　　「紐約客」系列小說中與〈香港——一九六〇〉一樣與《臺北人》之間存在著某種程度的關聯的是〈謫仙記〉與〈謫仙怨〉。如果說〈香港——一九六〇〉寫的是「臺北人」姊妹的故事，〈謫仙記〉與〈謫仙怨〉則是寫了「臺北人」女兒的故事，這三篇小說一起構成了「紐約客」系列中的「臺北人」家族敘述。

　　〈謫仙記〉在一九八九年曾被大陸導演謝晉改編成電影《最後的貴族》上演，這也是「紐約客」系列中唯一一篇被改編成電影的作品。與「紐約客」中的其它作品相比，〈謫仙記〉展現了遠為豐富的敘述質素與戲劇情節，一個重要的表現就是，「紐約客」的其它作品都一律採取了「轉捩點」式的敘述方式，文本敘述的現在時間都被控制在了一天或者幾個小時之內，並且其中的絕大部分作品都沒有講述一個成型的故事，〈謫仙記〉則是典型的「展開」式的敘述文本，也是「紐約客」系列中唯一採取了第一人稱敘述方式的作品。[6]小說的敘述者「我」的妻子黃慧芬是與主人公李彤一九四六年一同從上海赴美留學的好姐妹，李黃二人與另外兩位一同赴美的張嘉行與雷芷苓都出生在極顯赫的家庭，其中又以李彤家裡最有錢，她的父親官做得也最大。但就在她們赴美不久，國內戰事爆發，李彤一家人從上海逃難出來，乘太平輪到臺灣，輪船中途出了事，李彤父母遇難，家當也淹沒了。李彤的性格也從此發生了根本的變化，從一味地嬌縱刁蠻變得玩世不恭，直至在威尼斯自殺身亡。

　　這無疑仍然是一個充滿了文化隱喻色彩的故事，並且是一個只有在與「臺北人」故事的相互佐讀中才能夠將精彩完全呈現的故事。「臺北人」們在時代巨變中喪失了家園，但對於家園的美好記憶卻已經能夠足夠支撐他們的流落餘生，所以「臺北人」們在「臺北」活得雖然蕭瑟卻仍堪稱堅強。雖然「臺北人」的故事在相當大程度上仍然可以

6　參見〔荷〕米克‧巴爾著，譚君強譯：《敘述學——敘事理論導論》北京：中國社會科學出版社，
　　1995年，頁43-44。

說隱含了中國文化與「中華性」走向死亡的象徵層面，有人就從這樣的角度解讀過《臺北人》最具代表性的作品〈遊園驚夢〉，但由於《臺北人》的敘述格局是今昔對比，舊夢追憶，是一種身已退出心卻不服的錯位狀態，所以在更為準確的意義上，《臺北人》寫得不過是一種文化陣痛，是一群舊有文化秩序的堅守者在時代「轉型期」的不捨情懷，並最終定格為對於一種存在感受的表達，「臺北人」們雖然活得並不快樂但也不會選擇死亡其根本原因也正在於對於他們的故事講述並沒有最終指向「中華性」衰亡的象徵層面。承載了這樣的任務的是〈謫仙記〉。

　　在這篇小說開場，李彤便獲得了在這種象徵體系中的身份認定：「李彤說她們是『四強』——二次大戰後中美英俄同被列為『四強』。李彤自稱是中國，她說她的旗袍紅得最豔。」[7]家世最為顯赫、外貌氣質最為出眾、風頭也最勁的李彤爭搶並最終獲得的卻是國勢顯然與另外的三強國家都不在一個檔次的「中國」稱號，其中所蘊含的文化象徵意味已是顯而易見。這也可以解釋為什麼與《臺北人》之間存在著諸多淵源的〈謫仙記〉會被寫進講述海外華人生活的「紐約客」系列，其原因也正在於小說家意欲在他者化的敘述情景中凸顯「中華性」與中國文化的衰亡事件。小說開始對於以「中國」自命的李彤在美國在讀學校的風光無限極盡薰染之能事，無疑可以讀解為這樣一個消亡事件的序幕，因為只有一種曾經絢爛無比的事物的最終走向死亡才是最可哀痛，也往往是被認為最富含意義的。李彤父母的死亡事件是其中的轉折之點。這種血親斷裂對李彤造成了最為致命的打擊，也正隱喻了根基意義的喪失對「中華性」與中國文化所造成的致命傷害，並最終導致了其無可避免地走向了衰亡。失去雙親後的李彤由不可一世走向玩世不恭，不可一世的生存狀態來自於一種強大的意義支撐，玩世不恭亦恰好彰顯了這種意義資源的失去。小說對失去雙親後李彤的生活主要是從兩個方面進行敘述的，一是其在情感上的遊戲態度，二是其對於賭博的沉溺表現，這其實也是小說的文本敘述主體，這兩者也最好地詮釋了一種意義根基喪失的存在懸浮狀態。李彤最後終於因為無法承受失去意義根基的生命之輕而在威尼斯自殺身亡，小說也以此完成了對於「中華性」與中國文化走向衰亡的隱喻式書寫。

　　〈謫仙怨〉裡的黃鳳儀與「臺北人」之間的淵源關係無疑更加直接。〈謫仙記〉裡的李彤父母在從上海到臺灣的途中就遇難身亡，也最終失去了成為「臺北人」的機會。黃鳳儀則是地地道道的「臺北人」的女兒，並且出身官宦，是昔日尊貴的貴族小姐，只是後來父親去世才家道中落，在到美國後也是因為家境艱難才放棄了學業，在酒吧做起了全職吧女。這篇小說並沒有講述一個成型的故事，其文本在結構上有兩部分組成，第一部分是主人公寫給在臺灣的母親的一封長篇家書，佔了小說一多半的篇幅，其內容主要是回憶過往；第二部分是現在時態的文本敘述部分，其實只是對於主人公在酒吧的一

7　白先勇：《寂寞的十七歲》，頁257。

個單一的場景呈現。第一部分在邏輯上無疑只是第二部分的次生敘述層面，而事實上又是第一部分表現了更為曲折有致的敘述品格以及小說的內容主題，這也使得這篇小說在相當大程度上成為了一個顛倒的分層敘述文本，即第一部分構成了小說的主敘述，第二部分不過是後補的超敘述層面，僅僅充當了第一部分的敘述情景。

　　以家書的形式呈現的小說第一部分表現出了與《臺北人》最為直接的主題關聯，許多文字幾乎就是對於《臺北人》文本敘述的直接移植：「你不到舅媽家，又叫你到哪裡去呢？你從前在上海是過慣了了好日子的，我也知道，你對那段好日子，始終未能忘情。大概只有在舅媽家——她家的排場，她家的京戲和麻將，她家來往的那些人物——你才能夠暫時忘憂，回到從前的日子裡去。」[8] 如此《臺北人》化的內容主題由這樣一種家書的形式和直接向著「臺北人」傾訴的語氣敘述出來，使得〈謫仙怨〉在相當大程度上成為了一篇「紐約客」向「臺北人」致敬的作品。

三

　　身份問題一直是包括「紐約客」系列的大多作品在內的眾多海外華人小說的書寫主題之一，這些作品大都表現了小說人物在東西方文化的夾縫中身份失據的生存狀態與困境，幾乎成為海外華人文學最為顯赫的主題敘述模式。〈謫仙怨〉仍有關於身份問題的主題層面，卻顯示出了不盡相同的主題意旨。黃鳳儀在那封具有一種「紐約客」向「臺北人」致敬意味的家書中可謂極為清楚地表達了對於「臺北人」生存之道的體諒與尊重。「臺北人」以回憶過往來支撐現實的生存之道表現出一種對於身份的堅執，他們對於昔日叱詫疆場的民國英雄、風光無限的交際明星、養尊處優的貴族夫人的身份認定與固守也使得他們終其一生都沒有在內心裡取得「臺北人」的身份認同。黃鳳儀雖對這些父輩在大陸的繁華歲月親炙不多，表現出的卻同樣是一種深度迷戀：

　　　　有一天，幾個朋友載我到紐約近郊 Westchester 一個闊人住宅區去玩。我走過一幢花園別墅時，突然站住了腳。那是一幢很華麗的樓房，花園非常大，園裡有一個白鐵花棚，棚架上爬滿了葡萄……我一個人在棚子下面一張石凳上坐著，竟出了半天的神，直到那家的一頭大牧羊犬跑來喚我，才把我嚇了出來。當時我直納悶，為什麼那幢別墅竟那樣讓我著迷。回到家中，我才猛然想起，媽媽，你還記得我們上海霞飛路那幢法國房子，花園裡不也有一個葡萄藤的花棚嗎？你看，媽媽，連我對從前的日子，尚且會迷戀，又何況你呢？[9]

8　白先勇：《寂寞的十七歲》，頁278-279。

9　白先勇：《寂寞的十七歲》，頁279。

與自己的父輩一樣迷戀著過去的好日子的黃鳳儀，並沒有走上以回憶過往來支撐現實的生活道路，在相當大程度上，無疑正是因為她沒有留在臺北做一個「臺北人」，而是來到美國成了一個「紐約客」。對於做一個「臺北人」與做一個「紐約客」的最大不同，黃鳳儀體會頗深：「淹沒在這個成千萬人的大城中，我覺得得到了真正的自由：一種獨來獨往，無人理會的自由。……在紐約最大的好處，便是漸漸忘卻了自己的身份。」[10]欲以遺忘身份的方式來達到對於身份，問題的解決，〈謫仙怨〉的身份書寫也由此畫清了與其它海外華人小說的界限，並與《臺北人》的某些主題意旨取得了關聯。這裡所說的黃鳳儀在紐約才得以忘卻的主體身份無疑正是「臺北人」們在臺北一直留戀著的昔日在大陸的榮耀身份，是靠一段繁華歲月維繫的身份感覺。雖然作為「紐約客」的黃鳳儀與其父輩「臺北人」對於這種身份採取了截然不同的處理態度，但在根底上卻一起指向了對於昔日身份的固守與堅執。「臺北人」在追憶中重獲在現實中已經丟失的身份，比之於父輩，黃鳳儀顯示了更為清醒的人生態度，自己在內心所留戀的身份既然在現實中已經不可得，乾脆就不如盡力去遺忘，紐約作為一個對於大陸的繁華舊夢全然他者化的文化語境使得這樣的遺忘得以完美實現。小說家也以此實現了對於「臺北」與「紐約」不同的文化想像與敘述，在小說家的想像中，在地理上游離於中國大陸的「臺北」被視為了中國文化殘夢的寄存之地，所以「臺北人」才把夢想作現實，不把「臺北」作「臺北」，「紐約」卻被視為了一切新夢成長的地方，在小說最後漸漸遺忘了昔日身份的黃鳳儀就以「東方公主」的全新身份出現在了酒吧客人面前。

10　白先勇：《寂寞的十七歲》，頁280。

馬克‧吐溫的「訓練說」與靈性思維傾向

文育玲

武漢大學外語學院

一

作為十九世紀中後期美國文壇最富盛譽的小說家和美國文學史上影響力最為持久的一個作家，馬克‧吐溫（Mark Twain, 1835-1910）一生經歷了職業、地理位置和社會階層等方面的巨大跨越，同樣的跨越也見諸於他的認識觀和文學創作。吐溫既強調教育和環境決定人生，即所謂的「訓練說」，又相信「直覺說」和「天才論」以及神啟、預兆、報應和心靈感應等靈學思想。

吐溫的大多數作品都顯示他對孔德的實證主義哲學和休謨的經驗主義哲學的推崇，因此「訓練」（training）一詞頻頻出現在吐溫的作品中，如早期的《湯姆‧索耶歷險記》和後期的《亞瑟王朝廷上的美國佬》等。本著「訓練」造就人的觀點，吐溫相信只能經由不同情境的學習過程，人才能獲取知識，因此他筆下的人物大多是環境的產物：十九世紀聖彼得斯堡鎮的頑皮孩子湯姆起初痛恨成人世界的清規戒律，但幾次歷險便使他變得規矩懂事了；同樣，亞瑟王朝廷的美國佬漢克帶著反迷信和極權的理想，卻最終比魔法師梅林和國王有過之而無不及。

就小說而論，吐溫的「訓練觀」在《王子和乞丐》中得到了最深刻的表達。十六世紀的乞丐兒童湯姆與長相一致的王子出於好奇而互換衣裝，演繹出一曲環境造就人的歷史童話。湯姆在宮中當過一段時間的王子後就開始變得虛榮驕傲，而愛德華王子在遭受民間的磨難之後卻變得溫和仁慈。在作者看來，訓練即教育。

可以說，教育是該小說的主題之一。書中的兩個主人公愛德華王子和湯姆‧康泰都在各自的歷險中經受了教育，只不過他們的教育課堂一個是在社會的最底層，而另一個則在金字塔的頂部。通過各自奇特的教育經歷，他們的世界觀和行為方式都發生了重大的改變。

窮孩子湯姆的身份轉換是一個漸進的過程。最初，湯姆討厭宮廷荒唐瑣碎的禮儀和令人窒息的規矩。但是，在不到一個月的時間，湯姆已經喜歡並戀上了王宮的繁瑣和奢華，他的緊張和憂慮已經完全讓位於從容和自信。無論是當眾用膳還是接待外賓，他都表現得恰到好處。他以仁君的姿態免除了諾福克公爵的死刑，並以獨特的見解下令修改了殘酷的法律。在盛大的加冕禮巡遊中，湯姆儼然一個真正的國君，對歡呼的人群致

謝、祝福、給賞，使人們覺得觀禮臺上愛德華六世本人的塑像就活脫脫是他的血肉之軀的副本一般。

二十天時間的宮廷薰陶不僅改變了湯姆的生活習慣和日常愛好，更改變了他的情感和價值觀。在他剛進宮的日日夜夜，他會時常痛苦地掛念那位失蹤的王子，並且誠心地盼望他恢復原有的權利和榮華。但是，隨著光陰的流逝，失蹤的國王變成了一個不受歡迎的鬼影。同樣，湯姆一向愛戴的母親和姐姐也從他心裡漸漸淡出。他甚至擔心她們會有朝一日衣衫襤褸地跟他相認，把他從至尊的位置拉回到低賤的社會底層。在加冕禮巡遊中，他一方面希望垃圾大雜院的夥伴們能領略他的王者氣派，另一方面，他又擔心被他們認出來，從而暴露自己的真實身份。當他瞥見擠在人群中的母親時，他感到一陣極其令人厭惡的驚恐。的確，顯赫的地位和奢華的生活能使人忘卻並拋棄自己的真實身份。環境促使了窮孩子的墮落和腐化，甚至幾乎造就了一個六親不認的篡位者。

湯姆之所以能較順利地轉變身份，主要得益於四件法寶。第一是湯姆不僅和王子長相一致，他還碰巧習得了一些不屬於他那個階級的文化修養和聰明才智。他從安德魯神父那裡聽到很多有趣的宮廷故事和傳說，學得了一點拉丁文，還學會了讀和寫。閱讀豐富了他的思想，也使他的言談舉止變得文質彬彬。第二是湯姆碰巧在王子的房間裡找到的一本關於英國宮廷禮儀的書，從此他不會因為不懂規矩而窘迫不安。第三是赫特福勳爵的悉心指點和及時提醒使他遠離了他的貧窮本色。第四是從王子的挨鞭伴讀郎那裡，湯姆獲得了關於宮廷的人物和事態的許多有價值的資訊。湯姆日益增長的宮廷知識有助於鞏固他在王宮的地位，所以他在新的環境中越來越得心應手。在此，福柯的知識與權力結盟論似乎也有用武之地，雖然福柯的知識／權力體系中的權力並非指傳統的宏觀意義上的權力，即統治權，而是微觀意義上的權力，即非中心化的、生產性的、多元的、分散的關係存在。

二

從某種意義上說，倫敦橋標誌著愛德華王子旅行和教育的起點和終點。當他被暴民所逼第一次經過倫敦橋逃離那所城市時，他還是個傲慢的貴族：他以一副頤指氣使的皇家派頭，對他的救命恩人米爾思・亨頓發號施令；他咒罵那些取笑他的窮孩子為豬玀和奴隸；他還發誓要將冒名頂替者湯姆・康泰絞死並四裂肢解。經過一些磨難之後，王子才漸漸顯露出一些可愛而慷慨大方的精神。王子的教育過程最終在監獄裡告一段落。在兩個浸禮會女教徒的親切勸慰和感化下，愛德華才學會了一定程度的忍耐。當他親眼看見她們慘遭火刑時，他能夠強忍悲憤，而如果按照他的老習慣，他會情不自禁地對這些歹徒怒罵一通，說他是國王，並命令放走那兩個女人。正是因為親自領教了法律的嚴苛，耳聞目睹了百姓的痛苦，年輕的國王才意識到：「世界被弄反了，國王們應當時時

體驗他們自己的法律而學會仁政。[1]所以，當他再次跨過倫敦橋時，他的心中已經溢滿憐憫之泉。登上寶座後的年輕國王廣施仁政，糾正了一批冤假錯案，廢除了一些不合理的法律條文。同樣，正是因為曾經慘遭基督福利院孩子們的虐待，王子才下決心將原本只提供簡單衣食住行的流浪兒收容所改造成一所學校，在那裡，那些受惠者的心靈和精神，也要像他們的肉體一樣獲得撫養。

　　有學者設想，「如果不是因為愛德華天性善良，他在流浪過程中經受的虐待和嘲諷所產生的影響很可能會遠遠超過他對別人的同情和憐憫。」[2]這種猜測不無道理。心理學研究表明，一個飽受虐待和不公的人容易變得憤世嫉俗，甚至成為虐待狂。可以說，小王子的民間經歷不僅削弱了他貴族的狂傲之氣，同時也將他與生俱來的善良本性轉化成一種自覺的有意識的仁慈品格。

　　如前所述，馬克・吐溫對歷史有著濃厚的興趣，對他影響最深的當數愛爾蘭歷史學家賴基（William Edward Hartpole Lecky, 1838-1903）。從一八七四年夏天第一次接觸到賴基的《從奧古斯都到查理曼的歐洲道德史》，吐溫就在日後的寫作生涯中持續不斷地從中借用觀點和事例。該書的一個重要思想就是人類從野蠻發展到高層次的文明主要歸功於「智性文化想像力的加強」，其中的「想像力」被定義為「意識能力」，而在所有影響「意識能力」的外界因素中，教育起著至關重要的作用。雖然吐溫一生都在和賴基進行對話和討論，徘徊在本能決定道德和環境決定道德之間，但在寫作《王子和乞丐》時，他卻坦言該小說的目的就是要提供對英國十六世紀苛政的「意識感」。[3]吐溫所用的「意識感」是 a realizing sense，賴基的「意識能力」是 the power of realization，應該說它們的所指具有相近的意義。有鑑於此，我們會毫不猶豫地相信此時的吐溫與賴基的觀點一致，即：人類的進步依賴於教育。此處的教育包括個人的經歷和環境的影響。需要指出的是，正是因為英國歷史上有個溫和善良但年少夭折的君王，吐溫才用傳奇的手法讓其接受民間的磨難並在社會大學的教育中成長為一代仁君。

　　馬克・吐溫終其一生都在理性與非理性、進步主義和原始主義之間徘徊。在寫作《聖女貞德傳》時，他似乎完全拋棄了唯物的實證觀，而顯示出神秘的靈學傾向。在小說中，吐溫刻意強化貞德的神奇之處：她通靈異，是「仙女」們的朋友；她聽得見天使的聲音，看得見天使的神蹟；她像先知一樣具有預言的能力；她不懂軍事，但能指揮部隊擊敗身經百戰的敵方將軍；她不懂政治，但她促成了國王的加冕；她目不識丁，但她在法庭上常常力挫飽學之士。那麼，一個目不識丁的鄉村女孩是從哪裡得知國王加冕和

1　〔美〕馬克・吐溫著，錢春綺譯：《王子和乞丐》石家莊：河北教育出版社，2002年。

2　Baetzhold, Howard G. *Mark Twain and John Bull: The British Connection.* Bloomington, Indiana: Indiana University Press, 1970.

3　Smith, Henry Nash, and William M. Gibson, eds. *Mark Twain-Howells Letters.* Cambridge: Harvard University Press, 1960.

佔領巴黎的重要性？她如何在戰鬥的關鍵時刻敢於違背國王的命令並說服不和的將軍為
了國家利益而重新和解？她是從哪裡習得部署兵力和使用炮兵的能力從而創造百年戰爭
中諸多的軍事奇蹟？她又是從哪裡獲得了卓越的口才從而在法庭上單槍匹馬地同法蘭西
一大群用心險惡的學問家打了一場持久戰？的確，這個神奇的人兒究竟是從哪裡才獲得
了那樣一種驚人的能力呢？吐溫又將如何解釋這些曠世之謎？

三

　　儘管馬克・吐溫一向反天主教，但是他卻相信貞德的所見所聞是一種真實的存在，
它們源於神的啟示。

　　一九〇八年，法國著名作家阿納托爾・法朗士（Anatole France, 1844-1924）出版了
《貞德傳》（Vie de Jeanne d'Arc）。在該傳記中，作家運用唯物主義世界觀，對貞德生
活的環境進行了深入細緻的描寫，但是去掉了中世紀以來貞德傳說中的一切超自然的神
秘因素。由於其中的反宗教思想，該書被教會列為禁書。英國著名文史學家安德魯・朗
（Andrew Lang, 1844-1912）曾經將該書與馬克・吐溫的《聖女貞德傳》進行過比較，
發現吐溫作品的長處是沒有讓貞德精神方面的故事埋沒在歷史細節之中。吐溫認為貞德
對宗教的虔敬是她個人魅力的一部分：「在人們失去信仰、嘲笑一切之時，她的信念卻
堅如磐石。」[4]在吐溫看來，正是因為對天主的虔敬，貞德才被委以重任，並最終完成
使命。

　　從中世紀以來，「聲音」就是貞德故事中最富傳奇色彩的部分。馬克・吐溫根據歷
史記錄，保留了關於「聲音」的傳奇品質。貞德在審訊中坦言：十三歲時一個夏天的中
午，她在父親的園子裡聽到了從教堂右邊來的一種聲音，伴隨著一道耀眼的光芒，她用
眼睛而不是身體或心靈看見了一個白色的影子，後來她發現那是天使長米迦勒；聲音最
初告訴她要過正當的生活，定期上教堂做禮拜，後來又要她去國王的所在地，聲音幫她
認出了化妝成普通大臣的國王，還告訴她在聖卡特琳教堂祭壇後面埋著一把古劍。

　　貞德的「聲音」到底從何而來？對其來源大體有三種解釋。基督教認為它來自上帝
的顯現；懷疑論者將其歸因於神經官能症、青春期的情緒失控、或者身體疾患如耳鳴和
飛蚊症等；現代精神病學斷定它是因為焦慮而產生的幻覺，即對某些精神狀況或需求的
反應，如願望的實現、自我的加強、罪感、壓抑的衝動得到滿足、或對現實的不滿
等。[5]基督教認為：「超自然的世界是一種真實，而且這種真實通過感官來顯現……而
且，確實存在一些神聖之物——神和天使，神力（the Devine Energy）正是通過他們發

4　〔美〕馬克・吐溫著，李際譯：《聖女貞德傳》石家莊：河北教育出版社，2002年。

5　Gies, Frances. *Joan of Arc: The Legend and the Reality*. New York, NY: Harper & Row, Publishers, Inc.1981.

揮作用。」[6]所以就第一種看法而言,貞德奇特見聞的源頭是一種真實的存在。第二種解釋將貞德的所見所聞歸於身體方面的病症,所以它是一種虛幻的存在。第三種其實是暗示貞德見證的神蹟不過是一種由於宗教的虔誠和愛國的熱情所激發的臆想,所以也同樣是子虛烏有。與現在科學和理性的態度不同,在貞德的時代,人們經歷神蹟是有些特別,但是絕非不可思議。事實上,在貞德案的審判中,「教會承認與上帝的直接交流有可能發生,但是保留審查神秘主義以及認可和拒絕認可的權力。」因此,基於這樣的認知背景,教會並無意證明貞德的奇遇是否屬實,他們真正懷疑的是貞德的所見所聞以及她所實現的奇蹟是否真的來自天主。

馬克・吐溫雖然質疑上帝是否真正伸張正義和懲罰罪惡,而且多次呈現智慧和仁慈的撒旦形象,但是,他相信上帝的存在,只是認為自己沒有得到上帝的眷顧而感到絕望。事實上,吐溫非常崇拜那些堅信上帝的人,如貞德和馬丁・路德,以及他自己的母親和妻子。

在《聖女貞德傳》中,馬克・吐溫接受甚至強化了中世紀天主教對貞德所見所聞的解讀。在宗教審判中,「誰也不懷疑她曾經見過超自然的東西,曾聽到他們對她說話,曾接受過他們的指示。當然,也沒有人懷疑她在神靈的幫助下做出了奇蹟,傻瓜才會懷疑這些事情。」在小說的開頭,敘述者德・孔泰在棟雷米的橡樹林裡意外地目睹了天使造訪貞德的一幕。為了證明他的所見不是夢幻,他甚至在一棵樹的樹皮上做了一個記號。雖然他聽不見貞德能聽見的聲音,但樹皮上的記號和貞德的在場使他確信那個神秘的東西是一個真實的存在,它使鳥兒歡唱,給予貞德神的氣色,也讓德・孔泰驚駭和敬畏地脫下了帽子。雖然我們不能斷言敘事者德・孔泰一定是代表吐溫,但是從那些誠懇的措辭,我們可以推測吐溫同德・孔泰一樣對神的顯現感到驚駭和敬畏。

如果說馬克・吐溫將貞德的奇特見聞歸於神啟,那麼他又怎樣解釋貞德各方面不可思議的超人才能呢?

雖然馬克・吐溫一向相信環境造就人,但是他卻認為貞德「巨大的本事和能力是與生俱來的,而她以萬無一失的直覺來加以應用。」在吐溫看來,貞德的預言能力、能言善辯的口才、卓越的軍事指揮才能和深刻的政治洞見都是與生俱來的:「人類智力的歷史上,未經訓練,初出茅廬,僅憑與生俱來的、未經考驗的才能取勝,類似的情況是不存在的。貞德是獨一無二的。」[7]吐溫相信貞德非凡的才能並非出自訓練或環境,而是出自天賦和直覺。在此,吐溫似乎拋棄了他一向推崇的科學理性的認識觀——「訓練說」。

吐溫曾經一再強調貞德的超越性:在智力上,她好比杏子中蹦出的桃子,「其間未

6　Wagenknecht, Edward, ed. *Joan of Arc: An Anthology of History and Literature.* New York: Creative Age Press, 1948.

7　〔美〕馬克・吐溫著,李際譯:《馬克・吐溫文論集》(下)石家莊:河北教育出版社,2002年。

經成年累月的耐心耕耘和開發……她從未得到預備性的學習、實踐以及環境和經驗的一絲一毫的幫助，但她是無可比擬的和無以衡量的。」在道德上，她生於歷史上最野蠻、最邪惡、最腐朽的世紀，然而她卻是那樣完美無瑕，十全十美。在成就上，「她的聲望可用各個時代的標準來衡量……超越任何凡人所能達到的境界。」總之，在吐溫看來，貞德超越了人性的侷限和弱點，超越了人的想像力和理解力，是歷史上一個難解之謎，也是人類的偉大奇蹟。

　　《聖女貞德傳》的字裡行間無不顯示出吐溫的神秘主義傾向。他相信貞德聽見的聲音和看見的神蹟都是來自天國，她應對審判者的智慧是源於直覺和本能，而健全的心則幫她成就了政治上和軍事上的奇蹟。這種宗教的神秘主義傾向和生而知之的形而上學思想似乎有悖作者一向秉持的科學實證觀。那麼，實證主義的吐溫是怎樣變成神秘主義的吐溫，以致他會專注於那些神秘的和超自然的奇蹟？

　　首先，雖然吐溫對正統宗教經常冷嘲熱諷，但這並不意味著他是個無神論者或者與基督教為敵，而鍍金時代的美國現實和他個人的生活又進一步拉近了他和神靈的距離。

　　因為對傳統的宗教經典和儀式的質疑，吐溫經常被認為是正統宗教的嘲諷者。他對天主教更是沒有好感，在雜文〈人是什麼？〉中，他抱怨甚至詛咒神的盲目和惡意。《亞瑟王朝廷上的美國佬》就明確地宣稱教會是導致一個國家愚昧和腐敗的根源。同樣，在《聖女貞德傳》中，作者借敘事人德‧孔泰之口，憤怒地譴責了法國國王、庫雄主教以及整個天主教會。因此，吐溫選擇一個天主教徒作為謳歌的物件似乎讓人有些費解。

　　然而，因為少時長老會家庭的耳濡目染，加之婚後虔敬的夫人的影響，吐溫似乎一刻也沒離開宗教。約瑟夫‧霍普金斯‧特威切爾牧師（Reverend Joseph Hopkins Twichell, 1838-1918）是吐溫相交四十餘年的摯友。他曾經主持過吐溫的婚禮，給他的孩子們洗禮時命名，而且在吐溫的女兒蘇西病重和臨終期間給予了父親般的關懷。對此，為償還債務而在海外演講的吐溫感激不盡：「喬，我從心底裡感謝你。我的心充滿了對你的愛，尊重和敬仰；我會從整個世界中選擇你來代替我，在那些黑暗的時光裡守在蘇西和莉薇的身邊。」[8]一八七八年秋天，吐溫和特威切爾牧師一起在德國和瑞士旅行六個星期。《海外浪跡》中那個聰明善良、情感豐富而言辭犀利的哈裡斯先生正是特威切爾牧師。從對宗教人士的信賴與友誼可以看出吐溫對宗教並非一味排斥。因此，吐溫選擇一個中世紀基督徒為歌頌物件也在情理之中。

　　如前所述，吐溫一生最愛的三位女性——母親、妻子和女兒蘇西，都是虔誠的基督徒。吐溫雖然不像她們那樣篤信基督，但是他懂得信仰的價值所在。他特別敬重他的妻子奧莉薇婭，他認為「她之所以有如此美麗的品德完全是由於宗教的影響，因為宗教閃耀著激動人心的火花及毫無私心的精神。」殊不知，吐溫一輩子都沒有擺脫關於宗教的

8　Paine, Albert Bigelow, ed. *Mark Twain's Letters*. New York: Harper, 1917.

苦惱。他曾經為自己想得到實際的好處才去禱告而傷心難過。正是因為缺乏宗教的虔敬，所以吐溫對虔誠的宗教信徒才敬愛有加。

柯林伍德指出：人們產生歷史意識，是當他們意識到周圍的世界發生了巨大的變化，「有些事物出現了，有些事物消失了。」[9]十九世紀中後期，現代工業迅猛發展，人的異化、物質崇拜、環境污染以及人文氣息的減少使得美國人開始質疑歷史進步觀，信仰危機已經成為美國鍍金時代的一個主要病症。為了抵消這種無根的感覺，他們轉而開始嚮往過去尤其是中世紀。於是，「美國作家將中西部大草原想像成英國鹿群出沒的公園，將奇山怪石描述成仙女城堡。」[10]中世紀在美國的復興無疑給信仰缺失的鍍金時代注入了一支強心劑。就個人生活而言，一八九四年吐溫投資三十萬美元的排字機革新宣告失敗。對吐溫來說，這不僅標誌著他經濟上的破產，而且意味著十九世紀技術進步的失敗。正是因為這一重大變故，加之家人的身體疾患以及工業化帶來的諸多社會問題，吐溫開始從新的角度審視歷史和宗教。晚年，吐溫越來越信服上帝的力量。在〈人是什麼？〉一文中，吐溫通過柏拉圖式的對話，告誡年輕人：人是一臺機器，他沒有自由意志，受著環境的奴役和支配，而造物主上帝才是一切的主宰。可見，老年的吐溫對上帝並非傳說中那樣咬牙切齒，而是敬畏有加。

有學者指出：「克萊門斯的敵意與其說是針對宗教，不如說是針對那些掌控宗教精神的結構。他猛烈攻擊的物件是那些盜用宗教的語言去達到非宗教目的的偽君子……他探索存在的意義以追求一種可行的信仰，然而他始終未能如願以償，這就是他對世界憤憤不平的主要原因。」[11]的確，吐溫雖然對宗教有過一些激烈的言辭，但他從來都不是一個無神論者，也從來不是一個宗教廢除論者，而是一個苦苦的信仰探尋者。雖然吐溫不像他同時代的斯托夫人那樣篤信基督，但是他相信信仰在鍍金時代彌足珍貴。亞瑟王朝廷上的美國佬將自己置身於迷信和崇拜之外，所以一事無成，而農村女孩貞德就是憑藉信仰的力量成就了一盤驚天地泣鬼神的事業。因此，暮年的吐溫大書特書一個天主教徒見證的神蹟也就不足為奇了。

另外，吐溫終生都對神秘的事物充滿興趣，如「報應說」、「預兆」和「心靈感應說」。

小時候每當電閃雷鳴，他就為自己的所做的壞事懊悔不已。在《密西西比河上的生涯》中，吐溫回憶道：每當村裡的孩子們發生了不幸，他就莫名地感到不安，決心第二天太陽升起就去教堂懺悔。在自傳中，吐溫以大量的篇幅談及自己的恐懼和懊悔：「每一次悲劇發生以後，我就認識到這是警告，並且懊悔。懊悔，並且祈求，像一個懦夫那

9　Collingwood, R. G. *The Idea of History*. Oxford University Press, 1956.

10　Salomon, Roger B. *Twain and the Image of History*. New Haven: Yale University Press, 1961.

11　Hays, John Q. *Mark Twain and Religion: A Mirror of American Eclecticism*. New York: Peter Lang, 1989.

樣祈求，像一隻狗那樣祈求。⋯⋯我的懊悔是非常、非常真誠的。每一次悲劇發生以後，有好長時間，我每晚都懊悔。」[12]從某種程度上可以說，《馬克・吐溫自傳》是一部美國的《懺悔錄》。在書中，吐溫為自己所有的不仁而深感悔恨：他小時候為了尋開心用西瓜皮砸弟弟亨利，後來把弟弟介紹到「賓夕法尼亞號」快班客輪，致使他日後在鍋爐爆炸中喪生；他送給想抽煙的外鄉流浪漢幾根火柴，結果那人卻用火柴將自己燒死在警察局的囚牢中；因為沒有及時救出落水的小夥伴，少時的吐溫怕雷電懲罰；已為人父的吐溫疏忽大意，讓剛出生不久的嬰兒凍病至死，自己卻始終沒有勇氣承認。正是因為這種罪感意識，吐溫甚至將女兒蘇西和吉恩的早逝以及夫人的病逝也歸咎於自己的過失。

在自傳中，吐溫還詳細記述了弟弟亨利死去之前兩個不祥的徵兆：在汽船鍋爐爆炸的頭天晚上，亨利與母親非同尋常地依依不捨，而吐溫自己早晨醒來之前則夢見弟弟的屍體安放在一具金屬棺材裡。小時候吐溫還相信催眠魔術師在沒有得到任何暗示和提示的前提下就能遵從合作者從心靈上發出的命令，製造出心靈感應的奇蹟。吐溫早期的荒誕回憶錄《超人的視力》是一個關於思想傳遞的故事。雖然作者不能證明有人的確具有超人的視力，但他相信第六感覺或特異功能的存在。後來他又前後寫過兩篇心靈電訊的文章，論證人的心靈之間存在著類似電報的通訊。在文中，吐溫引用生活中大量奇異的巧合，證明「人的心靈能與另一個心靈互通資訊，可跨越任何一種距離，無須任何人為預備的『感應環境』做傳遞媒介。」[13]因為相信人們能遠距離進行心靈通訊，一八八四年，吐溫還特地參加了倫敦的心理研究協會。

除了相信人的預言和預感能力，吐溫還相信一個健全的心比訓練壞了的心更值得信賴。在《哈克貝利・費恩歷險記》中，哈克為是否告知沃森小姐關於黑奴吉姆的下落而痛苦糾結。他長期的訓練告訴他幫助黑奴逃跑的人是下流和沒出息的，而且要受到永久的懲罰。最終哈克聽從了內心真我的呼喚，冒著離經叛道和下地獄的危險，保護了吉姆這個獨一無二的好朋友。

如果說浪跡社會底層的磨難造就了英國一代仁君，那麼健全的心則指引哈克在善惡之間作出選擇，而神明、直覺和天賦則幫貞德克服了政治、軍事和法律上的危機，從而給科學實證時代的人們留下了一個難解之謎。可以說，在智性與反智的兩極間遊刃有餘正是吐溫作品的魅力所在。

12　〔美〕馬克・吐溫著，許汝祉譯：《馬克・吐溫自傳》石家莊：河北教育出版社，2002年。

13　〔美〕馬克・吐溫著，葉冬心譯：《馬克・吐溫文論集》（上）石家莊：河北教育出版社，2002年。

從哲學角度看政治人物的二元性問題

黃偉鴻　趙善軒

香港教育學院　明愛專上學院

一

　　政治，既涉及視野、眼界和理想，又須處理資源、現實制限與條件問題。而政治人物除了須通盤考慮社會上各方勢力的平衡，亦要顧及讓自己政治生命得以延續的遊戲規則，比如：會否繼續獲委任，或能否獲得足夠選票支持連任等。也由於此，政治人物的理想性與現實性，每每是人們生活討論的焦點。當中原因也很簡單，政治滲透一般人生活裡的許多環節，政治人物則擁有實權及資源。而政治人物的眼界與決定，也將影響很多人的生活。可惜的是，哲學界於這些方面的討論與研究，都不多。

　　本文嘗試借用康德、黑格爾的社會、政治及歷史哲學裡的相關論述，為政治人物的理想性與現實性問題，提供一個思考框架。

（一）由道德理想到政治現實

　　眾所周知，康德最專注的哲學問題，都是有關道德的。若不是道德於一般人的生活裡，難以實踐，而於現實政治裡，更是一塌糊塗，康德是不會主動去談及歷史和政治的。於〈世界公民觀點之下的普遍歷史觀念〉一文開始，康德說：

> 當我們看到人類世界的大舞臺上表現出來的所作所為，我們就無法抑制自己的某種厭惡之情；而且盡管在個別人的身上隨處都閃灼著智慧，可是我們卻發現，就其全體而論，一切歸根到底都是由愚蠢、幼稚的虛榮、甚至還往往是由幼稚的罪惡和毀滅慾所交織成的；從而我們始終也弄不明白，對於我們這個如此之以優越而自詡的物種，我們自己究竟應該形成甚麼的一種概念。[1]

　　康德的意思很清晰。雖然他是在談論世界政治及歷史舞臺上的道德。但假若我們把道德理解為「思想和行為上的理想指向」，整段說話的意思，仍不難理解。簡單而言，

---

[1] 康德：《歷史理性批判文集》北京：商務印書館，1996年，頁2。文字稍經筆者改寫，以配合行文需要，下同。

從康德的觀察中，一般人乃至政治人物的行為表現，由愚昧、幼稚與私慾掌控的多，而由道德與理想性指引的少。

然而，康德卻也不是全盤否定這些的。反而，從目的論出發，認定世界歷史進程有一個高尚的目的，用類近西方經濟學的基本論調，康德指出正就是這些表面上並不理想的行為，亦即個人的愚昧、醜陋、自私，在引導全人類邁向一個更理想的狀態。他說：

> （正因為每個人都愚昧、醜陋、自私，）它的成員之間也就具有微妙的對抗性，但同時這種自由的界限卻又具有最精確的規定和保證，從而這一自由便可以與別人的自由共存共處。……那也就是一個完全正義的公民憲法（社會）。[2]

康德的推論也許有些跳躍，但結論卻一點不含糊，那就是：儘管康德重視道德、並討厭上述那些，但他卻道出了人類個體中的諸多卑劣特性，都帶有重大的歷史功能，能推動公民社會的出現。那麼，道德或人類的理想性，仍重要嗎？對於此，康德是有其充份的信心的。他說：

> 人性中有一種趨向改善的秉賦和能量；這一點是從古迄今沒有一個政治家能弄清楚的，而是唯有大自然與自由在人類身上按其內在的權利原則相結合才能夠實踐出來的。[3]

換句話說，康德是相信人類是善惡並存的，「惡」只是表面，「善」才是本質的趨向。而相對於此，人類社會政治上的混亂、紛爭，亦是表面的，邁向公義的公民社會，才是人類不斷發展的真正目的所在。

聽罷康德所言，或許我們已經能放下部分對眼前政治現象的疑惑。但究竟政治人物的理想性與現實性之間，在特定的時空下是怎樣相容結合的呢？康德卻沒有進一步說清晰。這就要看看黑格爾怎樣說，特別是他怎樣去描述那些歷史上的英雄。

（二）英雄於歷史上的命運

黑格爾是認同康德於人類社會及政治範疇上所作出的觀察和結論的。特別是他說：「人類就其全體而論，一切歸根到底都是由愚蠢、幼稚的虛榮、甚至還往往是由幼稚的罪惡和毀滅慾所交織成的」這點，黑格爾更覺當中甚具玄機。而這在他分析歷史上的英雄（也就那些曾在社會或政治上產生過極大作用的政治人物）時，就更清楚明白。他在《歷史哲學》一書裡說：

2　同上註，頁9。

3　同註1，頁156。

> 世界歷史的英雄人物就是那些首先說出其時代意願的人物。……，他們意識到〔時代〕意願之積極面。嘗試要抗拒這些世界歷史人物乃是徒勞無功的，因為他們乃為一股不可抗拒之力量所驅使去完成他們的事業，他們的方向是正確的，即使其他人不相信那是合乎彼等的意願，但也會默然接受，因為在他們（群眾）身上有著一股時代精神力量凌駕於他們本身，只是在偉人未喚醒它們之前，它們乃是無所意識的內在傾向。這股力量無疑是所有人的真正意願所在，令他們不惜違背自己清醒的意願去相隨。群眾會跟隨這些靈魂的領導者，因為群眾會覺得自己已為這股無可抗拒的力量所鼓動、所摩盪。[4]

以上的說話，並不難明白。而於黑格爾心目中，儘管英雄的卓見言行看起來完全出自他自己個人的靈感，但實質上他們所說所做的，卻完全離不開他們所處的時代。事實上，英雄、偉大的歷史人物，或某一時代的政治巨人，也只能在其時代背景之下被理解。直接一些說，黑格爾認定，英雄只是歷史實現其目標的工具。至於，英雄或巨人於生活上的行為特性，黑格爾卻是這樣說的：

> 他們在追求自己的重大利益時，會以一種輕率的、大意的、肆無忌憚的態度來對待其它有著內在價值和神聖的人和事。……當一個巨人在昂首闊步之際，他一定會把許多無辜的花朵踩在腳下，並會蹂躪更多擋在他路上的美好事物。[5]

黑格爾指出英雄是由情慾所操控的，因為他相信只有情慾能推動這些。歷史會選定一些人去幫它來完成某些任務。而當他們於歷史的作用一過，他們的結局也是可悲的。

> 他們的性格都是落在情慾的範圍而受此支配；當目的已達時，他們就像乾疤了的果殼般塌了下去，當初為了達成目的，即使是最大的困難他們也挺得住，及至大事既定，他們就像阿歷山大般英年早逝，或像凱撒般被暗殺，或像拿破倫般被放逐。[6]

換句話說，更美好的未來世界，是透過歷史上不同階段的英雄的情慾、私心去推動及完成的。這也大若等同中國的王船山所說：「天假秦政之私以實現天理之公」的道理，也是「理性的詭譎」[7]的一種具體呈現。

4　李榮添：《歷史之理性：黑格爾歷史哲學導論述析》臺北：臺灣學生書局，1993年，頁226。

5　同上註，頁235。

6　同註4，頁228。

7　理性的詭譎（The Cunning of Reason）是黑格爾歷史哲學裡的一個核心概念。大約的意思是說，理性雖然是人類精神領域的主宰，但它卻不會直接參與世界的運作，而衹會透過人類的情慾和非理性特性，來達致理性的預定目標。

（三）政治人物的理想性與現實

回到文章最初時的提問，從哲學角度該如何理解一個政治人物的理想性與現實性呢？假若我們把道德暫時等同理想性，而又把情慾暫時跟現實掛鉤起來，那麼，從康德、黑格爾的社會、政治及歷史哲學的角度去看，我們可以推論出以下幾點：

一、絕大部分人的生活，都缺乏理想性，政治人物也不例外。

二、一般人著重現實，有其深沉的生活意義。

三、政治人物著重現實，有其深沉的社會及政治意義。

四、一般人各自順從情慾，令互相之間對抗、制衡，簡接提供了公義的公民社會出現的條件。

五、政治人物順著情慾及私下的意願去行事，能帶著社會改變，促成世界歷史邁向更完美的狀態。

六、政治人物只是歷史選擇來完成目標的工具。

七、政治人物的理想性會透過他們的現實性來完成。

八、只根據政治理想性行事的政治人物，若沒有社會條件配合，不一定會成功。

九、只根據政治現實性行事的政治人物，只要有社會條件配合，有很大機會能取得成功。

十、歷史會擇合適的政治人物來達成不同階段的目標。

二　小結

說坦白，以上的推論，的確頗令人沮喪。特別是那些認定「理想能促成世界改變」的人，更不會承認情慾於世界歷史裡的推動力。然而，熟悉黑格爾的精神二元辯證的朋友都一定知道，筆者上述的推論，其實並不完整。根據歷史辯證的「正反合」原理，在康德、黑格爾所已知的歷史階段裡，情慾的確發揮過改造世界的作用，但在他們之後的世界，高舉理想性而又能改變社會及締造歷史波瀾的政治人物，即如：印度的甘地、美國的馬丁路德金、南非的曼特拉及緬甸的昂山素姬等，卻也不少。更何況，促成世界改變的，又豈止政治人物呢？在這紛繁的年代，願大家都能繼續思考這問題。

《新亞論叢》文章體例

一、每篇論文需包括如下各項：

（一）題目（正副標題）

（二）作者姓名、服務單位、職務簡介

（三）正文

（四）註腳

二、各級標題按「一、」、「（一）」、「1.」、「（1）」順序表示，儘量不超過四級標題.

三、標點

1. 書名號用《》，篇名號用〈〉，書名和篇名連用時，省略篇名號，如《莊子・逍遙遊》。

2. 中文引文用「」，引文內引文用『』；英文引文用" "，引文內引文用' '。

3. 正文或引文中的內加說明，用全型括弧（）。

　　例：哥白尼的大體模型與第谷大體模型只是同一現象模型用不同的（動態）坐標系統的表示，兩者之間根本毫無衝突，無須爭執。

四、所有標題為新細明體、黑體、12號；正文新細明體、12號、2倍行高；引文為標楷體、12

五、漢譯外國人名、書名、篇名後須附外文名。書名斜體；英文論文篇名加引號" "，所有英文字體用 Times New Roman。

　　例：此一圖式是根據亞伯拉姆斯（M. H. Abrams）在《鏡與燈》（*The Mirror and The Lamps*）一書中所設計的四個要素。

六、註解採腳註（footnote）方式。

1. 如為對整句的引用或說明，註解符號用阿拉伯數字上標標示，寫在標點符號後。如屬獨立引文，整段縮排三個字位；若需特別引用之外文，也依中文方式處理。

七、註腳體例

（一）中文註腳

1. 專書、譯著

　　例：莫洛亞著，張愛珠、樹君譯：《生活的智慧》北京：西苑出版社，2004年，頁106。

2. 期刊論文

　　例：陳小紅：〈汕頭大學學生通識教育的調查及分析〉，《汕頭大學學報（人文社會科學版）》，2005年第4期，頁20。

3. 論文集論文

例（1）：唐君毅：〈人之學問與人之存在〉，收入《中華人文與當今 世界》台北：學生書局，1975年，頁65–109。

4. 再次引用

（1）緊接上註，用「同上註」，或「同上註，頁4」。

（2）如非緊接上註，則舉作者名、書名或篇名和頁碼，無需再列出版資料。

例：唐君毅：〈人之學問與人之存在〉，頁80。

5. 徵引資料來自網頁者，需加註網址以及所引資料的瀏覽日期。網址用〈 〉括起。

例：〈www.cuhk.edu.hk/oge/rcge〉，瀏覽日期：2007年5月14日。

（二）英文註腳

所有英文人名，只需姓氏全拼，其他簡寫為名字 Initial 的大寫字母。如多於一位作者，按代表名字的字母排序。

1. 專書

例（1）：J. S. Stark and L. R. Lattuca, *Shaping the College Curriculum: Academic Plans in Action* (Boston: Allyn and Bacon, 1997), 194–195.

例（2）：R. C. Reardon, J. G. Lenz, J. P. Sampon, J. S. Jonston, and G. L. Kramer, *The "Demand Side" of General Education—A Review of the Literature: Technical Report Number 11* (Education Resources InformationCentre,1990),www. career.fsu. edu/documents/technicalreports.

2. 會議文章

例：J. M. Petrosko, "Measuring First-Year College Students on Attitudes towards General Education Outcomes," paper presented at the annual meeting of the Mid-South Educational Research Association, Knoxville, TN, 1992.

3. 期刊論文

例：D. A. Nickles, "The Impact of Explicit Instruction about the Nature of Personal Learning Style on First-Year Students' Perceptions 259 of Successful Learning," *The Journal of General Education* 52.2 (2003): 108–144.

4. 論文集文章

例：G. Gorer, "The Pornography of Death," in *Death: Current Perspective*, 4th ed., eds. J. B. Williamson and E. S. Shneidman (Palo Alto: Mayfield, 1995), 18–22.

5. 再次引用

（1）緊接上註，用「同上註」，或「同上註，頁4」。

（2）舉作者名、書名或篇名和頁碼，無需再列出版資料。

例：G. Gorer, "The Pornography of Death," 23.

大學叢書·新亞論叢　1703001

新亞論叢　第十五期

主　　編	香港新亞研究所《新亞論叢》編輯委員會
責任編輯	蔡雅如
發 行 人	陳滿銘
總 經 理	梁錦興
總 編 輯	陳滿銘
副總編輯	張晏瑞
編 輯 所	萬卷樓圖書股份有限公司
排　　版	浩瀚電腦排版股份有限公司
印　　刷	晟齊實業有限公司
封面設計	斐類設計工作室
發　　行	萬卷樓圖書股份有限公司
	地址　臺北市羅斯福路二段 41 號 6 樓之 3
	電話　(02)23216565
	傳真　(02)23218698
	電郵　SERVICE@WANJUAN.COM.TW
大陸經銷	廈門外圖臺灣書店有限公司
	電郵　JKB188@188.COM

ISBN 978-957-739-920-5

2014 年 12 月初版一刷

定價：新臺幣 560 元

如何購買本書：

1. 劃撥購書，請透過以下郵政劃撥帳號：
   帳號：15624015
   戶名：萬卷樓圖書股份有限公司

2. 轉帳購書，請透過以下帳戶
   合作金庫銀行　古亭分行
   戶名：萬卷樓圖書股份有限公司
   帳號：0877717092596

3. 網路購書，請透過萬卷樓網站
   網址　WWW.WANJUAN.COM.TW

大量購書，請直接聯繫我們，將有專人為您服務。客服：(02)23216565 分機 10

如有缺頁、破損或裝訂錯誤，請寄回更換

版權所有·翻印必究

Copyright©2014 by WanJuanLou Books CO., Ltd.

All Right Reserved　　　　Printed in Taiwan

國家圖書館出版品預行編目資料

新亞論叢. 第十五期 /香港新亞研究所《新亞論叢》編輯委員會主編. -- 初版. -- 臺北市：萬卷樓, 2014.12
　面；　公分. -- (大學叢書)
年刊
ISBN 978-957-739-920-5(平裝)
　　1.期刊
　　051　　　　　　　　　　　　　103027258